HISTORIA Y CRÍTICA
DE LA
LITERATURA ESPAÑOLA

VI

MODERNISMO Y 98

PÁGINAS
DE
FILOLOGÍA
Director: FRANCISCO RICO

FRANCISCO RICO
HISTORIA Y CRÍTICA DE LA LITERATURA ESPAÑOLA

HISTORIA Y CRÍTICA
DE LA LITERATURA ESPAÑOLA

AL CUIDADO DE
FRANCISCO RICO

VI

JOSÉ-CARLOS MAINER

MODERNISMO Y 98

EDITORIAL CRÍTICA
Grupo editorial Grijalbo
BARCELONA

Coordinación
de
MODESTA LOZANO

Diseño de la cubierta:
Enric Satué
© 1980 de la presente edición para España y América
Editorial Crítica, S. A., Cruz, 58, Barcelona-34
ISBN: 84-7423-108-6
Depósito legal: B. 40.139-1979
Impreso en España
1980. — Alfonso impresores, Carreras Candi, 12-14, Barcelona-28

HISTORIA Y CRÍTICA DE LA LITERATURA ESPAÑOLA

INTRODUCCIÓN

I

Historia y crítica de la literatura española quisiera ser varios libros, pero sobre todo uno: una historia nueva de la literatura española, no compuesta de resúmenes, catálogos y ristras de datos, sino formada por las mejores páginas que la investigación y la crítica más sagaces, desde las perspectivas más originales y reveladoras, han dedicado a los aspectos fundamentales de cerca de mil años de expresión artística en castellano. Nuestro ideal, pues, sería dar una selección de ensayos, artículos, fragmentos de libros..., que proporcionara una imagen cabal y rigurosamente al día de las cimas y los grandes momentos en la historia de la literatura española, en un conjunto bien conexo (dentro de la pluralidad de enfoques), apto igual para una ágil lectura seguida que para la consulta sobre un determinado particular. Ese objetivo es aún inalcanzable, por obvias limitaciones de hecho y por la inexistencia en bastantes dominios de los materiales adecuados para tal construcción. Pero no renunciamos a irnos acercando a la meta: *Historia y crítica de la literatura española* sale con el compromiso explícito de remozarse cada pocos años, bien por suplementos sueltos, bien en ediciones enteramente rehechas.

Por ahora, en cualquier caso, la presente obra (*HCLE*), capítulo a capítulo, es un intento de ensamblar en la dirección dicha dos tipos de elementos:

1. Una selección de textos ordenados cronológica y temáticamente para dibujar la trayectoria histórica de la literatura española, en una visión centrada en los grandes géneros, autores y libros, en las épocas y cuestiones principales, según las conclusiones

de la crítica de mayor solvencia. Esos textos, además de organizarse en semejante secuencia histórica, constituyen de por sí una antología de los estudios más valiosos en torno a la literatura española realizados en los últimos años.

2. Cada uno de los capítulos en que se han distribuido tales textos se abre con una introducción y un estricto registro de bibliografía. La introducción pasa revista —más o menos detenida— a los escritores, obras o temas considerados; y, ya simultáneamente, ya a continuación (véase abajo, III, 4), ofrece un panorama del estado actual de los trabajos sobre el asunto en cuestión, señalando los problemas más debatidos y las respuestas que proponen los diversos estudiosos y escuelas, las aportaciones más destacadas, las tendencias y criterios en auge... Como norma general, la bibliografía —nunca exhaustiva, antes cuidadosamente elegida— no pretende tener entidad propia, sino que ha de manejarse con la guía de la introducción, que la clasifica, criba y evalúa.

II

La razón de ser de *HCLE* no radica tanto en ninguna teoría como en el público a quien se dirige. Antes de añadir otras precisiones, permítaseme, pues, indicar los servicios que en mi opinión es capaz de prestar a lectores de preparación e intereses distintos; y perdóneseme si al hacerlo me paso de entusiasta (e ingenuo): no tengo reparo en declarar que en el curso del quehacer me ha ido ganando la convicción de que, si algo vale la buena literatura, individual y socialmente, algo de valor en tales sentidos podía significar nuestra obra.

Pensemos, para empezar al hilo del *curriculum*, en el sufrido estudiante de Letras (y aún del actual Curso de Orientación Universitaria: pero mejor no detenerse en cosa tan esquiva y tornadiza). En los primeros años de facultad, junto a varias asignaturas más, va a seguir dos o tres cursos de literatura española, correspondientes a otros tantos períodos. A un alumno en sus circunstancias, es difícil (o inútil) pedirle que, sobre familiarizarse con un número no chico de textos primarios, se inicie en el empleo de la bibliografía básica; y es cruel y dañino confinarlo a un manual para los datos y las imprescindibles referencias a la erudición y la crítica (que tampoco pueden agobiar la clase). Ahora bien: equidistante del manual y de la bibliografía básica, copiosa en secciones destinadas a abordar directamente los textos primarios, *HCLE* se deja usar con ventaja, de modo gradual y discriminado, para satisfacer las exigencias de esa etapa universitaria.

Tomemos a nuestro estudiante un par de años después. Entonces, verosímilmente, ya no tendrá que matricularse en un curso tan amplio como 'Literatura española del Siglo de Oro' —digamos—, sino en otros de objeto más reducido y atención más intensa: 'La épica medieval', verbigracia, 'Garcilaso', 'El teatro neoclásico' o el inevitable (en buena hora) 'Galdós'. En tal caso, los respectivos capítulos de *HCLE* —con un nuevo equilibrio entre la selección de textos y la *mise au point* que la precede— le permitirán entrar decidida y fácilmente en la materia monográfica que le atañe; y el resto del volumen le brindará unas coordenadas o un contexto que, si no, quizá debería ganarse con más esfuerzo del requerido.

Sigamos. Dejemos volar la loca fantasía e imaginemos que el estudiante de antaño, ya licenciado, ha descubierto ¡y obtenido! un puesto de trabajo como profesor de lengua y literatura en la enseñanza media o en un estadio docente similar. (En España, quién sabe si ello todavía habrá ocurrido tras unas oposiciones a la manera tradicional: el pudor, sin embargo, me veda insinuar la utilidad de *HCLE* para el casticísimo opositor.) Probablemente le cumplirá ahora desempeñar su tarea en condiciones no óptimas: sin tanto sosiego para preparar las clases como todos quisiéramos, tal vez lejos de una biblioteca no ya buena sino mediana, dudando con frecuencia por dónde abordar una explicación o una lectura en la forma apropiada para bachilleres en cierne... Pienso, por supuesto, en el profesor novel, a quien *HCLE* se propone ofrecer una variada gama de incitaciones y subsidios para enseñar literatura por caminos más atractivos y pertinentes que los muchas veces trillados. Pero no olvido tampoco al profesor veterano, cuya experiencia se matizará refrescando ciertos temas o explorando nuevas directrices; y que, responsable de un pequeño seminario, con una asignación de fondos siempre demasiado corta, se verá obligado a calcular despacio la 'política de compras' o —en plata— en qué libros y revistas se gasta el dinero de que dispone.

O supongamos que el licenciado de nuestra fábula ha querido y podido preparar una tesis doctoral, investigar, consagrarse a la docencia universitaria. También él hallará de qué beneficiarse en *HCLE*. Es evidente que al especialista en un dominio nunca le sobrará enterarse de la situación en otros terrenos, más o menos próximos, pero al fin en continuidad (la *literatura* y hasta la *literaturnost* son en medida decisiva 'historia de la literatura'). No es solo eso, con todo: las introducciones a cada capítulo se deben a estudiosos de probada competencia, cuyos juicios tienen valor específico y que entre los comentarios a la bibliografía ajena deslizan multitud de pistas y aportaciones propias, cuando no incorporan, en síntesis, los resultados de investigaciones inéditas. Hay aquí numerosos materiales que ni el erudito harto avezado puede descuidar tranquilamente.

No obstante, me atrevo a suponer que para el especialista *HCLE* será esencialmente una no desdeñable invitación a reflexionar sobre *the state of the art*, sobre la situación de las disciplinas que cultiva y que aquí se le aparecerán compendiosamente con sus logros y sus lagunas, con sus protagonistas individuales y colectivos, en un cuadro que a muchos propósitos no encontrará en otro lugar. En tal sentido, no sólo los balances contenidos en las introducciones, sino la misma antología de la crítica (o de los críticos) que es la selección de textos, esperan valer tanto por las cotas que muestran conquistadas cuanto por los horizontes que estimulan a alcanzar.

No descuido, por otra parte, la posibilidad (confesadamente optimista) de que *HCLE* llegue a lectores que estén fuera del *curriculum* que acabo de esbozar, pero que, presumiblemente con formación universitaria, compartan con quienes están dentro el interés por la literatura. Tras disfrutar con el *Cantar del Cid* o *La Regenta*, tras asistir a una representación de *El caballero de Olmedo* o *La comedia nueva*, es normal que una persona con gustos literarios se quede con ganas de saber más sobre la obra y contrastar su opinión con el dictamen de los expertos. Difícilmente le bastará entonces la información accesible en el manual o en la enciclopedia familiar: en cambio, entre los textos seleccionados en *HCLE* es probable que halle exactamente el tipo de alimento intelectual que le apetece.

A ese vario público busca *HCLE*. Casi como Juan Ruiz, y desde luego con «buen amor», a cada cual, «en la carrera que andudiere, querría este nuestro libro bien dezir: *Intellectum tibi dabo*».

III

Con parejos destinatarios en mente, sospecho que se comprenderán mejor los criterios que han presidido nuestro quehacer.

1. El núcleo de *HCLE* son las obras, autores, movimientos, tradiciones... verdaderamente de primera magnitud y mayor vigencia para el lector de hoy. En especial en el marco de las introducciones, no faltan, desde luego, referencias a escritores, libros o géneros relativamente menores; pero el énfasis se marca en los mayores, y a la línea que ellos trazan se fía la ambicionada organicidad del conjunto. No es una visión de la historia de la literatura sometida a la pura moda del día ni reducida a un desfile de 'héroes': es que sólo así los materiales críticos y eruditos disponibles se podían enhebrar en una serie trabada, dentro de la pluralidad de perspectivas inherente a la empresa. Ejercicio no siempre sencillo ha sido compaginar la importancia real de obras y autores con el volumen y altura de la bibliografía existente al respecto. Vale decir: no por haberse trabajado más sobre una figura de segunda fila había que otorgarle más espacio que a otra de superior categoría y, sin embargo, menos estudiada; pero sí era necesario dejar constancia, en las introducciones, de las anomalías por el estilo y procurar salvarlas con un cuidado particular en la selección de textos.

2. La materia se distribuye en volúmenes (y capítulos) *no* rotulados de acuerdo con un concepto único y sistemático de periodización. Epígrafes como *Siglo de Oro: barroco, Modernismo y 98* o *Época contemporánea: 1914-1939* ni son demasiado satisfactorios ni responden a iguales principios demarcadores; pero pocos sentirán ante ellos las dudas que tal vez les provocarían etiquetas del tipo de * *La edad conflictiva,* * *La crisis de fin de siglo* o * *Del novecentismo a las vanguardias,* y a bastantes quizá se les antojarán una pizca más locuaces que una mera indicación cronológica (que tampoco permite excesivas precisiones). Los problemas de 'períodos', 'edades', etc., se asedian en detalle en cada tomo que así lo exige: para los títulos me he contentado con identificar *grosso modo* el ámbito de que se trata.

3. Más comprometido era resolver en qué volumen insertar a ciertos autores o cómo reflejar la multiplicidad de sus obras. ¿Cervantes o el *Guzmán de Alfarache* entraban mejor en el tomo II o

en el III? ¿Convenía despiezar a Lope y Quevedo por géneros o reservar capítulos singulares al conjunto de su producción? Los dilemas de esa índole han sido numerosos, y el criterio predominante ha consistido, por un lado, en conceder capítulo exclusivo a las *opera omnia* de cada escritor de talla excepcional —aun si pertenecen a especies diferentes—, y, por otra parte, con más incertidumbre, situarlo en el volumen correspondiente a los años decisivos de su experiencia literaria y vital, a la etapa de sus libros más característicos o al momento en que se definen las líneas de fuerza del movimiento al que se asocia. Así, pongamos, Cervantes me parece que se encuadra con mayor nitidez en la época de su formación que de sus publicaciones («frutos tardíos», sí), mientras el *Guzmán de Alfarache* se aprecia más claramente puesto al lado de la picaresca y de la narrativa toda del Seiscientos, ininteligible sin él (por más que *Ozmín y Daraja* forme prieto bloque con el *Abencerraje*); Guillén o Aleixandre seguramente han escrito más versos, y más excelsos, después que antes de 1936, pero sería un despropósito perturbador dedicarles sección en tomos distintos del que acoge a Salinas y Lorca. Etc., etc. No ha habido inconveniente, sin embargo, en hacer excepciones y, por ejemplo, encabalgar a un mismo autor entre dos capítulos o, más raramente, volúmenes. Los índices de cada entrega y, especialmente, el tomo complementario (véase abajo, 9) paliarán esas perplejidades inevitables: pues, en resumidas cuentas, ni siquiera con el recurso a técnicas cortazarianas (*Rayuela*, 34) puede el lenguaje, lineal, captar la simultaneidad compleja de la historia.

4. Como se ha dicho, la introducción a cada capítulo intenta pasar revista a los escritores, obras o temas en cuestión, y compaginar ese repaso con un panorama del estado actual de los estudios sobre el asunto considerado. La combinación de ambos factores —historia e historiografía— se mueve entre dos extremos posibles. En unos casos, se echa mano de la simple yuxtaposición: en primer término, se bosquejan rápidamente los hechos históricos que interesan; después, se presentan y se enjuician las conclusiones de la historiografía y la crítica pertinentes. En otros casos, tales elementos se ofrecen más íntimamente unidos, de suerte que la exposición de los hechos se apoye paso a paso en el comentario de la bibliografía, y viceversa. Los autores de las introducciones respectivas han procedido aquí con plena libertad, pero, no obstante, tampoco ahora ha faltado una orientación general. En principio, pues, cuando

una materia se presumía más ardua y lejana al lector (según ocurre con todo el volumen sobre la Edad Media), se ha tendido a dar primero un apretado sumario histórico, inmediatamente después del cual el principiante —saltándose la *mise au point* bibliográfica— pudiera pasar a la selección de textos, y sólo en un tercer momento, de interesarle, consultar el panorama de la historiografía al respecto. En cambio, cuando el tema del capítulo se creía más llano, atractivo o conocido, corrientemente ha parecido preferible no establecer fronteras entre historia e historiografía (y la selección de textos, entonces, se muestra en mayor medida como una ilustración parcial de algunos puntos llamativos de entre los señalados en la introducción).

5. Los trabajos históricos y críticos examinados en las introducciones, registrados en las bibliografías y antologados en el cuerpo de cada capítulo no abarcan, desde luego, el curso entero, a través de los siglos, de los estudios en torno a la literatura española. Salvo en las necesarias referencias ocasionales, no se discutirán ni se incluirán aquí las opiniones de Herrera sobre Garcilaso, Luzán sobre Calderón, Clarín sobre Galdós..., ni siquiera de Menéndez Pelayo sobre casi todo. Para la mayoría de las cuestiones abordadas en los volúmenes I-V, hemos dado por supuesto que como medio siglo atrás existía una cierta versión *vulgata* de la historia literaria, y que en los tres, cuatro o cinco decenios pasados se ha producido un reajuste en nuestros conocimientos (y sentimientos) al propósito. Ese nuevo marco, dentro del cual se mueven la crítica y la investigación más responsables y prometedoras, es justamente el ámbito de la presente obra.

Unas veces, la raya divisoria entre lo actual y lo anticuado (o definitivamente caduco) la trazan los descubrimientos factuales, aun si no llegan a tener la extraordinaria importancia del hallazgo de las jarchas. Otras veces, el cambio brota de una distinta actitud estética, incluso cuando cristaliza de manera menos resonante que la exaltación de Góngora en 1927. Otras, todavía, es un libro magistral —por ejemplo, *Erasmo y España*— el que divide en dos épocas las exploraciones de un determinado dominio. Obviamente, no siempre cabe fijar límites precisos. Pero no por ello es menos cierto que en los últimos decenios —el arranque se sitúa habitualmente alrededor de las guerras *plus quam civilia*—, en debate con las viejas certezas, al arrimo de las vanguardias artísticas, en diálogo con los hechos recién averiguados y las ideas latentes, se han transformado los instrumentos de trabajo y los modos de comprensión en la historia y la crítica de la literatura española. Nuestra intención ha sido levantar acta de cómo se ha operado —cómo se está operando— esa transformación y recoger una parte de sus logros más firmes.

En los volúmenes que llegan hasta finales del siglo XIX, nos hemos concentrado, así, en ese período propiamente 'moderno' de los estudios literarios. Para los tomos siguientes, claro está que los términos no eran iguales. Ciertamente, la valoración de Valle-Inclán, Cernuda o Celaya ha conocido vuelcos considerables en pocos años, pero de una entidad diversa a los que se han experimentado en la apreciación de autores más remotos. En los volúmenes VI, VII y VIII, por ende, se ha procurado sobre todo documentar el desarrollo —o el nacimiento— de una crítica honda y significativa sobre los temas contemplados, y, en la selección de textos, se han primado las contribuciones en tal sentido, por encima de los abundantes testimonios demasiado anecdóticos o impresionistas.

6.   No me resisto a la tentación de ilustrar con alguna muestra dos tipos de problemas que hemos debido afrontar. Uno bien manifiesto planteaba la larga e ingente actividad de don Ramón Menéndez Pidal. No era el caso reproducir unas páginas del capital trabajo de 1898 en que don Ramón proponía dar el título de *Libro de buen amor* a la obra de Juan Ruiz y le negaba el carácter didáctico: esa propuesta y esa negativa pasaron pronto a la *vulgata* de las opiniones sobre el Arcipreste, la *vulgata* a cuya discusión o refutación atiende *HCLE*. Pero sí había de estar representada aquí la espléndida ancianidad de Menéndez Pidal, cuando el maestro repensaba su interpretación de los cantares de gesta a la luz de las novísimas inquisiciones sobre la epopeya oral yugoslava o cuando, al refundir un tratado de 1924, polemizaba con E. R. Curtius en torno al papel de clérigos y juglares en los orígenes de las literaturas románicas.

De una punta a otra de *HCLE*, a nadie se le ocultará que en buena parte del volumen VIII (*Época contemporánea: 1939-1975*) la dificultad mayor no estaba ya en calibrar y elegir la bibliografía, sino lisa y llanamente en localizarla. Los materiales más decisivos ahí a menudo andan dispersos en las entregas fugaces de los periódicos —que apenas dejan rastro en los repertorios—, en las revistas

de la provincia, la clandestinidad y el exilio, y únicamente era ha-
cedero dar fe de una parte de ellos, quizá no siempre con una perspectiva lo bastante completa.

7. En las introducciones, al esbozar el estado actual de los
trabajos sobre cada asunto, se ha procurado mantener el número de
referencias bibliográficas dentro de los límites estrictamente imprescindibles. Había que citar a los principales estudiosos y tendencias,
realzar los libros y artículos de mayor utilidad —por sí mismos o
por las indicaciones que brindan para profundizar en el tema—,
insistir en lo positivo. Pero convenía reducirse a cuarenta, sesenta
o, cuando mucho, un centenar de entradas bibliográficas (y ese extremo sólo se ha alcanzado excepcionalmente), que debieran ser suficientes para apuntar las grandes sendas en la selva feracísima en
que se han convertido los estudios sobre la literatura española. Si
de pecado se trata, en tales circunstancias, hemos preferido pecar
por parcos.

8. Nuestro ideal —según declaraba arriba— sería que la selección de textos formara un todo bien conexo (dentro de la pluralidad de enfoques), apto igual para la lectura seguida que para la
consulta de un determinado particular. Capítulo a capítulo, hubié-
ramos querido conjugar visiones de conjunto, análisis de piezas singulares y ejemplos de la erudición más perspicaz. No siempre era
factible: no sólo por nuestras limitaciones, por las lagunas de la
bibliografía o por otros impedimentos de diversa especie, sino también, a menudo, porque trabajos de gran valor no se prestaban a ser
despojados del fragmento con la relativa coherencia (a nuestro objeto, naturalmente) que permitiera tenerlos representados en la antología. Adviértase que los textos seleccionados habían de versar
sobre cuestiones substanciales, allanar el camino a la lectura de
las fuentes primarias, no ser de tono excesivamente especializado
para el común de los lectores... Por eso, y no únicamente por una
convicción compartida por todos los colaboradores —y que en cierto sentido es la 'novedad' esencial del período crítico aquí revisado—, la selección de textos tiende a resaltar las contribuciones más
sensibles a los factores propiamente literarios y más diestras en re-
lacionarlos con la entera trama de la historia. Pero, por supuesto,
ha sido el estado actual de la bibliografía sobre el dominio quien ha
moldeado cada capítulo, y ninguna orientación provechosa ha quedado deliberamente al margen.

9.   Las ocho entregas de *HCLE* tendrán por complemento un volumen que contendrá un diccionario de la literatura española, junto a otros materiales (tablas cronológicas, prontuario de bibliografía, etc.), coordinados todos con envíos al tomo y capítulo de la presente serie donde se traten más por extenso los asuntos ahí presentados desde un punto de vista escuetamente informativo y factual. Ese volumen en preparación espera tener validez autónoma, pero ha sido concebido contando con la existencia de *HCLE*.

En el aludido diccionario figurarán las oportunas noticias bio-bibliográficas sobre los principales estudiosos de la literatura española, y en particular, claro es, de todos aquellos de quienes se recogen textos en nuestra antología.

10.   Empezaba por confesar (1) que *HCLE*, primera aproximación a una meta sin duda ambiciosa, nace con el compromiso explícito de remozarse cada pocos años, bien por suplementos sueltos, bien —apenas las circunstancias lo aconsejen y permitan— en ediciones íntegramente rehechas. Todos los colaboradores estimaremos de veras la ayuda que para tal fin se nos preste en forma de comentarios, referencias, publicaciones...

IV

Pocas veces me ha sido tan necesaria y gustosa una expresión de gratitudes. Gratitud, primero, a los autores de los textos seleccionados que han accedido a su reproducción en las condiciones que imponía el carácter de la empresa (y aquí me importa consignar el inolvidable estímulo que en su día me dispensó don Dámaso Alonso). Gratitud, luego, a los colaboradores de los ocho volúmenes, por la calidad de su esfuerzo y por la paciencia con que han sobrellevado el diálogo conmigo. Gratitud, en fin, a Editorial Crítica, que ha puesto el mayor entusiasmo en el proyecto y ha hecho acrobacias inverosímiles para conseguir que *HCLE* resultara todo lo accesible económicamente y cuidada tipográficamente que cabía en los tiempos que corren.

FRANCISCO RICO

NOTAS PREVIAS

1. A lo largo de cada capítulo (y particularmente en la introducción, desde luego), cuando el nombre de un autor va asociado a un año entre paréntesis rectangulares, [ ], debe entenderse que se trata del envío a una ficha de la bibliografía correspondiente, donde el trabajo así aludido figura bajo el nombre en cuestión y en la entrada de la cual forma parte el año indicado.* En la bibliografía, las publicaciones de cada autor se relacionan cronológicamente; si hay varias que llevan el mismo año, se las identifica, en el resto del capítulo, añadiendo a la mención de año una letra (*a, b, c...*) que las dispone en el mismo orden adoptado en la bibliografía. Igual valor de remisión a la bibliografía tienen los paréntesis rectangulares cuando encierran referencias como *en prensa* o análogas. El contexto aclara suficientemente algunas minúsculas excepciones o contravenciones a tal sistema de citas. Las abreviaturas o claves empleadas ocasionalmente se resuelven siempre en la bibliografía.

2. En muchas ocasiones, el título de los textos seleccionados se debe al responsable del capítulo; el título primitivo, en su caso, se halla en

---

* Normalmente ese año es el de la primera edición o versión original (regularmente citadas, en cualquier caso, en la bibliografía), pero a veces convenía remitir a la reimpresión dentro de unas obras completas, a una edición revisada (o más accesible), a una traducción notable, etc., y así se ha hecho.

la ficha que, a pie de la página inicial, consigna la procedencia del fragmento elegido.

3. En los textos seleccionados, los puntos suspensivos entre paréntesis rectangulares, [...], denotan que se ha prescindido de una parte del original. Corrientemente no ha parecido necesario, sin embargo, marcar así la omisión de llamadas internas o referencias cruzadas («según hemos visto», «como indicaremos abajo», etc.) que no afecten estrictamente al fragmento reproducido.

4. Entre paréntesis rectangulares van asimismo los cortos sumarios con que los responsables de *HCLE* han suplido a veces párrafos por lo demás omitidos. También de ese modo se indican pequeños complementos, explicaciones o cambios del editor (traducción de una cita o substitución de esta por solo aquella, glosa de una voz arcaica, aclaración sobre un personaje, etc.). Sin embargo, con frecuencia hemos creído que no hacía falta advertir el retoque, cuando consistía sencillamente en poner bien explícito un elemento indudable en el contexto primitivo (copiar entero un verso allí aducido parcialmente, completar un nombre o introducirlo para desplazar a un pronombre en función anafórica, etc.).

5. Con escasas excepciones, la regla ha sido eliminar las notas de los originales (y también las referencias bibliográficas intercaladas en el cuerpo del trabajo). Las notas añadidas por los responsables de la antología —a menudo para incluir algún pasaje procedente de otro lugar del mismo texto seleccionado— se insertan entre paréntesis rectangulares.

MODERNISMO Y 98

PRÓLOGO

La elaboración del presente volumen de HCLE *requiere unas mínimas justificaciones de entrada:*

1. *Tanto el título que se ha dado al libro como el segmento de tiempo que cubre en el marco de la totalidad de la obra responden a la norma constante en la colección de recurrir a los epígrafes y criterios más generalmente empleados. No se les oculta, sin embargo, al lector y al compilador de este volumen que los términos de su título —Modernismo y 98— figuran entre los más polémicos que conoce la periodización de la historia literaria española; por lo que hace al compilador, su utilización no responde exactamente a su criterio personal (y esto se echará de ver en el texto preliminar a los primeros capítulos de la obra), pues preferiría considerar una diacronía más fluida y, en lo que atañe a denominaciones de grupos, una mayor homogeneidad en las rotulaciones (sean éstas procedentes de series sociológicas —caso del marbete «generación»—, sean de series específicas de la historia del arte —«modernismo» e «-ismos» en general—).*

2. *Como ilustración de sugestivos paralelos en este período y para rectificar lo más esclerótico de aquellos principios clasificatorios que dan título al presente volumen, se ha antologado en su lugar un par de textos referentes al modernismo latinoamericano y al* modernisme *catalán que pueden dar alguna luz sobre el posible tratamiento unitario de la crisis española de fin de siglo y que quizá convenzan a alguien de la vanidad etnocentrista (como dice don Julio Caro Baroja) con que el estudio de la literatura del siglo XX se ha hecho en estos pagos, y, por añadidura, se incluyen dos capítulos que esbozan la evolución de los géneros literarios al margen de preconcepciones clasificatorias.*

3. *Como se explica más adelante, se ha incluido al nicaragüense Rubén Darío por una convención escolar tan veterana como respetable, que autorizan, sin ir más lejos, el* Manual *de J. Simón Díaz y los programas de oposiciones en vigor. Y se ha excluido a Juan Ramón Jiménez porque, no pareciendo procedente un nuevo juicio de Salomón, halla mejor acomodo en el volumen siguiente: de las dos caras de su obra —la «modernista» y la «nueva» (por adjudicarles rótulos nada comprometedores)— prevalece por muchas razones la segunda. Octavio Paz lo ha dicho mucho mejor que aquí en una respuesta a Juan Marichal cuya lectura debería ser obligatoria para todo estudiante que pretenda cursar literatura española:* «(Unamuno) es el gran poeta que no tuvo España en el siglo XIX, su Leopardi o su Coleridge. Lo mismo debe decirse de Antonio Machado. (...) Jiménez se exige más y más; en lugar de extenderse, se concentra: crece hacia adentro. (...) Esto es lo que distingue a la modernidad: la crítica es su tema secreto, su método de creación y el objeto de toda creación» *(Juan Marichal y Octavio Paz,* Las cosas en su sitio (sobre la literatura española del siglo xx), *Finisterre, México, 1971, pp. 27-60).*

4. *La bibliografía sobre la que ha operado el compilador es sencillamente enorme y, en especial, la fechada en el último decenio, rico en conmemoraciones centenarias, incrementos masivos de los efectivos escolares y razones políticas que —explícita o implícitamente— han librado sus batallas en nuestro campo de conocimiento. El profesional que consulte habitualmente el buen instrumento de trabajo que es el* Year's Work in Modern Language Studies *sabe que sus secciones «1898-1936» y «1936-to the present day» son, con diferencia, las más copiosas del apartado español del anuario. Por eso, la proporción entre los ítem que se incluyen en este volumen y la totalidad del amazonas bibliográfico ofrece un numerador bastante inferior al que presentan los volúmenes anteriores de* HCLE. *Y si seleccionar las menciones ha sido difícil, antologar los textos pertinentes no ha sido menuda empresa: en general, el criterio de elección ha venido determinado por el propósito —puede que vano— de conseguir la homogeneidad del texto resultante. Que —al margen de la buscada y necesaria pluralidad de enfoque y opinión— el conjunto pudiera leerse como una unidad en la que predominara la lectura interpretativa sobre la descripción: aspecto éste que cubren numerosos manuales y monografías que —pese*

*a la gran calidad de algunas— se ha preferido que no pasasen de
las listas bibliográficas a las secciones antológicas.*

    *5. En último lugar, el responsable de este libro quiere agra-
decer a muchos de los colegas antologados que hayan aceptado verse representados en fragmentos que ellos no hubieran elegido. Como
decía el apartado anterior, este volumen ha intentado una cierta
homogeneidad: inevitablemente su conjunto refleja en cierto modo
las ideas de su compilador (o, mejor aún, algunas de sus deudas
intelectuales), pero no piensa que tanto como para mitigar el interés de un debate en el que intervienen voces muy varias y más auto-
rizadas que la suya.*

JOSÉ-CARLOS MAINER

Para mi hija Irene.

1. LA CRISIS DE FIN DE SIGLO: LA NUEVA CONCIENCIA LITERARIA

Parece indiscutible que la difusión del término «generación del 98» partió de una conocida serie de artículos del Azorín de 1913 [1975]. La relación de sus precursores en el hallazgo podía, sin embargo, ser interminable y abarcaría tanto a los implicados en las futuras nóminas de la «generación» como a quienes vieron con hostilidad o complacencia un cambio de actitudes y valores literarios, ya en los años finales del siglo XIX. Una difusa conciencia de novedad, el legítimo deseo de definir esta misma conciencia en el marco de lo que se veía como *decadencia* artística y política, la más inmediata ambición de notoriedad, se reflejaron en la prensa y en el libro de 1890-1905 hasta plantear una nueva querella de antiguos y modernos, carente todavía de una evaluación amplia que nos permita establecer las verdaderas dimensiones del cambio.

No cabe olvidar, a este propósito, que la célebre intervención bautismal de Azorín estuvo concebida y escrita con la distancia y aun la nostalgia que ya separaban al escritor levantino de sus años juveniles. Distancia cronológica que venía aumentada por la mutación ideológica experimentada por quien entonces era ferviente maurista y articulista habitual de *ABC*, tras haber sido, en palabras de Clarín, el más conspicuo «anarquista literario» de los años finiseculares. De un modo similar, numerosos textos de los otros indiscutibles miembros de la generación del 98 abundan en los años inmediatamente posteriores a 1910 y siempre marcados por la benevolente o crítica autojustificación de los radicalismos y rebeldías juveniles: tal sucede en bastantes de los poemas que Machado incorporaría a la definitiva redacción de *Campos de Castilla,* en numerosos artículos que Unamuno escribe en los años de la guerra europea y, desde supuestos muy personales, en la obra memorialística y ensayística del Baroja de 1915-1920 y aún más tarde [1948]. La entonces candente cuestión del escritor en cuanto «intelectual» y de las relaciones generales de éste con la vida política nacional (suscitadas, sin embargo, por una promoción de escritores mucho más joven: el grupo que alienta Ortega y Gasset, muy especialmente) fueron, sin duda, los más notorios estímulos de un balance,

ya retrospectivo, sobre el significado y alcances de la actitud artística y
política finisecular, y, como indicaba, de las evocaciones y alegatos de los
directamente implicados.

En la discusión intervinieron también intelectuales más modernos.
Para éstos —a menudo, secundados por los propios autores objeto de sus
críticas— la generación del 98 se caracterizó por una hipertrofia del egotismo, por un precoz y morboso sentimiento de frustración, por la exageración neorromántica de lo individual, por su mimetismo servil de las
modas europeas del momento: en el diagnóstico, habían de coincidir sos-
pechosamente un epígono reaccionario de la misma generación (José María Salaverría [1930]), un liberal progresista (Manuel Azaña [1976]) y
un postregeneracionista vinculado al socialismo (Luis Araquistáin [1921]).
En un interesante grupo de escritores de izquierda revolucionaria de los
años treinta la interpretación negativa de la rebeldía noventayochesca encuentra, por añadidura, una fundamentación ideológica que, en fechas
más recientes, se ha repetido: para J. Gorkin [1930] y C. M. Arconada [1933], el espíritu finisecular de protesta responde al sarampión juvenil de un sector de la pequeña burguesía intelectual, condenado a refluir,
a la corta o a la larga, en una actitud espiritualista y equívoca, nacionalista
y antiprogresiva que era, de hecho, la faz de las sobrevivencias finisecula-
les en la tesitura histórica de aquellos años. R. J. Sender, viejo partícipe
de aquel diagnóstico, mantenía tesis parecidas (aunque con supuestos diferentes) todavía en [1971].

Simultáneamente, el concepto de «generación del 98» entró también
en la historiografía literaria. Lo hizo de la mano de un sistema de periodización —la teoría de las generaciones— muy típico de las ciencias de
la cultura de entreguerras y particularmente desarrollado en nuestro país
por la obra de Ortega. Con todo, fueron esquemas alemanes, enunciados
por Julius Petersen entre otros, los que, para Hans Jeschke [1954] y
Pedro Salinas [1970], se convirtieron en el armazón argumental al que
acomodaron las características de la hipotética generación que el último
de los citados opuso al «espíritu» modernista desde esquemas que, más
tarde, hallaron un empecinado valedor en Guillermo Díaz-Plaja [1966].

La crisis del concepto «generación del 98» fue desde entonces la propia
crisis de la idea de «generación» como fórmula de periodización literaria.
Resulta difícil, en efecto, aplicar un marbete procedente de la sociología
a la dinámica de las formas literarias, ya que si, en cierta medida, podía
explicar satisfactoriamente un momento inicial —de enfrentamiento con
formas caducas de expresión, de fraternidad juvenil, de conciencia común
de unos dilemas—, era muy problemático que pudiera abarcar la totalidad de experiencias artísticas muy diferenciadas a lo largo de una extensa trayectoria temporal. Como vio Ricardo Gullón [1969], era imposible
reducir a gavilla común obras de madurez (pensemos en el denso y a

veces trivial *Diario poético* de Unamuno, las ficciones surrealistas de Azorín, el Maeztu reaccionario de *Acción Española*, el Baroja melancólico de *Las noches del Buen Retiro*, el Valle-Inclán de los «esperpentos»), aunque no por ello dejaran de ofrecer llamativas similitudes los primeros relatos de Azorín o Baroja, los primeros ensayos de Maeztu y Unamuno, el Valle de los cuentos galaicos y el Baroja de *El mayorazgo de Labraz*.

Si, como Petersen exigía, la vivencia común de unos mismos acaeceres históricos era ingrediente básico de un hecho generacional, la realidad se mostraba mucho más compleja que lo era la simple remisión del desengaño generacional a las hirientes consecuencias del «desastre» que concluyó con la sombra del colonialismo decimonónico español (en un momento que fue además aciago para otros imperios «pobres»: pensemos en las derrotas de Italia en Abisinia, la retirada portuguesa ante el ultimátum africano dado por Inglaterra, el posterior hundimiento del poder ruso ante el japonés en Extremo Oriente).

Y esto por un triple motivo. En primer término, porque la generalizada crisis política de finales del siglo xix afectó a bastantes más escritores de los que componen la nómina canónica del 98. Si bien es cierto que Campoamor o Núñez de Arce —y aun Valera y Pereda— parecen certificar con su muerte física el final de una época, es no menos evidente que un ya maduro novelista como es Galdós alcanza una nueva notoriedad pública y un efímero liderazgo intelectual, ambos basados en una significativa adecuación de sus últimas obras a las modalidades específicas de la literatura finisecular: así, la densidad simbólica y el tono de utopía social de sus últimos *Episodios*, su teatro de ideas y sus ya escasas creaciones narrativas pudieron ser para muchos jóvenes el más evidente testimonio de una nueva literatura. Del mismo modo, tampoco puede afirmarse que Clarín —pese a su temprana desaparición y su fobia antimodernista— y Francisco Giner de los Ríos, entre muchos otros, prescriban como intelectuales de nota y amplia influencia. El conocido episodio de la protesta contra la concesión del premio Nobel a Echegaray es síntoma de una ruptura pero no tan generalizada como ha querido ver la teoría generacional más ortodoxa: buena parte de los presupuestos ideológicos de la juventud finisecular se venían apuntando en los años anteriores y, como ha visto Juan López Morillas [1972], por obra de la generación anterior.

En segundo lugar, y como arriba se indicaba, tampoco cabe restringir la experiencia histórica de los escritores nacidos entre 1864 y 1875 (fechas natalicias de Unamuno y Machado y términos *a quo* y *ad quem* de la nómina generacional más usual) al resentimiento nacionalista producido por la pérdida de las colonias. Restituir la configuración de la sociedad española en los amenes del siglo pasado es harto más complejo que subrayar el contraste entre una dramática derrota y la alegre inconsciencia de quienes, el mismo día del desastre de Santiago, aplaudían en la madrileña

plaza de toros. Aquella misma sociedad que acababa de convertir la fiesta
brava en un próspero negocio (y en un tema de larga reflexión intelectual), completaba por entonces el proceso de constitución de su red urbana y, aunque buena parte del país siguiera siendo campesino, la incipiente industrialización, la constitución de un suficiente capital financiero
y las mejoras de comunicaciones permitían ya hablar de una comunidad
social y económica casi moderna.

No carecía, sin embargo, de graves contradicciones en su desarrollo.
El empuje burgués, surgido casi siempre de las capitales regionales, alen-
taba en forma general un regionalismo de cuño romántico y compatible
con el nacionalismo (y aun lo patriotero). En el País Vasco y en Cataluña,
sin embargo, la necesidad de un proteccionismo estatal a la producción
industrial hizo confluir importantes sectores de la burguesía en un ideal
nacionalista originariamente surgido de las clases medias profesionales y,
así, el catalanismo y el «bizkaitarrismo» se convirtieron en elementos trascendentales de la vida política española.

Aquellas mismas clases medias —progresivamente incrementadas en
número por el rápido crecimiento económico y la progresiva complicación de la vida ciudadana— ya no eran tampoco la menestralía aplebe-
yada y la mesocracia cursilona que pintó Galdós en los años ochenta. El
rápido auge del republicanismo y, por las mismas fechas, el importante
episodio de la pugna anticlerical (1900-1910) denotaron la búsqueda de
un espacio político propio que, entre otras cosas, casi arruinó la primitiva
pero eficaz sociología electoral del turno de partidos (lo que, en forma muy
destacada, lograron el catalanismo en Barcelona y el republicanismo en
Valencia). Por su lado, la ya numerosa población obrera de las ciudades
hizo sentir su presencia. Proporcionó votos republicanos e introdujo en
el mecanismo político los primeros concejales socialistas (obreros de blusa
y gorra pero también médicos y aun catedráticos) pero, sobre todo, ganó
la calle: las bombas anarquistas, las manifestaciones del Primero de Mayo
y las duras huelgas del período 1900-1905 pertenecen a escalas de valores
muy diferentes, pero sirvieron para que la burguesía conociera a su enemigo real y para que una larga serie de intelectuales radicales (como veremos, muchos de los que aquí tratamos) colaborara activamente en la
incipiente organización cultural de los partidos y los sindicatos proletarios.

La consideración de tales cambios sociales —iniciada por la sistemática revisión que, desde 1960, llevan a cabo los especialistas en historia
económica y social— ha provocado un renovado interés por lo noventayochesco literario y ha alterado bastante de los conceptos usuales, aunque
pocas veces se ha atrevido a prescindir del marbete azoriniano de «generación». El minucioso estudio de la etapa juvenil de los escritores de fin de
siglo (E. Inman Fox en los casos de Azorín y Maeztu, Rafael Pérez de la

Dehesa y Carlos Blanco Aguinaga en el de Unamuno...) se ha orientado más al fecundo campo de la historia social de las ideas, del mismo modo que otro tipo de trabajos más recientes que han abordado la incidencia de formas europeas del pensamiento finisecular en la España del momento. Así, contamos ya con una excelente monografía sobre Nietzsche en España (Gonzalo Sobejano [1967]) y otra de mérito menor sobre las formas del antiindustrialismo en los escritores del mismo momento (Lily Litvak [1974]), amén de trabajos de menor envergadura, y bastantes muy insuficientes, sobre la repercusión nacional de escritores como Ibsen (H. Greguersen [1937]), Zola (Pérez de la Dehesa [1971]), Tolstoi y los narradores rusos (G. Portnoff [1932] y G. O. Schanzer [1972]), etc.

No obstante, el rastreo de fuentes e influencias, con todo y ser urgente, resulta insuficiente a la hora de establecer con certeza el perfil literario de lo que fue el fin de siglo español (digamos por acotar una fecha, los años 1890-1910) y señalar lo que hubo de perdurar de aquel momento inicial en trayectorias personales que alcanzan la guerra civil (Unamuno, Machado, Valle-Inclán, Maeztu...) y que, en algún caso, continúan en la larga convalecencia del conflicto (Azorín, Baroja, Benavente). Es evidente que nos hallamos ante una relación de nombres de infrecuente brillantez y, a la vez, ante una promoción que —como tan a menudo han señalado los críticos arriba mencionados— tiene evidentes paralelos europeos, más allá de posibles fuentes comunes: no poco del quietismo unamuniano remite a problemas vividos por el primer André Gide; mucho del teatro galaico de Valle-Inclán parece resonar —como señaló agudamente Juan Ramón Jiménez— en el teatro irlandés de los años veinte; un Azorín puede reunir la sensibilidad reaccionaria para el pasado cultural —muy típica de la Italia y la Francia de entreguerras— con una visión culturalista de la crisis de los géneros imaginativos que fue también frecuente en el mismo período; el «pirandelismo», por último, ha sido una acusada tendencia española (J. Gutiérrez Cuadrado [1978], W. Newberry [1975]), pero, a la vez, resulta —como indica el propio rótulo tan explícitamente— una odisea universal, surgida de la crisis del naturalismo narrativo y teatral.

En este sentido, ya se ha hecho hincapié más de una vez en las similitudes europeas del problema finisecular y, en forma más directa, en el interés de ver estas actitudes en el marco de la conversión del «escritor» en «intelectual», con toda la ambigüedad y los conflictos que tal condición plantea (J.-C. Mainer [1972], J. L. Abellán [1973], R. Pérez de la Dehesa [1968], C. Blanco Aguinaga [1978], E. Inman Fox [1976], Rosa Rossi [1967] y D. L. Shaw [1976]). Pero esto no parece suficiente y cabe pensar en un posible rescate de las homologías «generacionales» (tan cuestionadas y cuestionables en su sentido tradicional, según hemos visto) a partir de otros elementos de carácter literario. De ese modo, cabría ver cómo el periodismo en tanto práctica literaria habitual y la condición «intelectual» en tanto talante personal desarrollan una nueva modalidad ensayística, ajustada a una temática en la que la evocación o lo confesional enmarcan temas de reflexión muy característicos: la dificultad de adecuar lo individual y lo colectivo, la libre interpretación de la literatura ajena como vivencia propia, la caracterización profunda de lo hispánico, la impenetrabilidad de las razones vitales de los otros (y, a veces, aun de las de uno mismo), la pugna entre lo contemplativo y lo activo...

De la misma manera, la crisis de la novela o del teatro —que son, en un grado más amplio, las del naturalismo como modo de aproximación a la realidad— son vividas con peculiar intensidad en la *nivola* unamuniana, la disgregación del relato en Azorín y hasta por la peculiar teoría narrativa de un Baroja. Por lo mismo también, la evolución de las formas simbolistas configura la recurrencia de las imágenes machadianas y aun su precoz búsqueda de un ritmo interior, que habrá de ser también obsesión de la lírica de Unamuno.

Es evidente que la integración de tantos elementos desborda las restringidas posibilidades clasificatorias de un rótulo como lo es el de «generación del 98». Se trata, ni más ni menos, de una crisis de madurez en la literatura española contemporánea o, mejor quizá, de su mismo paso a la contemporaneidad y todo ello a través de las características que, desde el siglo XIX, marcaron esos rumbos europeos: la indeterminación del género literario, molde que se revela insuficiente al escritor; la preponderancia de elementos intimistas o confesionales sobre la objetivación creadora; el impresionismo y el irracionalismo como actitudes; la predilección por ciertas zonas de sombra mística en el alma humana (ya en lo religioso positivo, en formas afines al panteísmo o, más frecuentemente, en la angustiosa —o placentera— vaguedad con la que se consideran los borrosos límites del propio *yo*).

Que tales similitudes —que los apartados siguientes permitirán desarrollar más ampliamente— hayan de ser considerados bajo un rótulo unitario, parece materia opinable y, desde luego, no descabellada. Sólo en forma limitada, sin embargo, creo que conviene a tal cosa el epígrafe habitual de «generación». De hecho, su utilización por un estudioso como Luis S. Granjel [1973] no pretende pasar de ser una cómoda abreviatura escolar, mientras que en Pedro Laín Entralgo [1948] es la hipótesis que permite extrapolar al pasado reciente una polémica que fue actual. En su contenido más tradicional la han ilustrado, no obstante, los recientes estudios de conjunto de Herbert Ramsden [1975] y Donald L. Shaw [1976 y 1978], quienes mantienen, de otro lado, su diferenciación con el «modernismo»: el primero, restringiendo la nómina usual de escritores, vincula lo noventayochesco a la herencia del positivismo como forma de interpretación de la realidad; el segundo se muestra más próximo a una valoración literaria de bastantes de los ingredientes que se mencionaban arriba como específicos de la creatividad europea del momento. En más de un caso, el epígrafe «crisis de fin de siglo» (cf. el título dado al homenaje a Pérez de la Dehesa [1975]) ha sustituido con alguna ventaja y cierta equivocidad el dilema nominal que afecta a los escritores que aquí consideraremos.

BIBLIOGRAFÍA

Abellán, José Luis, «Claves del 98. Un acercamiento a su significado», *Sociología del 98*, Península, Barcelona, 1973, pp. 11-46.

Araquistáin, Luis, *Las columnas de Hércules*, Madrid, 1921.

Arconada, C. M., «Quince años de literatura española», *Octubre*, n.° 1 (junio-julio 1933), pp. 3-7.

Azaña, Manuel, «Todavía el 98» (1923), *Plumas y palabras*, Crítica, Barcelona, 1976, pp. 179-195.

Azorín, «La generación de 1898», *Clásicos y modernos* (1913), en *Obras completas*, Aguilar, Madrid, 1975, I, pp. 1125-1135.

Baroja, Pío, «Tres generaciones», *Obras completas*, V, Biblioteca Nueva, Madrid, 1948, pp. 565-584.

Blanco Aguinaga, Carlos, «A modo de entrada. La realidad histórica», *Juventud del 98* (1971), Crítica (Filología, 4), Barcelona, 1978 ², pp. 23-53.

La crisis de fin de siglo: ideología y literatura. Estudios en memoria de R. Pérez de la Dehesa (varios autores), Ariel (Letras e Ideas: Maior, 9), Barcelona, 1975.

Díaz-Plaja, Guillermo, *Modernismo frente a 98*, Espasa-Calpe, Madrid, 1966 ².

Gorkin, Julián, G., «La evolución de las letras en España», *Nueva España*, Madrid, n.° 45 (20 mayo 1930), pp. 2-4.

Granjel, Luis Sánchez, *La generación literaria del 98*, Anaya, Salamanca, 1973.

Greguersen, H., *Ibsen and Spain. A study on comparative drama*, Cambridge, Mass., 1937.

Gullón, Ricardo, «La invención del 98», *La invención del 98 y otros ensayos*, Gredos (Campo Abierto, 23), Madrid, 1969, pp. 7-18.

Gutiérrez Cuadrado, Juan, «Crónica de una recepción: Pirandello en Madrid», *Cuadernos Hispanoamericanos*, n.° 333 (1978), pp. 347-386.

Inman Fox, E., «El año de 1898 y el origen de los intelectuales», *La crisis intelectual del 98*, Cuadernos para el Diálogo, Madrid, 1976, pp. 9-16.

—, «La crisis intelectual de los jóvenes de 1898», *ibid.*, pp. 211-237.

Jeschke, Hans, *La generación del 98 en España*, Editora Nacional, Madrid, 1954.

Laín Entralgo, Pedro, *La generación del noventa y ocho*, Espasa-Calpe (Austral, 784), Madrid, 1948 ².

Litvak, Lily, *A dream of Arcadia. Anti-industrialism in Spanish literature*, University of Texas, Austin, 1974.

López Morillas, Juan, *Hacia el 98. Literatura, sociedad, ideología*, Ariel (Letras e Ideas: Minor, 2), Barcelona, 1972.

Mainer, José-Carlos, «Hacia una sociología del 98», *Literatura y pequeña burguesía en España. Notas 1890-1950*, Cuadernos para el Diálogo, Madrid, 1972, pp. 77-88.

—, «Literatura burguesa, literatura pequeñoburguesa en la España del siglo xx», en *Creación y público en la literatura española* (varios autores), Castalia (Literatura y Sociedad, 5), Madrid, 1974, pp. 162-180.

Newberry, Wilma, *The pirandellian mode in Spanish literature*, State University of New York, Albany, 1975.

Pérez de la Dehesa, Rafael, «Introducción», en Federico Urales, *La evolución de la filosofía en España*, Ediciones de Cultura Popular, Barcelona, 1968, pp. 9-71.

—, «Zola y la literatura española finisecular», *Hispanic Review*, XXXIX, n.º 1 (1971), pp. 49-70.

Portnoff, G., *La literatura rusa en España*, Instituto de las Españas, Nueva York, 1932.

Ramsden, Herbert, *The Spanish generation of 1898. Towards a reinterpretation*, Manchester University Press, Manchester, 1975.

Rossi, Rosa, *Da Unamuno a Lorca,* Niccolo Gianotta Editore, Catania, 1967.

Salaverría, José María, «La generación del 98», *Nuevos retratos*, Renacimiento, Madrid, 1930, pp. 51-98.

Salinas, Pedro, «El concepto de generación literaria aplicado a la del 98», *Literatura española. Siglo XX* (1941), Alianza Editorial (El Libro de Bolsillo, 239), Madrid, 1970, pp. 26-33.

—, «El problema del modernismo en España o un conflicto entre dos espíritus», *ibid.*, pp. 11-25.

Schanzer, George O., *Russian literature in the Hispanic world: A bibliography*, University of Toronto Press, Buffalo, 1972.

Sender, Ramón J., *Examen de ingenios. Los noventayochos* (1961), Aguilar, Madrid, 1971.

Shaw, Donald L., *La generación del 98*, Cátedra, Madrid, 1978.

—, «Spanish literature after 1898: from programme to mystique», en *Literature and Western civilization* (varios autores), Aldus Books, Londres, 1976, páginas 257-273.

Sobejano, Gonzalo, *Nietzsche en España*, Gredos (Biblioteca Románica Hispánica, 102), Madrid, 1967.

JUAN LÓPEZ MORILLAS

LAS CONSECUENCIAS DE UN DESASTRE

La literatura terapéutica que converge en la crisis de 1898 no carece de precedentes en las décadas anteriores [...] [Su origen] inequívoco se encuentra en las polémicas sobre el problema de España que surgen en los albores de la Restauración borbónica. La dureza y destemplanza de tales lides verbales, mantenidas por lo común desde las columnas de la prensa periódica, reflejan lo profundo de las escisiones y lo enconado de las malquerencias que ha dejado tras sí la Revolución de Septiembre. La Restauración toma a su cargo la atenuación del cisma nacional, y con este fin inculca en las gentes la necesidad de reanudar el diálogo en un ambiente de tolerancia, respeto mutuo y paz social. Y, en efecto, la calma que restablece Cánovas contribuye, al menos en apariencia, a que se debilite gradualmente la virulencia de los antagonismos y a que se desentumezcan actitudes hasta entonces inflexibles. Si no se pasa de ahí, si la coexistencia no es más que superficial, la culpa de ello la tiene el propio arquitecto de la Restauración. En su doble afán de restablecer la convivencia cívica y de consolidar la monarquía restaurada, Cánovas acaba por pervertir el primer objetivo para asegurar el éxito del segundo. Olvida que toda auténtica paz civil debe asentarse en el libre juego y desarrollo de las energías y aspiraciones nacionales; y, empavorecido por la numerosa hueste antidinástica, fomenta para neutralizarla un género de convivencia civil y política que consiste cabalmente en el embotamiento de esas mismas energías. No son,

Juan López Morillas, *Hacia el 98. Literatura, sociedad, ideología*, Ariel, Barcelona, 1972, pp. 236-253.

pues, de calma creadora los años que van de 1875 a 1898; son de modorra. Apenas se percibe el latido del corazón nacional. Y no es que durante ese período escaseen los acontecimientos de monta. Es que cuando sucede algo grave, su efecto sobre el común de las gentes es mínimo. El encogimiento de hombros se ha convertido en el gesto mostrenco del país. [...]

Que el país se llamara a engaño, que se proclamara víctima de una odiosa conjura en la que habían participado todos los elementos de una España reputada ficticia, que demandara responsabilidades y conminara venganzas, todo ello era de esperar cuando, al despejarse el humo de los barcos incendiados en Cavite y Santiago, se dio cuenta cabal del desastre sufrido. Con las escuadras de Montojo y Cervera se volatilizaron muchos supuestos en que desde tiempo atrás venía apoyándose la vida española. Por lo pronto se desvaneció el principal espejismo suscitado por la Restauración, a saber: el de un país cívicamente unido, espiritualmente fundido en el crisol de la monarquía restaurada. Las discordias que entenebrecen la vida de España desde comienzos del siglo xix, y que alcanzan su máximo desabrimiento durante la Revolución de Septiembre, aparecen de nuevo a raíz de la derrota. En realidad, la Restauración, feble remedio, no había logrado cicatrizarlas. Pese a los untos y emplastos con que Cánovas y Sagasta pretendieron disfrazar el encono de los ánimos, éste acabaría por revelarse en toda su amenazadora extensión tan pronto como se ofreciera para ello ocasión propicia.

Un detalle que salta a la vista al enfocar el grupo de los comentaristas «intelectuales» de la crisis de 1898 es que la mayoría de ellos son hombres maduros al ocurrir el desastre, ya instalados en la cumbre de sus respectivas profesiones o casi a punto de escalarla. Casi todos ellos gravitan en torno a la cincuentena. Los más viejos se acercan a la edad de Galdós, los más jóvenes a la de Unamuno. Esto significa, en contraste con la literaria «generación del 98», que esos hombres se han formado espiritualmente durante la Revolución de Septiembre, que probablemente compartieron el inocente optimismo suscitado por la victoria del puente de Alcolea y más tarde lo vieron diluirse en las algaradas del movimiento revolucionario, y, por último, que al llegar la Restauración la acogieron sin alborozo, es cierto, pero tampoco sin manifiesta ojeriza. Lo que juzgamos significativo al considerarlos en conjunto es el hecho de que han vivido dos épocas emocional e intelectualmente diferentes: una, la revolucionaria, caracterizada por la efervescencia ideológica, el afán de reforma y la desmesurada confianza en la virtud correctiva de los programas políticos; otra, la restauradora, cuyos rasgos esenciales son la atonía de los espíritus, el apocamiento con que se abordan ineludibles problemas, la sospecha que inspira toda propuesta de cambio, y la creciente desconfianza en la política vigente. Podemos, sin más, considerar a estos hombres como doblemente desengañados. Son, en efecto, los que han asistido al derrumbamiento de dos estructuras políticas de cariz contradictorio, de cada una de las cuales se esperaba con fervor el remedio de los males patrios. Como todas las revoluciones, la de Septiembre de 1868 se había lanzado a su tarea regeneradora desde el trampolín de la utopía, sin parar mientes en que el doctrinarismo dejaba intacta la amarga realidad cotidiana del país. La Restauración, por su parte, se había limitado a tomar nota de esa sombría realidad, pero sin pasar de ahí. Con un pesimismo raras veces igualado en la historia de España, los restauradores concluyeron desde luego que los problemas nacionales eran irresolubles, que el español era un pueblo política y civilmente ineducable, y que el fraude y la simulación eran plausibles expedientes de gobierno para un país sumido en una existencia puramente vegetativa. Una vez más la sensibilidad política española había completado su oscilación pendular entre el paroxismo y la apatía.

De estos dos experimentos políticos los «intelectuales» del 98 sacaron una misma conclusión: la urgencia de buscar en zonas de pensamiento y actividad ajenas a la política los medios de rescatar a España de su progresiva catalepsia. Esta actitud es tan acusada que, con bastante justicia, se ha dado en calificarla de *apoliticismo*. Pero de lo que realmente se trata es de una fosca desconfianza en los formularios políticos o, mejor aún, en los hombres y métodos de la política al uso. De los teorizantes e ideólogos de la Revolución de Septiembre se sospecha que son poco dados a apartar los ojos del alto ideal para posarlos en el mísero suelo. De los prohombres de la Restauración se recela que, estrechamente ligados a mezquinos intereses, son incapaces de elevarse a empresas redentoras. De unos y otros se malicia que, fuera de la zona de la política, donde la retórica puede encubrir las más graves deficiencias, son hombres limitados, acaso ineptos, en cuyas manos corre grave riesgo el complejo y frágil artefacto que es una nación moderna.

Conviene tener presente, aun repitiendo algo de lo ya apuntado, que la tendencia a desdeñar la política y sus soluciones no es, sin embargo, consecuencia exclusiva del desastre de 1898. La más temprana repulsa intelectual de este género surge precisamente en los albores de la Restauración, al calor del fracaso que el espíritu teórico y doctrinario sufre con los avatares de la Revolución de Septiembre. La encarnación más notable de esta repulsa está en la Institución Libre de Enseñanza, creada en 1876, sin duda alguna el acontecimiento pedagógico de mayor resonancia en la historia de la cultura española moderna. Era firme creencia de Francisco Giner de los Ríos, fundador de la Institución, como asimismo de sus primeros colaboradores en la empresa —Figuerola, Linares, Gabriel Rodríguez, Cossío, Pedregal, etc.—, la de que toda tentativa de reformar la sociedad española «desde arriba», es decir, recurriendo a las medidas ejecutivas de la política, sería a la postre baldía por tener que operar con una masa popular en gran parte menesterosa e ignorante. La libertad civil y política es un delicado mecanismo que funciona con un mínimo de trabas sólo en una sociedad que ha alcanzado un nivel relativamente alto de ilustración general. Armados de tal convicción, los institucionistas volvieron la espalda a la palestra pública y pusieron mano a la tarea de rehacer a España «desde abajo» y «desde el principio», esto es, mediante la educación, según pautas rigurosamente modernas, de las jóvenes generaciones. [...] Con un criterio muy siglo xix, que hoy se nos antoja un poco candoroso, Giner propugnaba la redención de España por medio de la educación universal, entendida ésta como libre de dogmas, doctrinas o prejuicios excluyentes. Su tarea constituye, pues, el repudio indirecto de la enseñanza oficial, probablemente ineficaz e insuficiente en aquella época, y sujeta por añadidura a la tutela agobiante de intereses políticos y religiosos.

La indiferencia de Giner y sus colaboradores a los turbios manejos de la Restauración no podía menos de surtir hondo efecto en el angustiado espíritu de muchos españoles que, en el desastre colonial y sus reverberaciones nacionales, vieron plenamente confirmada la tácita actitud de los institucionistas: la mejor política es ya mala; la peor es calamitosa; ante la política española vigente sólo cabe gritar: ¡sálvese el que pueda! Es en tal estado de ánimo cuando empiezan a cuajar las trayectorias más acusadas de los «intelectuales» de 1898, de lo que acaso convendría llamar «la otra generación del 98». Es entonces cuando Joaquín Costa, sobre quien todavía echa-

mos de menos un libro esencial, clama estentóreamente que España
es sólo una «sombra y apariencia de nación», cuyos políticos malha-
dados la han llevado «al deshonor y a la muerte». Hay que luchar,
advierte Costa, contra la España «oficial», contra sus fraudes y cu-
querías, sus tapujos y artimañas, su cinismo y su indiferencia crimi-
nosa. [...] Es entonces también cuando Rafael Altamira escribe su
Psicología del pueblo español, según nos dice, «en aquel terrible
verano de 1898 ..., entre lágrimas de pena y arrebatos de indignación, promovidos por la ineptitud de unos, la perfidia de otros, la
pasividad indiferente de los más ...». Es también en esa época cuando Macías Picavea se pregunta con áspera congoja: «¿Posee España,
la patria amada, alientos para seguir viviendo entre los pueblos vivos
de la historia? ¿Es mortal, por el contrario, su agonía, y al fin
hemos tocado en la víspera de su desaparición como nación independiente ...». Maeztu escribe a la sazón su libro *Hacia otra España*,
movido, nos dice, por «el dolor de que mi patria sea chica y esté
·muerta ...». Francisco Silvela nos habla de una «España sin pulso».
Luis Morote dictamina que «la nación está mal hecha así como está;
esa verdad la proclama la ciencia y la historia, y la dicen a gritos los
desastres recientes». En Hinojosa, en Castillejo, en Menéndez Pelayo,
en Azcárate, podríamos hallar comentarios de pareja índole nacidos
de la ira, el dolor, la zozobra, el amor propio herido, la angustia. Es
el intransigente negativismo que aparece en la resaca de las grandes
crisis. Es también —y he aquí lo que importa a nuestro propósito—
la primicia de un notable resurgimiento espiritual.

[...] Se empieza entonces a entrever que el último revés militar
es sólo un eslabón en una larga cadena de desventuras cuya explicación se buscará en vano repasando solamente la crónica política y
social española. «No cabe duda —escribe Rafael Altamira en diciembre de 1901— ... que el problema colonial y el de nuestras relaciones internacionales dependen de otros más internos y profundos rela-
tivos a la psicología de nuestro pueblo, a su estado de cultura, al
concepto que de nosotros tienen las demás naciones y al que nosotros
mismos tenemos de la entidad social en que vivimos y de que for-
mamos parte.» Es ahora, por tanto, al trasmundo de una supuesta
alma española adonde se pretende acceder en busca de explicación
de las actuales desdichas, alumbrando los tenebrosos pasadizos del
espíritu con la luz de recientes investigaciones de ultrapuertos sobre
temas de índole semejante; porque en esta ocasión, como en tantas

otras, también se traen del exterior los medios con los que se ha de acometer la proyectada empresa doctrinal.

Cabalmente en los años finiseculares se pone de moda en casi toda Europa el estudio psicológico de las nacionalidades, ora consideradas en sí mismas o relacionadas entre sí; y un somero examen pondría al descubierto una copiosa y reveladora bibliografía sobre el asunto. Acaso no sea difícil, siguiendo el hilo de esta boga, encontrar su origen en la guerra franco-prusiana de 1870, la que, *mutatis mutandis,* produjo en Francia efectos bastante parecidos a los que causó en España la guerra con los Estados Unidos. A muchos intelectuales del vecino país el desastre de Sedán vino a servirles de acicate para plantearse seriamente el problema de la personalidad histórica de Francia y de la creciente o menguante influencia de ésta en el mundo contemporáneo. El malbaratado orgullo nacional les condujo a toda suerte de ponderaciones jerárquicas entre Francia y otros países, singularmente la nueva y pujante nación al otro lado del Rhin. De aquí resultó una muchedumbre de escritos, mediocres y tendenciosos los más, perspicaces y sugestivos los menos, en todos los cuales se agrupan o confunden ingredientes tomados de las más diversas disciplinas, pero con clara predilección por la historia, la sociología y la psicología. En esta labor se afanan, según sus particulares aficiones, hombres como Taine y Closson, Ribot y Fouillée, Demoulins y Legrand, y otros muchos.

Nada tiene, pues, de extraño que esas preocupaciones crucen los Pirineos y se trasluzcan en la obra de quienes se ocupan en aquilatar el significado de España en un momento crítico de su historia. Esta es, propiamente, la faena de los «intelectuales» del 98, el denominador común de todas sus dispares tendencias. En Costa y Ganivet, en Macías Picavea y Altamira, en Isern y Sánchez de Toca, en Pompeyo Gener y Valentín Almirall, en González Serrano y Morote, en el primer Unamuno y el temprano Maeztu, etc., percibimos con mayor o menor intensidad el eco de estas especulaciones transpirenaicas. Cuando, por ejemplo, Ganivet nos habla de «espíritu territorial», hace suya una famosa clasificación del publicista inglés George Buckle; lo mismo que al hablar de «abulia» apadrina un término y una teoría que hizo circular el psicólogo francés Théodule Ribot. De este afán de bucear en la intimidad española resultan asimismo estudios como los que del casticismo hizo Unamuno; nociones como la de la «pérdida de la personalidad» en Macías Picavea;

los estudios sobre la psicología del pueblo español que debemos a Altamira; la anhelante busca de la personalidad histórica de España que es el aglutinante de todos los trabajos de Joaquín Costa; las meditaciones de Almirall sobre el tema del catalanismo. Pero, en realidad, rebasados los años que infunden significado circunstancial a tales especulaciones, la pesquisa de una personalidad histórica acaba por convertirse en ocupación intelectual y noblemente patriótica de un gran número de españoles del siglo actual. Recatada en unos, como Menéndez Pidal, mezclada con quehaceres filosóficos, como en Ortega, absorbente y dramática, como en Américo Castro, para citar sólo a tres eminentes figuras, la demanda de la personalidad histórica de España ha sido y es un vigoroso y fecundo estímulo de pensamiento.

ROSA ROSSI

EL 98. CRISIS DE LA CONCIENCIA PEQUEÑOBURGUESA

Los cuatro artículos que se publicaron primero en el *ABC* y luego fueron reunidos en 1913 en *Clásicos y modernos,* con los que Azorín lanzó la fórmula de la «generación del 98», están construidos con gran habilidad por aquel hombre desenvuelto y agudo que fue Azorín.

Se inician con el rechazo de una época juvenil acrítica para orientarse hacia una concepción «tradicional» de lo viejo y de lo nuevo. Se pasa luego a sopesar el valor preparatorio del grito apasionado de Echegaray, del sentimentalismo subversivo [!] de Campoamor, de la visión realista de Galdós para concluir así el segundo artículo: «El *desastre* aceleró la eclosión revolucionaria: la protesta alcanzó caracteres de clamor nacional». El uso que hace Azorín del término subversivo, y revolucionario, ya es revelador del carácter «nacionalista», caro a la pequeña burguesía semiintelectualizada, de su plantea-

Rosa Rossi, *Da Unamuno a Lorca,* Niccolo Gianotta Editore, Catania, 1967, pp. 25-33. (Traducción castellana de Josep M.ª Portella.)

miento del problema. Del cuadro de la cultura de la segunda mitad
del siglo XIX se excluyen ya todos los elementos concretos del desarrollo histórico-cultural, y queda abierta la vía a la línea de la preocupación de España que elimina el tema de las «dos Españas», siempre indicativo de una tensión dialéctica, y reúne a Saavedra Fajardo,
Gracián, Cadalso, Cabarrús, Jovellanos, Larra en una pretendida continuidad de la crítica «nacional» y social. Se llega así a la literatura
«regeneracionista» de la segunda mitad del siglo XIX, de la virulencia positivista y burguesa de Pompeyo Gener, y su reivindicación de
una dictadura salvadora, al ideologismo patético de Damián Isern.
[...]
   Con esos artículos, Azorín realizaba una evidente operación de
ideólogo: es decir, trataba de dar homogeneidad y consistencia a un
fenómeno que había hermanado temporalmente a un grupo de jóvenes intelectuales burgueses en la última década del siglo XIX; a Baroja, a Benavente, a Maeztu, a Unamuno y al aún no Azorín, José
Martínez Ruiz. Rechazando el ambiente «burgués» de la Restauración y la intransigencia de los institucionistas, habían adoptado
aires revolucionarios: en formas vistosamente anárquicas en la mayoría, y socialistas en Unamuno. (La ocultación de este hecho ha contribuido a confundir el cuadro de la cultura de aquellos años.)
   Era una opción no tanto de «oposición» a las clases dominantes,
o sea elección definitiva de otra clase como base de su propia presencia en la sociedad, como de «rechazo», es decir, una ruptura a
nivel psicológico e individual con el mundo que les era propio, y en
este sentido giraban en torno a la problemática del escritor decadentista. No es casual que la «crisis» de estos jóvenes coincidiera —como
veremos en Unamuno— con una crisis de desesperanza existencial y
con la lectura de Schopenhauer (lectura consoladora como la de Thomas Buddenbrook en la novela de Mann) y, después de 1900, de
Nietzsche.
   La crisis les hermanará durante algunos años en una temática anticapitalista y nacionalista, y les conducirá a posiciones que si en conjunto pueden definirse como de derechas, son, en cada uno de ellos,
bastante diferenciadas: Maeztu se convertirá en el ideólogo reaccionario a lo De Maistre y morirá fusilado en 1936; Azorín será en
1907 diputado conservador; Unamuno permanecerá preso de sus
contradicciones de aquellos años; Benavente se dedicará a un teatro
behaviorista y mundano y será germanófilo cuando llegue la guerra;

Baroja proseguirá con su pesimismo reaccionario. (Machado y Valle-Inclán quedan completamente aparte de este cuadro.)

La crisis de estos jóvenes —que aquí seguimos desde un punto de vista no literario o, si se quiere, preliterario— coincide con un período de inquietud general, particularmente extendido entre las clases medias. La crisis económica que se inició en 1886 después de un período de relativa expansión industrial y que se había agravado alrededor de 1890 había vuelto a agitar a las llamadas «clases neutras» —pequeños propietarios, comerciantes, pequeños industriales, empleados— sobre cuyo consenso se basaba el precario equilibrio del régimen político de la Restauración: el turno en el gobierno de los partidos liberal y conservador con unas Cortes prácticamente inexistentes y casi completamente controladas por las grandes familias de la oligarquía a través del sistema caciquil: la Constitución real del país según la famosa definición del krausista Gumersindo de Azcárate. [...]

El clima era propicio para la difusión del anticapitalismo nostálgico de viejas formas de producción, de economía personal y de relaciones estáticas, y de un nacionalismo de evasión fundado, a nivel cultural, en el irracionalismo, corriente de la que, precisamente en aquellos años, se estaban difundiendo en España los textos fundamentales. [...]

Sin embargo, cuando llegó el «desastre» la crisis ya había hecho mella en estos escritores; pero ese hecho sirvió espléndidamente como símbolo del nacionalismo metafísico y del anticapitalismo romántico hacia el cual les llevaba la desconfianza en la praxis y en el porvenir del hombre.

De las violentas contradicciones de la historia contemporánea que ya actuaban también en España, ellos, como tantos escritores europeos, trataron de salir por medio del negativismo y del esteticismo, pero en los términos afines a la historia de su cultura. El manual de esta actitud anticapitalista y metafísica fue el *Idearium español* de Ángel Ganivet, el escritor granadino que se suicidó en Riga justamente en 1898. Típico escritor apocalíptico —odiaba el tren y no usaba reloj— animó todo el *Idearium* con la nostalgia de la sociedad orgánica medieval, con la literatura no mercantilizada, con la condición no alienada del artesano de entonces, antes de la fase industrial de la división del trabajo, hasta la paradoja de preferir el usurero al banquero. Rehusando el «lado malo» de la historia, Ganivet apela a la España feudal, guerrera y universalista, mística y fanática. De ahí derivan muchos temas que luego se han convertido en lugares comunes del reaccionarismo decimonónico, el senequismo y la vocación africana, como misión providencial. En un intercambio de cartas Unamuno le discute, pero termina por asentir con él en la sustancia; ambos olvidan que es el «lado malo» el que hace la historia y que el punto de vista moralista no permite ir más allá de la recriminación, es completamente estático, y alimenta sólo programas veleidosos y contradictorios —*in interiore Hispaniae habitat veritas*— o dicta frases brutales como la que acontecimientos posteriores se encargaron de hacer profética: «frente a la ruina espiritual de España, hay que colocarse una piedra por corazón y echar a los lobos a un millón de españoles si no queremos ser arrojados todos a los cerdos».

HERBERT RAMSDEN

EL PROBLEMA DE ESPAÑA

¿Podemos hallar algún índice en todo esto que nos permita conocer mejor a la generación del 98? Yo sugiero que sí.

El primer punto, obvio, ha sido remarcado *ad nauseam*. En ambas obras los autores se muestran preocupados por la problemática de España y ésta, se asegura, es la característica fundamental de la generación del 98. Sin embargo, esta característica fundamental, por desgracia, tal vez no es suficientemente característica. Los intelectuales españoles se han venido preocupando por la problemática española, por lo menos, durante un siglo. Lo que distingue a los escritores del 98 de sus predecesores no es su preocupación, sino su respuesta. *En torno al casticismo* y el *Idearium español* son una buena muestra de ello.

Herbert Ramsden, «The Spanish "generation of 1898". II: A reinterpretation», *Bulletin of John Rylands University Library* (1975), pp. 181-189. (Traducción castellana de Josep M.ª Portella.)

En primer lugar, como ya hemos visto, ambos autores se muestran interesados en establecer un núcleo central e imperecedero de la tradición nacional, una base firme que permita examinar el pasado y hacer recomendaciones cara al futuro: un «núcleo castizo», «una fuerza dominante y céntrica».

¿Es ésta la característica distintiva de la nueva generación? Maeztu así lo creyó. Hasta la aparición de la generación del 98, aseguraba, nadie se había puesto de acuerdo sobre cuáles eran los males de España. Unas veces se lamentaban por la falta de fuerza, gloria o prosperidad material; otras, por la ausencia de méritos, riquezas naturales u hombres de valía. En ocasiones se culpaba a la tradición, y al momento siguiente a sus depositarios. «Faltaba un criterio de discernimiento», seguía, «faltaba la pregunta de ¿qué es lo central, qué es lo que pienso, qué es lo importante?». Éstas, diría yo, son las cuestiones de fondo de *En torno al casticismo* e *Idearium español*. Son las mismas que se hallan presentes en Baroja, cuando busca «lo típico y lo característico», y «la continuidad nacional», que Azorín entendía como peculiar de la generación del 98.

Pero hay algo más significativo aún en las semejanzas que hemos señalado en *En torno al casticismo* y el *Idearium español*. No se trata simplemente de que Unamuno y Ganivet busquen una roca firme de tradición nacional. Se trata de dónde la buscan; eso es lo importante: ni en los actos ni decretos de reyes, políticos, generales u obispos —aunque algo revelen de las tradiciones nacionales— sino en las vidas e idiosincrasia de las humildes, anónimas e inmutables gentes de España. Hasta ahora, se declara, se ha hablado demasiado de los grandes hombres y de las epopeyas históricas y demasiado poco de la vida del pueblo. Y es ahí, según Azorín, donde hallamos lo que es verdaderamente esencial de la generación de 1898: «¿Cómo entiende Unamuno la Historia? ¿De qué modo Baroja ha trazado el cuadro de la España contemporánea? Los grandes hechos son una cosa y los menudos hechos son otra. Se historian los primeros. Se desdeñan los segundos. Y los segundos forman la sutil trama de la vida cotidiana. "Primores de lo vulgar", ha dicho elegantemente Ortega y Gasset. En esto estriba todo. Ahí radica la diferencia estética del 98 con relación a lo anterior. Diferencia en la Historia y diferencia en la literatura imaginativa ... Lo que no se historiaba, ni novelaba, ni se cantaba en la poesía, es lo que la generación del 98 quiere historiar, novelar y cantar». Unamuno con el énfasis en «la vida de los millones de hombres sin historia»; Ganivet con la noción de las «clases proletarias» como «el archivo y el depósito de los sentimientos inexplicables, profundos de un país»; Pío Baroja, «el enamorado de las vidas humildes»; el propio Azorín, amante de «vidas vulgares e ignoradas»... Repentinamente, durante los últimos años del siglo diecinueve, la noción se convierte en lugar común. A decir verdad, la misma rapidez con que la noción dio paso a un lugar común me obliga a dar un rodeo. Pues, a pesar de los numerosos precedentes —la Escuela Histórica Alemana, la Institución Libre de Enseñanza, los escritos de hombres como Joaquín Costa y Eduardo Pérez Pujol, el alza gradual del socialismo—, el énfasis en los méritos del pueblo llano se consolidó tan repentinamente como un tema habitual para los periodistas, allí por 1898 y 1899, que uno está tentado a buscar una explicación más inmediata. Y no es difícil hallarla.

Durante el verano de 1898, las guerras coloniales españolas llegaron a un rápido y decisivo final, debido a la intervención de los Estados Unidos. La resolución de Cánovas de devolver guerra por guerra, si los Estados Unidos intervenían, las seguridades de victoria dadas por el almirante Beránger, el ofrecimiento del general Weyler para invadir los Estados Unidos, los clamores patrióticos de la prensa española, el reavivamiento del entusiasmo del pueblo español cuando parecía que, por fin, se iba a combatir al enemigo y no a las fiebres, todo se esfumó. Todo lo que quedó fue furor y lamentaciones. Los conservadores culpaban a los liberales, los liberales culpaban a los conservadores, los republicanos culpaban a ambos, y Pablo Iglesias, recordando a los lectores de *El Liberal* que España no tenía ningún diputado socialista, culpaba a los tres. Pero no era solamente una cuestión de tal o cual partido, mantenía Iglesias; «fracasaron todos, políticos, militares, administradores» (4 de octubre de 1898). En tan pocas palabras resumía la opinión típica del momento. Yo soy incapaz de hacer justicia a toda la evidencia de que disponemos. Lo que indica —y con toda claridad— es una crisis de confianza nacional: pérdida de fe en la minoría dirigente, pérdida de fe en los ideales tradicionales de la nación y una *amenazadora* pérdida de fe en la propia nación. Pero mi reserva en este punto final es importante. Si los gobernantes de la nación han mostrado su incompetencia o si los ideales tradicionales se manifiestan erróneos, si se cree que la España real se encuentra en algún otro lugar distinto que en sus

dirigentes y sus tradiciones históricas, quizás aún se puede conservar
la fe en la nación. Durante los años 1898-1899, en la prensa española abundan los ataques a la personalidades y a las directrices tradicionales; también en las expresiones de desesperación y el clamor
por nuevos ideales; así también, de manera progresiva, en las profesiones de fe en las cualidades ocultas del hasta el momento descuidado pueblo español. Hay que buscar a España, no en la corteza
exterior, escribía «Zeda», sino en el subsuelo: en los talleres, en
los campos, en las minas, «en fin, en lo más íntimo de su ser». España ha perdido sus colonias, declaró Maeztu, «pero, rascando un
poco en la agrietada superficie social, se encuentra siempre el pueblo
sano y fuerte, fecundo y vigoroso». La juventud de España se encuentra fatigada, decía Enrique Lluria; se hace necesario un «examen
de conciencia» nacional para descubrir y cultivar las «condiciones de
la raza» que se hallan latentes. Mas ¿dónde se halla la *raza*? Enrique
Madrazo resume la respuesta de su tiempo: «la raza está abajo, en
la masa, no arriba en la cabeza». «Lo mejor que puede hacer el
gobierno», añade Antonio Royo Villanova algunos meses más tarde,
«es no estorbar». Más ejemplos serían superfluos. Hemos dado con
la característica fundamental de los escritos españoles de alrededor
1900: el alejamiento de los dirigentes tradicionales del país y de la
historia espectacular con sus «glorias castizas» y sus «venerandas
tradiciones» —con el desastre colonial— a fin de encontrar la supuesta verdadera España en la vida cotidiana del pueblo llano.

«La psicología como ciencia data de este siglo —escribió Unamuno en 1887—; las ciencias naturales, absorbiéndola, la han hecho
progresar.» Bajo la influencia de estos desarrollos, sugiero, y, de más
cerca, por la aplicación por parte de Taine de la historia natural a las
instituciones humanas, Unamuno y Ganivet habían apuntado al pueblo llano de España como al verdadero depositario de la tradición
esencial. Luego vino el desastre de 1898 y el consiguiente «derrumbamiento moral de la patria». De repente, todo un ejército de comentaristas se animaron a hacer lo que Unamuno y Ganivet ya habían
hecho: dar la espalda a la historia tradicional y buscar la salvación
nacional entre las cualidades ocultas de la gente anónima. Algo semejante había ocurrido en Alemania tras la derrota de Jena en 1806;
algo parecido ocurrió en Francia después del conflicto franco-prusiano
de 1870. Sólo la cronología nos impide explicar que *En torno al
casticismo* e *Idearium español,* obras clave de la generación del 98,

fuesen productos del desastre de 1898. Sin embargo, ello no nos impide el explicar su ulterior éxito, por lo menos en parte, como un producto del desastre. En realidad, nos inclina a hacerlo. Yo diría que el impacto del desastre no ha sido totalmente entendido. Su gran influencia sobre el movimiento del 98 yace en los ímpetus que dio a una tendencia tainiana existente y que daba importancia capital al inmutable (o sea, rural) pueblo llano.

Además, como se ve en *En torno al casticismo* y en *Idearium español*, el nuevo énfasis era, ante todo, psicológico. *El alma castellana, Psicología del pueblo español, El alma española, Constitución y vida del pueblo español*, son todos ellos títulos característicos de esta época. «Después del desastre colonial —escribía Unamuno en 1902— ha entrado en España a no pocos escritores cierta comezón por el estudio de la psicología de nuestro pueblo o de nuestros pueblos, comezón muy natural y muy de alabar, pues si el "conócete a ti mismo" es razón de la conducta del individuo, ha de serlo también de la del pueblo.» Dejemos de lado las consecuencias desafortunadas que esta ideología tuvo para la historiografía española del medio siglo siguiente. «Los historiadores españoles de hoy —escribió H. G. Koenigsberger en 1960— han manifestado la tendencia a resaltar lo que de especial y distintivo hubiera en la historia de su país ... Esta preocupación ha llevado a muchos historiadores a recalcar, a veces sin la necesaria mesura, las trazas permanentes de la historia española». Inmediatamente, nos viene a la memoria la «tradición eterna» de Unamuno y el «espíritu territorial» de Ganivet. Y también las «notas constantes» de Altamira, la «permanente identidad» de Menéndez Pidal, las «actividades colectivas, a la larga estabilizadas como habituales» de Castro, la «constante histórica perdurable» de Sánchez Albornoz... La explicación de este extraño énfasis español, en un momento en que ya había pasado de moda en otros lugares, yace, sugiero, en el impacto de Taine, en el éxito literario de los escritores del 98 y en el hecho de que España era, todavía, básicamente una comunidad rural.

Pero si el énfasis por parte de la generación del 98 en el carácter inmutable del pueblo español —y especialmente en las gentes del campo— sirvió para ejercer su influencia dilatoria en la historiografía española, la búsqueda de esa característica produjo, en sus comienzos, una enorme intensificación en el conocimiento de lo hispano: una nueva sensibilidad para con los paisajes, a los que se atribuyó la formación de la idiosincrasia nacional y regional, y un renovado interés en los diferentes aspectos de la vida provinciana en los que esa idiosincrasia se ponía de manifiesto. La generación del 98, acaso inevitablemente, es notable por ser una generación de *excursionistas*. «La base del patriotismo es la geografía —escribía Azorín—. No amaremos nuestro país, no le amaremos bien, si no lo conocemos.» Lo que importa es «lo eterno de la casta», «lo típico y lo característico», «la continuidad nacional». Lo buscan en el carácter y la vida del pueblo llano, en el entorno físico en que éste se ha formado y en la cultura (ciudades, pueblos y aldeas, modo de vida, artes y literatura) en la que, con el paso de los siglos, ese carácter inmutable del pueblo se ha hecho patente. Aprecio en los escritos del 98 una armonía fundamental entre paisaje, idiosincrasia y cultura, «la unión suprema e inexpresable de este paisaje (de España), con la raza, con la historia, con el arte, con la literatura de nuestra tierra —escribe Azorín—, un paisaje concordado íntima y espiritualmente con una raza y una literatura». Evidentemente, el sistema terciario de Taine —paisaje, carácter, cultura— se hace patente. El interés de Ganivet por descubrir «el espíritu permanente, invariable, que el territorio crea, infunde, mantiene en nosotros», la creencia de Unamuno de que «como en su retina vive en el alma del hombre el paisaje que le rodea», la afirmación de Azorín de que «El medio hace al hombre», el sentir de Baroja cuando escribe: «El hombre es producto del medio», son todos ellos típicas expresiones de su tiempo. «Nunca como ahora, la flor de los ingenios castellanos se ha empeñado en descubrir esta conexión entre el alma y el paisaje», dijo el mallorquín Miquel dels Sants Oliver. Me opongo totalmente a la pretensión de Laín Entralgo de que, para los escritores del 98, el hombre del campo español, «campesino o pastor», es ante todo un elemento discordante y molesto entre la pureza del paisaje.

Pero no es sólo en sus viajes donde los hombres del 98 buscan a España. También a la literatura se la contempla como un producto del carácter del país, y se toma como un medio para entender ese carácter. En estos ensayos, dice Azorín en el prólogo a *Clásicos y modernos*, al igual que en mis anteriores *Lecturas españolas*, se halla la misma preocupación subyacente por la problemática de España, el mismo «deseo de buscar nuestro espíritu a través de los clásicos». Escritor tras escritor toman a *Don Quijote* como clave del autoconocimiento español. Pero no es sólo *Don Quijote*. El escritor ilustre, se asegura, al igual que el historiador excepcional, se eleva a guisa de espejo de la conciencia colectiva. Y, como la conciencia colectiva está conformada por el entorno, así también las grandes obras literarias llevan el sello de ese mismo entorno. De este modo, los reflejos en la literatura sugieren visiones del paisaje español y las visiones del campo español suscitan los reflejos literarios. «¿En qué nos hace pensar este florecimiento de la lírica que hay ahora en Castilla? —se pregunta Azorín—. Yo pienso en el paisaje castellano y en las viejas ciudades.» Y momentos después: «Cuando en estas llanuras, por las noches, se contemplan las estrellas, con su parpadear infinito, ¿no estará aquí el alma ardorosa y dúctil de nuestros místicos?». Esto es algo que se reconoce inmediatamente como característico de los escritos de la Generación y no voy a poner más ejemplos. Lo que sí que me gustaría resaltar es que la clave de esta característica tan fácilmente reconocible de la generación del 98 reposa, digámoslo de nuevo, en el sistema determinista heredado de Hippolyte Taine. Es este determinismo, yo diría, lo que nos capacita para entender las aparentemente discordantes características de la generación como elementos integrados en un sistema de pensamiento propio de la época.

Pedro Laín Entralgo

EL MADRID DEL 98: DECEPCIÓN Y RECHAZO

En un ensayo de 1902 recuerda Unamuno la impresión de su primera llegada a Madrid, el año 1880, a los dieciséis de su vida: «una impresión deprimente y tristísima, bien lo recuerdo. Al subir, en las primeras horas de la mañana, por la cuesta de San Vicente, parecíame trascender todo a despojos y barreduras; fue la impresión penosa que produce un salón en que ha habido baile público, cuando por la mañana siguiente se abren las ventanas para que se oree, y se empieza a barrerlo». Descubre inmediatamente «rostros macilentos,

Pedro Laín Entralgo, *La generación del noventa y ocho*, Espasa-Calpe, Madrid, 1948 ², pp. 79-87.

espejos de miseria, ojos de cansancio y esclavos de espórtula». «Fui
a parar —añade— a la casa de Astrarena ... y recuerdo el desánimo
que me invadió al asomarme a uno de los menguados balconcillos que
dan a la calle de Hortaleza y contemplar desde allí arriba el hormi-
gueo de los transeúntes por la red de San Luis ... Estas emociones
reviven en mí cada vez que entro en Madrid.» Para muchos madrileños y para no pocos de los provincianos llegados a la Corte, Madrid
tenía acaso la superficial alegría del salón de baile. Unamuno, apenas
llegado, ve inmediatamente el reverso directo de esa imagen: Madrid
es un salón de baile, pero a la hora triste y sucia en que comienzan
a barrerlo.

Esta impresión se repite en el alma del Unamuno adulto cuantas
veces llega a Madrid. Madrid le desplace. No le odia —«no dejo de
guardar afecto —dice— a ese gran patio de vecindad ..., a ese buen
cotarro abierto a todo el que llega ...»—; pero siente ante él un
innegable asco espiritual: le llama «centro productor de ramplone-
rías» y le define así: «Madrid pulula en vagabundos y atrae al estéril
vagabundaje callejero ... Madrid es el vasto campamento de un
pueblo de instintos nómadas, del pueblo del picarismo». La moraleja
no se hace esperar: «La mejor defensa es huir, huir al desierto a encontrarse uno consigo mismo en él». Sólo alaba de Madrid su cielo,
sus «espléndidas puestas de sol, magnificadoras del que las contem-
ple ...».

La actitud aversiva de Unamuno ante Madrid se extiende a todas
las ciudades, y singularmente a las que pasan por más «civilizadas»:
«gracias a Dios —escribe *ex abundantia cordis*— no vivo en ninguna
de esas ciudades, todas iguales y todas imitadoras de París ...; vivo
en una vieja ciudad, cuya vejez es juventud perpetua, entre doradas
piedras que rezuman recuerdos. Y aun así, en cuanto puedo me esca-
po y me voy al campo a conversar con algún viejo pastor que a solas
largas horas bajo el desnudo cielo haya meditado en la meditación
eterna». El contacto de Unamuno con la ciudad produce inmediatamente en su alma el deseo de huir. Quiere huir de la historia y chapuzarse, como él diría, en la intrahistoria; o, mejor todavía, en el
puro paisaje. [...]

La actitud de Azorín ante el Madrid que conoce es sensiblemente
paralela a la de Unamuno. Ávido de vida y de ensueño llega a Madrid
Antonio Azorín o, si se prefiere, José Martínez Ruiz. Es el año 1895.
¿Qué ve Antonio Azorín de la vida y del rostro de Madrid? Deje-

mos que nos lo cuente su inventor y biógrafo: «En Madrid su pesimismo instintivo se ha consolidado; su voluntad ha acabado de disgregarse en este espectáculo de vanidades y miserias. Ha sido periodista revolucionario y ha visto a los revolucionarios en secreta y provechosa concordia con los explotadores. Ha tenido luego la humorada de escribir en periódicos reaccionarios y ha visto que estos pobres reaccionarios tienen un horror invencible al arte y a la vida». No es más favorable el retrato de los políticos que en Madrid descubre: «No hay cosa más abyecta que un político», sentencia.

¿Será más lisonjera la visión azoriniana del rostro físico de la ciudad? Del Azorín joven conozco una estampa de Madrid, una espléndida pintura impresionista del paisaje que hacia 1900 ofrecían las Ventas del Espíritu Santo. Es, a mi juicio, la mejor página de prosa impresionista de toda la literatura castellana. Hay en ella, en primer término, una viñeta de los diminutos hoteles del Madrid moderno: «todo chillón, pequeño, presuntuoso, procaz, frágil, de un mal gusto agresivo, de una vanidad cacareante, propia de un pueblo de tenderos y burócratas». En el cuerpo de la descripción, el ámbito suburbano de las Ventas va ofreciendo su línea, su color, sus diversísimos sonidos, el movimiento de los seres vivientes que le habitan, la luz y el temple del aire, el avance lento y analítico del descriptor. Son puros y limpios los menguados retazos de naturaleza que subsisten entre los hombres y las obras humanas: un trozo de césped verde, dos palomas, la mole del Guadarrama. El resto —hombres y obras—, todo es sucio, triste de veras o falsamente alegre, en torno a la rítmica lanzada funeral que le atraviesa: «pasa un coche fúnebre blanco, pasa un coche fúnebre negro ...». El dolor, la suciedad, la estridencia y la muerte son los cuatro elementos que integran la visión azoriniana del arrabal madrileño. [...]

Baroja resume sus experiencias infantiles de Madrid o, más precisamente, su recuerdo senil de esa experiencia, con las palabras que siguen: «tengo la impresión de que Madrid no dejaba de ser, en su limitación y en su pobreza, un pueblo alegre y pintoresco y fácil para todo el mundo». Veamos los objetos y los sucesos que Baroja recuerda y examinemos su capacidad de engendrar esa impresión de alegría y facilidad.

Tanto en *Juventud y egolatría* como en sus recientes *Memorias* se complace Baroja evocando sus primeros recuerdos de Madrid. El texto de la evocación es casi idéntico en los dos libros: «Enfrente de nuestra casa había un campo alto, no desmontado aún, que se llamaba la Era del Mico. Tenía una serie de columpios y de tiovivos. Las diversiones de la Era del Mico, las calesas y calesines que existían aún y los coches fúnebres que pasaban por la calle, eran nuestro entretenimiento desde los balcones de la casa.

»Con un intervalo muy corto, hubo entonces dos ejecuciones ... y oímos vender en la calle la Salve que cantan los presos al reo que está en capilla».

Recuerda sus noticias sobre las dos cárceles de Madrid: la del Saladero, para hombres, y la Galera, para mujeres. Transcribe luego una sucia cuarteta dedicada al duque de Sesto. Describe así el colegio a que asistió: «un cuartucho oscuro y estrecho en el que hacía de maestro un hombre triste y tuberculoso». Conserva también el recuerdo de los licenciados de Cuba y Filipinas que mendigaban por las calles «vestidos medio de soldados, medio de vagabundos».

No es mucho más conformante el haz de las impresiones procedentes de su segunda estancia en Madrid, a partir de 1886. El ambiente mezquino y achulado del Instituto de San Isidro, la ejecución de los tres reos del crimen de la Guindalera, el flamenquismo en apogeo, el Bodegón del Infierno, las casas de dormir, la muerte de Higinia Balaguer en el garrote, el crimen de la calle de la Justa, los garitos y los astrosos billares de la Puerta del Sol. «En un ambiente de ficciones, residuo del pragmatismo viejo y sin renovación, vivía el Madrid de hace años. Otras ciudades españolas se habían dado cuenta de la necesidad de transformarse y de cambiar; Madrid seguía inmóvil, sin curiosidad y sin deseo de cambio ... España entera, y Madrid sobre todo, vivía en un ambiente de optimismo absurdo. No había curiosidad por lo de fuera. Todo lo español era lo mejor», dice Baroja, resumiendo sus juicios de estudiante universitario acerca de Madrid.

A nadie extrañará, leyendo estos recuerdos barojianos, el rostro repelente y la sensación de inconsistencia que ofrece Madrid en la obra literaria de Baroja: el Madrid de *La busca*, de *Aurora roja*, de *La dama errante*. He aquí un expresivo texto de *La dama errante*, que Baroja copia en sus *Memorias*, como si fuese el trasunto más idóneo y fiel de su experiencia de Madrid: «Madrid, entonces, era un pueblo raro, distinto a los demás, uno de los pocos pueblos románticos de Europa, un pueblo en donde un hombre, sólo por ser gracioso, podía vivir. Con una quintilla bien hecha se conseguía un empleo para no ir nunca a la oficina. El Estado se sentía paternal con el pícaro, si era listo y alegre. Todo el mundo se acostaba tarde; de noche, las calles, las tabernas y los colmados estaban llenos; se veían chulos y chulas con espíritu chulesco; había rateros, había conspiradores, había bandidos, había matuteros, se hacían chascarrillos y epigramas en las tertulias, había periodicuchos en donde unos políticos se insultaban y calumniaban a otros; se daban palizas y, de cuando en cuando, se levantaba el patíbulo en el Campo de Guardias, en donde se celebraba una feria a la que acudía una porción de gente en calesines ... Entonces, los alrededores de la Puerta del Sol estaban llenos de tabernas, de garitos, de rincones, lo que permitía que nuestra plaza central fuera una especie de Corte de los Milagros. En la misma Puerta del Sol se podían contar más de diez casas de juego, abiertas toda la noche; en algunas se jugaba a diez céntimos la puesta. Los políticos eran, principalmente, chistosos ...». [...]

Madrid ofrece un mismo rostro a todos los provincianos del 98. Cuando eran más ostensibles el bobo optimismo y la alegría zarzuelera de los bien instalados en la vida madrileña —«sociedad desvencijada», la llamó por entonces Ganivet—, estos jóvenes sensibles y ambiciosos tienen la osadía de ver y describir un Madrid de arrabal, agrio cuando muestra el verdadero sabor de su vida, grotesco cuando enseña la película histórica que cubre y esconde tan desabrida entraña. Una acritud sucia, dolorida y dolorosa en los seres que viven subhistórica y realmente; una radical inconsistencia en los que viven oficial e históricamente: he ahí las dos notas fundamentales del Madrid que ven y describen, a poco de llegar, todos los miembros de la generación. ¡Qué enorme contraste entre la aparatosa falsedad del Madrid que descubren y la autenticidad —dura y bronca, tal vez, pero recia y consistente siempre— del campo provincial y nativo!

E. Inman Fox

EL AÑO DE 1898 Y EL ORIGEN
DE LOS «INTELECTUALES»

El adjetivo «intelectual», refiriéndose más que nada al entendimiento y al mundo de la razón, es antiguo en la lengua castellana. Y sabemos que, debido a ciertos fenómenos culturales, se amplió su sentido en la última parte del siglo XIX. Resulta, sin embargo, que un estudio de los orígenes de la conversión del adjetivo en el sustantivo «intelectual», y su subsiguiente popularidad, es algo más que anecdótico. A través de los diccionarios, muy poco se nos aclara la cuestión; únicamente la Enciclopedia Espasa nos pone en la pista de la fecha aproximada de la acepción que hoy le damos: «Desde principios del siglo XX se ha usado con frecuencia la denominación de *intelectuales* para designar a los cultivadores de cualquier género literario o científico». Como a lo largo de los años el uso de la palabra se ha liberalizado, puede que consideremos aceptable la definición dada por Espasa. Desde luego, el término «intelectual» se presta hoy día a múltiples interpretaciones, positivas y peyorativas; pero, según se verá más adelante, entró en las lenguas española y francesa con una connotación especial, y su introducción se debía a circunstancias sociopolíticas. Sólo entendiendo al intelectual o a los intelectuales como miembros de una «clase» de pensadores o escritores casi siempre en oposición al orden socio-político establecido —o, por lo menos, al margen de él— podemos vislumbrar el origen de la palabra y la razón de su incorporación a la lengua.

El concepto del intelectual como descontento, con una actitud crítica e independiente frente al gobierno y la sociedad de su país, nos hace pensar inmediatamente en la *intelligentsia* rusa. La palabra *intelligentsia*, de etimología obviamente extranjera, fue introducida en la lengua rusa en los años 1860 por un novelista menor, Boborykin, y llegó a ser común casi en seguida. Parece que la mayor parte de los estudiantes de la historia del pensamiento en Rusia está de acuerdo con la opinión de que la *intelligentsia* como grupo tenía

E. Inman Fox, «El año de 1898 y el origen de los "intelectuales"», *La crisis intelectual del 98*, Cuadernos para el Diálogo, Madrid, 1976, pp. 9-16.

sus orígenes en los círculos de escritores y artistas de los años 1830 y 1840, en que se fomentaba una cierta ideología influida por el idealismo alemán. El hecho de que la palabra no se acuñara hasta veinte años más tarde indica que los *intelligenty* tardaron esas dos décadas en definir su identidad.

Sin embargo, ni la palabra ni el concepto se trasplantaron a otros países europeos. Difícilmente se encontrará en español, por ejemplo, hasta finales del siglo XIX una palabra que exprese la conciencia de la existencia de un grupo como la *intelligentsia* rusa o los intelectuales de este siglo. Según nuestras indagaciones, el uso de «intelectual» como sustantivo entró definitivamente en la lengua castellana casi al mismo tiempo que en la francesa, a raíz de la organización de los profesores y escritores franceses en torno al asunto Dreyfus. Como es sabido, en 1897 fue descubierto que el comandante d'Esterhazy había identificado falsamente el documento empleado para condenar al capitán Dreyfus. El Estado Mayor, incurriendo en una serie de manipulaciones, se negó al principio a revisar el proceso, y en diciembre del mismo año el Parlamento francés exonera por votación a d'Esterhazy. Entonces el asunto Dreyfus se desplaza hacia la opinión pública con la publicación de «J'accuse», de Émile Zola, en el periódico *L'Aurore,* el 13 de enero de 1898. Georges Clemenceau había abierto las páginas de *L'Aurore* a revisionistas y dreyfusistas, y después del documento revolucionario de Zola apareció una serie de peticiones y manifiestos que Clemenceau bautizó como «manifestes des Intellectuels». La palabra estaba lanzada, y es verdaderamente asombrosa la frecuencia del uso del neologismo «intellectuel» durante los primeros meses de 1898 en revistas tales como la *Revue Blanche,* otro órgano de los «intellectuels», y la *Revue de Deux Mondes,* en la cual los artículos de Brunetière toman una postura antiintelectual. Es todavía más sorprendente si se tiene en cuenta que no aparece la palabra en estas revistas ni una vez —que hayamos podido averiguar— en 1897.

Habíamos sospechado que el sustativo «intelectual» habría penetrado en las lenguas a través del movimiento socialista con anterioridad a 1898, pero no parece ser así. Sin embargo, las circunlocuciones como «ouvriers de la pensée» que se encuentran en la literatura socialista en la última parte del siglo XIX, y que tienen sus equivalentes en español, demuestran que el concepto del intelectual como uno que pretende influir política o socialmente, venía especificándose. Karl Kautsky escribe del socialismo y los intelectuales bajo el título *Der Sozialismus und die Intelligenz* en 1895 —que se traduce al francés como *Le socialisme et les carrières liberales*—; pero de 1900 tenemos dos panfletos: *Les intellectuels devant le socialisme,* por Hubert Lagardelle, y *Le socialisme et les intellectuels,* por Paul Lafargue. Parece, sin duda, entonces, que el sustantivo debe su difusión a la campaña montada alrededor del asunto Dreyfus para influir en la opinión pública.

Según las fichas que se conservan en la Real Academia de la Lengua, se atribuye a Pardo Bazán la primera mención en español de los intelectuales. Refiriéndose al asunto Dreyfus, escribe en 1900: «... Les envidio... sus intelectuales». Como podría entresacar cualquier estudioso de la época de lo ya expuesto arriba, el sustantivo y el concepto del intelectual tienen que aparecer en español antes de 1900, aunque sólo sea unos años antes.

Un repaso de la prensa de la época confirma el hecho de que el asunto Dreyfus tuvo una repercusión importante en la opinión pública española, sobre todo en el sector liberal. Tampoco debemos olvidar el paralelo que existía entre la revisión del proceso del capitán judío y la promovida en España, hacia finales de 1897 y principios de 1898, para los presos de Montjuich. En todo caso, la situación creada en Francia por el asunto Dreyfus y los problemas de los últimos años de la Restauración en España producirían reacciones muy semejantes en los ambientes intelectuales: la falta de confianza en el sistema parlamentario, un sentido crítico frente al poder de los militares, una actitud anticlerical, etc. Es decir, la ineficacia del gobierno y de la sociedad corrompida por los intereses creados de la burguesía en la administración de la justicia individual y social hacía que los intelectuales fueran tomando conciencia de una misión especial en la «regeneración» de su país. Si agregamos el hecho de que encontramos bastante a menudo en textos españoles de los años 1890 expresiones como «la juventud intelectual», «*l'élite* intelectual» y «obrero intelectual», es evidente, con el estrecho y casi inmediato contacto cultural que había con Francia, que el paso a la incorporación al español del sustativo «intelectual» será rápido.

Según nuestro examen —si no exhaustivo, bastante detallado— de los escritos de los krausistas, los regeneracionistas y los autores de la generación de 1898 y de la anterior, la introducción del sus-

tativo «intelectual» fue debida a los de 1898. Y el dato ayuda a
definir esta generación como la primera que como tal expresaba la
necesidad de influir culturalmente en el rumbo de su país. Basta
recordar la cantidad de protestas, circulares y revistas en que vemos
juntas las firmas de estos autores, cuyo propósito principal era cambiar el sistema político y social de España.

Hemos podido localizar en textos de Maeztu y Unamuno dos
ocasiones anteriores a 1898 en que se emplea el término. En una
carta a Cánovas, fechada el 28 de noviembre de 1896, don Miguel
le pide al jefe del Gobierno que intervenga en favor de Pedro Corominas, preso en Montjuich: «Estimo que el sacrificar a Corominas,
que es lo que suele decirse un anarquista platónico, por el natural deseo de servir a una opinión pública, que, tan justamente alarmada
como grandemente extraviada, pide caiga algún *intelectual,* llevaría a
un acto de escasa justicia y de menos caridad». Y en «El socialismo
bilbaíno», un artículo publicado en la revista *Germinal* el 16 de
julio de 1897, Maeztu escribe: «... Y repróchesele [al socialismo
marxista bilbaíno] también el tacto de codos contra los intelectuales que aparta de sus filas a multitud de corazones generosos ...».
El 6 de febrero de 1898, Maeztu publica en *El Progreso* otro artículo, «Ideal nuevo», en que hace alusiones indirectas al asunto
Dreyfus y directas a Zola y las páginas de *L'Aurore.* El hecho de
que en este artículo Maeztu emplea los términos «aristócratas de la
inteligencia» y «*l'élite*» nos lleva a creer que todavía no ha hecho
suya totalmente la palabra «intelectual». Sin embargo, lo termina
así: «Y entonces, cuando las masas se fatiguen de arrastrarse ante
los sables y ante las sotanas, y vuelvan a impetrar su redención de
los intelectuales ...». Y en enero de 1899 Maeztu titula un ensayo
suyo: «Anda, anda... (para un intelectual)» (*Vida Nueva,* 8 de enero
de 1899). Es muy apropiado que sea Maeztu el que más se aprovecha de la nueva palabra, porque más que en ningún pensador de su
tiempo —con la posible excepción de Costa— el concepto del intelectual como persona responsable e influyente está en el mismo centro
de sus ideas sobre la «otra España». Conviene recordar también el
éxito de su conferencia «La revolución y los intelectuales», dada en
el Ateneo en 1910. Todo su pensamiento prepara el terreno para la
actividad de los intelectuales de la generación de Ortega.

De 1898 sólo hemos podido encontrar un uso de la palabra en
los escritos de José Martínez Ruiz: «González Serrano es uno de

los intelectuales que más reciamente trabajan» («Gaceta de Madrid», *Madrid Cómico*, 19 de marzo de 1898). Pero es Unamuno el que nos facilita fijar el año 1898 como el definitivo para la incorporación al español del sustantivo «intelectual». Ya en 1896 Unamuno sostiene que la juventud «intelectual» significa para él la que se dedica al mundo literario, científico, del pensamiento y del periodismo, y que por implicación es un grupo que dirige e influye («La juventud "intelectual" española»). Se sirve del sustantivo nuevamente, subrayándolo, en «La vida es sueño. Reflexiones sobre la regeneración de España», publicado en *La España Moderna* en noviembre de 1898: «En rigor, no somos más que los llamados, con más o menos justicia, *intelectuales* y algunos hombres públicos los que hablamos ahora a cada paso de la regeneración de España». En este ensayo Unamuno se refiere claramente a un grupo que piensa y escribe con el fin de afectar el futuro de la nación; y para él es un grupo ya con cierta influencia que opera al margen de la política organizada. En el mismo mes escribe: «El deber de los intelectuales y de las clases directoras estriba ahora, más que en el empeño de modelar al pueblo bajo este o el otro plan, casi siempre jacobino, en estudiarle por dentro, tratando de descubrir las raíces de su espíritu» («De regeneración. En lo justo», *Diario del Comercio*, 9 de noviembre de 1898).

Hacia finales de 1898 y principios de 1899, la palabra «intelectual» como sustantivo, con su significado más o menos especial, es tan frecuente que se puede tropezar fácilmente con una frase como la siguiente de Fernando Araujo, en que se analiza la crisis parlamentaria: «De este modo se han llegado a poner enfrente del Parlamento las masas, de un lado, y los intelectuales, del otro, dejándole aislado y sin savia, sin que nadie tenga fe en él» (*La España Moderna*, n.º 121, enero de 1899, p. 162). Y en los artículos que recopiló Rubén Darío en el libro *España contemporánea* —todos de 1899— encontramos el término nada menos que cuatro veces.

Así vemos que no sólo debemos a los jóvenes de 1898 la penetración en la lengua castellana del término «intelectual», sino también que fue la primera generación española que tenía una conciencia clara de su papel rector en la vanguardia política y social. El que se consideraban como pertenecientes a una «clase» nueva se infiere de todas las citas en que hemos visto el nacimiento del término «intelectual» y de ésta, de Unamuno, tomada de su ensayo «De patriotismo», de 1899: «Por encima de las patrias que luchan el triste combate, álzase la solidaridad de los "intelectuales", y por debajo de ellos, la de los "cordiales" de los pueblos todos. Lo que de ordinario llamamos patriotismo, el exclusivista, es cosa de la clase media en cultura» (*Las Noticias,* 10 de septiembre de 1899). No hay duda de que a partir de 1898, como reflejo de la concretización de la conciencia de que venimos hablando, el intelectual adquiere importancia como personaje literario. Máximo Manso, en *El amigo Manso,* sería el primer protagonista de novela presentado como intelectual; pero es importante la diferencia que hay entre la sátira de Galdós y la profundidad y la seriedad con que están tratados los mundos, digamos, de Pío Cid y Antonio Azorín. Se nos antoja proponer que el estudio de la evolución del intelectual como personaje de la novela española contemporánea —tema todavía no abordado por los críticos— serviría para mejorar nuestra apreciación de la relación entre el mundo sociopolítico y la fenomenología cultural.

Gonzalo Sobejano

NIETZSCHE Y EL INDIVIDUALISMO REBELDE

Los modernistas españoles no llegan, a través de Nietzsche, a la negación de Dios ni a ninguna controversia con la verdad metafísica y religiosa. Tampoco aprovechan el caudal de perspectivas psicológicas atesorado en la obra de Nietzsche ni comparten sus radicales puntos de vista sociales y políticos. De anarquismo individualista entre ellos tampoco es posible, en rigor, encontrar nada importante. Los modernistas españoles buscan la belleza por sí misma, y la buscan principalmente a través de la sensación. La belleza, para ellos, no se identifica en modo alguno con el bien, sino con la fuerza, la nobleza, el valor, la perfección de la forma. Si su moral es estética, su estética es vitalista: tiende a la intensidad de la emoción, a la plétora de una sensación armoniosa de fuerza y se-

Gonzalo Sobejano, *Nietzsche en España,* Gredos, Madrid, 1967, pp. 255-258 y 481-484.

renidad. Pero la fuerza y la serenidad son atributos de los escogidos, de los mejores; de aquí el carácter aristocrático y el refinamiento que, con tal de no contaminarse de vulgaridad, prefiere apelar a la crueldad antes de incurrir en la compasión (peligrosa por razones de gusto más que de sentimiento ético social). La máxima aristocracia es para ellos la de los artistas. [...]

El aspecto del pensamiento nietzscheano que mayor vigencia logra entre los modernistas es la revolución moral, la trasmutación de los valores éticos. Procuran ellos colocarse por encima del bien y del mal, pero este ilusorio amoralismo resulta casi siempre un contramoralismo antiburgués marcadamente artificioso; más que inversión, perversión de valores; más que radicalidad, perversidad (y es por aquí por donde salen de Nietzsche para recaer en la órbita del decadentismo francés, en la melancolía y en la exquisitez morbosa de los «raros»). Rubén Darío y Valle-Inclán son quienes más lejos llevan esta sustitución del bien tradicionalmente aceptado por la belleza idolátricamente entronizada. [...]

Ese vitalismo no se contenta siempre con ser disfrute de placer: quiere ser también consciencia de superioridad, de poderío. Y así hemos visto cómo algunos personajes de Valle-Inclán y de Benavente, en muy distintos niveles, aspiran a ser más, a mandar, a derribar metas, a complacerse en una soberbia autoridad desdeñadora de leyes públicas y deseosa de borrar tradiciones civiles, convenciones y límites de la individualidad.

Ser poderoso es privilegio de los mejores. Los mejores son los fuertes, los orgullosos, los libres, los dominadores, los artistas. En los héroes del Renacimiento, pero también en ciertas personas de ficción o reales del tiempo más reciente (Mitre, Bradomín, Montenegro, Santa Cruz, Imperia, la Princesa Bebé) se hallan rasgos patentes de un arquetipo sobrehumano en conato, que, si no cuaja en ningún proyecto futuro, pretende magnificar y dar brillo a la historia o a la fantasía de las individualidades poderosas.

Y precisamente esos «excelentes» no son buenos en el sentido cristiano. Cristianamente son malos, aunque practiquen los preceptos católicos, como Bradomín o Montenegro hacen, o aunque se sientan humanitarios y caritativos, como los personajes de las novelas de Trigo. Pues aquéllos creen, pero son soberbios, crueles y voluptuosos, y éstos, aun siendo piadosos y justos, no creen en la gloria ultraterrena, sino en el edén terrenal. [...]

Preciso es reiterar, sin embargo, que los modernistas no se salen ni por un momento de los supuestos cristianos. Inspirados, más que por Nietzsche o D'Annunzio, por Verlaine y la poesía francesa simbolista, saturada de catolicismo sincero o tergiversado, expresan el dilema paganismo-cristianismo en un constante trasiego de las tentaciones de aquél a las consoladoras sugestiones de éste. No pueden ni quieren deshacerse del sentimiento del pecado. Juegan con la inmoralidad y con la violencia, pero o se aproximan auténticamente a Cristo, como Darío; o acatan cínicamente el prestigio de las formas eclesiásticas, como Valle-Inclán; o desembocan en un anticristianismo cristiano en casi todos sus argumentos, como Trigo; o retornan, tras escarceos levemente heréticos, al seno de las conveniencias, más que de las razones, cristiano-occidentales y nacionales, como Benavente, como Marquina (éste, de seguro, con más buena fe que aquél). [...]

El tránsito del siglo XIX al XX, a pesar del renacimiento del idealismo, es época de ateísmo y de increencia en todo el mundo. El «Dios ha muerto» nietzscheano se encuentra [también] en la mayoría de los hombres [de la generación del] 98 de una o de otra manera. Ganivet identifica a Dios con el alma autocreada, previa la pérdida o abandono de la fe. Unamuno, ateo, se hace un Dios equivalente a la voluntad de ser eterno, y predica la fe en la fe, entendiendo por fe la esperanza, el puro deseo de que Dios exista. Actitud semejante es la de Antonio Machado. En Baroja y Azorín el silencio acerca de Dios es la mejor prueba de que para ellos no cuenta. Blasco Ibáñez no oculta su ateísmo. Diego Ruiz pone en el vacío dejado por la divinidad el entusiasmo.

Pero si el ateísmo de estos escritores puede deberse a la crisis general de la época, su posición ante el cristianismo viene mediatizada indudablemente por la lectura de Nietzsche. Miran el cristianismo como religión decadente, morbosa, hostil a la vida, fúnebre y cargada de tristeza y resignación infecunda el Maeztu y el Azorín juveniles, Pío Baroja a lo largo de toda su obra, Ciges Aparicio, Blasco Ibáñez. Ganivet salva el cristianismo por lo que de estoico y español hay en su ética y en la tradición nacional que lo encauza. Y si Unamuno no perdona a Nietzsche las «calumnias» contra Jesucristo y su doctrina, su apología no escasea en categorías nietzscheanas, hasta el punto de hacer de Cristo el superhombre en arquetipo. Salaverría encuentra incompatible el semitismo cristiano con el temperamento europeo y, como Maeztu, deriva hacia la hispanidad católica más que hacia el cristianismo sustantivo y universal.

Dentro del ámbito moral ocupa el influjo de Nietzsche más dilatada área. Los escritores del 98 tienden por todos los caminos, y ésta es acaso su inclinación más común y más fuerte, hacia el incremento del valor Vida. En anteponer la Vida a la Razón estriba la intrínseca anarquía de todos ellos. Unamuno es quien da a esta común aspiración desarrollo más filosófico y formulaciones más categóricas: mentira vital, locura quijotesca, el sueño es vida, las verdades deben decirse cuando más inoportunas, dar a cada uno lo mío, fe en lo que sea, sentimiento trágico de la vida como agonía entre lo vital y lo racional. Pero sus compañeros coinciden con él en mucho. Maeztu y Baroja repiten que la vida no es justa ni injusta, buena ni mala, sino necesaria. Baroja invita a una labor de inmoralización, para acabar con la idea de pecado. Azorín adopta una moral contingente y relativista, dedicándose a revisar valores de acuerdo con la escala de la vida. Tratan muchos de situarse por encima del bien y del mal o dentro de lo que es común a ambos; pero su amoralismo resulta a menudo un inmoralismo antiburgués violento cuando no artificioso. Amoralidad es inocencia vital, y la inocencia vital no es posible en el clima nihilista de entonces. Se invertirán, pues, los valores, demoliendo para ello algunos de los principios cristianos que informaban las costumbres morales de la época. Si los modernistas, para eliminar la «moralina», recurrían a una mezcla blasfema de misticismo y carnalidad, los noventayochistas apelan a la dureza aprendida en Zaratustra. Inmoralizar significa para Ganivet, Maeztu o Baroja, al menos en ciertas fases de su vida y momentos de su obra, ser duros, oponerse a la compasión. Sintéticamente, Baroja y Azorín explicaban la diamantina dureza de su generación frente al ambiente español con el símil nietzscheano del diamante y el carbón de cocina. Moral de la fuerza por auténtico amor responsable, por compasión verdadera.

La moral de estos hombres tiene una proyección política vasta y honda. La mayoría, comprometidos a una crítica rigurosa del siglo XIX y sus prolongaciones, multiplican las manifestaciones de desprecio a la democracia, burocracia, parlamentarismo, socialismo. Si algún nombre general puede dárseles es el de anarcoaristócratas. Los modernistas eran más bien aristocraticistas; los hombres del 98 empiezan profesando un anarquismo intelectual clamoroso, pasan luego algunos a posiciones aristocratizantes, pero no abandonan nunca del todo la arbitrariedad, el individualismo anárquico, la iconoclastia de la juventud. Odian la democracia, temen al socialismo; no por odio y temor al pueblo, sino por odio a la representación del pueblo por la burguesía de los politicastros, y por temor a la lenta absorción del pueblo en la burguesía de los funcionarios. Consecuentemente, se burlan de los simulacros electorales, de la garrulería parlamentaria, del socialismo rebañego. Solitarios entre y contra la mediocridad. Glorificadores de la individualidad enérgica y descollante. De la anarquía máxima están predispuestos siempre algunos a acceder al máximo de autoridad concentrado en un hombre. Entre algunos escritores (Maeztu, Salaverría, Burguete, Azorín a rachas) se da incluso una vocación militarista y dictatorial.

El individualismo anarcoaristocrático de los hombres del 98, tan embebido en el ideario de Nietzsche, se define en una palabra que, tómese desde una perspectiva individual puramente o desde una perspectiva patriótica, preside todos sus esfuerzos: Voluntad. Ganivet diagnostica la enfermedad de España, «abulia», y crea un Hércules moral y un escultor prometeico de su alma. Unamuno opone al «marasmo» la energía orientada al porvenir, el instinto de invasión y de ser más, la caridad dominadora. Frente a la «parálisis» española se lanza Maeztu a predicar la voluntad de afirmación y ascenso, dando la batalla a la «decadencia». Baroja finge y exalta al hombre de acción. Para salir de la «postración», Azorín fía en la voluntad. Y recordemos el Valor, de Burguete; la Afirmación española, de Salaverría; el Futurismo, de Alomar; el Entusiasmo, de Diego Ruiz.

La apoteosis de la voluntad enérgica llega a producir en algunos casos la apología de la guerra, ya se trate de una guerra interna personal (la agonía de Unamuno), ya de la guerra en el sentido usual de la palabra (Maeztu, Baroja, Burguete, Salaverría, Bonilla).

Cumbre de la nueva moral y de la nueva voluntad de poder es el superhombre. Sólo Baroja y Azorín dejaron de intentar plasmaciones sobrehumanas en su obra, aunque Baroja definiera aquel ideal como símbolo del Occidente frente al Oriente e infundiera modestos rasgos de superhombre a algunos de sus hombres de acción. Los demás ensayan alguna equivalencia. «Pío Cid» tiene algo de superhombre en germen, como el propio Ganivet lo tuvo para Navarro Ledesma y algunos devotos. Unamuno, pese a su reacción contra Nietzsche, no se fatiga de proyectar variantes del superhombre: el

cristiano perfecto, el hombre nuevo, Apolodoro Carrascal (variante
paródica), Don Quijote, Cristo mismo. Al trasluz del superhombre ve
Maeztu a Don Juan, y su «Caballero de la Hispanidad» es otro ejemplar de proporciones titánicas. Salaverría habla del hombre-cúspide
y presenta a los paladines iluminados. Bonilla equipara la acción de
Don Quijote a la del hombre superior respecto a los mediocres. Ciges
Aparicio sueña con la armonía del superhombre y del pueblo. De
Diego Ruiz es la quimera del «Ultravertebrado». De Silverio Lanza
«el equilibrado biológico». Ricardo Baroja se burla ya, pasados los
primeros arrebatos, del abuso de este ideal. [...]

Y, finalmente, la estética de Nietzsche, y su estilo, encontraron
no débil eco en estos sus tempranos lectores españoles. Maeztu y
Azorín propagaron la apreciación del arte por la óptica de la vida.
Ganivet, Unamuno, Azorín, Baroja y otros entendieron la cultura
como unidad de estilo, al modo de Nietzsche. Y el estilo de éste, su
manera de comprender y de expresar la belleza, ganó discípulos en
España. Discípulo es Unamuno en sus ensayos primeros y en la prosa
ardiente de su *Vida de Don Quijote y Sancho.* Lo es Maeztu, sobre
todo en sus páginas de juventud. Lo es Baroja en *Juventud, egolatría,* en *La caverna del humorismo* y en gustos literarios y musicales.
Lo es Azorín en la asimilación de la «facultad apolínea», el fervor
por Gracián y los moralistas, y la calidad diáfana y mediterránea de
su prosa. Machado pudo aprender algo en los epigramas y en los
aforismos del poeta-filósofo. Burguete, Salaverría, Diego Ruiz, aunque más a ras de tierra, fueron también alumnos de Nietzsche no
sólo en las ideas sino en el modo de expresión.

RICARDO GULLÓN

LA INVENCIÓN DEL 98

La invención de la generación del 98, realizada por Azorín, y la
aplicación a la crítica literaria de este concepto, útil para estudios

Ricardo Gullón, «La invención del 98», *La invención del 98 y otros ensayos,*
Gredos, Madrid, 1969, pp. 7-18.

históricos, sociológicos y políticos, me parece el suceso más perturbador y regresivo de cuantos afligieron a nuestra crítica en el presente siglo. Perturbador, porque escindió la unidad de la literatura
de lengua española, embarcada desde 1880 en ardua aventura renovadora, e indujo a creer que la creación literaria había sido impul-
sada, durante veinte o veinticinco años, por un acontecimiento que
sin duda la afectó, pero de modo más accidental y superficial de lo
aseverado por Azorín. Regresivo, porque al mezclar historia y crítica
fomentó la confusión en ambos campos, trazando para la crítica una
avenida jalonada de lugares comunes ajenos a lo esencial del proceso
creador. Así la desvió del camino estrecho por donde puede llegar a
la comprensión de la obra de arte, mediante el análisis de los procedimientos puestos en juego para lograrla.

La vocación provinciana de los españoles pocas veces se declaró
con tanta agresividad como en este singular empeño de separar lo
nuestro de lo hispánico total, lo peninsular de lo universal. Y eso,
aun reconociéndose, como Azorín reconoció desde los artículos fun-
dacionales del equívoco, las raíces foráneas de la renovación literaria
y la vinculación de los escritores españoles con los extranjeros. He
aquí la nómina de los «influyentes», según la redactó el autor de *Los
pueblos*: D'Annunzio, Barbey d'Aurevilly, Ibsen, Tolstoi, Amiel,
Dickens, Poe, Balzac, Gautier, Stendhal, Brandés, Ruskin, Nietzsche,
Spencer, Verlaine, Banville, Victor Hugo, Shakespeare, Musset y los
dramaturgos modernos franceses. Sin negar esa vinculación, y aun
exagerando toscamente su importancia (como hizo Julio Casares en
los estudios de *Crítica profana*), pronto se llegó a la conclusión de
que en la literatura española de la época lo decisivo era el elemento
autóctono, numantino, irreductible.

Casares había leído a tuertas en líneas derechas, mal entendiendo la conexión entrañable entre lo que se escribía fuera de España
y lo que se escribía aquí; mal entendiendo que Valle-Inclán sería
mejor comprendido desde las novelas de Barbey d'Aurevilly y los dramas d'annunzianos; que Unamuno estaba más cerca de Ibsen y de
Tolstoi que de Costa, y que a Rubén Darío convenía situarle en la
atmósfera espiritual de Hugo y de Verlaine y no en la de Olmedo y
Bello. Sin por eso negar el arraigo de Valle en Galicia, el de Unamuno en Castilla y el de Darío en lo austral y hasta en lo chorotega;
arraigo que en ellos, y en otros, iba a suscitar la tendencia indige-
nista que acabaría siendo uno de los elementos caracterizadores de la

época, en España como en Argentina, en Irlanda como en Rusia. Azorín ignoró o calló en 1912 una verdad harto palmaria: la literatura tiene su contexto propio en la literatura. Sklovski y Eichenbaum no tardarían mucho en precisarlo así.

La «ciencia» literaria alemana (especialmente Pinder y Petersen) elaboró la noción de generación literaria. Sin discutir su utilidad en cuanto a los estudios históricos, me contentaré con señalar que esa noción no sirve en el presente caso: lejos de aclarar, enturbia. Entre otras cosas enturbió lo referente al lenguaje generacional, cuya existencia se dio —con razón— por supuesta al comparar el de quienes empezaron a escribir a fines del siglo xix con el de los autores del naturalismo y el realismo, sin entrar a fondo en el examen de las semejanzas existentes entre el de los noventayochistas mismos. Quien al fin puso el dedo en la llaga fue Pedro Salinas [aunque rectificó luego sonadamente]. Al examinar la posible equivalencia entre las denominaciones «generación del 98» y «modernismo» afirmó: «el modernismo, a mi entender, no es otra cosa que el lenguaje generacional del 98». Exacto. Por tal razón los escritores españoles del período se inscriben en el amplio cuadro de lo que es, no ya un vasto movimiento literario, sino una época marcada precisamente por esa renovación del lenguaje, indicio del cambio en la sensibilidad y en las actitudes. [...]

Palabras como «intrahistoria» o «agonía», por ejemplo, fueron puntos de partida para la elaboración de una obra y hasta de una teoría que parecieron nuevas porque los signos verbales pertenecían a un sistema distinto del vigente hasta entonces. Las palabras son el contenido y se recordará cuánto insistió Unamuno en la importancia de estas cuestiones. «La palabra te traerá la idea», decía. Y más: la palabra será la idea, y el ritmo la visión, la creación. Quizá podemos citar a Bécquer y a Rosalía como precursores (en España): la «negra sombra» de Rosalía ya no es un espectro romántico sino otra cosa sustancialmente distinta: la sombra que asombra y así se presenta como fatalidad y destino.

Estoy hablando de Bécquer y de Rosalía para asociarlos con Unamuno, como pudiera hacerlo con Antonio Machado. Caen las barreras generacionales y otro tipo de afinidades se afirma en el tiempo y en el espacio: en Rosalía hallamos ya giros expresivos y cadencias del lenguaje que Salinas llamaba «modernismo», y con el nuevo lenguaje todo va a parecer —y a ser— diferente.

De no fijarse suficientemente en la creación misma, de exaltar el españolismo frente al universalismo y de subrayar lo negativo con preferencia a lo positivo arranca el error llamado «generación del 98». Para describir la sustancia generacional Azorín enumera los hechos contra los cuales se alzaron los escritores de la promoción noventayochista: «las corruptelas administrativas, la incompetencia, el chanchullo, el nepotismo, el caciquismo, la verborrea, el "mañana", la trapacería parlamentaria, el atraco en forma de discurso grandilocuente ..., todo el denso e irrompible ambiente» del país. Protesta necesaria que acreditó a los protestantes de ciudadanos virtuosos y ejemplares, pero no excepcionales, pues bajo el signo de la rebeldía se instituye en todas partes el modernismo.

La función del grupo minoritario consiste en preparar la conversión del futuro deseable en presente aceptable, pero tampoco aquí podrían apuntarse muchos tantos los creyentes en la autonomía del 98, pues esa función fue la peculiar de los modernistas. Y no se piense en que los españoles formaban un conjunto más orgánico y unitario. No veo cómo se podría esbozar un esquema ideológico y menos un programa político en el cual cupieran simultáneamente el mesianismo unamuniano, el «anarquismo» en zapatillas de Pío Baroja, el jacobinismo matizado de Antonio Machado y el conservadurismo con inclinación a la mano fuerte de Azorín. [...]

Aún diría más: el estruendo en torno a «la generación del 98» se debió en buena parte a la inclinación a los estudios temáticos, que ni son los más indicados para desentrañar el problema de la creación literaria, ni dieron de sí gran cosa. En vez de utilizarlos para medir diferencias sirvieron a menudo para forzar semejanzas en cuanto al paisaje, España como abstracción, la muerte, Dios, el amor... Interesante, pero poco convincente. Si en lugar de fijarse en las coincidencias temáticas hubiera observado Azorín cómo esos temas eran tratados en las obras de sus coetáneos, habría visto hasta qué punto su concepción de España, por ejemplo, difería de la de Baroja, Unamuno, Valle o Benavente, y lo injusto de forzarlas en un marco que no por juntarlas las hacía más parecidas. Lo que tienen de común son los elementos epocales y de reacción frente a situaciones generales (y no sólo españolas).

2. EL MODERNISMO COMO ACTITUD

El ya conocido debate sobre la existencia de la generación del 98 se ha complicado a menudo por la introducción de un término, «modernismo», que, en este caso, pretendería recubrir la especificidad de unas formas literarias ora antagónicas de las «noventayochescas», ora inseparables de éstas (véanse las historias del término *modernismo* hechas por B. Gicovate [1964] y Ned Davison [1971]).

La primera legitimidad del término «modernismo» vendría de su coetaneidad a los hechos que define, cosa de la que, ciertamente, no puede jactarse, como sabemos, el marbete generacional. Términos parecidos —*modern style*, por ejemplo— designaron en el resto del mundo (y en concurrencia con otros: *secession* y *jugend styl* en Austria y Alemania, *art nouveau* en Francia) una corriente de renovación artística que fue visible, sobre todo, en las artes decorativas; pero lo cierto es que en parte alguna tuvo un contenido definidor tan amplio como el que recibió en el mundo hispánico. Originariamente, la palabra tuvo un tono despectivo en relación con el étimon originario, *moderno*, aunque los «modernistas» la asumieron muy pronto como retador signo de identidad; quizá, se ha apuntado, la denominación artística fue un mero calco del nombre que se dio a una extendida posición heterodoxa con respecto al catolicismo tradicional, condenada como *modernismo* por Pío X y León XIII, y cuya polémica más dura coincide con las dos últimas décadas del siglo.

En todo caso, la raíz despectiva o herética de «modernismo», rescatada como distintivo común por los propios «modernistas», perteneció a una escala de valores éticos y artísticos muy caracterizadores: la establecida por una actitud del creador —autoexigencia estética, intransigencia con el pragmatismo burgués, desprecio por la mercantilización de la obra bella— a la que también corresponden lemas tan significativos como el español «¡Viva la bagatela!» (con trayectoria estudiada por I. M. Gil [1975]) y el francés universalizado «épater le bourgeois» (Sobejano [1967]), orden de cosas que dio vasto campo al ataque y a la caricatura (J. M. Martínez Cachero [1953] y [1955] y Lily Litvak [1977]) y, por ende, al esperable afianzamiento y popularidad de término y concepto. Sociológicamente, cabe por tanto caracterizarlo como una respuesta del artista ante su forzosa sumisión a los modos del mercado artístico sustentado por la burguesía. En ese sentido, la bohemia como forma de vida (véanse después las páginas redactadas por Manuel Aznar) entrañó por parte de los creadores una actitud de rebeldía moral pero también fue el purgatorio de las novedades aún no aceptadas y el infierno de las experiencias artísticas fallidas o no aprobadas por los nuevos «reyes burgueses».

Ahora bien, si la definición de la naturaleza del modernismo transita por este camino de generalización es evidente que nos encontraremos con unos linderos tan vagos como los que acotaban el término «generación del 98». No es casual que, desde tales supuestos, se viera en éste una tendencia reflexiva, adusta y patriótica mientras que en aquél se encarnaban los opuestos valores de la intuición, la forma rebuscada y la gratuidad artística, tal y como —rectificando sus tesis anteriores— hizo Pedro Salinas [1970] y defendió con singular empeño Guillermo Díaz-Plaja [1966]. Con mejores razonamientos, Federico de Onís [1955] observó ya la dificultad del deslinde modernismo-noventayocho y Juan Ramón Jiménez [1962] postuló la primacía del primer término. La identidad de las fuentes extranjeras en ambos movimientos, la semejanza de actitudes ante el doble problema de la autonomía de la expresión artística y el rechazo de las actitudes mesocráticas, la utilización de los mismos canales de publicación (y, por esto mismo, la frecuencia con que unos y otros son tildados de «modernistas» sin distinción por público y críticos) son razones que han reiterado los defensores de la fórmula integradora, subrayando, como hizo Rafael Ferreres [1964] (en tal sentido, no muy distante del Azorín que consagró el rótulo generacional), lo que de «noventayochesco» hay en muchos modernistas y lo que de modernista hay en muchos avecindados en el concepto antinómico.

El caso del *modernisme* catalán (que cuenta con recientes y valiosos planteos de E. Valentí Fiol [1973], J. Molas [1970] y J. Ll. Marfany [1975]) y el caso hispanoamericano (con más amplia bibliografía que no es del caso: valga la remisión a las antologías de H. Castillo [1968] y Lily Litvak [1975], preferentemente dedicadas a las manifestaciones transoceánicas del movimiento) pueden aportar alguna luz al enredado asunto español. En ambos casos, parece haber prevalecido el término tradicional de *modernismo* como versión hispánica de una crisis europea de formas artísticas y como holgado continente de dos tendencias dispares: una actitud proclive al «arte por el arte» (que incorpora la herencia simbolista europea a un ingrediente básicamente romántico, que comporta a su vez algún elemento anacrónicamente nacionalista y que señala la modernización rápida del mercado artístico en una época de vacas gordas) y un talante crítico y radical (que, a su vez, parte de la sociología positivista y del naturalismo simbólico y que se dirige hacia los públicos pequeñoburgueses y proletarios surgidos de aquel mismo proceso de cambio social y político). Con certeza, ambas tendencias no se corresponden a las nóminas cerradas y usuales de «modernismo» y «noventayocho», pero fundamentan el necesario reconocimiento de dos talantes diferentes, aunque en forma muy frecuente se den en un mismo escritor y hasta en una misma obra: un héroe novelesco de dengues neuróticos, artista fracasado y sensibilidad agudizada por simbólica tisis, podía ser el portavoz de tesis regeneracionistas basadas en el más riguroso análisis positivista de la realidad social en que se mueve; un melancólico «poema en prosa», lleno de mujeres soñadas y ambiciones de plenitud insatisfechas, podía tener como base explicativa un crudo y naturalista problema de herencia enfermiza o desviación patológica de la imaginación; un lector de prensa radical podía prohijar a título de rebeldía contra todo lo establecido el desgarrado subjetivismo de un poema baudeleriano y, sin gran margen de error, adscribir la descripción de un hosco paisaje de Castilla (descubrimiento estético que se ha hecho emblema de lo noventayochesco) a la última moda modernista, ya fuera por el peculiar empleo de los colores (malvas, amarillos, pardos y azules), ya por la carga simbólica de la evocación.

Como ya se apuntaba en el capítulo anterior y se infiere de lo dicho aquí, una visión integradora de la crisis literaria finisecular debería empezar por situar el amplio entrecruzado de tendencias, influencias y coincidencias, potenciadas, como hemos visto, por una actitud general de receptividad y por una indistinta conciencia de innovación, a diario enfrentada con formas y talantes caducos. Las más importantes de esas novedades (y más aún por cuanto hace a la lírica) provinieron del parnasianismo y, en menor medida, del simbolismo franceses, reflejando curiosa predilección por las figuras menores. La transformación de las poéticas españolas fue, pese a todo, muy lenta y, al margen de la decisiva influencia de Rubén Darío, más de una vez se ha podido pensar en un modernismo surgido en España por mera evolución de ciertas formas postrománticas —adopción generalizada del verso blanco, invención de un estrofismo más libre y expresivo, retorno al fragmentismo, voluntad impresionista en el uso de color, imágenes de mayor plasticidad y sugestión— que, acompañada de cierta reducción temática hacia lo subjetivo y cotidiano, caracterizaron el insensible paso de lo romántico restauracionista a lo romántico modernista. Si poetas como Salvador Rueda y Francisco Villaespesa trabajan en un colorismo que deriva en línea recta de Zorrilla, otras anomalías literarias, como Manuel Reina, Ricardo Gil o Joaquim Maria Bartrina, reelaboran los hallazgos de Bécquer y Campoamor (J. M. Martínez Cachero [1958] y [1976], I. Prat [1978]).

No obstante, ni la influencia nacional de Bécquer ni la foránea de Verlaine (R. Ferreres [1974]) agotan las innovaciones que adquirieron definitiva madurez con la obra inicial de los Machado, Juan Ramón Jiménez y Ramón Pérez de Ayala. Ni la impronta del primer simbolismo —popularizada por Darío— condujo en exclusiva a un mundo de cisnes lánguidos, guitarras en sombra, mujeres delgadas y pálidas y jardines congestionados. Como señaló Octavio Paz [1974], el modernismo fue una renovación del tono poético (amortiguando muchas veces su engolamiento anterior) y la culminación de la renovación romántica en cuanto visión del mundo. A ella se incorporó, por derecho propio, el auge que en aquellos años experimentaron el esoterismo y las ciencias ocultas (estamos en una época que convirtió en mitos supercherías como las de Léo Taxil, Sar Péladan o Madame Blavatski), tan propicio a la visión totalizadora y espiritualista, mística y panteísta, que fue algo más que una moda efímera. Y, en un parecido aspecto, se integró también el complejo *revival* medievalizante que, con un pie en lo esotérico y otro en la utopía socializante, propusieron los prerrafaelitas ingleses y sus aledaños (F. López Estrada [1971] y [1977]). La carencia, por lo que hace a nuestro país, de grandes creaciones en esa línea no resta importancia al conjunto logrado, cuya coherencia creativa vienen señalando los últimos trabajos de R. Gullón ([1963] y [1971]), máximo conocedor y apologeta del modernismo hispánico.

No se equivocaba por tanto el gran crítico inglés Edmund Wilson al ver en el simbolismo (cuya translación ibérica es el modernismo) la vuelta a los ideales románticos de poesía como totalidad y como indagación en la realidad unitaria del mundo, a despecho de la diversidad de sus apariencias (D. L. Shaw [1967]). Pero sí erraban al ver en él un movimiento antitético al naturalismo. Si el simbolismo reaccionó contra la superficialidad romántica y, en cierta medida, contra la impasibilidad parnasiana, también el naturalismo reaccionó contra parte de su propia naturaleza y los cambios que se detectan en él hacia finales de los años ochenta lo muestran preocupado por los abismos psicológicos, por la dinámica de las sensaciones, por la vivacidad de lo inconsciente y, en definitiva, por la creación de cosmos narrativos que, en más de un caso, desembocan en el mar modernista. Tampoco cabe, en este orden de cosas, buscar en el irracionalismo filosófico europeo de fin del siglo la exclusiva fundamentación de las nuevas búsquedas artísticas: como arriba apuntaba, numerosos aspectos del positivismo son la raíz última de obsesiones modernistas (la pérdida de conciencia, la enfermedad como condición anímica, la psicopatía como extraño privilegio del alma humana...). La preocupación de los artistas de la época por el reciente descubrimiento de la sociología criminal (estudiada por L. Maristany [1973] y L. Litvak [1975]) es algo más que un simple episodio pintoresco: la obra de Sigmund Freud, como se ha señalado a menudo, proviene de una superación de los famosos experimentos de Charcot sobre la histeria provocada y, como es notorio, reconoce una fuerte base literaria en relatos naturalistas e imaginaciones simbolistas.

¿Podríamos deducir, como conclusión, que el modernismo fue el lenguaje generacional de una crisis ideológica que los conceptos usuales de «generación del 98» definen, tal y como fue la primera tesis de Pedro Salinas? La solución no parece tan simple: más bien, los tonos radicales y críticos (que no son exactamente lo noventayochesco típico) y los tonos imaginativos (que tampoco son el concepto manualesco del modernismo) se dieron, a veces diferenciados y aun encontrados, a veces estrechamente unidos, en un período temporal —mejor que en una nómina restringida de autores— y se caracterizaron casi más por lo que había de actitud de renovación que por su originalidad.

Como indicaron hace tiempo los renovadores trabajos de G. Ribbans [1958], G. de Torre [1968] y G. Bleiberg [1948], el estudio de las revistas culturales del período es la mejor forma de ver lo ficticio y lo real de la contradicción de ambas modalidades: un Juan Ramón Jiménez que se revela como poeta ibseniano y un Baroja aquejado de modernismo. La bibliografía sobre el tema ha aumentado mucho desde entonces (D. Paniagua [1964], Luis S. Granjel [1962], Patricia O'Riordan [1973], Iris M. Zavala [1974], R. Pérez de la Dehesa [1970], A. Ramos-Gascón [1975]), aunque, salvo excepciones, apenas se ha pasado de la mera descripción de contenidos. No son, en efecto, idénticas una publicación como *Alma Española*, que pretende integrar legados muy dispares —el republicanismo, el institucionismo...— en un proyecto nacionalista y regenerador, que *Vida Nueva*, tan vinculada al radicalismo republicano, y *Germinal*, orientada hacia el socialismo, o *Helios*, intransigentemente literaria. Ni apunta al mismo público la primera de las citadas, cuidadosamente impresa en huecograbado, que la segunda, identificable con un periódico diario.

No es esta, sin embargo, la única insuficiencia de tal tipo de trabajos eruditos. Las revistas son muy útiles para establecer tendencias y modas, detectar relaciones literarias interpersonales, recobrar nombres propios oscurecidos hoy que, en su día, tuvieron amplia audiencia, pero escasamente sirven para calibrar las exactas dimensiones de la repercusión de una tarea en el público lector. Casi ninguna de las citadas sobrevivió a los dos años de su número inaugural y si *Alma Española* se jacta de distribuir sesenta mil ejemplares (tirada equivalente a la de diarios como *La Correspondencia de España* o *El Liberal*), sus veinticuatro únicos números atestiguan un éxito mucho menos halagüeño y la progresiva pobreza de su impresión, serios apuros de tesorería. El público se había multiplicado, como ya sabemos, pero tenía como fuente de información y de lectura fundamental la prensa diaria. Y en ésta es donde alcanzaba amplia difusión el artículo de opinión, la «crónica» personal (género de origen francés cuyo arraigo fue importantísimo y definidor), el comentario cáustico o elegíaco, la crítica de libros y teatros y, en no pocos casos, el cuento, el poema o la novela seriada (por ese procedimiento hubo de publicar Baroja sus primeros relatos). La debilidad de la prensa republicana y obrera por la colaboración literaria la convierte en fuente insustituible para el conocimiento completo del período.

Esta sistemática presencia en medios de comunicación radicales afianzó en los escritores una idea a la que sus peculiares relaciones de rechazo y dependencia con respecto al público burgués les hacían muy sensibles: la creencia de que sus escritos servían a aquel ideal revolucionario que los intelectuales europeos de fin de siglo vieron inminente, ya fuera entre el humo de las bombas anarquistas o en la esperanza de mito tan perdurable como la huelga general. La literatura radical producida por escritores pequeñoburgueses compitió con la literatura proletaria (Clara Lida [1970], J. Castellanos [1976]), no sin que mediara alguna acusación de dilettantismo enderezada a la primera por parte de los representantes de una literatura obrerista. El público proletario reconoció como suyos a no pocos autores del período: un modernista colombiano, retórico y desmelenado, como fue Vargas Vila, gozó de larga popularidad en España, y no menor la tuvieron las más indigestas novelas de Felipe Trigo y, en otros órdenes, las de Vicente Blasco Ibáñez o Pío Baroja. Piezas de irrecusable modernidad (como las citadas o como el teatro de Ibsen, objeto de devoción en Ateneos Obreros y Casas del Pueblo) compartieron las preferencias del nuevo público con la divulgación científica (las geografías de los Réclus o las astronomías populares de Flammarion) y con folletines decimonónicos y libros de viaje (J.-C. Mainer [1977], J. Álvarez Junco [1976]). De hecho, cuando el modernismo caducó como arte cotizado se mantuvo durante mucho tiempo como arte plebeyo, tanto por la fidelidad a sus textos canónicos como por el epigonismo palmario que se encarnó en el modernismo exaltado y romanticoide de Alfonso Vidal y Planas o Joaquín Arderius, de Emilio Carrere o Ángel Samblancat.

Es quizá en ese mundo, insuficientemente conocido aún, de la lectura popular donde encuentra sentido la reducción de las aparentes antinomias esbozadas (modernismo-noventayocho, romanticismo-naturalismo, evasión-criticismo, ensoñación-patriotismo) a una actitud única: la rebelión contra el aburguesamiento de las formas artísticas y el compromiso con la interpretación unitaria del mundo (mística o política, artística o histórica). Y esa visión podían darla —y la dieron— tanto un poema erótico de Rubén Darío como una inquietante obra teatral de Strindberg, una imaginación prerrafaelita como un sarcástico artículo sobre el último gobierno Silvela, una utopía de William Morris como unos versos de Verlaine, una reflexión religiosa de Unamuno (tan «modernista» en su heterodoxia) como una imagen heroica y anacrónica de Valle-Inclán.

BIBLIOGRAFÍA

Álvarez Junco, José, *La ideología política del anarquismo español (1868-1910),* Siglo XXI de España, Madrid, 1976.

Bleiberg, Germán, «Algunas revistas literarias hacia 1898», *Arbor,* n.º 36 (1948), pp. 465-480.

Castellanos, Jordi, «Aspectes de les relacions entre intellectuals i anarquistes a Catalunya al segle XIX. (A propòsit de Pere Coromines)», *Els Marges,* n.º 6 (1976), pp. 7-28.

Castillo, Homero, ed., *Estudios críticos sobre el modernismo,* Gredos (Biblioteca Románica Hispánica, II, 121), Madrid, 1968.

Davison, Ned, *El concepto de modernismo en la crítica hispánica,* Nova, Buenos Aires, 1971.

Díaz-Plaja, Guillermo, *Modernismo frente a Noventa y ocho,* Espasa-Calpe, Madrid, 1966².

Ferreres, Rafael, *Los límites del modernismo,* Taurus, Madrid, 1964.

—, *Verlaine y los modernistas españoles,* Gredos (Biblioteca Románica Hispánica, II, 223), Madrid, 1974.

Gicovate, Bernardo, «El modernismo y su historia», *Hispanic Review,* XXXII (1964), pp. 217-226.

Gil, Ildefonso Manuel, «Recreaciones y coincidencias de un ¡viva la bagatela!», *Valle-Inclán, Azorín y Baroja,* Seminarios y Ediciones, Madrid, 1975, páginas 121-140.

Granjel, Luis Sánchez, *Biografía de la «Revista Nueva»,* Universidad de Salamanca (Acta Salmanticensia, 15), Salamanca, 1962.

Gullón, Ricardo, *Direcciones del modernismo,* Gredos (Campo Abierto, 12), Madrid, 1963.

—, «Ideologías del modernismo», *Ínsula,* n.º 291 (febrero 1971), pp. 1 y 11.

Jiménez, Juan Ramón, *El modernismo. Notas en torno de un curso, 1953,* Aguilar, México, 1962.

Lida, Clara, «Literatura anarquista y anarquismo literario», *Nueva Revista de Filología Hispánica,* XIX (1970), pp. 360-381.

Litvak, Lily, ed., *El modernismo,* Taurus, Madrid, 1975.

—, «La sociología criminal y su influencia en los escritores españoles de fin de siglo», *Revue de Littérature Comparée,* n.º 48 (1975), pp. 12-33.

—, «La idea de decadencia en la crítica antimodernista en España (1888-1910)», *Hispanic Review,* XLV, n.º 4 (1977), pp. 379-412.

—, *Erotismo fin de siglo,* Antoni Bosch ed., Barcelona, 1979.

López Estrada, Francisco, *Rubén Darío y la Edad Media,* Planeta, Barcelona, 1971.

—, *Los «primitivos» de Manuel y Antonio Machado,* Planeta, Barcelona, 1977.

Mainer, José-Carlos, «Algunas consideraciones sobre lectura obrera en España (1890-1930)», en *Teoría y práctica del movimiento obrero en España* (varios autores), Fernando Torres, ed., Valencia, 1977, pp. 175-239.

Marfany, Joan Lluís, *Aspectes del modernisme,* Curial, Barcelona, 1975.

Maristany, Luis, *El gabinete del Doctor Lombroso. Delincuencia y fin de siglo en España*, Anagrama, Barcelona, 1973.

Martínez Cachero, José María, «Algunas referencias sobre el antimodernismo español», *Archivum*, III (1953), pp. 311-333.

—, «Más referencias sobre el antimodernismo español», *Archivum*, V (1955), pp. 131-135.

—, «Salvador Rueda y el modernismo», *Boletín de la Biblioteca Menéndez Pelayo*, XXXIV (1958), pp. 41-61.

—, «Noticia de la primera antología del modernismo hispánico», *Archivum*, XXVI (1976), pp. 33-43.

Molas, Joaquim, «El modernisme i les seves tensions», *Serra d'Or*, XII, n.° 135 (1970), pp. 877-884.

O'Riordan, Patricia, «*Helios,* revista del modernismo (1903-1904)», *Ábaco*, n.° 4 (1973), pp. 57-150.

Onís, Federico de, «Historia de la poesía modernista (1882-1932)» (1934), *España en América*, Ediciones de la Universidad de Puerto Rico, Río Piedras, 1955, pp. 186-280.

Paniagua, Domingo, *Revistas culturales contemporáneas. I (1897-1912): De «Germinal» a «Prometeo»*, Punta Europa, Madrid, 1964.

Paz, Octavio, *Los hijos del limo*, Seix-Barral, Barcelona, 1974.

Pérez de la Dehesa, Rafael, *El grupo «Germinal»: una clave del 98*, Taurus, Madrid, 1970.

Prat, Ignacio, edición y estudio de *Poesía modernista española*, Cupsa (Hispánicos Universales, 8), Madrid, 1978.

Ramos-Gascón, Antonio, «La revista *Germinal* y los planteamientos estéticos de la "gente nueva"», en *La crisis de fin de siglo: ideología y literatura* (varios autores), Ariel (Letras e Ideas: Maior, 9), Barcelona, 1975, pp. 124-142.

Ribbans, Geoffrey, «Riqueza inagotada de las revistas literarias modernas», *Revista de Literatura*, XIII (1958), pp. 30-47.

Salinas, Pedro, «El problema del modernismo en España o un conflicto entre dos espíritus», *Literatura española. Siglo XX*, Alianza Editorial (El Libro de Bolsillo, 239), Madrid, 1970, pp. 13-25.

Shaw, Donald L., «Modernismo. A contribution to the debate», *Bulletin of Hispanic Studies*, XLIV (1967), pp. 195-202.

Sobejano, Gonzalo, «"Épater le bourgeois" en la España literaria de 1900», *Forma literaria y sensibilidad social*, Gredos (Campo Abierto, 19), Madrid, 1967, pp. 178-223.

Torre, Guillermo de, «El 98 y el modernismo en sus revistas», *Del 98 al barroco*, Gredos (Campo Abierto, 22), Madrid, 1968, pp. 12-70.

Valentí Fiol, Eduard, *El primer modernismo literario catalán y sus orígenes ideológicos*, Ariel, Barcelona, 1973.

Zavala, Iris M., *Fin de siglo: modernismo, 98 y bohemia*, Cuadernos para el Diálogo (Los Suplementos, 54), Madrid, 1974.

Pedro Salinas

98 FRENTE A MODERNISMO

Las denominaciones «modernismo» y «generación del 98» suelen usarse indistintamente para designar el movimiento de renovación literaria acontecido en América y España en los últimos años del siglo xix y comienzos del xx, dando por supuesto que son la misma cosa con leves diferencias de matiz. En mi opinión, esa confusión de nombres responde a una confusión de conceptos que es indispensable aclarar para que pueda empezarse a construir la historia de la literatura española del siglo xx sobre una base más precisa y rigurosa.

El primer parecido que advertimos entre los dos movimientos es de orden genético. Ambos nacen de una misma actitud: insatisfacción con el estado de la literatura en aquella época, tendencia a rebelarse contra los normas estéticas imperantes, y deseo, más o menos definido, de un cambio que no se sabía muy bien en qué había de consistir. Esa situación prerrevolucionaria es perfectamente visible en América desde 1890, por lo menos, y la personifica el grupo de poetas llamados precursores del modernismo, Martí, Casal, Gutiérrez Nájera y Silva. En España, el mismo fenómeno se da un poco más tardío. Pero apenas apunta esta similitud de origen, que consiste en la actitud reactiva contra la anterior, debemos señalar una profunda diferencia de propósito y de tono. Muy significativo es que

Pedro Salinas, «El problema del modernismo en España o un conflicto entre dos espíritus», *Literatura española. Siglo XX*, Alianza Editorial, Madrid, 1970, pp. 13-18.

la inquietud renovadora se manifieste en América en la obra de los poetas y se presente ante todo como una transformación del lenguaje poético, *lato sensu*, del modo de escribir poesía, y un poco más tarde del modo de concebir la poesía. El movimiento americano queda caracterizado desde su comienzo por ese alcance limitado del intento: la renovación del concepto de lo poético y de su arsenal expresivo. Y por un tono: el esteticismo, la busca de la belleza. En cambio, en España los precursores de la nueva generación son: un filósofo y pedagogo, Giner; un político polígrafo y energuménico, Costa, y un pensador guerrillero, Ganivet. En España, pues, la agitación de las capas intelectuales es mayor en amplitud y hondura, no se limita al propósito de reformar el modo de escribir poesía o el modo de escribir en general, sino que aspira a conmover hasta sus cimientos la conciencia nacional, llegando a las mismas raíces de la vida espiritual. Y en ninguno de estos tres nombres, ni en el del que los sigue, patriarca de la nueva generación, Unamuno, encontramos esa preferencia por la valoración estética de la literatura observada en América; son intelectualistas, más que juglares de vocablos, corredores de ideas. Y verdades, no bellezas, es lo que van buscando.

Pero ¿qué clase de verdad? Apunta aquí otra diferencia en los rumbos de los dos grupos, americano y español. Los españoles se afanan tras «la verdad de España». De suerte que mientras que el modernismo se manifiesta expansivamente, como una superación de las fronteras nacionales de las distintas naciones americanas y, aún más, de la misma frontera continental y está poseído por una ambición cosmopolita, el movimiento espiritual de los hombres del 98 es concentrativo y no expansivo, todo su ardor de alma se enfoca sobre España, que es el vértice de su preocupación. Los unos se expanden, sueñan en países remotos, los hechiza el encanto de París o las evocaciones orientales. Los otros se recogen, y enclaustran toda su tensión espiritual en esa tierra capital de nuestra península, Castilla. No se me oculta que la generación del 98 tiene un aspecto cosmopolizante; en sus escritos, la famosa «europeización» asoma a cada paso. Pero ese cosmopolitismo es instrumental únicamente: ven en Europa un surtido de afinadas herramientas con las que se podría reparar la maquinaria mental española de modo que aprendiéramos a pensar más claro, y desean importarlas. Nada más. Su meta no es ningún París galante ni Bagdad fabuloso, es España y siempre España. [...]

Llega el 98, «el desastre», como nosotros decimos, y las características de la generación que acabo de apuntar se intensifican. El aire hispánico se ve surcado, como por insistentes pájaros guiones, por algunas frases de clave, potentemente significativas: «el alma española», «la cuestión nacional», «el problema español», «la regeneración». Y se acentúa el tono concentrativo del movimiento. Por entonces se realiza el contacto entre modernistas y hombres del 98, a través de la genial personalidad de Rubén Darío. Ese contacto no es sino la coincidencia en el espíritu de rebeldía y en una aspiración general de cambio. Pero la divergencia de concepciones era muy grande para que ese contacto pudiera convertirse en una fusión; al contrario, la bifurcación vendría muy pronto. Veamos por qué.

El modernismo, tal como desembarcó imperialmente en España personificado en Rubén Darío y sus *Prosas profanas*, era una literatura de los sentidos, trémula de atractivos sensuales, deslumbradora de cromatismo. Corría precipitada tras los éxitos de la sonoridad y de la forma. Nunca habían cantado las palabras castellanas con alegría tan colorinesca, nunca antes brillaran con tantos visos y relumbres como en las espléndidas poesías de Darío. Era una literatura jubilosamente encarada con el mundo exterior, toda vuelta hacia fuera. (Quizás alguien me objete que en los modernistas hay una cuerda de lirismo doliente y subjetivo; pero a mi juicio eso es un arrastre del romanticismo, la postrera metamorfosis de lo elegíaco romántico, y no lo específicamente modernista. Lo nuevo, lo modernista, es el apetito de los sentidos por la posesión de la belleza y sus formas externas, gozosamente expresado.) Pero la belleza para los modernistas es tanto la belleza natural, bruta primaria, tal como puede sentirse en un cuerpo, en una hoja o en un paisaje, como la belleza ya elaborada por artistas anteriores en sus obras. Atributo capital del modernismo es su enorme cargamento de conceptos de cultura histórica, por lo general bastante superficiales. Gran parte de esta poesía, en vez de arrancar de la experiencia directa de la realidad vital, sale de concepciones artísticas anteriores; por ejemplo, de la escultura helénica, de los retratos del Renacimiento italiano, de las fiestas galantes de la Francia versallesca, y hasta me atrevería a decir que de los dibujos escabrosos de *La Vie Parisienne*. La historia del arte inspira a los modernistas tanto o más que sus íntimos acaecimientos vitales. [...]

Volvámonos a los hombres del 98 español. El cuadro cambia por entero. Son los «preocupados», como se los llamó certeramente.

Hombres tristes, ensimismados. He aquí el tipo, tal como nos lo presenta Antonio Machado:

> Sentado ante la mesa de pino, un caballero
> escribe. Cuando moja la pluma en el tintero,
> dos ojos tristes lucen en un semblante enjuto.
> El caballero es joven, vestido va de luto.
> . . . .
> La tarde se va haciendo sombría. El enlutado,
> la mano en la mejilla, medita ensimismado.

Son los analizadores, los meditadores. Su literatura viene a ser un inmenso examen de conciencia, preludio de la confesión patética. Donde el modernista nada ágilmente, disfrutando los encantos de la superficie y sus espumas, el hombre del 98 se sumerge, bucea, disparado hacia los más profundos senos submarinos. Unamuno lanza su famoso grito (título de un ensayo): ¡*Adentro!* En él marca de este modo el rumbo a su generación: «En vez de decir: ¡Adelante! ¡Arriba!, di: ¡Adentro!». Ese deber vital específico, que corresponde a cada generación, es para los hombres del 98 adentrarse por sus almas. [...]

No hay en este género de poesía princesas ni Ecbátanas que atraigan seductoramente al poeta. La invitación llega en una voz misteriosa, desde el umbral de un sueño; y a lo que le convida es simplemente a ver un alma. El poeta camina sueño adentro, por sus soledades y galerías interiores. Mientras el hombre modernista está vuelto hacia las realidades gozosas de la vida, el del 98 se inclina sobre su propia conciencia. Y cuando sale de su mundo interior, el paisaje por donde pasea sus interrogaciones es la tierra eremítica y grave de Castilla, la amada de Unamuno, de Azorín, de Baroja y de Machado. Un viento austero y seco, de alta meseta, corre por entre los escritos de los hombres del 98; ignoran ellos los céfiros anacreónticos del modernismo. Nos figuramos, recordando el debate medieval, que a un lado, capitaneada por Rubén Darío, está la tropa alborotada de Don Carnal, y al otro, el grupo cogitativo de Doña Cuaresma.

Guillermo Díaz-Plaja

MODERNISMO FRENTE A 98: LA LENGUA

¿Qué es lo que [noventayochistas y modernistas] rechazaban del lenguaje ochocentista? Veamos esto con algún cuidado. No la retórica, ya que el modernismo es una retórica también; no el sentido de la realidad del naturalismo, ya que esto lo hereda el 98. Lo que los dos grupos rechazan y éste —negativo— es su único punto de coincidencia, es el *cliché* lingüístico, la «frase hecha». Para el 98, como para el modernismo, la obra literaria es una creación radical que se inicia en la búsqueda de la palabra y sigue en la ordenación de la frase. Por una suerte de pereza mental o una equivocación casticista, es lo cierto que los escritores del ochocientos —singularmente los prosistas— se acompañan constantemente del «tranquillo», de la frase sobada, proverbio, refrán o simplemente de la frase prefabricada por un uso, literario o popular. Frente a esto sí coinciden —negativamente— 98 y modernismo.

Lo que acontece es que su fórmula de oposición es distinta.

Veamos primero las actitudes fundamentales del 98 en materia de lenguaje.

En primer lugar, toda forma de barroquismo es rechazada. «En 1898 —ha escrito Azorín— la ascensión de la juventud hasta los primitivos (artistas de los siglos XV y XVI) [*sic*] y su indiferencia a los escritores de la centuria decimoséptima encierra toda una orientación.» «¿Por qué —dice Ortega y Gasset en un texto aducido por Azorín— al llegar a ciertas obras del siglo XVI nos parece que salimos a campo libre y como si brisas frescas nos orearan las sienes, y como si de un martirio saliéramos a un prado verde y liento que atraviesan rumoreando claras aguas musicales bajo un cielo muy azul, muy bruñido, muy firme? ¿Por qué, continuando tiempo arriba y llegándonos a los primitivos españoles, hemos vuelto a topar con la vida, con hombres, con cosas, con espíritu y con materia?» El barroco nada tiene que ver con el estilo clásico, aunque se confunde frecuentemente clasicismo con ampulosidad. Esta es la tesis de Ortega.

Guillermo Díaz-Plaja, *Modernismo frente a Noventa y ocho*, Espasa-Calpe, Madrid, 1966 ², pp. 186-192.

En Pío Baroja es constante la negación de la retórica y del estilo barroco. «El sol de la vida artística resulta extinguido, y su paleta no sabe pintar, como antaño, con la misteriosa alquimia de sus colores, los hombres y las cosas; las pasiones se han convertido en instintos o en tonterías; las flores de la retórica se han marchitado y huelen sólo a pintura rancia; la frase más original sabe a lugar común.» [...]

El lenguaje del 98 huye, pues, a la vez del casticismo y del preciosismo literario.

Oigamos a Antonio Machado por boca de Juan de Mairena: «Huid del preciosismo literario, que es el mayor enemigo de la originalidad. Pensad que escribís en una lengua madura, repleta de *folklore,* de sabor popular, y que ese fue el vaso santo de donde sacó Cervantes la creación literaria más original de todos los tiempos».

«No olvidéis, sin embargo —añadía— que el "preciosismo", que persigue una originalidad frívola y de pura casta, pudiera tener razón contra vosotros cuando no cumplís el deber primordial de poner en la materia que labráis el doble cuño de vuestra inteligencia y de vuestro corazón. Y tendrá más razón todavía si os zambullís en la barbarie casticista que pretende hacer algo por la mera renuncia a la cultura universal.»

Este segundo párrafo tiene —el lector lo ha advertido— una gran importancia.

Hay que *hacer,* pues, el lenguaje, deshaciendo el lenguaje anterior. Nadie como Unamuno ha apuntado el tema tan pronto y tan radicalmente.

En «La reforma del castellano», prólogo de un libro en prensa, habla ya de un lenguaje desarticulado, constante y frío como un cuchillo, desmigajado, algo que rompe con la tradicional y castiza urdimbre del viejo castellano, y mostraba una tendencia a desarticular «el viejo castellano, acompasado y enfático, lengua de oradores más que de escritores —pues en España los más de estos últimos son oradores por escrito—; el viejo castellano, que por su índole misma oscilaba entre el gongorismo y el conceptismo, dos fases de la misma dolencia, por opuestas que a primera vista parezcan, el viejo castellano necesita refundición. Necesita, para europeizarse a la moderna, más ligereza y más precisión a la vez, algo de desarticulación, puesto que hoy tiende a la anquilosis, hacerlo más desgranado, de una sintaxis menos involutiva, de una notación más rápida».

En «La lengua española» trataba de romper el imperialismo lin-

güístico castellano y de llegar a la integración de una lengua nueva
mediante una renovación dialectal. «Desparrámase hoy la lengua castellana por muy dilatadas tierras, bajo muy distintas zonas, entre
gentes de muy diversas procedencias y que viven en diversos grados y
condiciones de vida social; natural es que en tales circunstancias se
diversifique el habla. ¿Y por qué ha de pretender una de esas tierras
ser la que dé norma y tono al lenguaje de todas ellas? ¿Con qué derecho se ha de arrogar Castilla o España el cacicato lingüístico?» [...]

Azorín, en suma, y por no citar entre las docenas de ejemplos
posibles sino uno de los más conocidos, señala: «Escribimos mejor
cuanto más sencillamente escribimos; pero somos muy contados los
que nos avenimos a ser naturales y claros».

Todo lo cual nos permitirá señalar las actitudes del 98 en relación con el lenguaje, de acuerdo con los siguientes apartados:

1.º Antirretoricismo. Antibarroquismo.
2.º Creación de una lengua natural ceñida a la realidad de las
cosas que evoca.
3.º Enriquecimiento «funcional» de la lengua, rebuscando en la
lengua popular regional o en la raíz etimológica.
4.º Lenguaje definitorio al servicio de la inteligencia.
5.º Lengua válida para todos.

Veamos ahora las posiciones del modernismo.

Una vez más el problema es de intencionalidad. Muévese el 98
en demanda de la Verdad, como el modernismo de la Belleza. La
lengua del primer grupo ahonda hacia la raíz, mientras la del segundo se alza hacia los ramajes, si no más auténticos, más espectacula-
res. La lengua del 98 tiende a la unidad de la inteligencia, a la lengua
universal entendible para todos. El modernismo hace del idioma un
objeto —el primero— de su búsqueda del estilo personal. «He impuesto al instrumento lírico —escribe Darío— mi voluntad del momento, siendo a mi vez órgano de los instantes, vario y variable,
según la dirección que imprime el inexplicable Destino.»

Para comprender esta actitud, tan en contraste con la del 98,
basta releer el —por lo demás, confuso— libro de estética de Valle-
Inclán *La lámpara maravillosa*. Ella nos servirá, por su importancia y expresividad, para formular unas conclusiones.

Toda la primera parte de esta obra, importantísima para la estética del modernismo, está referida a la palabra. El poeta halla en

la palabra la primera dificultad. Un mundo inefable, esotérico, misterioso, necesita «traducirse» a vocablos; he aquí el problema.

Al iniciarse la segunda etapa del libro —*El milagro musical*— se afronta de nuevo, y más resueltamente, el tema: existe una patética contradicción entre el valor universal de las palabras y la individual intención del poeta. «Aquello que me hace distinto de todos los hombres que antes de mí no estuvo en nadie y que después de mí ya no será en humana forma, fatalmente ha de permanecer hermético. Yo lo sé y, sin embargo, aspiro a exprimirlo dando a las palabras sobre el valor que todos le conceden, y sin contradecirlo, un valor emotivo engendrado por mí.»

Este «valor», que añade al significado general del vocablo un misterioso sentido nuevo, sería lo que Valle-Inclán denomina el «milagro musical».

El idioma, pues, trasciende de una fuerza teórica que, en cierto modo, lo conforma y aprisiona. Procedemos de ellos, pero debemos dominarles. «Los idiomas nos hacen y nosotros hemos de deshacerlos», dice.

«En la imitación del siglo que llaman de oro, nuestro romance castellano dejó de ser como una lámpara en donde ardía y alumbraba el alma de la raza. Desde entonces, sin recibir el más leve impulso vital, sigue nutriéndose de viejas controversias y de jactancias soldadescas ...»

Hay que ir, pues, a la lengua intransferible, en la que el poeta crea y levanta la palabra existente. «Las palabras en su boca —dice Valle-Inclán— vuelven a nacer puras como el amanecer del primer día, y el poeta es un taumaturgo que transporta a los círculos musicales la creación luminosa del mundo.»

Miguel de Unamuno comentaba esta específica valoración del lenguaje en Valle-Inclán:

«Valle-Inclán se hizo con la materia del lenguaje de su pueblo, y de los pueblos con que convivió, una propiedad, idioma, suya, un lenguaje personal e individual. Y como le sería en su vida cotidiana, en su conversación, era su dialecto la lengua de los diálogos».

Pero fue Juan Ramón Jiménez quien en su prodigioso artículo titulado «Castillo de quema», escrito a raíz de la muerte de Valle-Inclán, ahondó con mayor agudeza en este fenómeno:

«Era un esteta gráfico de arranque popular. Su estilo, su vocabulario no salieron de diccionario alguno, sino de la calle, el café, el

camino, de su propia miña, sus entretelas, sus entrañas. Valle-Inclán
se recogía en su lengua, en la raíz de su lengua, le hacía dar flor y
fruto a su lengua. Cada palabra suya era una lengua, y yo creo que
no le importaba nada que no fuera su lengua buena o mala, deslen-
guarse. Era un lenguado (no hay chiste, criticastros) y un deslengua-
do, un hombre ignorante fatal que iba, valiendo sólo con su instinto
y con su lengua, a la muerte de cada día, en el río de la multitud o
en el mar de la soledad. Lo ignoto oscuro se abre, en labios rojos,
con los seres, y da aquí y allá, por boca de ellos, un poco de su
secreto. Hay seres que roban a lo ignoto más de lo que ello suele
dar en palabra. Valle-Inclán dio con su instinto mucho más de lo que
nadie pudiera prever. Su lengua fue llama, martillo, yema y cincel
de lo ignoto, todo revuelto, sin saber él mismo por qué ni cómo.
Una lengua suprema hecha hombre, un hombre hecho con su lengua
fabla. Era el primer fablistán de España, e intentó, en su obra de
madurez sobre todo, un habla total española que expresara la suma
de giros y modismos de las regiones más agudas y agrias de España
(con hispanoamericanismos, también, de los países que él conocía o
adivinaba), lengua de sintaxis sintética, que fuese como la que se
hubiera formado natural y artificialmente en Galicia, sede eterna,
piedra de Santiago, si hubiese estado en Galicia la Presidencia de las
Españas, la Presidencia de la República inmensa española, de cuya
República él hubiese sido... el Rey o el Pretendiente».

He aquí reunidas algunas afirmaciones respecto a la concepción
del lenguaje entre los modernistas:

1.º Retoricismo.

2.º Creación de una lengua artificial, de intención predominan-
temente estética.

3.º Enriquecimiento «musical» del idioma en busca de una expresión distinta, individualizada.

4.º Lenguaje sensual, al servicio de la belleza.

5.º Lenguaje minoritario.

Juan Ramón Jiménez

MODERNISMO EN AMÉRICA Y ESPAÑA
(Apuntes de una conferencia)

El modernismo, el movimiento modernista, empezó en Alemania a mediados del siglo XIX y se acentuó mucho a fines del siglo XIX. Fue muy importante entre los teólogos que empezaron ese movimiento. La idea era unir los dogmas católicos con los descubrimientos científicos modernos; y el papa Pío X publicó, divulgó una encíclica excomulgando a todo ese grupo; esa encíclica la tienen ustedes en la biblioteca en una serie de encíclicas modernas de Papas, que está en la biblioteca: la encíclica *Pascendi gregis* del papa Pío X contra el modernismo en general, no solamente contra el teológico, sino el literario; contra todo el modernismo.

Ese movimiento pasó a Francia, por los teólogos, y hay un famoso teólogo francés, el padre Loisy, Alfred Loisy, el abate Loisy, que fue también excomulgado, y de ahí pasó a los Estados Unidos. En los Estados Unidos dio lugar a otro movimiento paralelo y contrario llamado el fundamentalismo, que sostenía los dogmas por encima de todo. Entonces ese nombre modernismo aparece en la literatura, y no aparece en todos los países simultáneamente; lo más curioso es que no aparece en Francia. En Francia los poetas, los escritores, no aceptan ni conocen el nombre modernismo. Los filósofos sí, por ejemplo, Bergson, le llama modernista, también los teólogos como he dicho antes; pero en Francia eso se llama parnasianismo y modernismo, digo y simbolismo; es decir, lo que corresponde a lo que en Hispanoamérica, en España, en Rusia, en Alemania, le llaman modernismo literario es lo que en Francia se llama parnasianismo y simbolismo; es decir, es lo que coincide con ese nombre, con ese movimiento en ese Estado. Pero esas escuelas parnasianismo y simbolismo son modernismo, es decir que, aun cuando en Francia no se tome el nombre, están dentro del movimiento general modernista.

Es decir, que el modernismo es un movimiento general, como el Renacimiento, dentro del cual caben (así como en el Renacimiento

Juan Ramón Jiménez, *El modernismo. Notas en torno de un curso, 1953,* Aguilar, México, 1962, pp. 222-233.

cabían pintores, por ejemplo como Leonardo, Miguel Ángel, Tiziano, Rafael, tan diferentes, lo mismo pasa en el modernismo), que caben escuelas tan diferentes como el naturalismo, el simbolismo, el impresionismo, porque todos son escuelas, todas son escuelas que fundándose en la mejor tradición... Eso es, equivale a los dogmas que en teología quieren los adelantos modernos, las libertades modernas, formales. De modo que esa es la misma cosa: es un movimiento general, es lo mismo en política, es lo mismo en sociología; es el momento en que la gente revisa la historia, para ver qué se puede aprovechar, en política o en sociología, de lo antiguo, y cómo se varían nuestras ideas modernas. De modo que eso es una cosa muy clara; por ejemplo, Rousseau (por ejemplo muy anterior a esto, en el romanticismo) era un hombre, al mismo tiempo un romántico exagerado, al mismo tiempo un hombre muy realista, de modo que él también unía dos ideas. [...]

El parnasianismo sería la expresión más lograda, más bella y más breve posible, de una realidad objetiva. Lo que hemos dicho antes, por ejemplo: el martirio de los cristianos en el Coliseo de Roma, por ejemplo, o Antonio y Cleopatra, o lo que llamaban las hetairas, las mujeres públicas (había que llamarlas hetairas para que fuesen parnasianas) o el león en el desierto. Eso era, eran temas de la poesía parnasiana: San Antonio y el Centauro, los centauros, etc. Es decir, se trataba de hacer cuadros, cuadros épicos, descriptivos, en la forma más bella posible, con imágenes bellísimas. Entonces, después de eso, poco a poco, de ahí se sale al simbolismo. El simbolismo es una reacción contra el parnasianismo. El realismo toma, es decir el simbolismo toma del parnasianismo la forma bella y breve, la forma precisa, pero no expresa una precisión objetiva, sino una imprecisión subjetiva; es decir, sentimientos profundos que no se pueden captar por completo, sino por alusiones, por rodeos, como en la vida misma. Ya he dicho varias veces que en la vida la palabra no es lo más importante; a veces un gesto, miradas, risas, sonrisas tienen más importancia que una palabra y dicen más; lo mismo es la poesía simbolista: no es necesario definir las cosas de una manera completa. Verlaine dice en su arte poética: donde lo preciso se une con lo impreciso; esa es la norma del simbolismo, cuando lo impreciso se une con lo preciso.

Y el simbolismo no es lo que influye más en Hispanoamérica, como he dicho antes [...]. Es decir, que lo que realmente se llama

modernismo en Hispanoamérica, es el parnasianismo, y ya es modernismo. Además, es decir, un católico es un cristiano; un protestante
es un cristiano; el cristianismo es un movimiento envolvente: las
sectas son escuelas. La cosa está clara. El modernismo es un movimiento envolvente. Las escuelas son parnasianismo, simbolismo, da-
daísmo, cubismo, impresionismo, etc. Todo cae dentro del modernismo porque todo es expresión en busca de algo nuevo hacia el futuro. De modo que es exactamente lo mismo que en la teología. Me
parece que está claro; es decir, ese es mi punto de vista, puesto que
yo lo he vivido; no lo estoy haciendo por lecturas, sino por mi
experiencia, puesto que yo nací dentro de ese movimiento y he conocido a todos los hombres de ese movimiento, lo mismo hispanoamericanos que españoles.

La poesía española en ese momento, así como en Hispanoamérica, empieza con Rubén Darío; es decir, Rubén Darío es el que le
da como una síntesis, él resume como siempre se ha dicho. Rubén
Darío, Rubén Darío ¿por qué? Porque él es mucho más vasto, más
amplio, más rico que los demás, y por lo tanto es como el significado,
la síntesis de los poetas modernistas hispanoamericanos. En España
el poeta que en ese momento es el modernista máximo es don Miguel
de Unamuno. Sólo que es un modernista ideológico, es decir, él viene
más de los teólogos que de los estetas, más de los poetas alemanes
que de los franceses. Entonces, don Miguel de Unamuno es un ideólogo modernista, es un hombre que va abiertamente en poesía contra
las ideas, incluso contra las ideas religiosas; es decir, entonces su poesía tiene una idea de Cristo, por medio del Cristo de Velázquez, que
es una idea (como es natural, don Miguel de Unamuno estaba excomulgado, y sus libros en el Índice), es decir, es una idea herética. De
modo que se une con los teólogos alemanes y los franceses. No es
que él (porque él no se unía con nadie) no es que se sume a ningún
grupo, pero viene a ser lo mismo. En una forma diferente, es un
hombre que explica sus ideas por medio de poemas, de una manera
herética, exactamente como los otros. Entonces ¿qué ocurre en España? [...]

[Con Darío] entonces, a España pasa el nombre modernismo; el
nombre, en realidad, ya le decían a Unamuno. Yo recuerdo cuando
era niño, muchacho, en las universidades le decían a Unamuno el
tío, ese tío modernista, ese tío modernista... Como una cosa rara,
como krausista, un tío modernista [*palabra inaudible*], una cosa

rara; nadie sabía eso; no era nada, pero, en fin, les parecía una cosa rara, y por lo tanto como Unamuno era raro (Unamuno se vestía de una manera rara, se ponía unos chalecos que le llegaban hasta aquí; luego se ponía corbata, se [*palabra inaudible*] un pastor protestante, tenía unos sombreros raros), pues claro, era un tío. Ese tío es lo que la gente dice cuando una persona no va como todas las demás, y este fenómeno da lugar a un paralelismo que se nota más en España, en ese momento, que en Hispanoamérica. Esto es, los poetas que venimos después de Darío y Unamuno tenemos la influencia doble. Los Machado, por ejemplo, muy acusadamente; era una influencia formal de Darío: alejandrinos pareados, alejandrinos estróficos de cuartetas, sonetos alejandrinos, etc... Es decir, que Rubén Darío influye en lo formal y Unamuno en lo inferior, de modo que nosotros empezamos por una doble línea, una doble línea de influencia modernista: una ideológica y otra estética.

OCTAVIO PAZ

ROMANTICISMO, MODERNISMO, POSTMODERNISMO

Entre 1880 y 1890, casi sin conocerse entre ellos, dispersos en todo el continente —La Habana, México, Bogotá, Santiago de Chile, Buenos Aires, Nueva York—, un puñado de muchachos inicia el gran cambio. El centro de esa dispersión fue Rubén Darío: agente de enlace, portavoz y animador del movimiento. Desde 1888 Darío usa la palabra «modernismo» para designar a las nuevas tendencias. Modernismo: el mito de la modernidad o, más bien, su espejismo. ¿Qué es ser moderno? Es salir de su casa, su patria, su lengua, en busca de algo indefinible e inalcanzable pues se confunde con el cambio. «Il court, il cherche. Que cherche-t-il?», se pregunta Baudelaire. Y se responde: «il cherche quelque chose qu'on nous permettra d'appeler la *modernité*». Pero Baudelaire no nos da una definición de esa inasible modernidad y se contenta con decirnos que es «l'element par-

Octavio Paz, *Los hijos del limo*, Seix-Barral, Barcelona, 1974, pp. 128-139.

ticulier de chaque beauté». Gracias a la modernidad, la belleza no
es una sino plural. La modernidad es aquello que ·distingue a las
obras de hoy de las de ayer, aquello que las hace distintas y únicas.
Por eso «le beau est toujours bizarre». La modernidad es ese elemento que, al particularizarla, vivifica a la belleza. Pero esa vivifica-
ción es una condena a la pena capital. Si la modernidad es lo transi-
torio, lo particular, lo único y lo extraño, es la marca de la muerte.
La modernidad que seduce a los poetas jóvenes al finalizar el siglo es
muy distinta a la que seducía a sus padres; no se llama progreso ni
sus manifestaciones son el ferrocarril y el telégrafo: se llama lujo y
sus signos son los objetos inútiles y hermosos. Su modernidad es una
estética en la que la desesperación se alía al narcisismo y la forma a
la muerte. Lo *bizarro* es una de las encarnaciones de la ironía romántica.

La ambivalencia de los románticos y los simbolistas frente a la
Edad Moderna reaparece en los modernistas hispanoamericanos. Su
amor al lujo y al objeto inútil es una crítica al mundo en que les
tocó vivir, pero esa crítica también es un homenaje. [...]

Los nuevos ritmos de los modernistas provocaron la reaparición
del principio rítmico original del idioma; a su vez, esa resurrección
métrica coincidió con la aparición de una nueva sensibilidad que,
finalmente, se reveló como una vuelta a la *otra* religión: la analogía.
Tout se tient. El ritmo poético no es sino la manifestación del ritmo
universal: todo se corresponde porque todo es ritmo. La vista y el
oído se enlazan; el ojo ve lo que el oído oye: el acuerdo, el concierto
de los mundos. Fusión entre lo sensible y lo inteligible: el poeta oye
y ve lo que piensa. Y más: piensa en sonidos y visiones. La primera
consecuencia de estas creencias es la exaltación del poeta a la dignidad de iniciado: si *oye* al universo como un lenguaje, también *dice*
al universo. En las palabras del poeta oímos al mundo, al ritmo universal. Pero el saber del poeta es un saber prohibido y su sacerdocio
es un sacrilegio: sus palabras, incluso cuando no niegan expresamente al cristianismo, lo disuelven en creencias más vastas y antiguas.
El cristianismo no es sino una de las combinaciones del ritmo universal. Cada una de esas combinaciones es única y todas dicen lo
mismo. La pasión de Cristo, como lo expresan inequívocamente varios poemas de Darío, no es sino una imagen instantánea en la rota-
ción de las edades y las mitologías. La analogía afirma al tiempo
cíclico y desemboca en el sincretismo. Esta nota no-cristiana, a veces

anticristiana, pero teñida de una extraña religiosidad, era absolutamente nueva en la poesía hispánica.

La influencia de la tradición ocultista entre los modernistas hispanoamericanos no fue menos profunda que entre los románticos alemanes y los simbolistas franceses. No obstante, aunque no la ignora,
nuestra crítica apenas si se detiene en ella, como si se tratase de algo
vergonzoso. Sí, es escandaloso pero cierto: de Blake a Yeats y
Pessoa, la historia de la poesía moderna de Occidente está ligada a la
historia de las doctrinas herméticas y ocultas, de Swedenborg a Madame Blavatsky. Sabemos que la influencia del abbé Constant, alias
Eliphas Levi, fue decisiva no sólo en Hugo sino en Rimbaud. Las
afinidades entre Fourier y Levi, dice André Breton, son notables y
se explican porque ambos «se insertan en una inmensa corriente intelectual que podemos seguir desde el Zohar y que se bifurca en las
escuelas iluministas del XVIII y el XIX. Se la vuelve a encontrar en
la base de los sistemas idealistas, también en Goethe y, en general,
en todos aquellos que se rehúsan a aceptar como ideal de unificación
del mundo la identidad matemática». Todos sabemos que los modernistas hispanoamericanos —Darío, Lugones, Nervo, Tablada—
se interesaron en los autores ocultistas: ¿por qué nuestra crítica
nunca ha señalado la relación entre el iluminismo y la visión analógica y entre ésta y la reforma métrica? ¿Escrúpulos racionalistas o
escrúpulos cristianos? En todo caso, la relación salta a la vista. El
modernismo se inició como una búsqueda del ritmo verbal y culmi-
nó en una visión del universo como ritmo. [...]

[Pero] la tragicomedia modernista está hecha del diálogo entre
el cuerpo y la muerte, la analogía y la ironía. Si traducimos al lenguaje métrico los términos psicológicos y metafísicos de esta tragicomedia, encontraremos, no la oposición entre versificación regular silábica
y versificación acentual, sino la contradicción, más acentuada y radical,
entre verso y prosa. La analogía está continuamente desgarrada por
la ironía, y el verso por la prosa. Reaparece la paradoja amada por
Baudelaire: detrás del maquillaje de la moda, la mueca de la calavera.
El arte moderno se sabe mortal y en eso consiste su modernidad. El
modernismo llega a ser moderno cuando tiene conciencia de su morta-
lidad, es decir, cuando no se toma en serio, inyecta una dosis de
prosa en el verso y hace poesía con la crítica de la poesía. La nota
irónica, voluntariamente antipoética y por eso más intensamente poética, aparece precisamente en el momento de mediodía del moder-

nismo (*Cantos de vida y esperanza*, 1905) y aparece casi siempre asociada a la imagen de la muerte. Pero no es Darío, sino Leopoldo Lugones, el que realmente inicia la segunda revolución modernista. Con Lugones penetra Laforgue en la poesía hispánica: el simbolismo en su momento antisimbolista. [...]

El cambio fue notable. No un cambio de valores, sino de actitudes. El modernismo había poblado el mar de tritones y sirenas, los nuevos poetas viajan en barcos comerciales y desembarcan, no en Citeres, sino en Liverpool; los poemas ya no son cantos a las cosmópolis pasadas o presentes, sino descripciones más bien amargas y reticentes de barrios de clase media; el campo no es la selva ni el desierto, sino el pueblo de las afueras, con sus huertas, su cura y su sobrina, sus muchachas «frescas y humildes como humildes coles». Ironía y prosaísmo: la conquista de lo cotidiano maravilloso. Para Darío los poetas son «torres de Dios»; López Velarde se ve a sí mismo caminando por una calleja y hablando a solas: el poeta como un pobre diablo sublime y grotesco, una suerte de Charlie Chaplin *avant la lettre*. Estética de lo mínimo, lo cercano, lo familiar. El gran descubrimiento: los poderes secretos del lenguaje coloquial. Ese descubrimiento sirvió admirablemente a los propósitos de Lugones y de López Velarde: hacer del poema una «ecuación psicológica», un monólogo sinuoso en el que la reflexión y el lirismo, el canto y la ironía, la prosa y el verso, se funden y se separan, se contemplan y vuelven a fundirse. Ruptura de la canción: el poema como una confesión entrecortada, el canto interrumpido por silencios y lagunas. López Velarde lo dijo con lucidez: «el sistema poético se ha convertido en un sistema crítico». Habría que agregar: crítica e incandescencia, el lugar común transformado en imagen insólita.

Los poetas españoles —salvo Valle-Inclán, único en esto como en tantas otras cosas— no [fueron] sensibles a lo que constituía la verdadera y secreta originalidad del modernismo: la visión analógica heredada de los románticos y los simbolistas. En cambio, hicieron suyos inmediatamente el nuevo lenguaje y los ritmos y formas métricas. Unamuno cerró los ojos ante esas novedades brillantes y que juzgaba frívolas; cerró los ojos pero no los oídos: en sus versos reaparecen los metros redescubiertos por los modernistas. La negación de Unamuno, por lo demás, forma parte del modernismo: no es lo que está *más allá* de Darío y de Lugones, sino *frente* a ellos. En su negación, Unamuno encuentra el tono de su voz poética y en esa voz España encuentra al gran poeta romántico que no tuvo en el siglo XIX. Aunque debería haber sido el predecesor de los modernistas, Unamuno fue su contemporáneo y su antagonista complementario. Justicia poética.

El modernismo español propiamente dicho —pienso sobre todo en Antonio Machado y en Juan Ramón Jiménez, no en los epígonos de Darío— tiene más de un punto de contacto con el llamado postmodernismo hispanoamericano: crítica de las actitudes estereotipadas y de los clisés preciosistas, repugnancia ante el lenguaje falsamente refinado, reticencia ante un simbolismo de tienda de antigüedades, búsqueda de una poesía esencial. Hay una sorprendente afinidad entre el voluntario coloquialismo de Lugones y López Velarde y algunos de los poemas del primer libro de Antonio Machado (*Soledades*, 2.ª ed., 1907). Pero pronto los caminos se bifurcan: los poetas españoles no se interesan tanto en explorar los poderes poéticos del habla coloquial —la música de la conversación, decía Eliot— como en renovar la canción tradicional. Los dos grandes poetas españoles de ese período confundieron siempre el *lenguaje hablado* con la *poesía popular*. La segunda es una ficción romántica (el «canto del pueblo» de Herder) o una supervivencia literaria; la primera es una realidad: el lenguaje vivo de las ciudades modernas, con sus barbarismos, cultismos, neologismos. El modernismo español coincide, inicialmente, con la reacción postmodernista hispanoamericana frente al lenguaje literario del primer modernismo; en un segundo momento esa coincidencia se resuelve en una vuelta hacia la tradición poética española: la canción, el romance, la copla. Los españoles confirman así el carácter romántico del modernismo, pero, al mismo tiempo, se cierran ante la poesía de la vida moderna.

RICARDO GULLÓN

EL ESOTERISMO MODERNISTA

A través del modernismo literario fluye una vasta corriente esotérica, integrada por la acumulación un tanto caótica de doctrinas pro-

Ricardo Gullón, «Ideologías del modernismo», *Ínsula*, n.º 291 (febrero 1971), pp. 1 y 11.

cedentes de religiones orientales, hindúes sobre todo, del pitagorismo
y los textos gnósticos, de la Cábala hebrea y de la teosofía, con sus
casi inevitables arrastres de vulgarización y charlatanería. No conviene dar de lado, bruscamente, a los charlatanes, ni aun a los falsarios.
Madame Blavatsky y otros como ella pueden haber contribuido mucho a que poetas y narradores escribieran como lo hicieron. Que las
doctrinas esotéricas atrajeran a los modernistas por cuanto tienen de
aproximación al misterio es cosa que me parece segura; las entendieron como impulsos órficos de penetración en la sombra y, desenten-
diéndose de otras particularidades, buscaron en ellas la clave perdida
de los enigmas radicales de la existencia: de la vida y de la muerte y
del más allá.

En la aceptación de lo esotérico se configura la protesta contra el
positivismo, que al amputar las creencias tradicionales les había dejado en seco. Los poetas, nostálgicos del bien perdido, se sintieron
forzados a sustituir por otras divinidades el Dios cuya muerte había
proclamado Nietzsche con tan enfática energía (y antes oblicuamente
Guizot, en tiempos del rey burgués). Negándose a pactar con Mam-
món, donde estuvo la Santísima Trinidad, instalaron, como Valle-
Inclán lo hizo, la gnóstica Triada, donde el Paracleto «arcano del conocimiento», el Demiurgo «arcano de la vida» y el Verbo «arcano del
amor» coinciden en la unidad absoluta.

Si no me equivoco, ideas como estas penetraron en España, desde
mediados del siglo XIX, de la mano del espiritismo (la primera sociedad espiritista se fundó en Cádiz, año de 1855, y en 1861 se que-
maron allá públicamente, por decisión del obispo, las obras de Allan
Kardec). Méndez Bejarano, de cuya *Historia* tomo estos datos, recuerda fantasías espiritistas como la *Historia de ultratumba*, de Manuel
Corchado, precedente de las narraciones que no tardarían en escribir
Eduardo Holmberg, Rubén Darío, Valle-Inclán, Leopoldo Lugones y
otros muchos. En 1889 ingresa España en la Sociedad Teosófica. En
Sofía, órgano de la sociedad, colaboró uno de los segundones del modernismo: Viriato Díaz Pérez. Otro, Rafael de Urbano, fue incansable propagandista y traductor de libros tan influyentes como *El
número de oro*, atribuido a Pitágoras, y la *Historia de la magia*, de
Eliphas Levi (el ex-sacerdote Alphonse-Louis Constant). Con la
teosofía, o para ser más preciso, aceptando la distinción de René
Guenon con el teosofismo entraron en circulación viejas ideas pitagóricas e hindúes, casi siempre en la caprichosa versión de Madame

Blavatsky; algunas de esas ideas, como la de la reencarnación, desnaturalizada por esta fantástica mujer, se mezcló con las mal digeridas ideas de Nietzsche sobre el eterno retorno, dejándose interpretar, como era lógico, según el temperamento y la fantasía del escritor.

Pues apenas será necesario advertir que los poetas tomaban su bien donde lo encontraban, sin esforzarse, ni poco ni mucho en averiguar la legitimidad de los materiales incorporados a sus obras. ¿Por qué habrían de hacerlo? Lo nebuloso de las ideas, lejos de ser un obstáculo era un aliciente para quienes encontraban en la simbología arcaica múltiples posibilidades de renovación, estímulos para la fantasía. Si está en lo cierto René Guenon, la idea de la reencarnación reapareció en su versión decimonónica donde menos podía esperarse: en ciertos ambientes socialistas franceses, claro está que de un socialismo que el crítico llama «místico», «en el peor sentido de la palabra», fourierista y no marxista. Quizá esa idea procedía de Lessing, que en el siglo XVIII la había formulado en Alemania, pero parece probable que esos círculos socialistas fueran el foco de donde irradiaron las nuevas y curiosas hipótesis.

La negación del dogma, característica de la teosofía, se ajustaba como anillo al dedo a la voluntad liberadora del modernismo, inspirado de lejos o de cerca por teólogos como Harnack y filósofos como William James, que se esforzaron en quebrar las coacciones dogmáticas del cristianismo y en justificar las variedades del pensamiento religioso. No hace falta decir hasta qué punto nuestro primer modernista, Miguel de Unamuno, socialista no-marxista en su juventud, fue influido por los dos pensadores que acabo de citar. Con razón fue declarado «hereje máximo y maestro de herejes» por el obispo Pildáin y puesto que el Índice romano por su pontífice integrista que sabía muy bien dónde le apretaba el zapato.

Dos teósofos ingleses, Anna Kingsford y Edward Maitland, establecieron de modo programático la relación Cristo-Buda, como figuras complementarias de un sistema en el que «Buda es lo mental y Jesús el corazón. Buda es lo general y Jesús es lo particular. Buda es el hermano del Universo y Jesús es el hermano de los hombres. Buda es la filosofía y Jesús es la religión. Buda es la circunferencia y Jesús es el centro ... Nadie puede ser propiamente cristiano si no es también ante todo budista», y todavía añaden que el término budismo «incluye el pitagorismo». Como la traducción francesa de la obra de Kingsford y Maitland (*The perfect way*) lleva un prólogo de Édouard Schuré, escritor a quien Rubén Darío leyó con atención, según demostró Arturo Marasso, pudiera ser que Rubén se interesara por ella. En cualquier caso, tanto en Darío como luego en Antonio Machado o en Herrera Reissig, las dos figuras se equiparan en diversas formas; y, a su lado, ejemplos paralelos de excelsitud en conducta y doctrina, aparecerán los nombres de Sócrates y Pitágoras. Los «Cristos» de que habla Madame Blavastky, «seres que han llegado a desarrollar en ellos ciertos principios superiores, existiendo en todo hombre en estado latente», no están muy lejos del Cristo de Unamuno y Antonio Machado, ascendido a Hijo de Dios a fuerza de desearlo y merecerlo, divino, no por el nacimiento, sí por el empeño y la seguridad de serlo.

Una resonancia graciosa del éxito logrado por las pseudorreligiones teosofistas se deja oír en aquella conocida anécdota de Unamuno, a quien se dice que dijo Blasco Ibáñez: «Don Miguel, vayámonos a Estados Unidos; usted funda una religión y yo la administro». Esto pudo ser una chuscada, pero si es, como creo, una invención, parece harto significativa. A esa distancia de los hechos las cosas se ven con otra perspectiva, pero lo cierto es que algunos modernistas tomaron el teosofismo en serio: Darío y Lugones fueron iniciados en sociedades teosóficas y Valle-Inclán mostró más que superficial curiosidad por estas doctrinas. En el mundo anglosajón, W. B. Yeats estableció su simbolismo personal «sobre lo que aprendiera en la Sociedad Teosófica desde 1887 a 1890» y en una sociedad ocultista de Londres. En tales círculos se daba por supuesta la conexión entre naturaleza y espíritu, la correspondencia entre lo natural y lo espiritual, pensándose, como dice Richard Ellman, que bastaba «tocar a un miembro de un grupo para que todo éste vibre. La mención del fuego, por ejemplo, evoca la juventud, el tiempo de la máxima energía, y de ahí la primavera, la mañana y la salida del sol por el este». En la poesía modernista, el símbolo, tan frecuente, del parque viejo va asociado al otoño, al crepúsculo (y por tanto al oeste), a la fuente, a la melancolía; símbolo espacial, evoca un tiempo, una circunstancia, una sensación y un estado de ánimo que se corresponden.

«El modernista —escribió Valle-Inclán— es el que busca dar a su arte la emoción interior y el gesto misterioso que hacen todas las cosas al que sabe mirar y comprender.» Gestos misteriosos sólo visibles a quienes «saben», es decir, a los iniciados, los videntes. De análogo modo, Rubén Darío, en el *Nocturno*, dedicado a Mariano de

Cavia, habló de «Auscultar el corazón de la noche», forma metafórica de expresar la actitud epocal de inclinarse hacia el misterio para descubrir en la sombra las claves del enigma. Por Occidente se propaga esta inquietud, ese deseo de conocer las cosas invisibles que, como decía Victor Hugo, «hormiguean» en las «profundidades extrañas y terribles» de la creación (*Toute la lyre*, II, 30). Es cierto que algún precursor del modernismo, como Edgard A. Poe, había imaginado la posibilidad de vencer al misterio ejercitando el pensamiento racional, pero su caso es una excepción. La línea general va en otra dirección.

En la dirección de Nerval, el viajero a Oriente, seducido por la Cábala, el que se declaró «otro» de sí mismo: «Yo soy el Otro», dijo, y Rimbaud, con diferente matiz, le haría eco. Si de algo tuvieron conciencia, más o menos clara, los modernistas, es de este hecho: Unamuno lo mostró así en el cuento *El que se enterró* y en el drama *El otro*, y Antonio Machado en la creación de los heterónimos que, como los de Fernando Pessoa, implican que la creación poética es obra de otro, de un «yo» distinto del profesor o del empleado a quien vimos, tal vez, en las callejas de Soria o en los largos de Lisboa, mientras su doble escribía, como el personaje del cuento de Henry James, *The private life* (1893). En esta narración cierto escritor famoso, Wawdrey, que jamás quiere hablar de su trabajo, vive en sociedad mientras su doble escribe afanosamente obras que él firmará más tarde. La separación entre el yo social y el yo creativo es impresionante en el Juan Ramón Jiménez de los años de América: escindido por la neurosis, aquél; escribiendo los poemas más extraordinarios de su carrera, éste; enfermo el uno, y turbado, sano y de escalofriante lucidez el otro.

En la aceptación del «otro» como realidad tangible que se impone por su capacidad de crear la obra que le revela al «uno», no veo solamente la explicación de fenómenos tan importantes como el de los heterónimos de Machado y Pessoa, sino también un modo de aceptar el misterio que es, en sí mismo, el hecho de la creación poética. Aventura intelectual, ciertamente, pero, aun en Juan Ramón, acompañada por la sensación de sentirse poseído, o si se quiere, impulsado a escribir por una fuerza a quien no lograba ver el rostro: «Poder que me utilizas / medium sonámbulo...». ¡Medium sonámbulo! La expresión no puede ser más reveladora del sentido y de la filiación de lo que intenta expresarse. [...]

La mezcla de erotismo y misticismo tan frecuentemente observable en obras y autores modernistas, desde Darío en adelante (y que alcanza su máximo nivel en *La gloria de don Ramiro*, de Enrique Rodríguez Larreta, protagonizada por una judía española), no procede de la mística castellana, de la para nosotros mística ortodoxa, sino de creencias más permisivas, más flexibles; por ejemplo, de la que dicta el «Zohar», donde la cohabitación es postulada para el creyente como un deber, por entenderse que el placer derivado de la unión sexual es sagrado, pacificador y satisfactorio para la presencia divina. Hay en esto una inclinación a justificar la voluptuosidad como fenómeno trascendental, y esa inclinación aflora en el modernismo; lo erótico se manifiesta en él a través de imágenes alusivas a la liturgia: los pechos pueden ser «cálices del ritual de nuestra misa de amor» (Lugones) y la carne de la mujer o el espíritu, «pan divino», «hostia» de la misma ceremonia erótica (Rubén).

Cabalismo y platonismo (otra de las ideologías vigorosamente activas en el modernismo) se dan la mano en varios puntos. Me limitaré a recordar dos de ellos: el primero es la relación entre palabra y ser; la creencia de que «ser es decir», de que quien habla refleja siquiera en mínimo grado el acto divino de la creación. Acaso nadie insistió con tanta energía en esta idea como Unamuno (recuérdese la relación entre Augusto Pérez y don Miguel en *Niebla*, y tantas otras páginas), tal vez ninguno exprese mejor la equiparación entre Creador, con mayúscula, y creador, con minúscula. La convicción bíblica de que crear es nombrar (compartida por el Korán, donde se afirma: «Él dice a una cosa: ¡Seas!, y ella es»), sigue activa en los modernistas: quien sabe la palabra, o la inventa, crea la cosa. Esta convicción la acuñó Juan Ramón en versos memorables que resonaron y siguen resonando en los de otros poetas. No sé si hará falta recordar que la obra de Mallarmé se fundó en la convicción de que la Palabra tiene virtudes mágicas, encantatorias, y de ahí su poder creador. La poesía modernista suponía que la palabra mágica encarnaba la belleza más alta y que esa palabra era siempre musical.

El pensamiento hebreo y el platónico coinciden además en la exaltación de la armonía. «Sabbath —dice el "Zohar"— es el nombre del Santísimo, el nombre de la armonía perfecta en todas sus partes. Ese día, los pecadores obtienen descanso en la Gehenna». Y la idea de una relación perfecta entre los elementos de la creación se extiende en la época modernista, época en que las negaciones infernales de lo social serán expresadas en las imágenes de la confusión y del caos.

[...] El acento recae aquí sobre la integración, como en las doctrinas cabalísticas. Por eso interesaban al escindido Nerval y por eso impregnan *La lámpara maravillosa*, de Valle-Inclán. Para los modernistas, estilo y ritmo (una y la misma cosa) sirvieron para unificar en la obra de arte lo que de por sí tiende a la dispersión. El impulso que los mueve es ético tanto como estético. Se trata de alcanzar la suprema armonía de las esferas, el equilibrio inalterable de las constelaciones, oyendo en él la música celestial que de alguna manera resonará luego en la poesía para que los hombres escuchen el susurro de una voz que les ayudará a vivir y, quizás, a olvidar.

Manuel Aznar Soler

BOHEMIA Y BURGUESÍA EN LA LITERATURA FINISECULAR

La bohemia como fenómeno sociológico aparece vinculada a la sociedad romántica francesa y se desarrolla con fuerza creciente en el París del segundo imperio. El Barrio Latino es el centro neurálgico de la bohemia artística y literaria europea e hispanoamericana, cuya característica genética es su voluntaria marginación del medio social burgués para formar una sociedad bohemia en donde poder vivir colectivamente la pasión del Arte.

La bohemia romántica de los años 1820-1840 es una *bohemia dorada* que Murger reflejará en sus *Escenas de la vida bohemia* (1848?). Para Murger la bohemia, fenómeno estrictamente parisiense que describe diferenciando hasta cuatro categorías, es «el aprendizaje de la vida artística». El artista bohemio tiene como norte el sentido artístico de la vida. Según Murger, la bohemia más numerosa es la *bohemia ignorada*, compuesta por aquellos artistas pobres para quienes el arte es fe y no oficio. Constata la actitud antiburguesa de estas jóvenes vocaciones artísticas, a quienes «si sensatamente les hacéis observar que nos encontramos en el siglo XIX, que la moneda

Artículo encargado, especialmente, por el autor.

de cinco pesetas es la emperatriz de la humanidad, y que las botas
de charol no caen del cielo, se vuelven de espaldas y os llaman burgués». Pero existe entre esta «bohemia ignorada» un sector de in-
trusos, mediocridades literarias cuyas costumbres se fundan en la pereza, el desorden y el parasitismo. Para ambas fracciones de la «bohemia ignorada» Murger establece el axioma de que «la bohemia ignorada no es un camino, es un callejón sin salida», puesto que la vida
cotidiana de su bohemia es «una miseria embrutecedora en medio de
la cual se extingue la inteligencia como una lámpara en una habitación
sin aire».

Existe una tercera categoría, la de los *bohemios aficionados*. En
su mayoría son jóvenes burgueses rebeldes que, sin especial talento
artístico, pero seducidos por las formas de vida bohemias, viven una
experiencia transitoria para, extinguido su inconformismo por cansancio y falta de convicciones mentales, volver a integrarse sin problemas en el mundo moral de su clase social.

Para Murger la verdadera bohemia, la *bohemia oficial*, es la bohemia de las vocaciones artísticas que unen el talento a la audacia: son
los llamados por el arte que van a resultar ser también los elegidos.
Sostenidos por su orgullo personal y por su avidez de fama, estos
artistas bohemios lucharán por integrarse en el mercado literario y
artístico para obtener el reconocimiento social de su talento creador.

Pero en el París del segundo imperio la bohemia artística experimenta un enorme crecimiento de jóvenes vocaciones que ya no se
nutren únicamente de la clase media. La conversión del arte por la
burguesía en una mercancía sujeta a las leyes del mercado capitalista,
unido a la debilidad de la propia industria cultural, provocan la aparición de una bohemia que, como «proletariado intelectual», va a ma-
nifestar su oposición a la mercantilización del arte, a las condiciones
de explotación de su trabajo productivo y a la clase burguesa como
clase dominante. Los antiguos «Jeunes-France» de pipa, melenas y
chaleco rojo, la bohemia dorada de champagne y buhardilla, bohemia de Rodolfos y Mimís murguerescos, es ahora una *bohemia negra*,
agresiva, antiburguesa. Esta «bohemia negra» vegeta en la periferia
social, manifiesta una conciencia ascendente de capa explotada, milita
en la política, se sitúa ideológicamente en el jacobinismo y el socialismo, y tiene un gusto realista en arte y literatura. Estos jóvenes bohemios de «dientes largos» que Jules Vallès refleja tan exactamente, van a participar intensamente en la experiencia insurreccio-

nal de la Comuna, sembrando el miedo y la repulsa de la clase dominante. Los escritores burgueses del *establishment* niegan el pan y la sal literaria a esta bohemia negra con obsesivo temor, hasta el punto que los hermanos Goncourt afirman con agresiva violencia: «Es quizás un prejuicio, pero creo que hay que ser un hombre de bien y un burgués honorable para ser un hombre de talento». El odio del escritor burgués por la actitud bohemia era un síntoma de la angustia con que el escritor de la clase dominante contemplaba el ascenso amenazante de una bohemia hosca, rebelde y militante, que se objetivaba históricamente en la distancia entre la sociedad francesa de un Murger y la de un Vallès. Para el burgués decimonónico la bohemia es un inframundo, un lumpenproletariado artístico de insatisfechos y fracasados que viven en el ámbito del desorden y la anarquía el libertinaje de unos valores que contrastan con su código moral. Para el artista bohemio el burgués es una persona de escasa imaginación, de nula sensibilidad artística, de gusto literario grosero, que vive únicamente para servir sus intereses económicos y que desprecia por igual la inteligencia y el talento creador: «En lenguaje romántico, burgués significaba el hombre que no tiene otro culto que el de la moneda de cinco francos, otro ideal que la conservación de su pellejo, y a quien, en poesía, le gusta la romanza sentimental y, en las artes plásticas, la litografía de colores», escribirá el poeta bohemio Banville.

Genéticamente, la actitud bohemia era una actitud de inadaptación social y protesta romántica e individualista contra el capitalismo y la clase burguesa. El sistema de valores bohemios (arte, belleza, independencia, libertad, rebeldía) se oponía al código moral de la clase dominante. La actitud de rebelión y protesta del bohemio se alza contra la mediocridad y vulgaridad de la sociedad burguesa, contra la cual sólo cabe la enajenación voluntaria a través del ajenjo, la droga, el burdel o el narcótico del arte. Frente a la uniformidad social, la protesta individualista del artista bohemio se expresa como fuente de liberación de su lucidez desesperada. Rimbaud o Verlaine ejemplifican esa voluntaria condición de artistas «malditos», de escritores «decadentistas» situados en los límites extremos de la marginalidad social.

La desafiante actitud antiburguesa del artista bohemio se fundamenta en su odio a la burocratización de la vida, a la uniformidad social y a la mercantilización del arte. El artista bohemio no quiere

vender ni admite dejarse comprar su imaginación creadora: «Intransigente, prefirió muchas veces la miseria a macular su pureza estética»,
escribirá Rubén Darío del escritor español bohemio Alejandro Sawa.
Porque el artista bohemio prefiere la absoluta independencia, el cotidiano e insuficiente menú de café con leche y media tostada, a vender
su talento al «filisteo» —palabra que resume su desprecio por la
ramplonería espiritual de la clase burguesa—. Admite el «acanallarse
perpetrando traducciones» o el «hinchar telegramas» en una redacción de periódico como un mal menor asumido («las letras son colo-
rín, pingajo y hambre»), pero el auténtico bohemio lo es por condición espiritual, por convicción mental, por libérrima decisión personal, por creer en unos ideales que son los del arte, realizados según
la mitología bohemia. La verdadera bohemia no es una forma de
vida, forzosa en la mayoría y caracterizada por una extrema penuria,
sino una manera de ser artista, una condición espiritual sellada por
el aristocratismo de la inteligencia. La vida bohemia se asume porque
para el artista bohemio no hay arte sin dolor, o como decía Baudelaire, arte equivale a «malheur». La verdadera bohemia se vive, por
tanto, como experiencia de libertad en el seno de una sociedad voluntariamente marginal, en donde el tiempo no es oro, sino ocio artístico, alcohol, búsqueda de paraísos artificiales, de alucinaciones mágicas, de belleza y «falso azul nocturno».

Esa actitud provocadoramente antiburguesa del escritor bohemio
le conduce a una «pose» de anarquista literario, o una condición de
«maldito» que se relaciona con los marginados sociales (homosexua-
les, prostitutas, delincuentes), a experimentar el placer de demoler
ideas y valores establecidos por medio de «boutades» con el objetivo
expreso de «épater le bourgeois».

En España, la protesta bohemia se dirige contra la sociedad de
la Restauración, contra el canovismo político, la oligarquía, el caciquismo, la corrupción social y el realismo artístico dominante. La actitud bohemia de «épater le bourgeois» es compañera en la literatura
española de la poesía simbolista y decadentista, del impresionismo
francés, del nihilismo ruso y del modernismo hispanoamericano. La
bohemia literaria española finisecular es un fenómeno tardío e importado directamente del Barrio Latino parisiense. Alejandro Sawa se
considera descendiente de Víctor Hugo y Paul Verlaine en el árbol
genealógico bohemio. Isidoro López Lapuya ha dejado un testimonio
autobiográfico de esta vinculación entre simbolismo francés y bohe-

mia literaria española en su libro de memorias *La bohemia española en París a fines del siglo pasado.* En Cataluña, el discurso de Santiago Rusiñol en la Festa Modernista de Sitges (1894) y su novela *L'auca del senyor Esteve* (1907) eran manifestaciones coetáneas de esa actitud de «épater le bourgeois», característica del artista bohemio finisecular.

La concepción aristocrática de un «arte por el arte» es la que defienden la mayoría de escritores bohemios. Bohemia, anarquismo y aristocratismo artístico van unidos en la actitud estética «modernista» de bohemios como Sawa, Rubén Darío o Valle-Inclán. La concepción de Darío del modernismo como expresión de la libertad y el anarquismo en el arte; el grito del bohemio verlainiano Henry Cornuty en el teatro Barbieri de Madrid; los poemas de Pedro Barrantes al puñal y a la dinamita en su *Delirium tremens*; el ¡Viva la bagatela! valleinclaniano; el paraguas rojo del joven Martínez Ruiz, terrible anarquista literario entonces y conservador Azorín después; el ¡Mueran los jesuitas! del Maeztu radical, son otros tantos signos de esa compleja posición anarcoaristocrática de los escritores españoles finiseculares. La actitud bohemia de protesta antiburguesa se impregnaba claramente de anarquismo literario «pour épater le bourgeois».

Pero, en rigor, los escritores bohemios sintieron una aversión y un profundo desprecio por la política oficial de la Restauración. Individualistas e insolidarios, incapaces, salvo honrosas excepciones, de establecer un compromiso político con los partidos de la clase obrera, desengañados de la política oficial, los escritores bohemios se construyeron un paraíso artístico en donde la problemática política no tenía espacio. Excepciones eran, sin embargo, Ricardo Fuente, Joaquín Dicenta, Rafael Delorme y el núcleo de la revista *Germinal*, defensores de un socialismo romántico y heterodoxo. También Pedro Luis de Gálvez, poeta bohemio, acabaría escribiendo narraciones anarcosindicalistas y Ernesto Bark, apóstol de la religión bohemia, fue igualmente un incansable predicador de la rebelión política del proletariado intelectual bohemio.

El lenguaje cumple para el bohemio la función de dinamitar los puentes ideológicos y morales que le separan de la burguesía y de su sistema de valores (familia, propiedad, orden, sexo, religión). La concepción anarquista de la palabra como «dinamita cerebral» es compartida por los escritores bohemios, desarrollándose un culto formal al tremendismo expresivo y a la truculencia verbal. Una confianza ingenua en el poder de la literatura y el arte como instrumentos de transformación social era defendida por Ernesto Bark en nombre de la cofradía bohemia: «Una poesía encierra a veces más dinamita que vuele el edificio de las viejas preocupaciones que la que puedan fabricar todos los Ravacholes del mundo. Los Voltaire, Rousseau y D'Alembert hacían volar el trono de los hijos de San Luis y tampoco eran más que unos pobres "bohemios"» (*Modernismo*, 1901, página 70).

La sociedad literaria bohemia cultivó un lenguaje característico que Murger definió como «el infierno de la retórica y el paraíso del neologismo». Era una jerga en donde se daban cita la paradoja, la ironía ácida y corrosiva, la «boutade» y un «modo apocalíptico de decir». Lenguaje con clave para uso de una sociedad bohemia que elevaba así un culto permanente a la inteligencia y a la imaginación, porque realmente el lenguaje bohemio era un argot inteligente y libre que resultaba ininteligible para quienes desconocían su código expresivo. El histrionismo de la actitud bohemia era compañero de la literaturización de la vida, norma artística de todo esscritor bohemio. Rubén Darío escribirá con exactitud de Alejandro Sawa que «estaba impregnado de literatura. Hablaba en libro. Era gallardamente teatral». La bohemia literaria española, cuya geografía física coincidía con los bajos fondos madrileños, cultivó un argot «golfo» cuajado de expresiones brillantes, originales y provocativas. El lenguaje bohemio, en tanto lenguaje artístico, se manifestaba como vehículo de liberación de frustraciones e impotencias colectivas que los artistas bohemios sublimaban a base de pirotecnia verbal y agresividad expresiva. La acentuación del sentido violento del lenguaje era producto del placer bohemio por convertir su lenguaje en sucesión de «bombes esthétiques»: «Viendo estas cosas, dan ganas de ponerse una bomba de dinamita en el velo del paladar», dirá un bohemio anarquizante de la novela barojiana *El árbol de la ciencia*.

Al margen de este anarquismo expresivo, el lenguaje bohemio se contaminó de imágenes religiosas, desarrollando un auténtico tolstoísmo expresivo. Ernesto Bark, actualizando la mitología cristiana para la sociedad literaria bohemia, escribió *La santa bohemia* (1913) para fundamentar un ritual bohemio basado en el culto a una religión del Arte y la Belleza del cual los artistas eran sumos sacerdotes.

Pero fundamentalmente el escritor bohemio eleva su protesta

contra la sociedad burguesa a través de su rebeldía estética y de su decidida ruptura con la expresión realista que caracterizaba el gusto pequeñoburgués del filisteo decimonónico. Los escritores bohemios, aristócratas del arte, románticos rebeldes, individualistas anarquizantes, imponen el gusto «modernista» y la concepción del «arte por el arte». Despreciando tanto el gusto burgués como el proletario, atacan la valoración social del arte que defienden los críticos literarios anarquistas (Federico Urales) o socialistas (Verdes Montenegro). Para ellos bohemia es sinónimo de «modernismo» artístico, de simbolismo poético, de decadentismo literario.

Pero este modernismo finisecular de la literatura bohemia sucede a una literatura bohemia naturalista que, según Vallès, debía poner el arte al servicio de los intereses del proletariado. Esta etapa militante de la bohemia naturalista halla en las novelas de Alejandro Sawa entre 1885 y 1888 (*La mujer de todo el mundo*, *Crimen legal*, *Declaración de un vencido*, *Noche*, *Criadero de curas*) su manifestación literaria española. Pero para la bohemia literaria finisecular, alistada en el ejército del «arte por el arte», el escritor es un «soldado de la belleza» en las filas del modernismo artístico. El propio Alejandro Sawa, representante químicamente puro del escritor bohemio español, publicará póstumamente su dietario de sensaciones *Iluminaciones en la sombra* (Renacimiento, Madrid, 1910), auténtica biblia de la literatura bohemia finisecular.

La literatura bohemia española finisecular es un capítulo olvidado de nuestra historia literaria. El análisis de las narraciones de Camilo Bargiela, Pedro Luis de Gálvez, Enrique Gómez Carrillo, Isidoro López Lapuya, Eduardo Zamacois; de los versos de Pedro Barrantes, Emilio Carrere o Joaquín Dicenta; de la labor publicística de Luis Bonafoux, Rafael Delorme o Ricardo Fuente; de la producción literaria de Ernesto Bark o Alejandro Sawa o del tributo estético contraído por autores como Rubén Darío, los Machado, Valle-Inclán, completarán el espectro de tendencias estéticas de la literatura española finisecular. Literatura y actitud bohemia que ya fue entonces violentamente censurada por Azorín, Baroja, Manuel Bueno, Maeztu, Unamuno y un largo etcétera de detractores «regeneracionistas», incluidos anarquistas y socialistas, que sólo contemplaban en la bohemia una actitud decadentista socialmente estéril y literariamente infecunda.

La sociedad literaria bohemia se fue difuminando con la muerte

de sus principales figuras, víctima de sus contradicciones e impotencias. Cuando muere Sawa en 1909, las huestes bohemias consumen
su frustración en los cafés y tertulias nocturnas de un Madrid «absurdo, brillante y hambriento». Aún en 1913 Bark lanza un póstumo
ultimátum a la cofradía bohemia en *La santa bohemia* (1913),
apuntando unas líneas de acción que la experiencia mostrará inviables. La verdadera bohemia, la *bohemia heroica* de Alejandro Sawa,
la bohemia que se define positivamente por un culto al Arte como
ideal de vida, da paso a una *bohemia golfante*, prostituida, acomodaticia, entre el cinismo, el parasitismo y la incapacidad imaginativa, a
unas circunstancias históricas y sociales adversas. El *Luces de bohemia* valleinclaniano muestra en las figuras de Max Estrella y Latino
de Hispalis ambas bohemias. La *bohemia heroica* de Max, heroísmo
que sólo iguala el anarquista catalán, sirve de contrapunto a la *bohemia golfante*, perruna, cínica, de quien en rigor no es sino un «miserable burgués». La razón histórica está de la parte de Rubén Darío,
antiguo feligrés del ajenjo y el «falso azul nocturno», cuando le
aconseja a Max abandonar una bohemia envilecida por tanto escritor
«golfante»: «Max, es preciso huir de la bohemia».

La guerra mundial de 1914 y, en España, la huelga general revolucionaria de 1917, marcan el inicio de unas profundas transformaciones sociales que condenan a la sociedad literaria bohemia a su
extinción irremisible. La emotiva nostalgia de una autenticidad bohemia perdida, la reivindicación modernista de unas iluminaciones en
la sombra, la admiración estética de la bohemia heroica, impulsan a
Valle-Inclán a escribir su espléndido esperpento *Luces de bohemia*,
epitafio y réquiem elegíaco de la bohemia literaria española finisecular.

Antonio Ramos-Gascón

NATURALISMO, MODERNISMO, ARTE SOCIAL

La «gente nueva» de *Germinal* fue posiblemente la primera en advertir el carácter ecléctico y las limitaciones del naturalismo español durante la época restauracionista. Sirvan de ejemplo estos comentarios acerca de la autora de *La cuestión palpitante*. «¡Cuán cómico nos parece el afán de la devota señora Pardo Bazán al querer alardear de naturalista, cuando el naturalismo es ante todo y sobre todo hijo del positivismo determinista, socialista y ateísta, porque Dios sólo existe para él bajo el figura de la X desconocida! ¡Cómo ha de ser naturalista en arte quien es católica ferviente!

»... Sólo en España donde los críticos pierden el tiempo registrando las comas que faltan en los párrrafos y los puntos que han caído de sobre las íes pueden pasar en silencio semejantes cosas.» (C. von Werder, «La sombra de Torquemada», *Germinal*, n.º 2, 1897.)

Al mismo tiempo que criticaron y pusieron de relieve las contradicciones en que incurrieron literatos de la generación anterior, defendían la continuación del movimiento naturalista, aunque por derroteros muy diferentes. Tan distintos que, en algunos aspectos fundamentales, poco o nada tenían que ver con los esquemas y principios teóricos del naturalismo propiamente dicho. Dada la concepción utilitarista que de la literatura tenía un gran sector de los jóvenes «nuevos», dieron en llamar «naturalismo» a las novelas sociológicas, al teatro de tesis y a la poesía social. «Naturalistas» y precursores de este movimiento eran para ellos figuras extranjeras como el último Zola, Ibsen, Björnson o Hauptmann. Muy probablemente, por olvidar la especial connotación que el término naturalismo tuvo durante estos años en los medios de la «gente nueva», la crítica del siglo xx ha venido con frecuencia situando al primer Blasco Ibáñez en la tradición naturalista de la generación anterior, cuando es claro,

Antonio Ramos-Gascón, «La revista *Germinal* y los planteamientos estéticos de la "gente nueva"», en *La crisis de fin de siglo: ideología y literatura* (varios autores), Ariel, Barcelona, 1975, pp. 132-138.

en nuestra opinión, que sus novelas sociales están en la más pura línea realista de la «gente nueva». [...]

Los intentos «naturalistas» de la «gente nueva» nos han dejado algunas novelas de reconocido valor, como las del primer Blasco, varias obras dramáticas de poca calidad, pero de indudable interés infraliterario —la producción de Dicenta, por ejemplo—, y un pequeño muestrario de poesía social, poco relevante para la historia de nuestra lírica pero también significativo a otro nivel, como son los primeros poemas de Juan Ramón Jiménez y de Maeztu.

Los jóvenes «modernos» incluyeron dentro de la nueva escuela «naturalista» a los dramaturgos nórdicos anteriormente mencionados. El interés por el teatro de tesis, que es común a los germinalistas y a la «gente nueva» en general, hay que relacionarlo con las posibilidades y ventajas didácticas de llegar a un sector social que difícilmente podía tener acceso a otros géneros literarios, como la novela. [...] El escritor noruego era considerado como el gran revolucionario anarquista del arte dramático moderno, demoledor de la moral burguesa, de los principios sociales admitidos, y reedificador de la nueva moral basada en el principio de la emancipación social, [...] llevando más allá el alcance y propósito crítico del autor de *Casa de muñecas*. No obstante, habría que investigar hasta qué punto el pensamiento ibseniano fue totalmente impermeable a la ideología anarquista. Entre las poesías del escritor noruego que el joven Juan Ramón Jiménez tradujo en *Vida Nueva*, se encuentra la siguiente:

> Decís que ya conservador me he vuelto!...
> No; sigo siendo lo que fui; no mudo...;
> No soy de aquellos que se dan por hartos
> variando los peones del tablero...
> ¡Volcad éste de golpe y soy vuestro hombre!

> Una revolución sólo conozco
> que no haya sido obra de un farsante:
> la del Diluvio Universal, grandiosa
> sobre las otras mil revoluciones...

> Y aun entonces... no todo fue glorioso,
> recordad de Noé la dictadura...

Empecemos de nuevo, mas de un modo
terrible, radical... Y para ello
¿tan útiles serán los oradores?...
Buscadme sólo el agua que la Tierra

ha de inundar...; yo, en tanto, sonriendo,
¡colocaré un torpedo bajo el Arca!

(*Vida Nueva*, 7 enero 1900)

Igualmente, fueron muy celebrados en la prensa «nueva» autores como Björnson, Hauptmann y Strindberg.

Dentro de esta particular concepción del «naturalismo» habrá que situar también la poesía social de esos años, como la escrita por Maeztu y Juan Ramón Jiménez, que alternaron este tipo de composiciones poéticas con la de corte parnasiano. El hecho de que los jóvenes escritores cultivasen simultáneamente géneros poéticos después caracterizados por su disparidad, no debe interpretarse como duda o vacilación de quienes comenzando su carrera literaria se encuentran indecisos respecto al camino a seguir. Nosotros vemos en la coexistencia de ambas formas de expresión estética una manifestación más de la estrecha relación entre ellas, determinada por su común carácter innovador dentro de la literatura y su parecida significación social de índole rebelde. Interpretamos de la misma manera el gusto «modernista» por la poesía social inglesa que puede comprobarse en varias revistas de la «gente nueva». Realismo crítico y vanguardismo literario no se presentaron como contradictorios para la «gente nueva», sino como doble actividad necesaria en la lucha por un cambio de la sociedad establecida, incluyendo sus valores y concepciones estéticas.

Paralelamente al desenvolvimiento del «naturalismo», tal como lo concibió la «gente nueva», fue desarrollándose, en el mismo medio, el movimiento esteticista que la crítica ha designado con el término «modernismo». Desde la perspectiva del lector actual es claro que estas dos corrientes implican concepciones de la literatura notablemente diferenciadas: literatura como intento de representación crítica de la «realidad objetiva» y literatura como instauración de una nueva «realidad estética». El desarrollo de los movimientos artísticos españoles del siglo xx, en su pendular oscilación entre literatu-

ra testimonial y literatura de vanguardia —alternativa fundamentalmente impuesta por circunstancias de origen político-social—, ha venido determinando su carácter contradictorio. Y la crítica contemporánea, mediatizada por la polarización de la literatura de nuestro
siglo frente a estas dos concepciones artísticas, nos ha presentado
como contradictoria disyuntiva lo que a fines del XIX constituyó simplemente diversa manifestación de rebeldía política y estética contra
la sociedad de la Restauración.

Sin necesidad de acudir a las formulaciones teóricas expuestas
por la «gente nueva» a finales del XIX, el estudio detenido del comportamiento literario de este grupo nos revela ya la inexistencia del
enfrentamiento entre «modernismo» y «noventayocho». Martínez
Ruiz, «anarquista literario», traduce a Kropotkin pero también a
Maeterlinck; Baroja, al mismo tiempo que nos describe «la lucha por
la vida» en el Madrid de la época, estudia en la *Revista Nueva* la
coloración de los sonidos; Benavente, exquisito esteticista, publica
en *Germinal* «sketches» dramáticos de clara tendencia anarquista;
Juan Ramón Jiménez, como hemos señalado, alterna los poemas de
Alma de violeta con poesías sociales; Federico Urales, conocido anarquista, a la hora de hacer literatura sigue las directrices del esteticismo d'annunziano; Manuel Machado, a su regreso de París, nos
explica los fundamentos político-sociales de la reacción antimodernista; Maeztu, ideólogo «noventayochista» combina lo parnasiano y
lo social en su poesía de juventud; Dicenta, representante del «naturalismo» en el teatro, identifica su lucha con la del esteticismo italiano, etc. Es decir, en los primeros años del movimiento «nuevo»,
ambas corrientes no se contraponen, sino que, incluso, se complementan en cierto sentido.

Germinal, «semanario republicano sociológico», representa fundamentalmente la corriente «naturalista» tal como era entendida por
la «gente nueva». Sin embargo, no es extraño encontrar en sus páginas colaboraciones de tendencia esteticista o, lo que es de mayor
interés para nosotros, palabras de aliento para los innovadores estéticos a quienes se considera compañeros en la lucha común por la
reforma de la sociedad. Repetidas veces se ha comentado la influencia de D'Annunzio en los «modernistas» españoles, pero se ha dejado pasar por alto lo que el autor italiano significó para ellos, no
sólo para los jóvenes comúnmente comprendidos en la corriente «modernista», sino para la «gente nueva» en general. En 1897, Verdes

Montenegro lamentaba el escaso eco que las obras de Gabrielle D'Annunzio habían alcanzado entre los literatos y público lector español, expresándose en los siguientes términos: «No hay, desgraciadamente, en nuestro medio intelectual, condiciones favorables para que el modo como siente D'Annunzio la vida, la naturaleza y el arte aquí repercuta y se propague, y así, los casos aislados que se presenten han de tardar mucho tiempo en llegar a formar foco».

Resulta ya significativo que un propagandista e intelectual del Partido Socialista lamente la poca difusión en la península del gran esteticista italiano, no obstante su consciencia de que la obra de D'Annunzio constituye «un producto aristocrático». Verdes Montenegro advierte en el mismo artículo que «no importa que esa aristocracia de la sensibilidad se desarrolle parásita en las sociedades», entre otras cosas, porque esa aristocracia «implica la existencia de un proletariado que subvenga a la vida de nutrición». En su opinión, los cultivadores del refinamiento artístico, «lejos de ser tipos degenerados, aparecen como *échantillons* anticipados de una humanidad superior» que se erigen para la masa en núcleos de atracción, «haciéndole sentir la necesidad de un *standard of life* más elevado cada día». Por utópico que este planteamiento nos parezca, no dejan de ser reveladores estos razonamientos en torno a la función social que al esteticismo se le asigna, y al mismo tiempo nos permite vislumbrar la significación política que a la renovación estética se le atribuyó durante esos años.

Joan Lluís Marfany

EL MODERNISMO CATALÁN

Las tendencias literarias a las que se aplica, en Cataluña, la designación de «modernistes» tienen ya, en la historiografía cultural europea, nombres mucho más acreditados y bastante más precisos:

Joan Lluís Marfany, «Sobre el moviment modernista», *Aspectes del modernisme*, Curial, Barcelona, 1975, pp. 15-21. (Traducción castellana de Josep M.ª Portella.)

parnasianismo, pre-rafaelitismo, simbolismo, naturalismo, romanticismo, etc. ¿Por qué en nuestra nomenclatura se han visto reducidos a un término tan ambiguo y relativo como es el de modernismo?

Estos términos no nos los hemos inventado, sino que los hemos heredado de sus coetáneos. El segundo paso en la investigación deberá consistir, pues, en tratar de descubrir qué entendían por modernismo los coetáneos del movimiento y por qué utilizaron esta palabra. Veremos entonces que los que primero utilizaron la palabra, cuando menos de una manera asidua y más o menos sistemática, eran los mismos hombres que se autodesignaban, los modernistas. Y utilizaban esta palabra porque, por encima de preferencias estéticas y de inclinaciones ideológicas concretas, se consideraban caracterizados, unidos y diferenciados del resto del mundo cultural en el que vivían por un propósito fundamental: el de *modernizar* una cultura —y, en el fondo, una sociedad— que, para decirlo en palabras de Brossa, se empeñaba en «vivir del pasado». Estos hombres creían, en efecto, que la cultura catalana de su tiempo sufría dos enfermedades básicas: era, por una parte, una cultura atrasada con respecto a las culturas nacionales modernas europeas y, aun peor, una cultura tradicionalista que se obstinaba en seguir atrasada; por otra parte, era una cultura que no aspiraba a la universalidad, sino que era, esencialmente, localista, una cultura que había nacido como expresión de un particularismo regional y del que no osaba salir, sacrificando sus peculiaridades tradicionales.

Me limitaré a citar un ejemplo. En septiembre de 1893 se celebró en Sitges la primera fiesta modernista, que es la que *a posteriori* fue bautizada como segunda. El carácter de manifiesto de esta fiesta es claro. Era el acto constituyente de una alianza entre los grupos más progresistas del mundillo cultural catalán de la época: los redactores de *L'Avenç,* de quienes surgió la idea; el grupo de pintores y escritores dirigido por Santiago Rusiñol y Raimon Casellas, puntas de lanza, uno como artista y el otro como crítico, de la vanguardia estética del momento; Enric Morera y el grupo de jóvenes músicos y melómanos que tenían como modelo a Wagner; y Joan Maragall que, desde las páginas del *Diario de Barcelona,* se había propuesto perturbar las plácidas digestiones de la burguesía barcelonesa. Los de *L'Avenç,* que ya habían traducido y publicado *La intrusa* y un par de artículos largos sobre Maeterlinck y Morera, respectivamente, dedicaron un número a la fiesta. Y sus comentarios son sumamente interesantes y clarificadores. Por boca de Jaume Brossa, expresan su temor de que el hecho que el acto hubiese consistido en la representación de una obra espiritualista y decadente, no se pensase que *L'Avenç* compartía esta tendencia. Se apresuraban a declarar, pues, que ello no era verdad. Sin embargo —decían—:

1) La obra de Maeterlinck era una muestra de la literatura más nueva que se hacía por aquel entonces en Europa, y su representación era, por tanto, una bocanada fresca de modernidad y cosmopolitismo en un mundo cultural tradicionalista y enmohecido, y una afirmación de principios de grupo de intelectuales que querían romper este tradicionalismo y ese enmohecimiento.

2) Tanto si se identificaban con la estética maeterlinckiana como si no, era preciso reconocer que *La intrusa* era una obra de arte sincero, no corrompido por finalidades extraartísticas ni por atemorizadas sumisiones a preceptivas académicas, censuras morales o gustos convencionales; su representación era, por tanto, un gesto a favor de la autonomía del arte y en contra de la vulgaridad de gustos de un público sin sensibilidad.

Por otra parte, los adversarios del movimiento también utilizaron, para designarlo, la palabra modernismo, aunque en este caso con un sentido obviamente despectivo. De hecho, a partir de 1898, más o menos, éstos fueron los únicos que utilizaron el término: los propios modernistas, los que unos cuantos años antes así se autodesignaban, lo rechazaron, pues, según ellos, el uso denigratorio que de él habían hecho sus adversarios lo había deformado hasta el extremo de dejarlo inservible. Ahora bien, ¿por qué escogieron esta palabra los antimodernistas? ¿Por qué, sobre todo, lo prefirieron a «decadentismo», que poseía unas connotaciones peyorativas mucho más inmediatas y evidentes? La pregunta es retórica: porque lo que condenaban no era el «decadentismo», sino el «modernismo», no era una estética decadente, irracional y espiritualista, sino un afán de modernidad que consideraban excesivo y pernicioso. Los primeros ataques coherentes, en este sentido, son los de Torras i Bages y, especialmente, su discurso en el Cercle de Sant Lluc, de 1894: Torras condenaba el modernismo en nombre del tomismo eclesiástico (con abundantes citas de santo Tomás), de una estética académica (¡con citas de Valera!) y de una concepción tradicionalista y regionalista de la cultura catalana (con referencias a los Jocs Florals). Así, pues, también para los reaccionarios, lo que distinguía al nuevo fenómeno emergente en el mundo cultural catalán de la época era justamente la voluntad de romper con la concepción tradicionalista y regionalista de la cultura catalana, de transformar esta cultura en una cultura nacional moderna.

Es cierto que los modernistas no fueron los primeros en adoptar esta actitud y en acusar a la cultura autóctona de tradicionalismo y localismo. A lo largo de toda la época de la Restauración, hombres como Josep Yxart, Joan Sardà, Valentí Almirall, Pompeu Gener, el propio Apeŀles Mestres, e, incluso, Narcís Oller, habían ido por este camino y está claro que los modernistas continuaron la tradición. El catalanismo de *L'Avenç* procedía de Valentí Almirall y de Pompeu Gener; Josep Yxart y Joan Sardà influyeron muy directamente sobre Raimon Casellas y Santiago Rusiñol y también Joan Maragall. Es éste un punto que ninguna investigación sobre el Modernismo puede ignorar, y, de hecho, Eduard Valentí aplicó el término Modernismo a todos ellos, sobre todo a Almirall y a Yxart. Sin embargo:

1) Estos individuos jamás formaron un grupo, sino que siempre actuaron como individualidades, más o menos afines, más o menos relacionadas, pero individualidades; los modernistas formaban ya unos núcleos muy claros, unidos, como hemos visto, en un frente común.

2) Estos individuos nunca se llamaron a sí mismo «modernistes» y, de hecho, usaron la palabra muy ocasionalmente; los modernistas, hacia 1893, empezaron a usarlo con gran frecuencia y como distintivo de grupo.

3) La obra de estos hombres, aunque muy importante y respetada, no provocó cambio alguno en la dirección mayoritaria de la cultura catalana, sino que se insertó en ella, a menudo, de una manera marginal y excéntrica; los modernistas, en cambio, provocaron una ruptura con el pasado e iniciaron la transformación.

4) Estos hombres, aunque criticaban y lamentaban el localismo sin miras de la cultura catalana, nunca consiguieron superar la concepción básicamente regional de esta misma cultura. La cuestión lingüística es aquí crucial, más como indicador que como causa. El catalán les parecía reservado para tratar materias estrictamente catalanas y para hacer literatura, y con ello caían en el mismo defecto que criticaban. Claro que, en la época en que escribían, el catalán no tenía mucha viabilidad fuera de este recinto, pero ellos jamás intentaron luchar con seriedad por esa viabilidad, por ampliar el

recinto. No querían una literatura *regionalista,* pero sólo concebían la literatura catalana como *regional.* Los modernistas, en cambio, se consideraban ya escritores *catalanes* sin matices ni reservas. Para ellos, regionalismo y regionalidad se confundían. Por eso intentaban luchar contra ambos en favor de una literatura universal, por sus temas y por sus ambiciones y, al mismo tiempo, autóctona. Una literatura que no fuese una aportación regional a una supuesta cultura nacional más amplia, sino que fuese por sí misma expresión de una comunidad autosuficiente. Y, según ellos, sólo aspirando a la universalidad y a la modernidad, esta cultura lograría superar los límites regionales y, al mismo tiempo, sólo una cultura nacional autónoma podía aspirar a ser moderna y a tener alcance universal.

El modernismo, pues, como movimiento, o sea, como actitud colectiva y como proceso de transformación histórico cultural, se inicia en la década de 1890. Por citar una fecha más precisa: entre el septiembre de 1892 y el septiembre de 1893. En esos doce meses se produce un cambio de orientación muy importante en *L'Avenç,* con el control de redacción por Jaume Brossa y Alexandre Cortada; Maragall empieza a publicar sus artículos en el *Brusi;* Casellas, sus agresivas críticas en *La Vanguardia;* Morera estrena sus primeras obras; se introduce a Ibsen y Nietzsche en el país; y, finalmente, tiene lugar la primera fiesta modernista. Ya lo dijo Maragall: «con esto de *La intrusa* puede decirse que ha salido a la luz pública el *grupo modernista* de Barcelona» (de una carta a Roura del 15 de septiembre de 1893).

Esta nueva concepción de lo que debe ser la cultura catalana va aparejada con una nueva concepción también de lo que es el arte y la cultura y, naturalmente, de lo que son el intelectual y el artista. Los modernistas conciben, por vez primera, al escritor y al artista catalanes como profesionales. No en el sentido de hombres que viven *de* la literatura y *del* arte, sino en el sentido de hombre que viven *para* la literatura y el arte. Los hombres de la Renaixença eran patriotas que escribían al margen de sus despectivas ocupaciones profesionales y que, incluso cuando triunfaban, como en los casos de Soler y de Emili Vilanova, se resistían a desasirse del áncora social del antiguo oficio o profesión. Los modernistas son, en cambio, artistas y escritores con dedicación plena a su vocación. Se autoconciben, en un segundo término, como profesionales *catalanes.* Josep Yxart correspondía ya, indudablemente, a un determinado tipo de hombre de letras profesional, pero en lo que se refería a profesionalidad, lo era en el marco de la cultura española, y en la medida en que escribía en castellano. Y, como ya antes he indicado, no sólo por simples razones de viabilidad económica. Los modernistas aspiran ya a ser escritores y artistas catalanes *tout court*. Hay que decir que en el país habían existido ya profesionales de la literatura y del arte, hombres que habían vivido o malvivido de estas actividades: Robrenyo, por ejemplo, o Robert Robert, o el mismo Soler, o Martí i Alsina, o Tomàs Padró, o Soler i Rovirosa. Pero, para estos hombres, escribir o pintar eran aún *oficios*; para los modernistas eran profesiones. Hay una importante diferencia en la trascendencia social y la calidad cultural que se atribuye a estas actividades. Esta diferencia entre unos y otros es la que existe, de hecho, entre una concepción artesanal y una concepción burguesa del arte, entre la inserción del artista en una sociedad pre-industrial y su situación en una sociedad industrial.

3. EL REGENERACIONISMO: COSTA, GANIVET, MAEZTU

Si, como se decía en el capítulo precedente, la palabra «modernismo» definió universalmente la nueva actitud literaria en las polémicas finiseculares, otro término coetáneo —el de «regeneracionismo»— gozó del mismo crédito para designar toda forma de patriotismo constructivo y, como aquel primero, llegó pronto a la caricatura: «modernista» vino a llamarse cualquier comportamiento juvenil estrafalario y «A la regeneración del calzado» fue bautizado el modesto tenderete de un remendón que se cita en *La busca,* novela de Pío Baroja. Con este sentido, un tanto trivial, el concepto de regeneracionismo ha sobrevivido hasta su reciente discusión en el marco de la bibliografía referente a la historia social de las ideas que parece hallar, por fin, la especificidad que corresponde a un término a menudo confundido con la llamada «generación del 98».

El uso de las palabras «regeneración» y «regeneracionismo» se inicia en la retórica política decimonónica, pero solamente aparecen como términos carismáticos en los conocidos y numerosos libros de arbitristas (Lucas Mallada, Ricardo Macías Picavea, etc.) de final de siglo (E. Tierno Galván [1962] y [1977]). No se debe, sin embargo, reducir a su mera anécdota lo que fue copiosa literatura, obstinadamente fijada en términos médicos (enfermedad de España, necesidad de diagnósticos, posibles remedios quirúrgicos...) y patrocinadora de soluciones tan simples como voluntaristas al «problema nacional» (reforestación de la península, construcción de embalses para el regadío, aplicación del impuesto único, mejora de la educación técnica...). Buena parte de la ideología regeneracionista es, con toda su elementalidad, el reflejo del sociologismo positivista y su propensión a la elaboración de «psicologías nacionales» (Diego Núñez [1975]), cuyo catastrofismo invadió en estas fechas muchos países latinos, tras el terrible dictamen de Edmond Demoulins sobre la superioridad étnica de los anglosajones. Toda una terminología voluntarista y toda una teoría de interpretaciones étnicas sobre la «degeneración» de los pueblos (término, el entrecomillado, que explica muy bien el abuso de la denominación que nos ocupa) invadieron la vida política, el discurso académico, el tratado científico e incluso la creación narrativa (como ha demostrado L. Romero Tobar [1977]), impregnando obviamente todas las actitudes del período: por su fondo positivista pudo interesar a los epígonos naturalistas, por su misticismo nacional no fue ajena del todo a ciertas fórmulas modernistas, por su carácter de ideología moral aplicada a la pugna política contribuyó ampliamente al proceso de conversión del escritor en «intelectual».

Pero el regeneracionismo fue algo más que una ideología disponible. Una serie de grupos sociales se identificaron con él y, en buena parte, puede decirse que canalizó el descontento de las clases medias nacionales con respecto a una situación política en crisis manifiesta. Los catedráticos de Universidad que aplaudieron en los paraninfos otoñales las admonitorias lecciones inaugurales del curso y se agruparon en Asambleas Universitarias (J.-C. Mainer [1977]), los comerciantes e industriales cuyas Cámaras de Comercio auspiciaron las reuniones de Valladolid y Zaragoza en 1898 y 1899, los Colegios profesionales que defendían su participación en la vida pública, las burguesías regionales cuya pugna por el proteccionismo económico se transformó en regionalismo..., todas las clases medias, en suma, soñaron con la regeneración del Estado, predicando el abandono de la estéril política parlamentaria y su reemplazo por una gestión directa de las fuerzas sociales más vivaces. La sociedad civil, agrupada en lo que Luis Morote definió como nuevos «Estados Generales», debía asumir la culminación de una verdadera «revolución burguesa», cuyo protagonismo estaba reservado a esa curiosa mescolanza de pequeña burguesía profesional, empresarios industriales y terratenientes medianos: las «clases productoras» invocadas repetidas veces por la voz de Joaquín Costa (M. Tuñón de Lara [1974], J. S. Pérez Garzón [1975], A. Ortí [1976], J. Maurice y C. Serrano [1977]).

La derrota militar de 1898 y las responsabilidades derivadas de la misma fueron, en ese orden de cosas, el mero detonador de una situación condicionada por la crisis económica y el malestar social. Las imágenes con que se calificó la vida parlamentaria («charca pestilente», «feria de intereses caciquiles») y la vida general del país («parálisis progresiva», «falta de pulso») alentaron propuestas de solución que solían oscilar entre el autoritarismo mesiánico y corporativista y el populismo progresista. Pero la fuerza de los hechos arrinconó progresivamente a este último y muy tempranamente el regeneracionismo fue, casi en exclusiva, un adorno ideológico de las opciones más conservadoras (como lo fue el maurismo) y, no mucho después, la endeble justificación de la Dictadura de 1923 y aun, en cierta medida, un ingrediente menor del primer franquismo.

La figura y la obra del aragonés Joaquín Costa (Monzón, Huesca, 1844-Graus, Huesca, 1911) han sido paradigma del regeneracionismo y, como consecuencia obligada, terreno de combate entre las dos esbozadas interpretaciones del fenómeno: de los libros del maurista E. González Blanco [1920], del republicano Dionisio Pérez [1930], del conservador C. Martín Retortillo [1961] y del muy polémico del socialista E. Tierno Galván [1962], se desprende la imagen de un costismo de fondo reaccionario que, en el último de los citados, llega al peligroso remoquete de «prefascista»; de la entusiasta biografía de M. Ciges Aparicio [1930] y del enjundioso trabajo de R. Pérez de la Dehesa [1966] se deriva, sin embargo, la tesis opuesta. Sin embargo, no cabe empezar por imputar a Costa mismo la ambigüedad connatural al costismo: si las apelaciones al «cirujano de hierro» están, de hecho, en su obra, la brutal realidad de quienes se irrogaron tales competencias y de quienes ensalzaron a los déspotas es harina de otro costal, ya que el costismo fue también el ingenuo populismo de un sector del republicanismo histórico y, en el caso peculiar de Aragón, una suerte de religión laica vinculada a los sectores más progresistas del aragonesismo y que tuvo en el 8 de febrero —aniversario de la muerte del «León de Graus»— un recuerdo muy vivo, sólo interrumpido por la significativa prohibición de la dictadura militar de 1936.

El minucioso restablecimiento de la biografía del personaje (trabajo ejemplar de G. J. G. Cheyne [1972]) ha permitido ver las cosas con la distancia que no autorizaba la discusión política sobre su legado. Costa fue, ante todo, un hombre de origen social muy modesto, que fracasó en su intento de hacer carrera universitaria y hubo de dedicarse a la abogacía. El estudio del Derecho fue, en esa tesitura, su primera preocupación de polígrafo (A. Gil Novales [1965], N. López Calera [1967], J. J. Gil Cremades [1969], J. Delgado [1978]), muy próximo aún a la Institución Libre de Enseñanza de la que fue profesor. Las tesis costistas sobre el Derecho dependen, en gran medida, de la escuela historicista potenciada por el krausismo: ante la inminencia de la codificación civil basada en el Código francés de 1805, Costa abogó por la recuperación de la tradición jurídica germánica y, a partir de esos supuestos, desarrolló originales tesis sobre la ignorancia del Derecho y la funcionalidad de las leyes. Si tales trabajos le llevaron a realizar estudios sociológicos, históricos y etnológicos de subido valor en ocasiones (como lo es la organización del volumen colectivo *Derecho consuetudinario y economía popular de España*, 1902, en el que colabora Unamuno, entre otros), su sentido último arraigó en su pensamiento la idea germinal de una restauración de las formas económicas y sociales tradicionales como contraposición a las formas degradadas de la revolución burguesa.

La crisis de 1898 colocó a Costa y a estas ideas en pleno centro del debate regeneracionista. De ese año es *Colectivismo agrario en España*, estudio histórico sobre la propiedad de la tierra en España y propuesta de una reforma campesina inspirada en la colectivización de las explotaciones, pero también el conocido llamamiento a las «clases productoras» que alentó las ya mencionadas Asambleas de Zaragoza y Valladolid. El fracaso de este movimiento le llevó al republicanismo militante y produjo la convocatoria de un debate en el Ateneo madrileño bajo el revelador rótulo de *Oligarquía y caciquismo como la forma actual de gobierno de España*. Las intervenciones en la discusión, copiosamente prologadas y anotadas por el convocante, se publicaron en 1901 y constituyeron desde entonces el paradigma del regeneracionismo con toda su carga de ingenuas contradicciones y acusado voluntarismo, su peculiar mitología y su voluntad de denuncia. Nuevas decepciones y el avanzado curso de su enfermedad le llevaron a su voluntario retiro de Graus, desde donde, en penosas circunstancias, siguió escribiendo hasta su muerte.

La actividad de Costa abarcó un sinnúmero de temas, orientados todos hacia la edificación de una política nacional: defensa de una política hidráulica, demanda de una intervención colonial (E. Fernández Clemente [1977]) y, muy especialmente, la elaboración de una planificación educativa (E. Fernández Clemente [1969]), cuyas tesis —importancia primordial de los estudios primarios, incremento de las enseñanzas prácticas, desburocratización de la vida escolar, creación de estudios agrarios e industriales— provenían en parte del institucionismo y se desarrollaron ampliamente en los movimientos de reforma universitaria de los años siguientes. En todas estas aportaciones, la impronta de Costa fue indudable y duradera: la tendencia mesianista e idealizante de su pensamiento político no logró el imposible soñado de rectificar en un sentido populista (y en gran medida, precapitalista) lo que era rumbo decidido del país hacia la juridicidad burguesa y hacia el capitalismo, pero su obra contribuyó al desarrollo del peculiar nacionalismo español de nuestro siglo y sus huellas se hallan en casi todos los escritores que en este volumen hemos de considerar, como su obsesión por lo tradicional y lo campesino se encuentran en estratos muy profundos de la vida intelectual española contemporánea.

Si la vida y la muerte de Joaquín Costa se produjeron en olor de multitud, las de Ángel Ganivet estuvieron destinadas, tras su suicidio, a la peculiar gloria de los precursores, sustentada por fieles amigos y, más adelante, por quienes vieron en el diplomático granadino el precursor del temple noventayochesco y la coherente tragedia de una pasión hispánica: «Hamlet tan cervantino» le llamó Rubén Darío en una poco conocida composición, dedicada al albacea espiritual de Ganivet y alma de su memoria, Francisco Navarro Ledesma; «muela de molino que empieza a rodar vertiginosamente y sin trigo apenas bajo ella; se muele a sí misma», decía del granadino su amigo Unamuno, diez años después de su muerte.

Ganivet (Granada, 1865 - Riga, Letonia, 1898) fracasó como Costa en la carrera universitaria (opositó junto a Unamuno a cátedras de Griego y, si perdió la plaza de Granada, ganó la amistad de su compañero, destinado a Salamanca) y, desde 1893, ejerció cargos diplomáticos menores en Amberes, Helsinki y Riga. La amenaza de una parálisis progresiva, secuela de una sífilis juvenil, le condujo al suicidio al poco de romper con su amante Amelia Roldán: las heladas aguas del Dwina fueron el instrumento elegido y los atónitos pasajeros de un transbordador en que viajaba los testigos de un primer intento fallido de ahogarse y del inmediato y definitivo (M. Fernández Almagro [1953], A. Espina [1942], F. García Lorca [1952], A. Gallego Morell [1965] y [1969]). La obra del escritor se había producido en muy escasos años y no poco de ella abona la impresión de Unamuno sobre su improvisación y el contraste entre la genialidad de su diseño y lo insatisfactorio de su expresión: escrita en el desarraigo físico y teñida de precoz frustración, ofrece un mundo espiritual que, en algunos aspectos, se acerca del agonismo unamuniano, fruto de una amarga experiencia vital pero también de una acumulación de lecturas (el «espiritualismo» europeo de los años noventa; la singular atención a las creaciones galdosianas de la última época) infrecuente en su generación española.

D. L. Shaw [1960] ha señalado la importancia de la primera tesis doctoral del autor (rechazada por el tribunal que había de juzgarla), publicada bajo el título *España filosófica contemporánea,* pues en ella están no sólo algunas de las ideas que serán capitales en la literatura posterior sino, lo que es más importante, el propósito de hacer literatura a partir de una experiencia filosófica y personal. El largo epistolario que publicó su corresponsal Navarro Ledesma (S. Serrano Poncela [1959]), no pocas de sus poesías personales (escritas a menudo en francés) y el drama póstumo *El escultor de su alma* permiten establecer los elementos fundamentales del pensamiento ganivetiano (H. Jeschke [1928], M. Laffranque [1967], M. Olmedo Moreno [1965], J. Herrero [1966 *b*]): el punto de partida parece ser la conciencia radicalmente escéptica, un vacío espiritual que tendría remota relación con la experiencia mística; de tal marasmo no puede salvarnos la razón sino la fe —forma de la voluntad—, encarnada en ideas-fuerza que permiten la reedificación de la personalidad. De ese modo, nos hallamos ante lo que Ganivet veía como el fin del racionalismo clásico y, por lo que hace a la circunstancia hispánica, en el inicio de lo que Lukács llamaría «asalto a la razón» a menudo derrumbada en la misantropía (Ganivet es el primer escritor español que se muestra sensible al «horror de las multitudes», tan típico de la segunda mitad del xIx europeo) y en el nihilismo: «No sólo sé que se me obstruye el camino, sino que yo mismo me dedicaré a obstruírmelo, con objeto de no ir a ninguna parte ... no amo la acción ni la contemplación ... cuando se es cínico hay que vivir en el tonel como Diógenes, y cuando se es escéptico, hay que dejarse atropellar por el tren que viene resoplando, y morir creyendo que el tren es una ficción», escribe en 1895 a Navarro. «Mi instinto me arrastra a lo popular —le confidenciaba en 1893— ... En cambio, tomado el pueblo como organismo social, me da cien patadas en el estómago, porque me parece que es hasta un crimen que la gentuza se meta en cosa que no sea trabajar y divertirse.»

La fama de Ganivet descansa aún hoy en sus ensayos y —más que en sus hábiles semblanzas de viajero, como *Cartas finlandesas* y *Hombres del norte*— en su *Idearium español*, interpretación del carácter nacional de singular atractivo ensayístico y no pocas falacias argumentales (H. Ramsden [1967], R. Rossi [1973]). Seguramente, sin embargo, los empeños más interesantes del escritor estuvieron en su propósito de novelar sus indagaciones éticas en una suerte de relatos que, partiendo de un realismo doméstico a lo Galdós (J. V. Agudiez [1964] y [1972]), se adentran en el camino de lo simbólico, filosófico y educativo que después explorarían Unamuno y aun Baroja; un mismo personaje con mucho de autobiográfico (J. Herrero [1966 a]), Pío Cid, protagoniza ambas novelas: *La conquista del reino de Maya* (1897), curiosa fábula colonial sobre las paradojas de la tradición eterna y el progreso ficticio, la libertad individual y lo absurdo del poder carismático (J. Franco [1965]), y *Los trabajos del infatigable creador Pío Cid* (1898), su mejor obra, donde el escepticismo y la versatilidad del conocido personaje se vuelcan en una acción educativa, enderezada a un pequeño grupo de tertulianos. La continuación de esta novela (hasta rematar los doce «trabajos» heraclídeos) y el esbozo de otra titulada *El dómine peregrino Don Rústico de Santa Fe* (A. Gallego Morell [1971]) quedaron, con muchos otros proyectos literarios, truncados por la muerte: con ella se fue también una de las más atractivas personalidades de su tiempo y empezó una leyenda.

En Ramiro de Maeztu (Vitoria, 1875 - Madrid, 1936) hubo también algo de leyenda juvenil, pero, en este caso, no impuesta por la posteridad sino por la voluntad del propio autor, temperamento violento y cuya megalomanía rozaba quizá la neurosis. Por lo demás en muy poco se parece a Ganivet y menos aún a Costa, de quien, sin embargo, habló mucho y a cuya consagración mítica contribuyó en gran medida. Hijo de una familia de comerciantes arruinados, no siguió carrera universitaria y trabajó muy precozmente. A finales de siglo vivió una breve experiencia de emigrante en Cuba (algo después recordaría con orgullo, y en sus funciones de lector público en una factoría de tabacos, haber leído a sus compañeros a Ibsen, Tolstoi, Kropotkin...) y, vuelto a España, se inició en el periodismo, profesión que ejerció con exclusividad hasta el final de sus días (E. Inman Fox [1974] y [1977]).

En 1899 publicó una colección de aquellos trabajos bajo el revelador rótulo de *Hacia otra España*, pequeño volumen que nos enfrenta a una insólita variedad de regeneracionismo: todos los mitos conocidos —la exaltación y vejamen de la Raza, el diagnóstico condenatorio de la vida política, el sentimiento de humillación, el entusiasmo ante el costismo, la desconfianza ante los regionalismos— están presentes pero potenciados por una doble y aparentemente contradictoria argumentación: nos hallamos ante afirmaciones teñidas de marxismo (C. Blanco Aguinaga [1978]) pero que, en realidad, vienen sustentadas por una voluntarista exaltación del capitalismo como factor de progreso (J. L. Abellán [1973]). Paradoja que, dos años después, se plasmaba en una pieza insólita cuyo conocimiento debemos a la diligencia de E. Inman Fox: una novela por entregas (género que Valle-Inclán tampoco desdeñó y, como Maeztu, por razones primordiales crematísticas) que titula *La guerra del Transvaal y los misterios de la Banca de Londres* que combina un vigoroso alegato antibritánico (y, en cierta medida, anticapitalista) con la sublimación del puritanismo burgués, patriarcal y agrario de los colonos *boers* (J.-C. Mainer [1975]).

En 1915 tiene lugar el regreso de Maeztu a la religión católica, precedido de un curioso período de práctica *guildista* en Inglaterra (el *guildismo* fue un movimiento de tipo corporativista y vida bastante efímera surgido entre intelectuales británicos, relapsos del socialismo). Su vuelta a España y la publicación en 1920 del libro *La crisis del humanismo* (versión de otro publicado en inglés cuatro años antes) le convierten progresivamente en un singular ideólogo de las derechas españolas y en el más significado de los intelectuales de su generación que militan (como José María Salaverría o Manuel Bueno) en posiciones de conservadurismo extremo (M. Nozik [1954], G. Fernández de la Mora [1956]). Desde ellas, Maeztu llevó a cabo campañas periodísticas que, en gran medida, no abdican del horizonte de sus ideas juveniles: su vieja inquina antiintelectual (E. Inman Fox [1967]) combina ahora los elementos simplemente voluntaristas con la denuncia mordaz de los concretos enemigos de su izquierda y, a menudo, con ramalazos de impresionante lucidez sobre el destino de su propia generación; su entusiasmo por el hombre de presa y por la iniciativa capitalista se reviste de unas componentes místicas que le llevan a acuñar la expresión encomiástica de «sentido reverencial del dinero»; su desgarrado nacionalismo inicial se convierte en la conocida interpretación de *Don Quijote, Don Juan y la Celestina,* cuyo primer apartado hubo de rectificar las duras condenas al libro de Cervantes —«libro de decadencia»— formuladas a raíz del centenario de 1905.

La llegada de la Dictadura primorriverista contó en su caso con una de sus escasísimas adhesiones intelectuales, premiada por el régimen con la titularidad extraordinaria de la embajada en Argentina. De allí regresó con el esbozo de un libro, *Defensa de la Hispanidad* (1934), y, poco antes de la proclamación de la República, se hizo cargo de la dirección de *Acción Española,* revista que adaptó en España bastantes ideas del *integralismo* lusitano y algo más que el nombre del veterano grupo de *Action*

Française: no hay, sin embargo, mucho de Maeztu y sus ideas en aquella extraña mescolanza de clericalismo inmemorial, integrismo carlista, fascismo a la italiana y legitimismo monárquico a la francesa, aunque la huella del conjunto se dejó sentir largamente en la poco gloriosa historia del pensamiento reaccionario de postguerra. En 1936, Maeztu fue detenido cautelarmente por las autoridades del Frente Popular y fusilado al poco en una de las sacas incontroladas que propiciaron los primeros bombardeos nacionalistas sobre Madrid.

Así convertido en mártir de una Causa que nunca llegó a conocer (y mientras escribía una *Defensa del espíritu* que se perdió en su tumba), Maeztu fue en los años cincuenta patrimonio de los intelectuales monárquicos y del grupo integrista auspiciado por el Opus Dei. Un número extraordinario de *Cuadernos Hispanoamericanos* [1952] y una útil hagiografía de V. Marrero [1955] fueron, pese a todo, los únicos frutos apreciables de su canonización, ya que la edición de *Obras completas* en volúmenes sueltos fue un proyecto que acabó naufragando y que siempre tropezó, irónico destino del escritor, con las aristas iconoclastas de su obra de juventud (*En torno a R. de Maeztu* [1975]). En una forma más acusada que Ganivet y desde unos supuestos formativos muy dispares de los de Costa, el destino de Maeztu ilustra —mejor que las otras «conversiones» generacionales: Azorín y Unamuno— la ambigua naturaleza del regeneracionismo, pero también ilumina dramáticamente el riesgo y la malaventura de la obra intelectual en la España del siglo xx.

BIBLIOGRAFÍA

Abellán, José Luis, «Ramiro de Maeztu o la voluntad de poder», *Sociología del 98*, Península, Barcelona, 1973, pp. 141-160.

Agudiez, Juan Ventura, «Ganivet en las huellas de Galdós y Alarcón», *Nueva Revista de Filología Hispánica*, XVI (1964), pp. 89-95.

—, *Las novelas de Ángel Ganivet*, Las Américas Publishing Co., Nueva York, 1972.

Blanco Aguinaga, Carlos, «La otra España de Maeztu», *Juventud del 98*, Crítica (Filología, 4), Barcelona, 1978 ², pp. 157-175.

Cheyne, George J. G., *Joaquín Costa, el gran desconocido*, Ariel, Barcelona, 1972.

Ciges Aparicio, Manuel, *Joaquín Costa, el gran fracasado*, Espasa-Calpe (Vidas Españolas del siglo XIX, 8), Madrid, 1930.

Cuadernos Hispanoamericanos, n.° 33-34 (1952). Homenaje a Maeztu.

En torno a Ramiro de Maeztu (varios autores), Obra Cultural de la Caja de Ahorros Municipal de Vitoria (Biblioteca Alavesa «Luis de Ajuria», 10), Vitoria, 1975.

Delgado, Jesús, *Joaquín Costa y el derecho aragonés*, Facultad de Derecho, Zaragoza, 1978.

Espina, Antonio, *Ganivet. El hombre y la obra*, Espasa-Calpe (Austral, 290), Buenos Aires, 1942.

Fernández Almagro, Melchor, *Vida y obra de Ángel Ganivet*, Revista de Occidente, Madrid, 1953.

Fernández Clemente, Eloy, *Educación y revolución en Joaquín Costa*, Edicusa, Madrid, 1969.

—, *Joaquín Costa y el africanismo español*, Porvivir Independiente, Luesia (Zaragoza), 1977.

Fernández de la Mora, Gonzalo, *Maeztu y la teoría de la revolución*, Rialp, Madrid, 1956.

Franco, Jean, «Ganivet and the technique of the satire in *La conquista del reino de Maya*», *Bulletin of Hispanic Studies*, XLII (1965), pp. 34-44.

Gallego Morell, Antonio, *Ángel Ganivet, el excéntrico del 98*, Universidad de Granada, Granada, 1965.

—, *En torno a Ganivet*, Guadarrama, Madrid, 1969.

—, *Estudios y textos ganivetianos*, CSIC (Anejos de Revista de Literatura, 32), Madrid, 1971.

García Lorca, Francisco, *Ángel Ganivet. Su idea del hombre*, Losada, Buenos aires, 1952.

Gil Cremades, Juan José, *El reformismo español. Krausismo, escuela histórica, neotomismo*, Ariel, Barcelona, 1969.

Gil Novales, Alberto, *Derecho y revolución en el pensamiento de Joaquín Costa*, Península, Barcelona, 1965.

González Blanco, Edmundo, *Costa y el problema de la educación nacional*, Librería Cervantes, Barcelona, 1920.

Herrero, Javier, «El elemento biográfico en *Los trabajos del infatigable creador Pío Cid*», *Hispanic Review*, XXXIV (1966) (*a*), pp. 95-110.

—, *Ángel Ganivet, un iluminado*, Gredos (Biblioteca Románica Hispánica, II, 88), Madrid, 1966 (*b*).

Inman Fox, E., «Ramiro de Maeztu y los intelectuales», *Revista de Occidente*, n.º 51 (1967), pp. 369-378.

—, «Bibliografía anotada del periodismo del joven Ramiro de Maeztu y Whitney (1897-1904)», *Cuadernos Hispanoamericanos*, n.º 291 (1974), pp. 528-581.

—, *Artículos desconocidos* [de R. de Maeztu], *1897-1904*, Castalia (Biblioteca de Pensamiento, 4), Madrid, 1977.

Jeschke, Hans, «Ángel Ganivet. Seine Persönlichkeit und Hauptwerke», *Revue Hispanique*, LXXII (1928), pp. 102-246.

Laffranque, Marie, «À propos de *Lourdes* d'Émile Zola, Ángel Ganivet et le christianisme contemporain», *Bulletin Hispanique*, LXIX (1967), pp. 56-84.

López Calera, Nicolás, *Joaquín Costa, filósofo del derecho*, Institución Fernando el Católico, Zaragoza, 1967.

Mainer, José-Carlos, «*La guerra del Transvaal* o los misterios del 98», *Camp de l'Arpa*, n.º 17-18 (febrero-marzo 1975), pp. 31-34.

—, «La redención de los Paraninfos: asambleas y regeneracionismo universitarios», en *VIII Coloquio de Pau: La crisis del Estado español 1898-1936* (varios autores), Edicusa, Madrid, 1978, pp. 213-244.

Marrero, Vicente, *Maeztu,* Rialp, Madrid, 1955.

Martín Retortillo, Cirilo, *Joaquín Costa, propulsor de la reconstrucción nacional,* Aedos, Barcelona, 1961.

Maurice, Jacques, y Carlos Serrano, *Joaquín Costa: crisis de la Restauración y populismo (1875-1911),* Siglo XXI de España, Madrid, 1977.

Nozik, Martin, «Maeztu. A reexamination», *Publications of the Modern Language Association of America,* XLIX (1954), pp. 719-740.

Núñez, Diego, *La mentalidad positiva en España: desarrollo y crisis,* Júcar, Madrid, 1975.

Olmedo Moreno, Miguel, *El pensamiento de Ángel Ganivet,* Revista de Occidente, Madrid, 1965.

Ortí, Alfonso, «Estudio introductorio», en Joaquín Costa, *Oligarquía y caciquismo...,* Ediciones de la Revista de Trabajo, Madrid, 1976, I, pp. ix-cclxxxvii, y II, pp. ix-xxx.

Pérez, Dionisio, *El enigma de Costa. ¿Revolucionario? ¿Oligarquista?,* CIAP, Madrid, 1930.

Pérez de la Dehesa, Rafael, *El pensamiento de Costa y su influencia en el 98,* Sociedad de Estudios y Publicaciones, Madrid, 1966.

Pérez Garzón, Juan Sisinio, *Luis Morote. La problemática de un republicano,* Castalia, Madrid, 1975.

Ramsden, H., *Angel Ganivet's «Idearium español». A critical study,* Manchester University Press, Manchester, 1967.

Romero Tobar, Leonardo, «La novela regeneracionista de la última década del siglo», en *Estudios sobre la novela española del siglo XIX* (varios autores), CSIC (Anejos de Revista de Literatura, 38), Madrid, 1977, pp. 133-209.

Rossi, Rosa, *Scrivere a Madrid. Studi sul linguaggio politico di due intellettuali suicidi nell'800 spagnolo,* De Donato, Bari, 1973.

Serrano Poncela, Segundo, «Ganivet y sus cartas», *El secreto de Melibea,* Taurus, Madrid, 1959, pp. 87-108.

Shaw, Donald L., «Ganivet's *España filosófica contemporánea* and the interpretation of the generation of 1898», *Hispanic Review,* XXVIII (1960), pp. 220-232.

Tierno Galván, Enrique, *Costa y el regeneracionismo,* Barna, Barcelona, 1962.

—, «El prefascismo de Macías Picavea», *Idealismo y pragmatismo en el siglo XIX español,* Tecnos, Madrid, 1977, pp. 133-167.

Tuñón de Lara, Manuel, *Costa y Unamuno en la crisis de fin de siglo,* Edicusa, Madrid, 1974.

Alfonso Ortí

ANÁLISIS DEL REGENERACIONISMO

La conciencia crítica nacionalista expresada por el regeneracionismo noveintayochista ocupa la posición clave en la estructura y despliegue como temporalidad concreta de la clase pequeñoburguesa española en cuanto *clase nacional*. Más todavía, se sitúa en el espacio en que la *intelligentsia* —que sueña con atribuirse una «misión nacional» que la gran burguesía no cumple— se identifica plenamente con la pequeña burguesía, y reclama el poder en su nombre: pues sólo la posibilidad de realización de una política pequeñoburguesa puede permitir a los intelectuales —progresistas o tradicionalistas— jugar el rol de líderes políticos efectivos. En condiciones de subdesarrollo capitalista, en cuanto se desentiende de la acción política, la *intelligentsia* queda reducida al papel de orientadora espiritual de una élite burguesa en formación, retorna a su función primigenia de preceptora de los nuevos príncipes Tal es la función histórica objetiva del krausismo, tras su transformación en una pedagogía nacional por la generación de Giner: representantes del espíritu pequeñoburgués, la superación de sus orígenes históricos, su propio despliegue progresivo, les conduce a ser aliados intelectuales de la gran burguesía naciente. El institucionalismo gineriano es —en mi opinión— filoburgués, y muchos de sus discípulos aventajados concluirán siendo los más fieles representantes de un liberalismo burgués e individualista, ciertamente incorruptible, pero que tiende a alinearse con la alternativa de una hegemonía de las fracciones pro-

Alfonso Ortí, «Estudio introductorio», en Joaquín Costa, *Oligarquía y caciquismo...*, Ediciones de la Revista de Trabajo, Madrid, 1976, I, pp. cxciv-ccii.

gresistas de la alta burguesía, cuando se acelere decisivamente la expansión capitalista en España con ocasión de la gran guerra europea del 14-18. Tales serán las perspectivas políticas de Ortega, en particular, y en general, del grupo de intelectuales de «Al Servicio de la República». Los refinamientos de una «gran inteligencia» cosmopolita y mundana sólo pueden pagarse por la alianza con el «gran capital» o por el desarrollo capitalista del mercado. En este caso, las «masas irredentas» dejan de ser una base social necesaria para el gobierno de los intelectuales: el progresismo minoritario de la *intelligentsia* reconoce y cumple finalmente su auténtica vocación «burguesa».

La acción política en nombre propio sólo puede basarse —en cambio— para una *intelligentsia* fiel a sus orígenes en una perspectiva pequeñoburguesa: el liderazgo político efectivo de los intelectuales sólo es realizable desde la *posición de clase* específicamente pequeñoburguesa que les convierte en los conductores necesarios de unas «masas populares» todavía indiferenciadas. [...] La radicalización social y política de los intelectuales más allá de los presupuestos pequeñoburgueses les llevará, en cambio, a partir de 1910, con el desarrollo del capitalismo, a convertirse consecuentemente en cuadros al servicio del proletariado. El sueño regeneracionista de una *misión reformista* de la pequeña burguesía como *clase para sí* se disuelve entonces para siempre en la historia.

En este sentido, la contribución de Costa a la Información del Ateneo representa el documento quizá más significativo de la conciencia pequeñoburguesa española que se obstina todavía en juzgar y rectificar la historia por cuenta propia. Fracasado en su intento de colaboración con las «clases neutras» (con la burguesía media y la pequeña burguesía mercantil y rural), en el movimiento de las Cámaras y de la Unión Nacional (1898-1900), Costa va a formular ahora en su *Memoria* su utópico proyecto de un partido pequeñoburgués independiente, por encima de la lucha de clases y que consiga, además, el Poder para hacer la «revolución desde arriba»; esto es, una reforma pequeñoburguesa que «socialice» el liberalismo oligárquico y estabilice el Estado liberal en España.

Y en torno a los planteamientos de la *Memoria* de Costa, distanciándose de algunos de ellos —sobre todo de su emocional y semirreprimida tendencia a reclamar la dictadura personal—, y con mayores o menores matices personales propios, se alinea el conjunto relativamente más extenso de contribuciones a la Información, el núcleo de textos más representativos, de forma general, de las actitudes del *regeneracionismo nacionalista pequeñoburgués*. Parecen formar este frente de los regeneracionistas más genuinos, fundamentalmente, dos distintas fracciones: *a*) Por una parte, las asociaciones —Cámaras Agrícolas del Alto Aragón y de Tortosa— y personalidades —Marraco, Sixto Espinosa, Severino Bello...— de la burguesía rural media y provinciana, que han colaborado con Costa en la Liga Nacional de Productores (1899). Se trata de un bloque rural, con predominio aragonés, compuesto por amigos o personas muy directamente inspiradas por el programa regeneracionista costiano. A pesar de su carácter urbano, se aproximaría al mismo también el informe del Círculo de la Unión Industrial de Madrid. Son textos de una cierta ingenuidad política, de menor nivel intelectual, y de perspectivas limitadas, pero que subrayan la orientación agrarista predominante en el regeneracionismo. *b*) La segunda fracción típica de los representantes del regeneracionismo pequeñoburgués en la Información se compone de intelectuales más o menos relacionados con la Institución Libre de Enseñanza y/o con el republicanismo —Lorenzo Bonito, Alfredo Calderón, Rafael Salillas, Jacinto Octavio Picón, Valeriano Perier, Enrique Lozano...—, caracterizados por su independencia personal. Amigos muy directos de Costa en algunos casos —como Alfredo Calderón—, o no, constituyen en el contexto de la Información los interlocutores del diálogo del ruralismo costiano con la pequeña burguesía urbana.

Dominada social y políticamente por los representantes del pacto oligárquico entre todas las fracciones de la gran burguesía, bajo la hegemonía de los grandes terratenientes, y amenazada por la revolución de las masas populares liberadas ahora de su influencia, la conciencia atemorizada y vacilante de la pequeña burguesía española de los años 1890 —pero menos dispuesta que nunca a renunciar a su forma de existencia «auténtica»—, busca un teórico y un líder que la salven del «infierno» de la historia, y va a encontrarlo, de modo efímero, en las ideas y en la personalidad marginal, semidesclasada y neurotizada de Joaquín Costa. [...]

La protección del campesinado se convierte, de este modo, en un ambiguo *elemento ideológico* del peculiar reformismo pequeñoburgués español, en el que van a coincidir igual cierto tipo de progresistas radicales, como de católicos sociales (y de nuevo Costa se encuentra en el punto de inserción entre ambas orientaciones, por su doble pertenencia al campesinado católico-familiar y a la élite del progresismo urbano —al institucionismo—). La opción por el desarrollo agrario —como etapa de despegue—, y las limitaciones de este exclusivismo agrarista, responden —en consecuencia— a los *intereses de clase* —estructuralmente realizables o no— de una pequeña burguesía *nacional.* En el tema regeneracionista de la «liberación del campesinado» de las «garras del caciquismo», tales intereses de clase se legitiman y subliman emocionalmente, además, a través del moralismo *masoquista pequeñoburgués.* [...] En lugar de un místico reencuentro con «las raíces de España» —como ha pretendido la ciega interpretación culturalista de la llamada «generación del 98»—, el descubrimiento por el regeneracionismo de los años 90 de esa «Castilla milenaria, que envuelta en sus andrajos, desprecia cuanto ignora» (cantada por Machado y por todos los noveintayochistas), responde a la dialéctica clasista de este movimiento de repliegue estratégico de las expectativas pequeñoburguesas hacia los reductos del pequeño campesinado. La Meseta desplaza al sur, Castilla a Andalucía, como encarnación de la patria irredenta y como tema geoestético de la cultura nacional burguesa (hasta 1931, Despeñaperros se cierra para la conciencia burguesa, y Andalucía queda enclaustrada como el oscuro e irredimible reino de la omnipotente oligarquía del sur).

Rafael Pérez de la Dehesa

LAS IDEAS POLÍTICAS DE JOAQUÍN COSTA

Para una determinación del pensamiento político de Costa tenemos un estudio que, aunque ha pasado inadvertido a los tratadistas, es, a nuestro parecer, fundamental. Incluido en *Estudios jurídicos y políticos,* data, no obstante, de 1876. Su título es *La política antigua y la política nueva.* Se trata de una obra primeriza y corresponde a

Rafael Pérez de la Dehesa, *El pensamiento de Costa y su influencia en el 98,* Sociedad de Estudios y Publicaciones, Madrid, 1966, pp. 69-79.

un momento muy concreto de su evolución intelectual, pero contiene en germen una parte muy importante de sus ideas posteriores.

Estudia en ella las relaciones entre los hechos de la humanidad y el pensamiento reflexivo, dando a este término un significado tan amplio que dentro de él cabe prácticamente toda creación del espíritu, reflejo siempre de una situación social. El *Panchatantra,* por ejemplo, refleja el patriarcalismo indio; la *Política* de Aristóteles, la ciudad griega; el *Príncipe* de Maquiavelo, el autocratismo renacentista; las obras de Gracián, el pensamiento jesuítico del XVII. En definitiva, viene a afirmarse que siempre la teoría, hasta el siglo XVII, siguió al hecho, de manera que nunca pretendió ser normativa. Más tarde la situación cambió, acentuándose aún más este cambio a partir de Montesquieu y Rousseau. Y aunque el *Espíritu de las leyes* está en parte basado en la constitución inglesa, y la obra de Rousseau en algunas constituciones suizas, son obras, a pesar de todo, cabalmente apriorísticas, hasta tal punto que desde ellas se ha pretendido adaptar la realidad a sus esquemas, ocurriendo que «caminan parejos las ideas y los hechos y en tan acabado paralelismo, que no es fácil poner en claro ... —por no ser unos mismos los que piensan y los que ejecutan— cuándo ha precedido el hecho al pensamiento reflexivo, y cuándo, por el contrario, el pensamiento ha determinado al hecho en las repetidas metamorfosis que ha experimentado la Constitución política desde últimos de la pasada centuria».

Frente a este pernicioso apriorismo destacan, según Costa, dos obras de Giner: *La política antigua y la política nueva* y *La soberanía política,* ambas incluidas en *Estudios jurídicos y políticos.* A la exposición y defensa de dichos ensayos dedica el resto del trabajo, por lo que también nos importa a nosotros dedicarles atención.

Entiende Giner, y acepta Costa, que el liberalismo, desde mediados del siglo XVIII, ha tomado dos direcciones: una, formalista y abstracta, que desdeña considerar la base ética e interior del Derecho, consagrando todo su interés a las formas de gobierno y a las garantías exteriores contra sus posibles extralimitaciones (que llama liberalismo doctrinario), y otra, el neoliberalismo, que no atiende a las formas sino en segundo término, interesándose más en el fin del Estado y en los derechos individuales y sociales, con respecto a los cuales las libertades políticas no son más que un medio. [...]

A la larga, el doctrinarismo es un sistema basado en la idea de Estado, aunque, contradictoriamente, no analiza este concepto ni se hace cuestión de su valor, su alcance o su misión, «y esta negligencia o menosprecio le ha incapacitado radicalmente para todo lo que no sea dogmatizar sobre opiniones vagas y verdades parciales, insuficientes para responder a las necesidades de la vida pública, e impotentes para defender el orden social y político, combatido, de un lado, por las teorías socialistas y comunistas, y de otro, por las doctrinas místico-teológicas».

No obstante, encuentra a este sistema grandes logros, tales como la tolerancia religiosa, la libertad de imprenta, etc., y dice de él que es «el espíritu común a todos los partidos liberales que han compartido el campo de la política, así teórico como práctico, desde últimos del pasado siglo hasta la reciente aparición del neoliberalismo, y que aún hoy se disputan la gobernación del Estado». [...]

[Ni el pragmatismo británico, ni el socialismo, ni la tradición teológica reaccionaria, ni el neoliberalismo de Stuart Mill, han proporcionado], según Giner y Costa, una respuesta satisfactoria a los problemas que plantearon; esa solución, en cambio, la encontraron en la doctrina krausista, que al reducir el Estado nacional a una posición coordinada respecto a los demás estados individuales, municipales, etc., y al dar una visión ética del Derecho al servicio de fines trascendentes, consigue un equilibrio entre fines y formas, abarcando toda la sociedad en un sistema armónico. [...]

[Por lo cual, el] krausismo basó su crítica de la política de la Restauración en considerarla como una monarquía doctrinaria; así lo hizo Giner en sus *Estudios jurídicos y políticos* (Madrid, 1875), y algo más tarde, Gumersindo de Azcárate, en *El «self-government» y la monarquía doctrinaria* (Madrid, 1877). [...]

Para entender [ahora] la actitud de Costa hacia el problema de la aceptabilidad de la revolución, es preciso partir de su filosofía del derecho, que admite que el individuo pueda, a veces, no obedecer al legislador. Esta posibilidad viene determinada por dos principios teóricos: 1) las autoridades u órganos del Estado obran siempre en virtud de una representación, no por poder propio; pero esa representación sólo existe mientras cumplen su fin, que es la realización de la justicia; 2) la actividad jurídica es consecuente, libre y, por tanto, responsable en todos y cada uno de los momentos del proceso.

Tanto las autoridades como los súbditos están obligados a unos fines nacionales, de tal modo que toda regla atañe a ambos y por ambos debe ser aceptada. De la misma manera que la costumbre tiene que ser revisada por el legislador o el juez, las leyes han de ser revisadas por el súbdito, contrastándolas con la razón, «y si encuentra que no es lícito en conciencia obedecerlas sin infringir o lesionar un derecho, si el fin que en ellas se propone es malo, o siendo bueno el fin son malos los medios, es deber de ellos, cuando menos, suspender el cumplimiento».

Es decir, la fuerza de las leyes no está en su promulgación, sino en su cumplimiento, de manera que la tiranía no lo es tanto por promulgar malas leyes como por intentar hacerlas cumplir. Para los casos en que el legislador intente hacer cumplir una ley injusta, Costa aconseja como primera providencia el incumplimiento por medio de la huelga política o administrativa. Si la situación injusta continúa, cree que se debe llegar primero a una reivindicación teórica de la justicia. A esta petición sucede la protesta, primera voz de la revolución que, por fin, es admitida, debiendo en todo caso dirigirse contra el poder moderador: el Jefe del Estado. «Revolución es la fuerza puesta al servicio del derecho enfrente de la fuerza puesta al servicio de la injusticia. El derecho es objeto de sí mismo: la revolución es una de las formas que reviste el "derecho que tiene a defenderse el derecho"».

Aunque con gran cantidad de precauciones y cortapisas y reconociendo los horrores de que suele ir acompañada, se admite la revolución. Por esos mismos horrores, cree Costa que el legislador debe prevenirla tomando una actitud progresiva y reformista. Esta idea sería la base teórica de su posterior petición de «una revolución desde arriba». Para justificar esta aceptación condicionada, hace un resumen histórico de las doctrinas a favor de la revolución en *La vida del derecho* y en la *Teoría del hecho jurídico*. [...]

El problema de la dictadura siempre le interesó vivamente. A él dedica una parte de *La vida del derecho*, donde hace un estudio histórico de su justificación: por Aristóteles y por Platón, como medio de hacer aceptar al pueblo las leyes sabias; por San Agustín, como forma tutelar en momentos de depravación del pueblo, y por Maquiavelo, en los casos de Estados corrompidos. Su necesidad fue también reconocida por Rousseau, por positivistas y demócratas como Stuart Mill, y, especialmente, por la corriente doctrinaria en la que incluye, en España, a Donoso Cortés y Alcalá Galiano. Sin embargo, todas estas doctrinas que aceptan su necesidad no analizan suficientemente sus bases teóricas.

No tardaría Costa en enfrentarse de nuevo con este problema, como puede verse en su programa de derecho consuetudinario de 1887, que desgraciadamente no llegó a desarrollar y en el que incluye un capítulo dedicado a estudiar la dictadura. En él trata de las circunstancias que la hacen obligada como sucede en la decadencia, nacimiento y regeneración de los imperios y también de las situaciones que pueden hacerle ineficaz, en los casos de falta de vitalidad en que se ha aplicado tardíamente o en los casos de deficiente desarrollo inicial, cuando se ha aplicado de forma prematura. Es evidente de todos modos que Costa aceptó de manera teórica desde el primer momento la dictadura en casos excepcionales, y siempre como situación anormal y pasajera.

Leonardo Romero Tobar

COSTA, NOVELISTA

Las novelas de Costa traducen a un discurso culto los presupuestos teóricos del historicismo que considera la literatura como expresión de un espíritu colectivo; resultan, por tanto, un esfuerzo extraordinario por cohonestar la intuición del protagonismo anónimo de la colectividad que va implícito en la idea de la «intrahistoria» con la privilegiada facultad de ideación y responsabilidad de los protagonistas individuales, entre los que se inscribe el propio escritor, al apuntalar sus tejidos narrativos con un asombroso cúmulo de notas sabias y eruditas. [...]

De modo análogo al Galdós que concibió una representación novelesca de la realidad española a partir de la doble visión de la novela histórica y la novela contemporánea, Costa debió albergar parecidos propósitos, aunque no pudo llevarlos a cabo de una forma definitiva. El reflejo novelesco de los males que aquejaban a la sociedad coetá-

Leonardo Romero Tobar, «La novela regeneracionista de la última década del siglo», en *Estudios sobre la novela española del siglo XIX* (varios autores), CSIC, Madrid, 1977, pp. 157-164.

nea tendría que ser objeto primordial de la narrativa realista; y puesto que el sumo mal consistía en el dominio del caciquismo, a combatirlo debían dedicar sus esfuerzos los escritores que pretendiesen una finalidad comprometida con su tiempo histórico. Así se expresa en el prólogo a *La ley del embudo* [(1897), original del escritor Pascual Queral]: «La ley es una misma para todos, pero con la unidad del embudo, que le permitía obsequiar con la parte ancha a unos y oprimir con la estrecha a los demás. Tal es el fenómeno social que el Sr. Queral y Formigales se ha propuesto representar en acción, aplicando los procedimientos constructivos del bello arte a este aspecto de la vida pública española de que se habían mantenido alejados casi en absoluto, contra toda razón, los grandes maestros de la novela contemporánea, y coadyuvando por tan sublimada manera a la obra científica de los Azcárate, Giner, Posada, Silvela y demás que, como Zugasti, han aplicado su labor al estudio de aquella inmensa llaga del caciquismo, cuya naturaleza y diagnóstico están aún por precisar y cuyo tratamiento no se lleva por buen camino».

Los textos narrativos de Costa que se conservan inéditos son los siguientes: la algunas veces citada erróneamente novela *Soter,* que en realidad, según apunta Cheyne no «pasó del estadio de preparación de materiales y redacción de cortos episodios»; esta novela hubiera podido ser una relaboración de su otro proyecto narrativo *Justo de Valdediós,* del que se conservan siete cuadernillos manuscritos; las *Novelas Nacionales* —seis cuadernillos— y otros leves esbozos (hojas sueltas) que Cheyne ha reseñado con exacta fidelidad. [...]

Justo de Valdediós, según las anotaciones manuscritas del autor fue redactada entre 1874 y 1883. La página inicial del primer cuaderno —colocado bajo el lema «Revol[ució]n y Patria»— detalla el contenido de la obra: «Parte primera: Independencia y libertad. Parte segunda: restauración de la libertad. Conclusión: últ[im]os días del sabio, nuevos albores de la lib[erta]d». El protagonista de la obra —según vamos leyendo en el mosaico de fragmentos del argumento— es un símbolo español y de la humanidad que se opone frontalmente al intrascendente «sabio francés» desde el arranque cronológico de la obra. Éste se situaría en la Revolución Francesa —momento en el que Justo es «perseguido y torturado en París por defender a la par de las reformas hechas, la vida del rey y de los nobles»— para pasar seguidamente a la corte de Carlos IV —donde aparece «Godoy rodeado de sabios, con cuyo motivo se da a conocer una porción de sabios desconocidos en España»— y continúa durante la guerra de la Indepedencia, en el curso de la cual Justo aparece sucesivamente como maestro de jóvenes y solitario eremita. La acción de la segunda parte correspondería a los años del trienio liberal, aunque los elementos argumentales anotados son mucho menos explícitos que los de la primera. [...]

Los seis cuadernillos de *Novelas nacionales* corresponden al ambiciosísimo proyecto de novelar la historia de España desde los tiempos mitológicos. En la hoja preliminar que envuelve estos cuadernos escribió Costa: «Episodios Nacionales. Con el nombre de Novelas Nacionales proyecté desde 1874 (hace treinta años) además de Justo de Valdediós novela del siglo XIX, cinco o seis novelas sobre los períodos más culminantes de la historia de España. ¿Antes que Pérez Galdós?». Las apuntaciones de estos cuadernillos nos permiten reconstruir con mayor precisión la idea original, puesto que en el que lleva el título de *Novela nacional / Su carácter y Número / Datos sueltos y dispersos* encontramos una exposición de la concepción costista sobre la novela histórica y un resumen detallado del plan de la obra:

Novela nacional

Sería de suma importancia —escribe Costa— este género para restablecer el concepto del país en el lugar que la Historia no sabe darle y que de justicia la corresponde. Walter Scott y Victor Hugo y Bullwer, etc., han desarrollado la novela histórica. Maine Reid, Julio Verne, etc., la científica: una combinación de ambas puede ser la novela nacional. Aunque parece confundirse con la histórica, tiene sin embargo, un distinto carácter y propio fin, pudiendo por tanto formar época y escuela. Toma un siglo o período histórico determinado, y sin sujetarse precisamente a rigor cronológico, aproxima los nombres y las ideas, los sucesos y las invenciones, le pone en acción mediante el argumento y los representa de bulto en el grabado, haciendo popular y agradable, en vivo y animado cuadro, lo que los libros nos presentan difuso y fragmentado, o no nos presentan de ningún modo. El texto ha de estar empedrado con los retratos de los personajes más notables de la época que se pinta, justo tributo de agradecimiento a su mérito o a sus virtudes y sufrim[iento]s, y medio único de imprimir en la fantasía el número e importancia de los héroes y sabios y santos de la Historia nacional, y por lo tanto, de infundir aliento con la meditación de las pasadas grandezas. Nuestra historia política, social, científica, religiosa, literaria y filosófica, es desconocida; los tratados especiales o no existen, o son incompletos, o no se estudian, ni en mucho tiempo se estudiarán. La novela histórica, en los límites y con el carácter que hasta aquí ha tenido, es insuficiente. La novela nacional viene a llenar estos vacíos ...

La extensión de la cita está justificada no sólo por lo que tiene de exposición general de las ideas novelísticas de Costa, sino también como importante documento teórico-literario acerca de un género literario de tanta raigambre decimonónica como la novela histórica.

El plan costista de *Episodios nacionales* constaría de las siguientes novelas:

Aquileida: Aquiles, persiguiendo a Eneas es arrojado por una tempestad a Tarragona, «donde sirve de tronco a la gran familia iberoamericana».

V. V. Osca: («aún estaban calientes las cenizas de Numancia cuando sucedió la indep[endenci]a de la Península bajo Sertorio») (72).

Expedición de los almogávares.

Visigodos.

Córdoba en el siglo X.

Moros y Cristianos (73).

El siglo XVI de España.

De 1812 a 1823. [...]

[Pero] la única novela de Costa que vio la luz pública lo fue bajo el título de *Último día del paganismo y primero de... lo mismo* en el volumen XIV de la Biblioteca Costa. La redacción de esta novela, a juzgar por los datos externos, debe situarse hacia 1908-1909 [...].

Último día... es un texto caracterizadamente «arqueológico», no sólo por su ambientación en la Edad Antigua, sino por el esfuerzo de documentación sostenido por el autor. En lo que se refiere al primer aspecto hemos de tener en cuenta el auge de la novela arqueológica en la literatura europea de la segunda mitad del xix (*Los últimos días de Pompeya, Fabiola, Ben-Hur, Quo Vadis...?*) y su versión española de principios del xx (*Sónnica la cortesana,* de Blasco Ibáñez, 1901; *Syncerasto el Parásito,* de Eduardo Barriobero, 1908). Pero el arqueologismo del relato no es sino un recurso didáctico con el que se persigue el extrañamiento del lector en relación a su tiempo presente —España de principios del xx—, que ha de redundar en un efecto beneficioso a la hora de aplicar a la actualidad las benéficas lecciones del pasado. El pasado, en la novela de Costa, es un tiempo histórico real del que se desprenden más fácilmente los corolarios morales, no es el tiempo mítico de *Morsamor* o *El caballero encantado*; didactismo inmediato del escritor regeneracionista, y transfiguración literaria por parte de los narradores de la generación 1868.

Lo publicado no es la novela completa; lo recuerda el editor: «Su texto quedó por la mitad». En la lectura de lo publicado se echan de ver desproporciones entre las partes, saltos sobre vacíos narrativos, precipitaciones. En cualquier caso, el texto impreso tiene las mínimas articulaciones internas que lo permiten pasar de las fases de apuntes en que se quedaron las otras novelas de Costa. Su argumento es el siguiente: Numisio —noble romano de origen hispánico— viaja desde Ilerda hasta Cauca a fin de asistir a la celebración mortuoria en memoria del general Theodosio, víctima de las intrigas del palacio imperial. El hijo de éste —amigo de Numisio— recibe a los invitados, entre los que se cuentan el general Magno Clemente Máximo y el obispo Prisciliano. La celebración es interrumpida por las graves noticias que llegan sobre la derrota del ejército oriental, a cuya jefatura el emperador Gratiano invita a Theodosio. Las victorias obtenidas por éste sirven para exaltarlo al solio imperial de Oriente; este es el momento que el nuevo emperador aprovecha para recibir el asesoramiento de Numisio, quien cambia su paisaje habitual —Hispania, Roma— por el de Tesalónica, Tracia, Bizancio. Las diferencias de criterios entre el emperador y Numisio van en aumento hasta el punto que éste no puede admitir la tolerancia con que Theodosio recibe la sublevación de Máximo contra Gratiano y la usurpación del imperio occidental. Numisio regresa a sus posesiones de Turnovas (en la Tarraconense), de donde sólo se moverá para asistir, en Italia, a la derrota del usurpador. Retirado en sus posesiones, proyectando reformas agrarias e iniciativas industriales, muere de un accidente después de descubrir el telescopio, instrumento con el que se ha podido asomar a los linderos del más allá.

En esta novela hay elementos autobiográficos que transparentan la intimidad del «león de Graus». El editor de la novela aludía a que «acaso representaba la verdadera última voluntad de Costa». Nos limitamos a señalar algunos evidentes: el nacionalismo que rezuma el texto (los hispánicos, según el relato, eran los únicos ciudadanos del imperio romano que podían salvarlo); el escepticismo hacia las religiones positivas (con el complemento de la denuncia de la confusión de las dos esferas política y eclesiástica que los cristianos heredan del imperio pagano) el temblor recogido ante el misterio que evidencia el capítulo final de la novela.

DONALD L. SHAW

GANIVET, PRECURSOR DE LA CRISIS FINISECULAR

Lejos de ser, como generalmente se asevera, simplemente un ejercicio académico de juventud, *España filosófica contemporánea* (1889, primera edición *Obras completas,* Madrid, 1930) es un documento de considerable importancia. Es la postrera y última expresión de una preocupación creciente por mantener un punto de vista filosófico positivo dentro de una minoría desmoralizada por el colapso aún reciente del *armonismo* krausista y expuesta cada vez más a influencias pesimistas y negativas. Es el punto de partida y, al mismo tiempo, clave de la evolución espiritual del propio Ganivet, y es compañero inseparable del *Idearium.* En él, deja al desnudo, con sistemática claridad, los orígenes de la preocupación real de la generación del 98.

En fecha tan temprana como 1842, Balmes, reconociendo en Kant la influencia que había dado al traste y para siempre los fundamentos racionalistas del optimismo del siglo dieciocho, se había dedicado ansiosamente a la tarea de salvaguardar la confianza intelectual. El comienzo de su *Filosofía fundamental* traza un agudo pronóstico del peligro que amenazaba y que ya se entreveía, como también de la urgencia de hallar el remedio. No es el propósito del presente [trabajo] el examinar los comentarios de otros pensadores y escritores que posteriormente confirmarían los pronósticos de Bal-

Donald L. Shaw, «Ganivet's *España filosófica contemporánea* and the interpretation of the generation of 1898», *Hispanic Review*, XXVIII (1960), páginas 220-229. (Traducción castellana de Josep M.ª Portella.)

mes o de quienes siguieron sus pasos. Baste con decir que un amplio
sector de la intelectualidad los siguió. El enorme éxito del krausismo
en la segunda mitad del siglo confirma la ansiedad y la predisposición de la *intelligentsia* a agarrarse a la filosofía que implicase la
posibilidad de una interpretación armónica de la existencia, opuesta
al legado romántico de la desorientación vital. La definición [de
J. Valera] «Toda la filosofía de Krause, tan difundida ya en España,
no es más que un esfuerzo maravilloso por llegar a la noción de Dios
por medio de la filosofía racional» expone adecuadamente el atractivo del movimiento. Su vigencia fue, sin embargo, corta. Su colapso
abrió un período vacío de producción intelectual, del que podemos
hallar amplia documentación que nos confirma la que aseveraba Ganivet. «En materia de meditación religiosa y de filosofía primera»,
escribió Clarín en 1889, «bien se puede decir que reina entre nosotros la paz de Varsovia». Pardo Bazán, en 1891, se mostraba totalmente de acuerdo: «Aquí no hay problemas, ni cuestiones, ni nada
fundamental que yo sepa … las ideas comprometen». Un año después, la pluma de Menéndez Pelayo escribiría: «El momento es realmente angustioso para el espíritu …».

España filosófica contemporánea se concibió y escribió durante
este interregno. Como diagnóstico de las causas y efectos del derrumbamiento general de la confianza, que se hace evidente en la sensibilidad de la generación de 1898, no tiene paralelo. [...]

La ausencia de *ideas madres*; era esta, según Ganivet, la causa
originaria de todo lo que, de malo, tenía España, y, asimismo, el
tema central de la obra. Por desgracia, lo que sigue es una lamentable confusión de ideas, al tratar Ganivet de hallar las causas de
la enfermedad. Señalando como causa primera el espíritu revolucionario del dieciocho, identifica como causa eficiente la aparición, casi
continuada, del *criticismo* kantiano. La originalidad de esta asociación, que ha llegado a convertirse en lugar común, atestigua la perspicacia de Ganivet. Sin embargo, al desarrollar el argumento, prefiere abandonar todo rigor lógico. En lugar de atribuir la ausencia de
toda actividad filosófica, que entonces imperaba, al triunfo de la
influencia ejercida por un kantismo mal asimilado —como parecería
lógico—, prefiere atribuirla a un estado de supuesto equilibrio entre
el espíritu revolucionario, por un lado, y las fuerzas de la tradición
y la ortodoxia, por otro, de tal manera que el hombre corriente no
es capaz de decidirse, y se abandona al escepticismo.

El problema, a pesar de todo, sigue siendo filosófico. Ganivet lo define como la necesidad de satisfacer «el deseo natural que el hombre tiene de conocer a la razón y el modo de existir del mundo que le rodea», y, por ello, pone todo su ímpetu en hallar una respuesta filosófica. Encuentra la solución en la propagación de «la educación filosófica moral, la más fecunda y la más práctica en todos los órdenes de la vida» o, lo que es igual, en la inculcación de una totalidad de ideas que acabarán imponiéndose sobre la voluntad y la proveerán de la orientación positiva necesaria. «Grabar en todas las inteligencias unas mismas ideas acerca de las cuestiones más trascendentales de la vida.» De esto es de lo que se trata. Y como tal, debe llevarse a la práctica de inmediato.

Aquí, sin embargo, es donde reside la dificultad, ya que, por encima y oponiéndose a la convicción urgente de la necesidad de reinstaurar las *ideas madres,* está también su firme reconocimiento de que quien debería proveerlas, la filosofía, es incapaz de hacerlo. La conclusión a la que llega, tras una revisión a fondo de la situación filosófica de su época, es cruda. La filosofía, en vez de cumplir con su función —la renovación constante y la consolidación de la estructura ideológica sobre la que se levanta la sociedad—, se ha sumido en un agudo estado de crisis y de aislamiento: «Los sistemas filosóficos a que nos referimos adolecen de un defecto común ... suelen ... obedecer en su concepción y desarrollo a unas ideas o plan preconcebidas, capaces de producir un organismo armónico, un edificio de construcción sorprendente y maravilloso pero falto de cimientos sólidos o completamente vacío en su interior». El disgusto que esta conclusión ocasiona en Ganivet es evidente. Al haber basado la totalidad de su tesis en la necesidad de una aproximación filosófica al problema de España, en vez de una económica, política o sociológica, se encuentra con que su argumentación le ha devuelto al punto de partida. ¿Qué queda de esa sana educación filosófica a la que él se aplicó tratando de dar solución al problema social, si la culpable es la propia filosofía?

Es ahora cuando se ve claro por qué, poco antes, Ganivet no había podido ser más consistente. Al haber achacado la erosión de las *ideas madres* al *criticismo* kantiano (confirmando así el pronóstico de Balmes), había anticipado el peligro existente en la dirección que el argumento iba tomando. Si el problema principal era Kant, nada podría hacerse hasta haber recopilado suficientes argumentos de peso con que refutarle. Pero de esta posibilidad Ganivet tenía serias dudas.

Instintivamente, reformula el problema de manera que resulte más manejable. Para ello, establece una distinción interesante, pero en definitiva falsa, entre lo que él llama *el escepticismo científico* y *el escepticismo vulgar*. Por el momento, sólo el primero coincide con su diagnosis, aceptando sin reserva «la solución *negativa* del problema crítico del conocimiento» que, según la definición de Ganivet, es una de las cuestiones básicas. Sus adictos carecen conscientemente del ingrediente esencial de las *ideas madres*: confianza en la capacidad de la mente humana para conocer la realidad. Queda, sin embargo, limitado a la ínfima, y por tanto insignificante, minoría de los que son capaces de mantener un interés continuado en la filosofía crítica.

El escepticismo vulgar es, sin embargo, algo totalmente distinto, pues instintivamente rechaza este extremo; en un momento dado, la afirmación vital se reafirma: «en el escepticismo vulgar no tienen cabida estas conclusiones verdaderamente antihumanas que pugnan con nuestros instintos, su término no es ... la negación y la duda universales». Es en esta forma de *escepticismo* más generalizada, pero menos peligrosa, cargada, como está, de posibilidades de regeneración, en la que Ganivet prefiere concentrar su atención. A éste prende, por vez primera el famoso término *abulia,* acaso más apropiado aquí que en el más conocido pasaje del *Idearium* donde se presta a confusión, debido al intento de ver el problema nacional reflejado en el individuo. *Abulia* es simplemente la debilitación natural de la voluntad por la ausencia de convicciones vitales que le suministren energía.

Basándose en esta distinción, Ganivet se reasegura de que el período de negación que estaba viviendo no es, como desgraciadamente se ha demostrado, duradero, sino sólo un interludio temporal, heraldo de un nuevo período de actividad creadora positiva en el terreno de las *ideas madres*. Señalemos que el *Idearium* parte de esta premisa.

¿Dónde radica la falsedad de esta distinción? El propio Ganivet lo deja entrever, al dejar que subsista en el texto entre el punto de vista que aquí se adopta y otro, completamente distinto, expresado en otros fragmentos (v. g., en la parte I, cap. VI). En esta revisión, que a la luz de nuestra experiencia posterior ha demostrado ser más acertada, se da por cierto que la minoría «ilustrada» esparce el mal al resto de la sociedad. Aquí, Ganivet, en vez de disociar ambos grupos, deliberadamente los identifica: «tampoco sería aventurado suponer que el mal se extiende de arriba abajo y que ese medio social no es otra cosa que un reflejo del estado intelectual de aquellos que por sus cualidades superiores representan el pensamiento colectivo». Pero la verificación de que el origen del *escepticismo vulgar* debe buscarse en el *escepticismo científico,* aunque se hace evidente en su propio análisis, sigue sin hacerse. En su lugar, él se decanta hacia una teoría cíclica del progreso intelectual menos problemática.

En esta inconsistencia está la clave para la interpretación de su obra posterior. Tras la preocupación manifiesta por la colectividad que caracteriza al *Idearium* y a las dos novelas de Pío Cid (el núcleo de su producción de madurez) acecha el verdadero problema, que es individual: es el del *dirigente* desmoralizado, del caudillo potencial y regenerador social que ha caído en las garras del *escepticismo científico.* Tras aparecer esporádicamente en la discusión sobre la *abulia* en el *Idearium* y en la caracterización de Pío Cid, acaba definiéndose con una claridad diáfana en el momento cumbre de *Los trabajos,* la entrevista de Pío Cid y Consuelo, con la observación agudamente sagaz de ésta: «Quizá la pena que Vd. tiene por vivir sin creencias le inspire ese deseo de fortificarlas en los demás, porque de otro modo es Vd. incomprensible». Poca duda cabe, después de esto, acerca de la falsedad del ideal redentor (indefinido) al que Pío Cid se aferra al enorme coste de su integridad como carácter. La intuición anterior de la incapacidad del pensamiento filosófico de dar respuesta al Dilema Vital propuesto por el *escepticismo científico* había conducido a Ganivet a identificarla con el propio dilema. La continua defensa de la Regeneración por parte de Pío Cid, en contraste con sus más íntimas convicciones —y de las de su creador— no hace más que confirmar la lucha que Ganivet mantenía con su propio discernimiento. Pero en una carta a Navarro Ledesma, escrita durante la composición de las novelas de Pío Cid, Ganivet revela la percepción de futilidad total que le embarga: «Una vez que tantos redentores han redimido en balde, y que la humanidad continúa mereciendo una lluvia de fuego cada mañana y un diluvio universal cada tarde, *no hay que meterse a reformar más.* Bueno está ya. Lo mejor es apartarse a un lado y no querer tocar pito en nada. ¡Abstine! Y si le cae a uno una teja encima, ¡Sustine!» También debemos explicar su disposición a sacrificar la tesis inicial de *España filosófica contempo-*

ránea a fin de crearse un tipo de escepticismo que se mantuviera firme frente a las conclusiones «antihumanas» (o sea, antivitales) en las que se encontraba atrapado intelectualmente.

Sólo la comprensión surgida de la diagnosis y progreso de su dolencia física, de que la muerte se mofa de cualquier intento de dar una finalidad no religiosa a la existencia, le obligó a aceptar finalmente los postulados originados en el nihilismo metafísico del que aquí tan precipitadamente se retira. En *El escultor de su alma,* las preocupaciones sociales desaparecen, dejando a Ganivet enfrentado —sin éxito— con el problema de forjar un ideal vital individual, en el contexto de *la nada* creada por el *escepticismo científico.* En una serie de convulsiones mentales, cada vez más desesperadas, *El escultor* emprende la tarea de hallar una solución sin tener que recurrir a la autotrascendencia a través de la colectividad. La *Angustia,* latente en Pío Cid, se revela repentinamente: es precisamente esa angustia *metafísica* que Ganivet había sido el primero en percibir incubándose en las mentes de la minoría y que exponía en *España filosófica contemporánea.* Esta es la característica unificadora de la nueva generación.

La unidad de una generación viene determinada, no por factores casuales de nacimiento o dirección o de otra media docena de influencias que los críticos se han empeñado laboriosamente en aislar, sino por una identidad de sensibilidad, un punto de vista común de la existencia humana. La clave de ello está, en cambio, en un punto de vista filosófico compartido. Por esta razón, la antigua manera de entender a la generación del 98, por sus ideales de regeneración cultural y social va, cada vez más, cediendo terreno al estudio de su trasfondo filosófico.

Al igual que Ganivet, los demás componentes de la generación crecieron y se formaron en el vacío interregno de las últimas décadas del siglo. Baroja resume la atmósfera de aquellos años y corrobora la diagnosis de Ganivet al pie de la letra: «De joven y sin cultura», escribe, «no iba a forjarme yo un concepto, una significación y un fin a la vida cuando flotaba y flota en el ambiente la sospecha de si la vida no tendrá significación ni objeto». Unamuno, en una carta a Clarín, confirma asimismo esta sensación de estancamiento dominante («Yo, como Vd., siento el vacío de nuestra atmósfera»), lamentando, de nuevo, la desmoralización concomitante. También el joven Azorín expresa en términos parecidos su inseguridad vital. En todas partes, de hecho, podemos percibir el reconocimiento gradual del vacío circundante, el colapso de la fe en la capacidad de la mente para dar un sentido a la existencia humana.

España filosófica contemporánea asume, de este modo, una significación que se extiende sobre la generación del 98 como un todo. No es sólo que su tesis principal —la necesidad de restablecer un sistema estable de valores vitales— abre el camino de su preocupación central, sino que cuestiones subordinadas de la discusión son la clave de actitudes y aspiraciones que posteriormente se harían célebres. Veamos algunos ejemplos.

Ante todo, la referencia hecha por Ganivet, en el curso del intento de establecer la distinción entre los dos tipos de *escepticismo,* al pequeño grupo que, al margen de la sociedad, se aferra firmemente al más genuino *escepticismo científico* y que acepta sin titubeos las conclusiones *antihumanas* derivadas de éste, señala el punto de partida de la premisa que, normalmente, configura la caracterización en la novela de la generación del 98. Tanto si examinamos *Niebla,* de Unamuno, como si se trata de *El árbol de la ciencia,* de Baroja, *La voluntad,* de Azorín o *La pata de la raposa,* de Pérez de Ayala (todas ellas ejemplos notables), la técnica es esencialmente la misma. La totalidad de las novelas filosóficas consisten, uniformemente, en una línea narrativa en la que el carácter central encarna una determinada concepción de la existencia, muy próxima a las preocupaciones filosóficas del autor que, a través de este personaje central, son sometidas a situaciones límite y enfrentadas a una serie de interlocutores cuidadosamente seleccionados. El presupuesto conductor es siempre el mismo: que el grupo más significativo de la sociedad moderna es esa pequeña *élite* a la que se atribuye una extraña clarividencia para interpretar —lo que es a su vez su mayor preocupación— la realidad trágica subyacente en la existencia humana. Baroja, muy especialmente, está obsesionado en diferenciar a esta angustiada minoría clarividente del resto de *ilusos* que la rodea. De Ossorio (de *Camino de perfección*) al mismo Cantor vagabundo, toda una colección de personajes se suceden, al principio luchando, como Pío Cid, contra el fatal don de percepción que poseen y, más tarde, con la vejez de Baroja, luchando por sometérsele. Mas este presupuesto no se limita a Baroja. Compárese, por ejemplo, el carácter central de *La voluntad*: «Azorín pasa sus hondas y trascendentales cavilaciones», o el Fernando de Guzmán, de la obra de

Ayala: «traía entre ceja y ceja no sé qué cosquilleos trascendentales». Todo ello es propio de la minoría *angustiada* cuya existencia *España filosófica contemporánea* ha documentado.

De nuevo, al referirse específicamente al *problema del conocimiento,* Ganivet roza el fondo de la preocupación de la generación: la búsqueda de la verdad vital, el tipo de verdad que inspira a la existencia, que le proporciona valores y le da finalidad. Pero esta búsqueda termina en la «solución negativa». No existe verdad alguna firme y absoluta, ninguna finalidad, ninguna base sólida para la fe existencial; y en la generación del 98 sobreviene la *angustia.* La rebelión de Unamuno contra la lógica es la simple consecuencia de haber comprendido la impotencia de la razón humana para enfrentarse al dilema. De ese modo, la vida del San Manuel Bueno unamuniano es una angustiosa lucha contra sus implicaciones. La verdad, para San Manuel —y para la generación como un todo— es antivital (cf. en Baroja: «La verdad en bloque es mala para el hombre»): «La verdad, Lázaro, es acaso algo terrible, algo intolerable, algo *mortal».* Y de aquí se deriva la importancia, como habremos de ver, de la *mentira vital.*

El análisis de los orígenes que hizo Ganivet representa el tan buscado eslabón entre la generación del 98 y el romanticismo. Fueron los románticos quienes poco antes proclamaron esa concepción de la verdad que, posteriormente, la filosofía crítica confirmaría. La «fatal truth» de Byron, la «infausta verità» de Leopardi, la «verdad amarga» de Espronceda, señalan la aparición de un modelo de vivencia desesperanzada que revienta de nuevo con la generación del 98. El dilema del 98 es exactamente el mismo dilema romántico desvestido de toda solución emocional y reforzado por un conocimiento filosófico más profundo, especialmente de las doctrinas de Kant y Schopenhauer.

Javier Herrero

ILUMINACIÓN Y CRISTIANISMO
EN EL PENSAMIENTO DE GANIVET

En Ganivet los sentimientos van siempre acompañados de repercusiones orgánicas tan fuertes que sugieren una hiperestesia casi enfermiza. Al referirse, en sus cartas a Navarro Ledesma, al estado angustioso en que lo ha sumido la concepción de su novela *La conquista*, habla de «los trastornos materiales que ahora sufro por reflexión (que no hay duda que la hay) de mis ideas sobre mi organismo». Al describirle el furor mercantil en que se ve envuelto con motivo de la Exposición Internacional, dice: «lo que para otro es extraño, para mí puede ser íntimo porque mi epidermis sea más sensible. Yo me encuentro estos días con la misma angustia que aquel que sueña que le andan por todo el cuerpo sapos y culebras, ratas o chinches (que tu estómago me perdone el símil, pero me sale espontáneo)». Quizá, sin embargo, el más expresivo texto a este respecto sea el comienzo del artículo «El hombre de las dos caras», escrito de estudiante y publicado en 1928 por Jeschke. Dice así:

«¡Silencio! ¡Silencio!

»¡Creo en la conjuración de la naturaleza contra los débiles!

»¡Creo en la desesperación suicida y en el odio al linaje humano!

»Este triste símbolo de los nuevos apóstoles del pesimismo taladraba mi cerebro en forma de pensamiento, latía en mi corazón y corría por mis venas fundido con mi propia sangre, y flotaba en el aire que aspiraban mis fatigados pulmones; habíase compenetrado con todo mi ser, y yo sentía su acción avasalladora, ya producida por una legión de seres microscópicos, ya por una red de fuerzas invisibles».

Vemos, pues, que la angustia producida por pensamientos pesimistas se describe en términos referentes a los trastornos orgánicos que en él produce: el negro pensamiento «taladra mi cerebro», «corría por mis venas fundido con mi propia sangre», lo respira; es decir, se esfuerza el autor por mostrarnos hasta qué punto su excep-

Javier Herrero, *Ángel Ganivet, un iluminado,* Gredos, Madrid, 1966, páginas 210-212 y 233-241.

cional sensibilidad refleja unas preocupaciones que, al fin y al cabo, tienen una raíz puramente filosófica.

Es lógico, por tanto, que cuando se refiera a una experiencia que ejerció influencia tan decisiva como la de la «iluminación», use también términos que expresen una gran conmoción de su sensibilidad orgánica; escribiendo a N. M. López e intentando consolarle de su reciente viudez, le dice que quizá de la tristeza de hoy brote una chispa de luz que le dé energía para nuevas empresas; como ejemplo de ello se cita a sí mismo; él vive entre sufrimientos que han helado su corazón, pero un nuevo amor surge en su pecho: «El corazón se me va convirtiendo en un guijarro, pero siento como si me naciera un nuevo corazón más sutil, gaseoso, difundido por todo mi cuerpo, que me trae una sensibilidad nueva, la del instinto, y un amor más grande, que se parece al que deben gozar las almas de los que murieron». Como sabemos que el «nuevo amor» de Ganivet, que corresponde a la última etapa de su evolución religiosa, brota de la aceptación del dolor, y acabamos de ver que corresponde al alma glorificada, es decir, elevada sobre lo corporal (como «las almas de los que murieron»), no cabe duda de que ese «amor espiritual» es el que describe aquí Ganivet con términos que muestran su conmoción orgánica: el viejo corazón se convierte en piedra por los golpes del dolor, pero otro brota, sutil, gaseoso, «difundido por todo mi cuerpo», como antes el pesimismo bañaba la sangre de sus venas. [...]

Ganivet parece identificar esa luz que ilumina a Alma con el cristianismo; es decir, el mensaje de Cristo parece contener una revelación cuya esencia sería idéntica al sentido de esta experiencia espiritual que nos ha descrito y que constituye el tema central de su pensamiento. Y que esto no es un modo accidental de hablar nos lo muestra la insistencia con que repite esta idea, e incluso la fuerza de los términos mismos que emplea: «Todas las religiones y, en general, todas las ideas se han propagado y propagarán en igual forma: son como piedras que, cayendo en un estanque, producen un círculo de ondulaciones de varia amplitud y de mayor o menor persistencia; *el cristianismo cayó desde muy alto, desde el Cielo,* y por esta razón sus ondulaciones fueron tan amplias y tan duraderas».

El cristianismo es «el fuego ideal que engendra las creaciones originales» de la cultura occidental, es el soplo de amor que nos funde a todos en una unidad mística: «Una cosmología cristiana no debía ser una clasificación ni una descripción, sino un cántico donde todos los seres creados se mostrasen con luz divina, viviendo de un soplo de vida y de amor». Es decir, el cristianismo aparece aquí realizando lo que debe cumplir la luz ideal que ilumina a Alma; el mensaje de Ganivet sería una formulación personal de la idea cristiana. [...]

En sus años en Amberes, Ganivet osciló entre la atracción espiritual que sobre él ejercía el cristianismo y la actitud intelectual de crítica positivista en la que se ha educado. Jesús le aparece como una figura profundamente humana, admirable, pero, evidentemente, no cree en su divinidad: «Lo real es que toda la caterva de dioses han salido de nuestro meollo, unos más divinos y otros más humanizados; el más humano, Jesús». Jesús es modelo del heroísmo personal que con su sacrificio vivifica e inmortaliza su pensamiento: «Porque lo que afirma a la idea no es la demostración práctica..., sino la convicción personal. Si en el momento supremo Jesús se hubiese acobardado, y por medio de una "hábil" rectificación se hubiera librado de la cruz, toda la generosa moral evangélica valdría hoy lo que un episodio de la *Ilíada*». En ocasiones su entusiasmo espiritualista le hace prorrumpir en exclamaciones que suenan a la más rigurosa ortodoxia: «hay que dar de lado a la propiedad mueble, inmueble y semoviente y convertirse al cristianismo puro, al de los mendigos de corazón, primeros discípulos del Mesías». Jesús, nos dice en *La conquista,* es el más alto modelo de desinterés y abnegación: «¿Quién será tan menguado que se imagine a Jesús explicando alguna de sus admirables parábolas, y sacando luego un variado surtido de baratijas para venderlas a buen precio a sus oyentes? ¿Y quién hubiera depositado su fe en Jesús si, luchando contra sus enemigos o salvándose con sus parciales, hubiera rehuido la gran prueba que, engrandeciéndole a él, ennoblecía al resto de la Humanidad?». [...]

Cristo aparece, por tanto, como el hombre ideal, el místico perfecto, cuya *Alma* no ha sido contaminada por las emanaciones de la carne. Como el *ser hombre* consiste en alcanzar ese estado, en llegar a tener Alma, Cristo aparece como «el ideal de la humanidad», el prototipo a que todo hombre debe aspirar. Los dogmas religiosos son los símbolos que expresan esta experiencia del Cristo histórico: su pureza, su vivir el ideal sin contaminación material, se expresa en el dogma de la Encarnación, el nacer en el seno de una Virgen sin mancha de pecado; su muerte en la cruz se convierte en el símbolo de la crucifixión de lo carnal en nosotros para que triunfe lo ideal; finalmente, su resurrección representa el carácter inmortal del alma que ha vencido a la carne y ha sido iluminada por la luz ideal, como Alma al final de *El escultor.*

Esta interpretación racionalista estaba en el ambiente del siglo y Ganivet no tuvo que buscar mucho para encontrarla; sin embargo, es muy probable que la recibiese, o bien de sus lecturas juveniles positivistas y de los idealistas alemanes, sobre todo de Hegel, o bien de los krausistas, de quienes fue discípulo en la Universidad de Madrid, o más probablemente de ambos.

Ganivet, emocional y sentimentalmente cristiano, apela, como tantos intelectuales de su siglo, a esta interpretación racionalista para intentar salvar el cristianismo de los ataques del positivismo histórico. Sin embargo, los términos empleados en algunos de los textos citados parecen sugerir que, cuando el razonador se amortigua en él, su entusiasmo y fervor cristianos van mucho más lejos de lo que su interpretación racionalista parece permitirle. En efecto, vimos que la divinidad había sido definida por Ganivet como el resplandor ideal cuyas llamas crean el mundo y lo atraviesan, iluminándolo; el cristianismo es definido en los mismos términos: es un fuego ideal, que cae del cielo, funde y remoldea (recrea) a los hombres y la sociedad; ha iluminado y purificado las almas, elevándolas a un plano desconocido antes de la predicación evangélica; parece, pues, que Cristo es, no ya «el ideal de la humanidad», sino el *mediador,* por quien lo divino desciende al mundo es decir, de la interpretación racional del dogma parecemos regresar al dogma como expresión de un misterio, de una verdad religiosa que trasciende la comprensión del hombre.

Juan Ventura Agudiez

GANIVET, NOVELISTA

Existe, sin duda, una gran diferencia entre la génesis de *La conquista del reino de Maya por el último conquistador español Pío Cid*

Juan Ventura Agudiez, «Ganivet en las huellas de Galdós y Alarcón», *Nueva Revista de Filología Hispánica*, XVI (1964), pp. 89-95.

y la de *Los trabajos del infatigable creador Pío Cid*. La primera de
estas obras se inscribe perfectamente en el ambiente «africano» de la
Bruselas colonialista de fines de siglo: Ganivet da a su novela una
significación europea, si bien la pone también bajo la influencia de
problemas españoles de orden interno y de relaciones exteriores como
los de la política africana del país (la cual había proporcionado ciertas ventajas a España en el tratado hispano-marroquí de 1860, y luego
en la Convención internacional de Madrid de 1880). La segunda
novela se refiere al período propiamente español de Ganivet y tiende
a ser bajo varios aspectos una novela ejemplar que toma como principal doctrina ciertos temas del *Idearium español*. En ella, Ganivet
cree ser Pío Cid y muestra personajes más cercanos a nuestra sensibilidad, y que reciben el aporte de las ideas liberales de la época.
Sin embargo, también se puede descubrir en el Pío Cid de *La conquista del reino Maya* al hombre de cultura europea que choca con
una civilización extraña cuyas instituciones acaba por aceptar, de
manera que éstas lo marcan definitivamente. (Cuando Pío Cid vuelve
a España, de retorno de su proeza en el continente negro, el ambiente
de Madrid le resulta bastante incómodo, y apetece la semianarquía
de las costumbres africanas.)

La atmósfera de Maya es utópica, lo cual le ofrece a Ganivet ancho
campo para exponer sus teorías sociales. Algunas de estas ideas tenían
precedentes en Pedro Antonio de Alarcón y en Pérez Galdós, según
trataré de mostrar en las páginas que siguen.

Ganivet es un lector atento de Galdós, de quien habla varias veces
en su epistolario. Don Benito —dice en la Carta XX— logra en sus
novelas una gran unidad que parece realizada de un solo golpe; no
importa que a veces se descuide: esto mismo revela «la maestría suprema del que ya no necesita fijarse para encontrar la forma perfecta». En la Carta V, después de hablar del loco en la literatura, y de
decir a propósito de Swift y Heine que «cuando el autor es subjetivo, el loco que asoma la cabeza es él mismo», mientras que
«cuando es objetivo, los locos son los personajes», pero el resultado
es idéntico, añade: «No niego que haya exposición en hacer afirmaciones absolutas, y creo también que como la realidad tiene muchas
caras, cuando se toma un punto de vista sistemáticamente todo se deja
ver por este punto, y, por consecuencia, todas las obras artísticas
serían jaulas de locos. En Galdós, por ejemplo, sacaríamos bastantes;
los mejores, Orozco, Viera, Guillermina, Leré, el padre de las

"Miau", etcétera. Pero lo sustancioso en esta cuestión es que el punto de vista ofrece un criterio fijo para crear tipos con probabilidad de acierto, y por otro lado la observación se facilita, circunscribiéndose a los rasgos ridículos y a las locuras humanas, puesto que su combinación parece ser que da una idea completa y perfecta de lo que somos».

Este juicio sobre Galdós arroja no poca luz sobre la intención del propio Ganivet en *La conquista del reino de Maya*; su tendencia a poner de relieve lo ridículo de ciertas instituciones de este reino se convierte en un instrumento de sátira social.

Ganivet ataca, por ejemplo —al igual que Galdós en algunos pasajes de *Ángel Guerra*— la institución del matrimonio; ve en este sacramento «una de las últimas bajezas que puede cometer el hombre por someterse al brutal instinto de la especie, al *crescite et multiplicamini*». Según él, la monogamia es rara en «los pueblos que obran con algún sentido de la Naturaleza»; existe «el comunismo absoluto» en los pueblos pequeños que forman unidad política. La poligamia, en cambio, aparece en las sociedades fuertes y ricas, donde los hombres pueden capturar o comprar mujeres. La poliandria es frecuente en los pueblos agrícolas: sus hombres, débiles en la guerra, deben compartir entre sí los favores de las mujeres que no han sido capturadas por pueblos enemigos en «razzias» bélicas. Ganivet nota que tanto la poligamia como la poliandria son superiores a la monogamia. Ésta representa, para él, un sistema de vida esencialmente católico. La monogamia concede a la mujer una importancia social mayor que la poliandria o la poligamia, pues habiendo una mujer para cada hombre, se equilibra el papel femenino con el masculino. Al preferir los otros dos sistemas, Ganivet, sin caer propiamente en la misoginia, relega a la mujer a un segundo plano. En la sociedad de Maya, el delito más grave en una mujer es la fealdad; después vienen defectos como la holganazería, la esterilidad, el adulterio. Las mujeres llevan una vida muy retirada en gineceos, costumbre ciertamente loable, puesto que necesitan permancer en el hogar para cumplir con los deberes domésticos y «tratarse con otras personas de su sexo y de su clase». Entre los europeos, este problema casi nunca se resuelve armónicamente: las mujeres viven recluidas en una situación miserable, o acaban por abandonar el hogar.

Galdós, por su parte, ve con bastante simpatía las relaciones no consagradas por la religión. En *Fortunata y Jacinta* hay un conflicto entre el sistema legitimado por Dios y las relaciones ilegales y a-religiosas entre Jacinta («la mona del cielo») y Fortunata, la mujer del pueblo pronta a dar su vida por el hombre amado. Galdós sale a la defensa de los amantes situados al margen de la moral religiosa, y si hace simpático al personaje de Fortunata es para revestirlo de una mayor humanidad ante los ojos de los lectores españoles de fines del siglo. Jacinta posee cualidades innegables, pero Fortunata se presenta con un credo tan sólido como el de su antagonista. Al final, Jacinta muestra su gran generosidad al adoptar al hijo natural de Fortunata y de su esposo, lo cual equivale a legitimar el fruto de un amor que Galdós nunca condena.

Pero en *Ángel Guerra*, Galdós precisa aún más su punto de vista sobre las relaciones conyugales y extraconyugales. Recordemos un pasaje famoso:

> [DON PITO] —El querer no es pecado, siempre que no haya perjuicio de tercero, y si pusieron en la tabla aquel articulito fue por razones que tendría el señor de Moisés allá, en aquellos tiempos atrasados. Pero no me digan a mí que por querer se condena nadie.
>
> [ÁNGEL GUERRA] —Presentada la cuestión así, yo también sostengo lo mismo. Por amor nadie se condena; al contrario ...
>
> [DON PITO] —Ni se peca, hombre, ni se peca en nada de lo que al amor toca ... ¿Que tienes un retozo con mujer libre? Pues no faltas, no faltas, y asunto concluido ...

Y Don Pito continúa diciendo que todo lo existente en la naturaleza pertenece a Dios; si Ángel Guerra quiere fundar un convento, que lo funde, pero regido por reglas religiosas diferentes, que permitan aumentar la especie y perfeccionarla. La castidad, ¿para qué observarla? En lugar de consumirse, ¿por qué no multiplicar el número de niños? Y Don Pito se explaya acerca de las excelencias de la secta de los mormones, que permiten la poligamia, y entre los cuales jamás riñen las mujeres, aunque a veces haya hasta veinticinco en una casa. «Sí, hombre, decídete, y déjate de simplezas. Pero si lo enamorado no quita lo religioso ...»

Esta libertad en los lazos sentimentales abarca incluso el amancebamiento. Casiano, por ejemplo, considera a Dulcenombre como la esposa de Ángel, aunque no estén casados: «Pero no seamos materiales. Todo se reduce a que no hubo bendiciones. Suponte ahora tú que yo no hubiera estado casado con mi difunta, y que mi difunta, en vez de fallecer de calenturas, se hubiera metido a monja. ¿Pues dejaría yo de ser en tal caso tan viudo como ahora lo soy?».

Es notable el paralelismo entre estas frases y la condición en que Ganivet coloca el matrimonio, la monogamia y los hijos naturales en *La conquista del reino de Maya*. Pocas veces trató Galdós con tanta franqueza y desenfado el problema del amor libre, y pocas veces estuvo tan cerca del pensamiento de Ganivet. Pío Cid llega a un país utópico en que, por milagro, se cumplen sus deseos de una vida libre, sin obstáculos. Encuentra cómodo el sistema de la poligamia y de la unión libre al suplantar en su oficio marital al juez supremo de Maya. Las mujeres del juez, adoptadas por Pío Cid, le revelan a éste el código del amor maya; los hijos nacidos de una verdadera unión sentimental no sancionada por el casamiento son más respetados que los frutos del matrimonio, porque son, indudablemente, el fruto del amor.

Cuando lee *Ángel Guerra,* Ganivet ya está destruido por el conflicto sentimental que tanto habrá de influir en su suicidio. De su amor por Amelia Roldán nació un hijo, y la situación de los amantes se hizo intolerable, tanto por la conducta de la propia Amelia como por la actitud de la familia de Ganivet, que condenó siempre esos lazos ilegales. Entre el cúmulo de influencias que se ejercen sobre el escritor entre los años 1888 y 1898 (su período de formación y de actividad), fuerza es reconocer que esa pasión fue uno de los elementos generadores que hicieron de Ganivet un escritor de tendencias sociales avanzadas. En la época que vivió en Amberes (años en que sus facultades mentales no estaban aún en peligro), debió de interrogarse a menudo acerca de su situación exacta frente a la sociedad. Desde este punto de vista, *La conquista del reino de Maya* revela ciertos deseos utópicos que fueron evidentemente reforzados por la lucha que contra ciertos tabús sociales trataba en España una minoría deseosa de abrir nuevos horizontes al país. Gracias a la oportunidad de viajar al extranjero, Ganivet sintió con mayor plenitud los aspectos que estorbaban el progreso social de España, y desarrolló en su libro esos temas, que nada tenían de chocante en un ambiente como el de Bélgica o el de Francia.

Evidentemente, es difícil conjugar un absolutismo monárquico como el de *La conquista del reino de Maya* con una casi anarquía en las costumbres; pero ésta es una de las características de Ganivet.

Tiene dos puntos de vista, bastante diferentes: uno, exento de todo subjetivismo, cubre a toda la sociedad española; otro, personal, sólo tiene en cuenta su propia vida. Si tomamos como base de la afinidad entre Galdós y Ganivet el vacío enorme que el primero iba a llenar en la vida del segundo al sancionar un estado civil anómalo, nos daremos cuenta más fácilmente de la línea social seguida en *La conquista del reino de Maya*.

Robert Ricard ha destacado ya ciertas afinidades y oposiciones entre Pío Cid y Agustín Caballero, el protagonista de *Tormento*. Pero al lado de esta nueva influencia galdosiana hay que poner otra, bastante inesperada: la influencia de Pedro Antonio de Alarcón. Ganivet tenía en gran estima al autor de *El sombrero de tres picos*. «Si lo leyeras después de conocer el terreno —escribía a Navarro Ledesma—, le pondrías muy por encima de Pereda y a la altura de Pérez Galdós.» Uno de los libros de Alarcón, *La Alpujarra,* contiene una verdadera apología de los moros, y otro, la *Historia de mis libros*, ataca la política árabe de España al criticar el papel de Felipe II y el de la Inquisición. Alarcón es partidario de una actitud más humana, como la de Isabel la Católica y Carlos V, una actitud que hubiera impedido ahogar en España la cultura musulmana. Es fácil enlazar este punto de vista con el de Ganivet, que en *La conquista del reino de Maya* demuestra su desprecio por la política colonizadora de Leopoldo II de Bélgica y por el mal uso de la palabra «civilización». Ambos escritores unen sus voces para que se reconozca cierta autonomía a los naturales del Mahgreb y a los del África ecuatorial. En varios momentos, Ganivet vincula el destino de los musulmanes con el del gobierno español, y llega a hacerse eco del sueño utópico de los árabes de volver a imperar en España.

Sin embargo, la huella de Alarcón es más visible aún en *Los trabajos de Pío Cid*. Alarcón presentaba en *El escándalo* dos personajes opuestos, Lázaro y Fabio Conde. Lázaro posee su fuerza independientemente de la religión, y si es cierto que su postura coincide con la del jesuita Pedro Alonso, no invoca, como éste, el nombre de Dios para sus acciones. Es, así, una especie de Agustín Caballero extraterrestre, y se acerca muchísimo al Pío Cid de la segunda novela de Ganivet. El lado profético de Pío Cid, esa intuición tan aguda que le permite adivinar casi los pensamientos, ese desdén por todo provecho material que es ahora una de sus características fundamentales, le hacen perder mucha fuerza como personaje de novela, haciéndosela ganar en cuanto símbolo. Es ése justamente el efecto buscado por Alarcón en *El escándalo*.

Galdós, más humano, mejor observador, más realista, en fin, construye un personaje más fácil de asimilar. No obstante, Agustín Caballero anuncia ya a Pío Cid. Agustín Caballero llega a España (lo mismo que Lázaro) después de una prolongada permanencia en América. Vive allí con las facilidades que da una pingüe fortuna. Lázaro decide regresar a Europa perseguido y trastornado por la calumnia. En ambos personajes se opera una exacerbación de sus características temperamentales; ambos se vuelven misántropos, luego de haber llevado a cabo una verdadera odisea lejos de la patria. Pío Cid vuelve a España aureolado por una fama de «conquistador» que hace desbordar la imaginación de quienes lo rodean, pero la realidad de su pasado permanece desconocida aun para los más allegados a él. Galdós presenta a Agustín Caballero como un héroe que ha prestado grandes servicios a la civilización americana, y que se siente desorientado por el cambio de atmósfera en una ciudad como Madrid, donde la gloria consiste en saber hacer bien el nudo de la corbata. Agustín Caballero es un hombre tímido, rico, ordenado; amigo de las comodidades, ha descuidado por completo la cultura enciclopédica. Pío Cid es exactamente lo contrario. Pero estos rasgos opuestos se encuentran en ciertos momentos y producen resultados parecidos. Por ejemplo, el personaje de Galdós había vivido quince años sin mirarse en un espejo, sin reparar en su apariencia física, y solía quedarse serio y taciturno en medio de la alegría general, incapaz de sostener una conversación sobre temas superficiales. Evidentemente, estos rasgos podrían convenir muy bien al personaje de Ganivet. Pero, a pesar de su timidez, Agustín Caballero se burla de la sociedad cuando está en juego su felicidad personal. Cuando Amparo trata de matarse a causa de sus relaciones con Pedro Polo, Agustín va al encuentro de su novia y se la lleva, ante los ojos asombrados de Bringas, tal como Pío Cid arranca a Mercedes de la influencia de Juanito Olivares.

En el personaje de Alarcón, nos impresiona su carácter estoico: Lázaro «sacaba a relucir las inflexibles teorías de su moral estoica, comparaba con ellas todo lo que habíamos dicho, nos demostraba que éramos reos de mil clases de delitos y pecados, y nos aconsejaba cosas tan impracticables en la sociedad profana y en nuestro modo de pensar de entonces ...». Pío Cid observa una actitud análoga, aunque más práctica, dado su papel de pseudoeducador. Alarcón acentúa las palabras del padre Manrique acerca del alma humana, para destacar que hay facultades más poderosas que la de la razón pura, o sea, las revelaciones de la conciencia, de los sentimientos, de la inspiración, del instinto. También Ganivet ve en los autores positivistas «una plaga más temible que la langosta». En Lázaro hay una ausencia completa de ideal sentimental, mientras que sus amigos viven pasiones que se desencadenan hasta el punto de llegar a constituir el elemento principal de la trama. Lázaro permanece incólume, y desde la cumbre de su serenidad modera la exaltación sentimental de los otros. Tanto no se puede decir de Pío Cid. Ganivet nos lo muestra bastante frío en *La conquista del reino de Maya*; pero en la segunda novela, Pío Cid protagoniza una historia sentimental junto a Rosita, inicia amoríos con Martina y se deja amar por la duquesa de Almadura. Estos afectos, aunque no superficiales, tampoco son fogosos, ya que en ningún momento responde Pío Cid con un amor tan fuerte como el que inspira, y permanece bastante tibio ante pasiones como la de Rosita y homenajes como los de Soledad de Almadura. El hecho de que Pío Cid haya tentado esas experiencias lo coloca considerablemente más cerca de Agustín Caballero que de Lázaro.

Sabida es la importancia que tiene en Galdós el simbolismo de los nombres propios. También Ganivet crea nombres como los de Soledad de Almadura, Juan de la Cruz, Cándido Vargas, Perfecto Fernández Vila. En esta perspectiva, tiene razón Robert Ricard en ver un paralelo entre el nombre de Pío Cid y el de Agustín Caballero, ya que «el Cid histórico, o mejor, el legendario, era el caballero por excelencia». Los dos caracteres son la interpretación particular de las cualidades de un caballero que en una escuela muy española —la de allende los mares— aprenden las leyes del vivir. Ganivet contagia a su personaje con este afán de colocar nombres que vayan de acuerdo con la personalidad de cada uno. Así, Pío Cid da nuevos nombres a los miembros de la familia de Martina, y prefiere llamar a una persona por un nombre inventado que sea más expresivo que el verdadero. Sabemos, además, gracias a su epistolario, que Ganivet anduvo buscando para su héroe, durante mucho tiempo, un apellido muy español, corriente sin ser vulgar.

Por supuesto, el valor simbólico de ciertos nombres es más patente en las novelas de Galdós que en las de Ganivet. Éste no pudo utilizar de lleno el método, por la sencilla razón de que sus caracteres son menos acentuados que los de Galdós; los personajes de las novelas galdosianas tienen a menudo una singularidad que linda con la locura. Ganivet siente mucha admiración por los personajes desequilibrados, y, pensando justamente en la obra de Galdós, llega a decir que «el loco es el gran asunto del arte». Esta afirmación lo sitúa muy cerca del Federico Viera de *Realidad*: el que piensa o hace algo extraordinario recibe el título de loco porque una sociedad innoble y sin principios no comprende nada que sea grande. El genio poético y la inspiración pasan a ser locuras; todos los grandes hombres son locos. ¿Qué quiere el mundo? ¿Establecer un nivel de vulgaridad que nadie debe sobrepasar?

Estos elementos precisos de la obra de Galdós no parecen ser los únicos que influyeron en Ganivet. En *Los trabajos de Pío Cid* adquiere mucho relieve la burocracia, lo cual nos hace pensar en la atmósfera de *Miau* y de *La de Bringas,* en aquel Madrid que se iba convirtiendo en gran ciudad (se instalaba el gas, la moda recibía la influencia francesa, el oro cedía el lugar a los billetes de banco). Este período de evolución, que Ganivet no acentúa demasiado, es evidente en su principal personaje femenino, Martina, carácter sensual y sediendo de vida, que vibra en el ambiente de Madrid. La ciudad misma de Madrid desempeña uno de los principales papeles en *Los trabajos de Pío Cid*, y ello puede ser un testimonio de la importancia que la metrópoli gana en la novela española a partir de Galdós.

Vemos, pues, que varios elementos de las novelas de Ganivet se remontan a la obra de Galdós, y algunos a la de Alarcón. La sociedad galdosiana estaba más cerca de la sensibilidad de Ganivet, orientada decididamente hacia el realismo; y a pesar de que a menudo escapa de la atmósfera de Galdós, como en el caso de *La conquista del reino de Maya*, su perspectiva crea personajes que siguen el criterio realista del autor de *Ángel Guerra*.

E. INMAN FOX

LAS IDEAS LITERARIAS DEL JOVEN MAEZTU

La vocación literaria, que por su total entrega al periodismo nunca se desarrolló plenamente, está patente en los escritos primerizos de Maeztu, tanto en el estilo sumamente literario y hasta muchas veces metafórico como en la gran cantidad de crítica literaria y de cuentos originales.* No nos detendremos en este trabajo en los numerosos cuentos del Maeztu de estos años, lo cual, por el hecho de que nunca llegó nuestro escritor a cultivar en su madurez la prosa de ficción, pertenecería más bien a un estudio del cuento de 1898. Baste constatar que son muy parecidos a los de los jóvenes Martínez Ruiz, Baroja y Manuel Bueno; es decir, es casi siempre cuestión de temas de propaganda social (en el caso de Maeztu: las huelgas, el hambre, la vida minera, etc.) envueltos en características librepensadoras, entre las cuales se destaca el erotismo. Lo que más nos interesa aquí es su crítica literaria, que sirve para demostrar el reconocimiento muy en boga a la vuelta del siglo de la importancia del papel que podría tener el arte en la renovación sociopolítica del país.

El joven Maeztu, como antes tantos intelectuales de su época, sentía predilección por el teatro, y entre sus coetáneos fue considerado como uno de los mejores críticos. Tenía muy poca paciencia con las obras y las compañías teatrales españolas del día. Como es de suponer, despreciaba el teatro burgués, creyendo que el arte debía conformar con el momento histórico: eso es, teatro que respondiera a los problemas de la lucha social y económica. Según Maeztu, entre los escritores españoles faltaba el reconocimiento de la colaboración del arte en la formación de la patria: una característica que dominaba en el teatro europeo, el único teatro que tenía éxito en España. Lo último comprobaba el abismo que había generalmente entre los

E. Inman Fox, «Introducción», en Ramiro de Maeztu, *Artículos desconocidos, 1897-1904*, Castalia, Madrid, 1977, pp. 38-45.

* Según nuestras investigaciones, sólo escribió el joven Maeztu tres poesías: «A Venus gigantesca», *Germinal* (13 agosto 1897), una imitación del poema de Baudelaire, «La chevelure»; «Pescadores de sardinas», *Germinal* (23 julio 1897), un poema socializante en el estilo de Vicente Medina; y «Rápida», *El País* (8 abril 1898), un corto poema de patriotismo satírico.

artistas y el gran público. Por eso declamaba Maeztu a menudo en favor de *Juan José, Electra* y *Mariucha,* elogiándolas como las mejores obras españolas de la época. La última obra de Galdós, según Maeztu, captó la esencia del problema español: el inevitable conflicto en la sociedad española entre el reciente deseo de trabajar y la innata ociosidad de la clase burguesa.

En «Mi programa», un artículo publicado en *Electra,* el 16 de marzo de 1901, Maeztu teoriza ampliamente sobre su concepto de la literatura y de la crítica literaria. Y no nos sorprende que cite a Nietzsche, un pensador tan rico en ideas estéticas como en ideas éticas, como punto de partida: «ver la verdad por la óptica del artista, pero el arte por la óptica de la vida». Así es que Maeztu le da al artista un puesto de superioridad como vidente de la verdad y creador de ideales; pero «antes de artista y después de artista el escritor ha de ser hombre, y hombre de su tiempo». Entonces, si el verdadero artista es capaz de sintetizar las experiencias de la vida, es, al mismo tiempo, enmarcado por su estado de hombre y su tiempo histórico. La pura técnica —lenguaje, proporciones, composición y asunto— es necesaria, pero sin valor si no encierra algo que afecte el interior, lo íntimo, del hombre. Las preguntas que se haría, escribe el Maeztu crítico, después de una lectura, son las siguientes: «¿Qué me deja? ¿En qué se han esclarecido mis nociones del mundo? ¿En qué ha aumentado mi sensibilidad ante lo bello? ¿Ha crecido mi fuerza? ¿Me ha señalado peligros nuevos? ¿Soy más apto para el combate de la vida?». Pues, según Maeztu, el ideal para la nueva España —y para él el único arte que vale, como hemos dicho, es el que corresponde a la situación histórica— es un intercambio cultural entre los artistas y el pueblo —artistas que se nutren en los deseos del pueblo y un pueblo nutrido por una visión artística: «Tenemos los elementos: riqueza en el suelo y ganas de poseerla; luz en el aire y ansias artísticas de saber gozar de ella; hombres de presa y nutrida juventud intelectual. Sólo que unos y otra se hallan tristes porque están separados; como fue triste, falta de arte, la Grecia primitiva y la Italia de Dante, y triste, falta de acción, la medieval Bizancio. Todo es cuestión de concertar nuestras fuerzas en sintética vida de arte y de trabajo, de creación total y de mutuo respeto y contemplación recíproca».

Y Maeztu es fiel a su programa en su crítica de la novela de Dimitri Merejkowski, *La muerte de los dioses,* el libro que, con

Quo vadis? y *La conquista del pan,* más se vendía en España alrededor de 1900. Reconoce Maeztu sus defectos formales —falta de imaginación en la reconstrucción histórica, etc.— y admite que no es una obra de arte ideal; pero a pesar de esto, llega a España en buen día: «Nuestro pueblo, el único europeo que había pemanecido extraño de por dentro al Renacimiento, a la Reforma y a la Revolución, comienza a pensar en el problema religioso. Ya era tiempo». Puesto que Juliano el Apóstata había fracasado en su empeño de resucitar la alegría y la fuerza porque el cristianismo había creado un ambiente de muerte y de tristeza, la novela de Merejkowski lleva un mensaje y un consuelo para el pueblo español: «Por lo que hace a nuestro pueblo, la religión, un tiempo monopolizadora de su espíritu, hoy sólo ocupa nuestra piel. Todo indica que las presentes agitaciones nacen del íntimo deseo de librarnos de semejante costra».

Con su lema nietzscheano a cuestas, Maeztu se lanza también a evaluar el *Quijote,* que, ya empezado el siglo, se iba convirtiendo en guía espiritual para los intelectuales españoles. Y tomando en cuenta el cambio radical de ideología en el Maeztu tardío, es interesante notar que sus ideas sobre el *Quijote* nunca variarían, y que gran parte de sus ensayos tan discutidos en el libro *Don Quijote, Don Juan y la Celestina* (1926) se encontraban ya formados y expresados en artículos de prensa de los años 1901-1904. «El libro de los viejos», del año 1901, constituye el primer artículo de Maeztu totalmente dedicado a una interpretación de la obra maestra. Forma parte de la serie de artículos dialogados que contribuyó Maeztu a *La Correspondencia de España* en el mismo año. Su interlocutor es el imaginario doctor Whitney (recuérdese que es el apellido de la madre, inglesa, del joven Ramiro), quien siempre expresa las ideas del mismo Maeztu, lo cual es significativo, puesto que Maeztu ya lleva varios años proclamando la superioridad de la mentalidad anglosajona y la necesidad de implantarla en España. Para Whitney (Maeztu), el *Quijote* es un libro decadente; no por su estilo o concepción artística sino sencillamente porque refleja un ambiente de cansancio. Aquí juzga Maeztu el *Quijote* «por óptica de la vida», para él la vida exterior o histórica. Cervantes escribió el *Quijote* en un momento de fracaso, de derrota personal; sólo buscaba el descanso en un ensueño que no se podría realizar. El ideal del pueblo español también se esfumaba mientras perdía su imperio y la lucha contra la Reforma y el Renacimiento. Entonces, Maeztu veía en el *Quijote* una apología genial de la decadencia de un pueblo. «La decadencia empieza más atrás, cuando se quieren cosas que no se pueden realizar, cuando tenemos que declararnos vencidos ante el ensueño imposible, cuando lo real, humillado frente al ideal enhiesto, se encoge y se anonada. Y si no me equivoco en este juicio, ¿cabe mejor ejemplo de libro decadentista que el *Quijote*?»

Siguiendo al hilo su programa de crítico literario, Maeztu vuelve sobre su negación del *Quijote* como libro propio a la digestión actual en «Ante las fiestas del *Quijote*» (*Alma Española*, 13 de diciembre de 1903). Aquí se trata de la celebración, en 1905 —ya proyectada en 1903 por Mariano de Cavia y *El Imparcial*— del tercer centenario de la impresión de la primera parte de *Don Quijote*. Maeztu cree que el entusiasmo e interés vienen sólo de parte de los literatos y los eruditos: «Se ha dicho en todos los tratados de retórica que el *Quijote* es la cristalización eterna del alma española en su forma idiomática y en su doble fondo idealista y realista, y todos los hombres que se forman del espíritu nacional una idea histórica y literaria, más que geográfica y sociológica, se sienten invenciblemente atraídos al pensamiento de festejar en el libro de Cervantes el símbolo de España». Pero nada indica que la parte no erudita del pueblo comparta este entusiasmo. El pueblo actual, insiste Maeztu, no lo siente por ser distinto el sentir de la España del siglo XX al de la España del siglo XVII: «¿Pero no es posible que haya antagonismos entre el espíritu que inspiró el *Quijote* y el espíritu actual de nuestro pueblo?». Se dice que España está en el *Quijote* como la Grecia antigua en la *Odisea*, como la Italia medieval en la *Divina comedia*, como la Inglaterra en *Robinson Crusoe*, como Alemania en el *Fausto*. Pero estas obras, objeta Maeztu, fueron escritas en momentos de ascenso cultural e histórico, y son obras de alegría, idealismo y esperanza, mientras el *Quijote* se escribió precisamente al iniciarse el descenso de España. No relaciona Maeztu la causa con el efecto; sólo insiste en el hecho de que no encaja el *Quijote* en el espíritu de la nueva España. El arte tiene una misión social y lo que debe hacer es estimular al pueblo a la acción reconstituyente. «Guardemos el *Quijote* para nuestras fiestas íntimas; pero seamos altruistas, ya que nuestra decadencia nos permite serlo, y no pretendamos convertir en libro vital de España ese libro de abatimiento y de amargura. No veamos en España un espectro histórico, un fantasma doloroso, una cruel pesadilla; contemplémosla mejor como un niño próximo a na-

cer, cuyos primeros vagidos se perciben en esa íntima agitación que
deja estupefactas a nuestras clases directoras, históricas, gastadas, decadentes, próximas a morir. Y, en consecuencia, no pongamos en
sus manos los libros que la retraigan de aventuras, sino los que la
exciten a la acción, y toda acción es aventura. Guardemos para nosotros el veneno y demos los antídotos a esa futura España, conquista-
dora de la alegría y de la fuerza, cuyo primer empeño ha de consistir
seguramente en renegar de sus progenitores.» Hablando en otro sitio
del *Quijote,* Maeztu dice lo mismo en palabras nietzscheanas: «Escrito está: romped las tablas viejas. Y la España joven, que es la
fuerte, ha jurado romper las tablas viejas» («Don Quijote en Barcelona», *Alma Española,* 20 de diciembre de 1903). [...]

«Poesía modernista» (*Los Lunes de El Imparcial,* 14 de octubre
de 1901), su primer artículo sobre el modernismo, es sumamente sarcástico —de tono larresco bastante común en los escritos del joven
Ramiro— y se burla Maeztu del arte por el arte, el vocablo por el
vocablo, del efecto por el sonido, en fin, de todos los elementos de
una poesía sin pensamiento. Lo termina, con una referencia cruel a
Juan Ramón Jiménez, aconsejando a los modernistas que sobre todo
no tomen su poesía en serio: «¡Nada de pensamiento! ¡Nada de
poner en vuestros magníficos juegos malabares corazón ni entusiasmo!... Es el modernismo como ciertas mujeres; bueno jugar con
ella, ¡pero no enamorarse!... Esas muñecas que necesitan muchos
trapos... ¡a lo mejor resultan terribles!... No imitéis a los que han
buscado el secreto de París, "la hora cárdena", en las copas de
ajenjo... No imitéis a vuestro desgraciado Juan Ramón Jiménez, el
autor de *Ninfas* y de *Almas de violeta,* joven culto, millonario,
delicadísimo lírico cuando escribía sencillamente, y que, atraído por
las caricias de los astros y la sabiduría de los murciélagos, ha dado
con sus huesos, a los veinte años de edad, en una casa de aliena-
dos ...».

En «Todos modernistas» (*Diario Universal,* 15 de marzo de
1903), Maeztu empieza por rechazar la posibilidad de un «arte por
el arte». Argumento que el viejo problema del fondo y de la forma ha
sido resuelto hace tiempo: «El fondo en la obra literaria es el pensamiento; la forma, el lenguaje. Pues bien; el pensamiento —dice Max
Müller— sin las palabras, no es nada; las palabras sin el pensamiento, sólo son ruidos vanos». Se lo proponga o no el artista, según
Maeztu, toda obra de arte encierra un objetivo ulterior. Y de nuevo

son palabras de Nietzsche que resumen la posición del joven Ramiro: «¿*El arte por el arte?* —¡serpiente que se muerde la cola!—. ¿Qué hace todo arte? ¿No alaba? ¿No glorifica? ¿No aísla? Pues con esto, el arte *fortalece* o *debilita* ciertas evaluaciones... El arte es el gran estimulante de la vida: ¿cómo creerlo sin finalidad, sin objetivo, cómo llamarlo el arte por el arte?».

JOSÉ LUIS ABELLÁN

EL REACCIONARISMO DE MAEZTU

El socialismo tan personal y matizado de la juventud de Ramiro de Maeztu no desaparece de pronto. Hacia 1910, estando ya de corresponsal en Londres, todavía le escribe en una carta a Ortega, de quien era íntimo amigo,* lo siguiente: «Me habla Ud. de socialismo.

José Luis Abellán, «Ramiro de Maeztu o la voluntad de poder», *Sociología del 98*, Península, Barcelona, 1973, pp. 287-295.

* Las relaciones entre Maeztu y Ortega están aún por estudiar detenidamente. En julio de 1908, Ortega dice polemizando con Maeztu: «Leyendo esto me he puesto a recordar los tiempos, no muy lejanos, en que, unidos por estrecha amistad, íbamos a lo largo de estas calles torvas madrileñas, como un hermano mayor y un hermano menor, entretejiendo nuestros puros y ardientes ensueños de acción ideal. Y no acierto a comprender cómo aquella no rota fraternidad ha venido cayendo tanto que hoy me hace usted decir y pensar cosas tan ineptas». Un poco después en el mismo artículo dice: «En otro tiempo —¿recuerda usted?— gustábamos de dejarnos abrasada la fantasía sobre una página de Nietzsche», añadiendo a las cuatro líneas: «Con frecuencia me asaltaba una remembranza de aquel tiempo, gratísima y devota». El artículo titulado «¿Hombres o ideas?» es contestación al que Maeztu había publicado en la revista *Nuevo Mundo* el 18 de junio del mismo año, titulado: «Hombres, ideas, obras». A éste contesta Ortega con «Sobre una apología de inexactitud», aparecido en *Faro*, el 20 de septiembre, al que todavía replica Maeztu con «Brumas y sol», en *Nuevo Mundo*, el 3 de noviembre de 1908. La polémica indica una cierta susceptibilidad entre ambos, que habrá de predisponer para la ruptura posterior. Sin embargo, la amistad continúa por lo menos hasta 1914, fecha en que Ortega dedica a Maeztu su primer libro, *Meditaciones del Quijote,* con estas palabras: «A Ramiro de Maeztu, con un gesto fraternal». En la segunda edición de dicho libro, de 1921, esa dedicatoria ya no aparece. ¿Qué ha pasado entre ambas fechas? Es aventurado entrar en detalles que no conocemos. Sin embargo, Eugenio Vegas Latapie cuenta una anécdota con res-

Yo también soy socialista ... ; hace más de dos años que no he publicado una línea que no sea estricta y rotundamente socialista». Aunque Maeztu añade que disfrazaba su socialismo en los escritos públicos, por táctica, la verdad es que ese supuesto socialismo fue evolucionando durante su estancia en Inglaterra hasta convertirse en otra cosa. La influencia del socialismo gremialista inglés irá cobrando cuerpo, hasta formar un volumen que tiene su origen en los artículos originalmente publicados en *The New Age*. El libro aparecerá en Londres con el título *Authority, liberty and function in the light of the war* (1916), traduciéndose después como *La crisis del humanismo* (Barcelona, 1920). En él se inicia la tendencia corporativista que va a caracterizar desde ahora el pensamiento político de Maeztu. Empieza criticando los princios de autoridad y libertad para defender el de función, que considera la categoría básica del hombre en sociedad. El hombre se caracteriza por su función en sociedad, entendiendo por tal un servicio que el hombre presta a los demás y en el que debe sacrificar su personalidad a valores objetivos. De estos valores objetivos. Maeztu destaca cuatro fundamentales: el poder, la verdad, la justicia y el amor.

El libro es axial en su biografía, y en él aparecen características nuevas que han de marcar definitivamente su evolución y su pensamiento. En primer lugar, supone un giro absoluto en lo que concierne a la doctrina de la personalidad, que Maeztu consideró centro del mundo, convirtiéndola ahora en simple instrumento para la realización de los valores objetivos y auténticos de la vida humana. Consecuencia de esto es una nueva valoración positiva de lo religioso y dentro de lo religioso, del sentido del sacrificio personal en aras de

pecto a Pérez de Ayala, que puede ser iluminadora; dice así: «Un día del bienio Lerroux-Gil Robles, se presentó Maeztu en la habitual tertulia de Acción Española visiblemente excitado, refiriéndonos que, en el portal de su casa, se había encontrado con su antiguo amigo Pérez de Ayala, el perpetuo embajador de la República en Londres, y al saludarle éste y decirle que a ver si se veían para recordar tiempos pasados, él le había contestado: "Mire usted, Pérez de Ayala, mientras que usted crea que los que rezamos el Padrenuestro somos unos idiotas, yo no tengo nada que decirle"» (*Defensa de la Hispanidad*, Madrid, 1941, pp. 15-16). Si tenemos en cuenta la estrecha amistad entre Pérez de Ayala y Ortega, podemos suponer sin riesgo que la actitud de Maeztu habría de ser muy similar ante el antiguo amigo. En cualquier caso, parece evidente que la ruptura amistosa habría de estar estrechamente relacionada con el cambio religioso que se había operado en Maeztu durante su estancia en Londres hacia el año 1916.

un ideal. Desde entonces habrá en Maeztu un ímpetu vocacional hacia el sacrificio, que le llevará a buscar la muerte en los años finales de su vida. [...]

De esa época de Londres en los años de la primera guerra mundial data, pues, una serie de características decisivas en el Maeztu de los años posteriores: el reencuentro con el catolicismo, la conciencia del valor del sacrificio, la reafirmación del poder como valor máximo, el corporativismo aplicado a la política. Desde este último punto de vista —el político— el tránsito se efectuó sin violencia, pues creía que así realizaba el verdadero sentido del socialismo, que era el sacrificio de la persona en aras de lo colectivo, así como el de lo colectivo en aras de los valores espirituales supremos (Dios). La evolución del socialismo al corporativismo y al catolicismo no tiene el carácter de una ruptura ni de una «conversión» palabra que él siempre evitó. Así el artículo que Eugenio Vegas Latapie publicó en *Acción Española* con el título de «Razones de una conversión» llevaba originalmente este otro: «Por qué me hice más católico». Esto explicaría la opinión que el conde de los Andes atribuye al historiador inglés G. D. H. Cole, a quien dice que le oyó calificar a Maeztu hacia 1929, en sus clases de la Universidad de Oxford, como defensor de «un socialismo cristiano muy original».

Hay todavía un punto en que se supone que Maeztu rompe en estos años con sus ideas de juventud: es el de la adhesión a Nietzsche, a quien casi siempre alude disidentemente en *La crisis del humanismo*. Sin embargo, del mismo 1916 es *Inglaterra en armas,* obra en la que se contiene una verdadera apología de la guerra de evidente influencia nietzscheana. Allí dice: «Lo que ha de hacerse en todo caso es reconocer el hecho de la fuerza. Hay que ser fuertes para poder mantener el derecho». De los tres valores supremos —poder, verdad y amor—, a los que Maeztu considera atributos divinos, el poder va a ocupar un lugar privilegiado en su concepción, bajo la inspiración de la nietzscheana «voluntad de poder» que nunca le abandonó.

Al regresar Maeztu a España en 1919, y más tarde en el encuentro con la «hispanidad» durante su estancia como embajador en Argentina, hace entroncar sus ideas con lo que considera los tres grandes mitos de la cultura española. Así surge su libro *Don Quijote, don Juan y la Celestina* (1926), donde Don Quijote es encarnación del amor, Don Juan del poder y la Celestina del saber o la verdad. Se trata de una versión española de los tres atributos divinos, a través del mito, para lo que parece estar especialmente dotada nuestra tradición filosófica.

De los tres, sin embargo, para mí es evidente que el mito de Don Juan ocupa en lugar preeminente en esta construcción. «Don Juan es la fuerza, y la fuerza es un bien», nos dice. Y más adelante pide clamorosamente: «¡Danos, Señor, la fuerza, la vida, el poder, la victoria!». Los otros atributos —saber y amor— sólo podrán mantenerse si hay una fuerza que los apoye; ya que sin poder el amor y el saber se nos vienen abajo. Por ello dice al final: «Si no hay en el universo, y detrás de él, una Armonía de poder, de saber y de amor, donde el poder se mantiene sin menguas, porque sabe hacerlo y porque todos sus elementos se unen en el amor; si el poder de don Juan no es un préstamo de que deba dar cuenta, y sólo un capricho de la naturaleza ciega, nadie tendrá derecho a censurar a su amo porque lo malgaste como quiera». En otras palabras, el poder es el pilar sobre el que se apoyan los otros valores, y si éstos no existen él es el único reino del mundo. «Si detrás de nuestra tabla de valores —dice— no hay una escala cósmica, un metro universal, un patrón absoluto ... si no hay un Dios en los cielos, don Juan tiene razón.» El poder es la clave, en definitiva, y la voluntad de poder, el resorte que mueve el mundo.

Esta voluntad nietzscheana de dominio que recorre el pensamiento de Maeztu va conformándose de distintas maneras a lo largo de su obra; expresiones de la misma se hallan en su admiración por dos grandes poderes: Estados Unidos y el dinero. Ramiro de Maeztu hizo un viaje a aquel país durante 1925-1926, fruto del cual son los artículos recogidos en el libro *Norteamérica desde dentro,* donde manifiesta su admiración a dicho país, como expresión de ese poder que él admiraba tanto. Queda esa idea muy claramente expuesta en un artículo donde critica el ideal de Rodó, porque «le falta, desde luego, la fuerza. Carece de poder. Es un ideal impotente hasta por definición». El ideal norteamericano, por el contrario, es más completo, puesto que ha sabido incorporar ese elemento de poder, hasta armonizarlo con los otros ideales de amor y saber, de donde deriva «el secreto que ha elevado a aquel pueblo a su actual posición hegemónica». Por otro lado, está muy claro que ese poder es el que se funda en la riqueza o el poder militar, si bien —añade— «el poder económico me parece más perfecto, pero más complejo, que el militar». El libro enlaza, pues, con otro titulado *El sentido reverencial del dinero,* cuya tesis explicita así: «el dinero merece reverencia porque es bueno, porque es un bien ligado intrínsecamente, como todos los bienes, al bien general, que es la unidad del bien». Esta creencia en la bondad natural del dinero al que llama «oro Santo» está tan arraigada que en un momento llega a afirmar lo siguiente: «Sin dinero, mejor dicho, sin poder, no hay bondad efectiva, sino meramente buena voluntad o buenas intenciones». Ahora bien, el dinero, como vemos, es, en definitiva, reverenciado, porque «su esencia consiste en ser poder», de modo que es una forma de esa admiración por el poder que Maeztu mantendrá incólume a lo largo de su vida. Quizá no está de más recordar ahora el canto al «oro vil», que citamos antes y lanzado en los comienzos de su carrera literaria.

La expresión culminante de esta exaltación de la voluntad de poder está en *Defensa del espíritu,* una obra en la que trabajó Maeztu durante el último año de su vida y que no llegó a acabar. Nos han quedado, sin embargo, elementos suficientes para una caracterización de lo que sin duda habría de constituir su obra más importante. Se trata en ella de dar fundamentación filosófica a ese elemento de poder que, junto con el amor y el saber, constituye la unidad del espíritu. Y es que en definitiva «nada es más fuerte que el espíritu», puesto que es el único poder, entendiendo por éste «la capacidad de conducir y dirigir la energía». Sale al paso de las ideas de Nicolai Hartmann y Max Scheler que hablan de la importancia del espíritu, para recabar su propia definición en que poder y espíritu se imbrican y compenetran tan profundamente que en realidad todo espíritu es poder y todo poder, si lo es de verdad, es espíritu. A esta luz se puede comprender mejor su frase sobre el «sentido reverencial del dinero» que, a primera vista, ha de sonar a idolatría, y es que la reverencia hacia el dinero no lo es sino para el sentido espiritual que, como todo poder, lleva implícito. Así, dice del dinero: «Porque es también espíritu, y espíritu es la unidad de cuerpo y alma, es por lo que se le ha de considerar con reverencia». Esa fuerza del espíritu está en que asume y orienta las energías originarias de los estratos inferiores, que se le someten fácilmente; no podría por menos de ser así, ya que en los instintos e intereses no hay propiamente poder, sino una energía mecánica, abandonada a sí misma, que necesita del espíritu para encauzarse. El peligro y la tragedia del espíritu es que puede dar la espalda a los ideales —saber, amor, poder— y volverse contra sí mismo, quedando, sí, entonces a merced de los impulsos inferiores. La encarnación suprema de ese poder es, lógicamente, Cristo, máxima encarnación del espíritu: «en sus actos —dice— se nos revela no tan sólo un poder muy superior al nuestro, sino una disciplina o maestría de ese Poder que hacen de Jesús el mejor profesor de energía, como se decía hace treinta años».

Me parece útil terminar con un examen del libro más famoso y polémico de Ramiro de Maeztu, *Defensa de la hispanidad* (Madrid, 1934), que obtuvo en pocos años varias ediciones. En realidad, se apoya doctrinalmente en el libro anterior, aunque éste fuese redactado con posterioridad, pero su influencia y sus implicaciones han sido tales que merece la pena detenernos en él especialmente. Aunque se presenta como una indagación y una defensa de los valores hispánicos, el libro va mucho más allá por la peculiar interpretación que de éstos hace. Un análisis de la España del Siglo de Oro le advierte a Maeztu que el verdadero valor de nuestra cultura está en «la defensa del espíritu universal contra el de secta». Así, define la aportación fundamental de la hispanidad como un humanismo caracterizado por «una fe profunda en la igualdad esencial de los hombres, en medio de las diferencias de valores de las distintas posiciones que ocupan y de las obras que hacen, y lo característico de los españoles es que afirmamos esa igualdad esencial de los hombres en las circunstancias más adecuadas para mantener su desigualdad y que ello lo hacemos sin negar el valor de su diferencia, y aun al mismo tiempo de reconocerlo y ponderarlo. A los ojos del español, todo hombre, sea cual sea su posición social, su saber, su carácter, su nación o su raza, es siempre un hombre». Este espíritu de fraternidad es el que une a la comunidad de los pueblos hispánicos en un sentido espiritual e ideal, que Maeztu identifica con el catolicismo.

La identificación con el catolicismo le lleva a una gran admiración por la obra de España en América y a una conciencia misional de dicha obra, en cuya restauración cree que puede hallarse la salvación del mundo. Muy influido por la primera guerra mundial y por los vaticinios catastróficos de Spengler respecto a la civilización occidental, sumida en una crisis de la que Maeztu cree que no podrá salir, «como no se guíe por principios de autoridad y universalidad, análogos a los de nuestra tradición».

La propuesta de Maeztu es volver a la tradición católica y auto-

ritaria que llevó a una desconocida etapa de grandeza imperial, y que
se fue perdiendo paulatinamente desde el siglo xviii por la adhesión
a principios intrínsecamente disgregadores: la Ilustración, el enciclo-
pedismo, la Revolución francesa, el liberalismo. El liberalismo, sin
embargo, no ha cumplido sus promesas, y por eso «los países principales vuelven la mirada a regímenes de autarquía». Incluso para
los mismos españoles «no hay otro camino que el de la antigua Monarquía Católica, instituida para servicio de Dios y del prójimo».
Catolicismo e hispanidad se identifican plenamente, ya que el sentido
universalista de nuestros pueblos sólo puede realizarse por el catolicismo. En esa línea, propone Maeztu un lema para Caballeros de
la Hispanidad: servicio, jerarquía y hermandad, como antagónicos
a los principios del liberalismo: libertad, igualdad, fraternidad. La
ideología de Maeztu se tiñe así de un carácter aristocrático y autoritario muy cercano al superhombre de Nietzsche, encarnación de
esa voluntad de poder que no le abandonará ni en estos últimos
años. Nos lo ratifica una vez más Gonzalo Sobejano con estas palabras: «Entre el "hombre omnipotente" o "sobrehombre mesiánico"
postulado en 1898 y el Caballero de la Hispanidad proyectado en
los años de la Segunda República hay menos diferencias de las aparentes: se trata de un mantenido modelo de superación humana,
trasunto menor y más concreto del superhombre nietzscheano».

4. LA LÍRICA:
RUBÉN DARÍO, MANUEL MACHADO

La práctica inveterada de los manuales (y el presente libro no ha de ser menos) viene adscribiendo la figura de Rubén Darío a la historia de la literatura española. En principio, ni la incidencia hispánica de sus innovaciones poéticas (no ha sido menor la de Pablo Neruda ni lo fueron, en sentido inverso, las de Larra y Pereda en los escritores americanos del XIX), ni su explícito hispanismo (común en su generación a un lado y otro del Atlántico y siempre contrapesada por un encendido nacionalismo americano) bastan a justificar la inserción de Rubén en lo español, afrontando el riesgo de olvidar una circunstancia americana que fue, sin lugar a dudas, la más decisiva en su biografía personal y literaria.

Ciertamente, Rubén Darío tuvo una herencia cultural básicamente española, como era de recibo en los países más provincianos del continente (Campoamor, Bécquer y los clásicos españoles del Siglo de Oro le son tan familiares en sus primeros versos como el omnipresente Victor Hugo y los griegos y latinos leídos en versiones peninsulares) (A. Quintián [1974]). Más tarde, residió en España, donde fue reconocido como gran poeta y mantuvo estrecha relación con muchos de quienes se estudian en estas páginas (A. Ghiraldo [1943], D. Álvarez [1963]). Con ellos participó activamente en la elaboración del mito hispanoamericanista, versión hispánica de los movimientos de afirmación cultural que proliferaron a la fecha en varios países latinos: para americanos como J. E. Rodó, C. O. Bunge o Rubén Darío, los entusiasmos españoles de 1892 y aun de 1898 —año de la derrota— y 1900 —año del I Congreso Iberoamericano, en Madrid— suponían la conciencia de una identidad que reconocía como enemigo externo al «coloso del Norte» y como oculto enemigo interno el anegamiento de la nacionalidad ante las oleadas emigrantes que afectaron desde 1880 la demografía continental. Para españoles como R. Altamira, M. de Unamuno o R. de Maeztu la conciencia de una comunidad transatlántica entrañaba un sucedáneo sentimental de la carrera imperialista, una afirmación espiritual en momentos de derrota y hasta el orgullo de trocar la imagen de un millón de emigrantes en otro millón de nuevos conquistadores (D. F. Fogelquist [1968], J.-C. Mainer [1977]).

Pero ahí concluye lo hispánico de Rubén, pues lo demás, cuando no es francés, es radicalmente americano (A. Torres Rioseco [1931]), como Unamuno, en sus escritos «antimodernistas» de la revista *La Lectura,* viera con cierta aprensión y no escasa lucidez (A. Marasso [1975]). Fue París, por añadidura, el lugar que contribuyó más a fraguar la unidad literaria de americanos y españoles: si ya las prensas barcelonesas (y luego las madrileñas) descubrieron tempranamente el mercado librero transoceánico (y, en justa compensación, contrataron obras de allí), editores parisienses como Garnier y Ollendorf fueron los más sonados beneficiarios de las nuevas posibilidades y, en gran medida, de la usual convivencia de escritores de aquí y allá en las buhardillas bohemias del mismo Barrio Latino. Como ya sabemos, buena parte del fenómeno modernista puede explicarse en términos de un incremento cuantitativo del mercado literario y de una demanda cualitativa de novedades internacionales que el escritor satisface en tanto le proporcionan un estatuto de creador privilegiado: Rubén plasmó ese vértigo en «El rey burgués», primer cuento de su libro *Azul...* (1888), dedicado, por cierto, a un oscuro «rey burgués» chileno que ni siquiera dio las gracias al autor; Julián del Casal, un cubano entusiasta de la religión rubeniana, comparó, por su parte, al poeta con un genio desterrado de entre los inmortales, enviado por Dios a consolar en la tierra a la languideciente poesía abandonada.

Literatura como mercancía, literatura como emanación de las almas exquisitas, fueron los términos de la antinomia que vivió el modernismo en los países hispánicos, pero en forma muy especial en América Latina. Unas ciudades que vivían a fines del XIX en evidente prosperidad, unas clases elevadas ruidosas y dadas a la ostentación, dictadores con pretensiones culturales, ministerios de asuntos extranjeros que llenaron el cuerpo diplomático de poetas oficiales, fueron la materia prima que posibilitó el primer aspecto; una estancia en París o Madrid, un rimero de poemas de abanico dedicados a las esposas o hijas de los próceres, la ostentación pública de un talante bohemio, fueron, a menudo, el superficial tributo pagado al «sacerdocio de la poesía» (R. Fernández Retamar [1970], Y. Moretik [1965]). En muchos países latinoamericanos —y, especialmente, en los de menor tradición cultural y mayor marginación— el modernismo no fue sino una suerte de romanticismo tardío y, por tanto, indefinidamente prolongado en literatura de salón; en los más complejos y conflictivos, fue una renovación más total que, hacia 1910, dio paso franco a una literatura nacionalista (caso de México) o a formas vanguardistas de mayor fuste (Argentina, Chile, Cuba). En todos, más o menos, significó una renovación sin precedentes del material literario y el origen de la conciencia nacional americana: modernistas fueron los cosmopolitismos, el exotismo y los cisnes lánguidos, pero también las calles de la gran ciudad, los paisajes de la selva y las misteriosas comunidades indígenas; modernista fue el culto a París pero también las interpretaciones de la realidad continental que acendraron la visión dual —campo frente a ciudad, Europa frente a América, terruño contra civilización...— que había sido, desde Bello y Sarmiento, consustancial al pensamiento liberal latinoamericano.

Félix Rubén García Sarmiento (Metapa, Nicaragua, 1867 - León, Nicaragua, 1916) vivió en forma ejemplar y, a menudo, contradictoria los términos de la vida literaria que enunciaba el comienzo del párrafo anterior. Nació en uno de aquellos países marginales, pero desde 1886 vivió en la ciudad chilena de Valparaíso (R. Silva Castro [1958]), donde obtuvo sus primeros éxitos literarios. Tras un viaje oficial a España en 1892 (coincidiendo con las celebraciones del centenario colombino), amplió su experiencia de la nueva urbe americana en la ciudad de Buenos Aires (E. Carilla [1967]) que lo era entonces en grado de excelencia. En 1898 regresa a España y describe para su selecto público del diario porteño *La Nación* una vivencia española que ahora mantiene una mezcla de irónica superioridad y cordial simpatía, las espléndidas crónicas que forman *España contemporánea*. Sostenido por el mecenazgo interesado de varios gobiernos nicaragüenses, Rubén Darío vivió en Madrid, París o la isla de Mallorca, progresivamente estragado por el alcohol, hasta que, próxima su muerte, se trasladó definitivamente a su país natal (A. Oliver Belmás [1960], Edelberto Torres [1952], Ch. Watland [1965]).

Si alguna palabra define los inicios poéticos del escritor, esta sería la de «provincianos». Lo son, en efecto, libros como *Epístolas y poemas* (1885) y *Rimas y abrojos* (1887), escritos casi en la adolescencia y hábil remedo de poéticas ajenas (Bécquer y Campoamor en el último; Victor Hugo y Olegario V. Andrade en el primero), además de superficial adhesión a algunos temas típicos del postromanticismo en general (ciencia y poesía, presente y porvenir, *spleen* y entusiasmo) y del postromanticismo americano en particular (poder del pensamiento creador, entusiasmo nacionalista, panamericanismo). *Azul...* (1888) es el hito augural del modernismo, como, pese a su discrepancia, señalaba una zumbona «carta americana» de Juan Valera: lo componen algunas parábolas en prosa (las mejores se refieren a la conocida relación entre el poeta inspirado, la poesía y el público) y una serie de poemas, ampliada en la reedición de 1890. Si no poco de su contenido sigue aquejado de las limitaciones anteriores, la forma ha sufrido ya cambios decisivos: tanto por lo que hace a la soltura de la prosa y la esplendorosa —aunque a veces innecesaria— variedad de ritmos y metros, como, sobre todo, al subyugante correlato imaginativo convocado para plasmar aquel contenido (E. Lorenz [1960]).

6·   La plenitud modernista de Rubén llega, sin embargo, con *Prosas profanas* (1896), título (quizá tomado de la *Prose pour des Esseintes* de Mallarmé, como *Azul*... fue calcado del emblemático «L'azur» del mismo poeta) que juega con la significación medieval de «prosa» como «verso» y la corrección impuesta por un adjetivo, «profanas», que invierte el sentido religioso de la «prosa» medieval (Rémy de Gourmont, bien conocido por Darío, había puesto de moda la literatura de la Edad Media latina). El libro surge, por añadidura, el mismo año que *Los raros*, retratos en prosa de un museo íntimo rubeniano que patentiza su decidido entronque con la literatura decadentista internacional: Poe, Verlaine, Lautréamont, Rachilde, Ibsen, Eugenio de Castro... figuran entre sus significativos dioses tutelares (E. K. Mapes [1925]). No es, pues, extraño, que el nuevo poemario recoja un atractivo escaparate de todas las evasiones darianas y haya sido inmediata panacea de sus seguidores: el ambiente rococó a la francesa, la mitología griega, lo medieval italiano y lo medieval espa-
7·   ñol (que es, siempre, lo medievalizante prerrafaelita) (F. López Estrada [1971])... Conspiración de belleza y fragilidad de un snobismo que, sin embargo, sostienen algo perfectamente serio: una nostalgia de plenitud que, con alguna simplicidad, Pedro Salinas [1974] vio como tensión erótica y en la que G. Palau de Nemes [1968] ha subrayado la incidencia del neomisticismo del siglo modernista, como Ángel Rama [1973] la estrecha relación con las fórmulas más banales del esoterismo y la literatura fantástica contemporáneas.

Cantos de vida y esperanza (1905) inaugura una nueva manera poética. Prosigue la encendida erotización del universo y buena parte de la imaginería anterior, pero un inevitable fatalismo corrige el exceso verbalista, acendra la dispersión imaginativa en símbolos más profundos y trueca la extroversión en una aguda reflexión íntima. La interpretación americana que puso de moda el *Ariel* de J. E. Rodó (C. Martín [1970]) inspira, a su vez, buena parte del libro y populariza poemas como «Al rey Óscar», «Letanía de Nuestro Señor Don Quijote», «Marcha triunfal» y «A Roosevelt», afirmaciones de lo hispanoamericano frente a lo anglosajón, del espíritu de la raza mestiza y creadora contra el pragmatismo mercantil que amenaza el porvenir de los pueblos del sur. Pero lo que Darío sintió como urgencia afirmativa (la creación de Panamá en 1903 como estado gendarme del canal conmovió el nacionalismo centroamericano de un hombre ya sensibilizado por el «arielismo»), años más tarde se trocó en un insospechado entusiasmo por el progreso material: buena parte de la oda «Al águila» exalta el mismo poderío yanqui amenazado en 1905 y al mismo Roosevelt que antes se emplazaba, y todo ello sin que la Conferencia Panamericana de 1906, origen del nuevo poema, autorizara tan brusca mutación.

La doble línea esbozada por los *Cantos* continuó: en *El canto errante*

(1907) predomina lo cívico (que es exclusivo en el *Canto a Argentina* de 1910, cortesía debida a la oligarquía criolla en el centenario de la nacionalidad), mientras que en el bello *Poema del otoño* (1910) regresa al tono meditabundo —que no excluye la ironía cansada en el marco de una sugestiva sencillez formal— que conocimos en los poemas de los *Cantos*. Como dirá la composición inicial, Anacreonte y Omar Kayam, la «hora amable» y el Eclesiastés, el domingo de amores y el Miércoles de Ceniza, conviven en un alma incurablemente infantil que todavía evoca una variante poco horaciana del tema de la vida intensa, sitiada por la muerte. En esa lancinante inmadurez que, ora exultante, ora arrepentida, cruza los suntuosos versos de Darío reside lo mejor de su talante poético y, en muchos casos, la sublimación de esa carencia logra —en una imagen intuida o en un tono familiar— lo más «moderno» de su obra (O. Paz [1965], E. Anderson [1967], K. Ellis [1974], J. Giordano [1974]); si la herencia de Rubén fue, con frecuencia, lo más superficial del mundo que conjuró para ocultarse, no pocos poetas leyeron también su profunda naturaleza y tanto en un sentido como en otro el desarrollo de la poesía posterior dio razón al tópico: tras Rubén Darío se escribió de otro modo a ambas orillas del Atlántico (R. Lida [1967]).

Las letras españolas no ofrecen, con todo, una gama de poetas de tantos quilates como los que surgieron en América entre 1890 y 1910. En cambio, el modernismo lírico peninsular presenta algún rasgo distintivo que va más allá o que incluso permanece a la zaga del afortunado modelo de las *Prosas profanas*: Juan Ramón Jiménez, por ejemplo, insistió en una influencia de Verlaine que en sus compatriotas mitigó el desatado parnasianismo rubeniano y que fue anterior en el tiempo al verlainismo del nicaragüense; en la misma línea, se ha podido señalar también una mayor contención expresiva y la precocidad de un registro de ironía y autoanálisis, así como de una tendencia a fijar en ciertos clisés escenográficos —jardines solitarios, paisajes elementales, estaciones del año, interiores en sombra— un abanico de melancolías menos variado pero más intenso que el de los colegas transatlánticos. En resumidas cuentas, y como señalaba Octavio Paz, el modernismo español manifiesta, desde sus inicios, una tonalidad paradójicamente postmodernista que, a menudo, puede parecer simplemente postromántica.

Este es el caso de los dos poetas andaluces que han centrado la polémica sobre la autonomía del modernismo español: Salvador Rueda (Málaga, 1857 - Málaga, 1933) y Francisco Villaespesa (Laujar, Almería, 1866-Madrid, 1936). Pero si el primero, casi siempre centrado en temas andaluces, no va mucho más lejos de la fantasía de un Zorrilla, el segundo merece una revisión más detenida, pues en el almeriense el paso de la imagen como elemento decorativo a la imagen como símbolo —y, por ende, a una mayor autonomía de la imaginación poética— es un hecho incuestionable. Juan Ramón Jiménez, que no tuvo empacho en imitarle en su primera época, lo afirmaba con rotundidad al prologar en 1900 *La copa del rey de Thule*: tras el ejemplo de «nuestros hermanos de América» (Gutiérrez Nájera, J. A. Silva, Darío, Lugones, Tablada, Nervo, Valencia, Jaymes Freire...), «al fin, un alma de oro lanzó el grito vibrante, el grito nuevo... Sobre la página tersa debe brillar el verso, no como la masa pesada de oro, sino como oro etéreo ... Así lo ha entendido también nuestro poeta, y su libro tendrá, con la vaguedad del sueño, la eternidad de los días». Villaespesa, que cultivó el teatro poético sin fortuna (Pérez de Ayala reseñó con crueldad irrepetible alguno de sus estrenos) y vivió bastante tiempo en América una suerte de picaresca literaria muy modernista, logró a menudo cumplir los términos juanrramonianos.

Muy otro es el caso de Manuel Machado (Sevilla, 1874 - Madrid, 1947), oscurecido por la gloria de su hermano y no poco por su lamentable actitud ante los vencedores de la guerra civil, pero necesitado de una relectura que, a la altura de su primer centenario, parece empezar a hacerle justicia (G. Gayton [1975], G. Brotherston [1976]). En uno de los escasos trabajos de importancia que se le han dedicado, D. Alonso [1952] definió la situación del mayor de los Machado entre «ligereza» y «gravedad», intrascendencia consciente e inconsciente profundidad, que, años después, L. F. Vivanco [1976] precisaría con más demora; G. Brotherston, por su lado, definiría la singular posición literaria del escritor como una variante del modernismo más intelectual que sensitiva y que, al margen de las improntas concretas de franceses o coetáneos españoles, busca la precisión expresiva.

Nada simple, sino muy calculada, suele ser la poesía del mayor de los Machado. *Alma* (1900), libro señero del modernismo, abunda en viñetas descriptivas a la usanza dariana, pero —como se hará patente en los hermosos sonetos de *Apolo. Teatro pictórico* (1911)— un sutil sentido arqueológico y sintético corrige la impresión evocadora, a la vez que los poemas más personales se tiñen de un distanciamiento no lejano del Antonio Machado más maduro. Del mismo modo, *El mal poema* (1909) ofrece un desgarro —formal y biográfico— que, en más de un caso, puede entenderse como caricatura de *Alma*: un insólito gesto byroniano que se burla del «poeta» y concluye en un plebeyo «todo es conforme y según». Tras el paréntesis de *Cante hondo* (1912) —poemas andaluces que anticipan el neofolklorismo de la generación de 1927—, *Ars moriendi* (1921) y *Phoenix* (1936) tantean una nueva expresividad que debe algo de su talante vital a *El mal poema* y no poco de su forma a la poesía nueva, distanciada ya de las convenciones modernistas. Una crisis religiosa de perfiles muy elementales y su incondicional adhesión al franquismo caracterizaron sus últimos años, pobres en producción y ésta, reiteración de lo más caduco de su creación inicial.

Con su hermano Antonio, Manuel Machado dio al teatro alguna obra en verso que, en los casos de *Las adelfas* o *La duquesa de Benamejí*, buscó una complejidad psicológica y revistió una dignidad no frecuente en tal especie dramática (M. H. Guerra [1966]). También proyectó novelas y publicó una, *El amor y la muerte*, aunque lo mejor de su prosa recogida en volumen está en su curioso dietario *Día por día de mi calendario. Memorándum de la vida española en 1918* (1918) y en los artículos de crítica *La guerra literaria, 1898-1914* (1913) (J. L. Ortiz de Lanzagorta [1974]).*

BIBLIOGRAFÍA

Alonso, Dámaso, «Ligereza y gravedad en la poesía de Manuel Machado», *Poetas españoles contemporáneos*, Gredos (Biblioteca Románica Hispánica, II, 6), Madrid, 1952, pp. 50-102.

Álvarez, Dictino, *Cartas de Rubén Darío*, Taurus, Madrid, 1963.

Anderson Imbert, Enrique, *La originalidad de Rubén Darío*, Centro Editor de América Latina, Buenos Aires, 1967.

Brotherston, Gordon, *Manuel Machado*, Taurus, Madrid, 1976.

Carilla, Emilio, *Una etapa decisiva de Darío (Rubén Darío en Argentina)*, Gredos (Biblioteca Románica Hispánica, II, 99), Madrid, 1967.

Concha, Jaime, *Rubén Darío*, Júcar, Madrid, 1975.

Diego, Gerardo, *Manuel Machado, poeta*, Editora Nacional, Madrid, 1974.

Ellis, Keith, *Critical approaches to Rubén Darío*, University of Toronto Press (Romance Series, 28), 1974.

Fernández Retamar, Roberto, «Modernismo, noventiocho, subdesarrollo», *Actas del III Congreso Internacional de Hispanistas*, El Colegio de México, México, 1970, pp. 685-694.

Fogelquist, Donald F., *Españoles de América y americanos de España*, Gredos (Biblioteca Románica Hispánica, II, 109), Madrid, 1968.

Gayton, Gillian, *Manuel Machado y los poetas simbolistas franceses*, Bello, Valencia, 1975.

Ghiraldo, Alberto, *El archivo de Rubén Darío*, Losada, Buenos Aires, 1943.

* La obra poética de Antonio Machado y Juan Ramón Jiménez debería completar este sucinto panorama del modernismo lírico español. La primera, sin embargo, tiene su lugar en el capítulo final de este volumen. No así la segunda que —en la parte de su evolución que más se ciñe a los supuestos modernistas— será estudiada con el resto de la obra juanramoniana en el siguiente tomo de esta obra, en razón de no quebrar arbitrariamente el proceso de una creación que (al margen de los repudios y enmiendas de su autor) quiso concebirse como la unidad que los responsables de la presente *Historia y crítica de la literatura española* no hemos querido fragmentar.

Giordano, Jaime, *La edad del ensueño*, Editorial Universitaria, Santiago de Chile, 1974.

Guerra, Manuel H., *El teatro de Manuel y Antonio Machado*, Mediterráneo, Madrid, 1966.

Lida, Raimundo, «Rubén y su herencia», *La Torre*, XV (1967), pp. 286-305.

López Estrada, Francisco, *Rubén Darío y la Edad Media*, Planeta, Barcelona, 1971.

Lorenz, Erika, *Rubén Darío bajo el divino imperio de la música*, Ediciones Lengua, Managua, 1960.

Mainer, José-Carlos, «Un capítulo regeneracionista: el hispanoamericanismo (1892-1923)», en *Ideología y sociedad en la España contemporánea* (varios autores), Cuadernos para el Diálogo, Madrid, 1977, pp. 149-203.

Mapes, Erwin K., *L'influence française dans l'œuvre de Rubén Darío*, Champion (Bibliothèque de la Revue de Littérature Comparée, 23), París, 1925.

Marasso, Arturo, *Rubén Darío y su creación poética*, Kapelusz, Buenos Aires, 1975 ³.

Martín, Carlos, *América en la obra de Rubén Darío (Aproximación al concepto de la literatura hispanoamericana)*, Gredos (Biblioteca Románica Hispánica, II, 173), Madrid, 1970.

Mejía Sánchez, Ernesto, *Cuestiones rubendarianas*, Revista de Occidente, Madrid, 1970.

Moretik, Yerko, «Acerca de las raíces ideológicas del modernismo hispanoamericano», *Philologica Praguensia*, VIII, n.º 47 (1965), pp. 45-53.

Oliver Belmás, Antonio, *Este otro Rubén Darío*, Aedos, Barcelona, 1960.

Ortiz de Lanzagorta, J. L., ed., *Prosa* [de Manuel Machado], Universidad de Sevilla, Sevilla, 1974.

Palau de Nemes, Graciela, «Tres momentos del neomisticismo poético del siglo modernista», en Mejía Sánchez, ed., *Estudios sobre Rubén Darío*, FCE, México, 1968, pp. 536-552.

Paz, Octavio, «El caracol y la sirena (Rubén Darío)», *Cuadrivio*, Joaquín Mortiz, México, 1965, pp. 11-65.

Quintián, Andrés, *Cultura y literatura españolas en Rubén Darío*, Gredos (Biblioteca Románica Hispánica, II, 204), Madrid, 1974.

Rama, Ángel, *Rubén Darío: el mundo de los sueños*, Editorial Universitaria, Puerto Rico, 1973.

Salinas, Pedro, *La poesía de Rubén Darío* (1948), Seix Barral, Barcelona, 1974.

Silva Castro, Raúl, *Rubén Darío a los veinte años*, Gredos (Biblioteca Románica Hispánica, II, 30), Madrid, 1958.

Torres, Edelberto, *La dramática vida de Rubén Darío*, Ministerio de Instrucción Pública, Guatemala, 1952.

Torres Bodet, Jaime, *Rubén Darío. Abismo y cima*, FCE, México, 1966.

Torres Rioseco, Arturo, *Rubén Darío. Casticismo y americanismo*, Harvard University Press, Cambridge, Mass., 1931.

Vivanco, Luis Felipe, «El poeta de *Adelfos* (Notas para una poética de Manuel Machado)», *Cuadernos Hispanoamericanos*, n.º 275-276 (1976), páginas 70-108.

Watland, Charles, *Poet-errant: A biography of Rubén Darío*, Philosophical Library, Nueva York, 1965.

RAIMUNDO LIDA

RUBÉN Y SUS ENEMIGOS

Para la simple tarea de agredir [al modernismo], resulta desde
luego más expeditivo el manejo de ismos compactos, los de *Gedeón*
o el *Madrid Cómico,* los de R. D. Silva Uzcátegui o Antonio Aíta.
Todo se iguala bajo la aplanadora de la antipatía y los consiguientes
rótulos. El censor y el parodista hallan fácil presa en esa vasta, desigual producción literaria —y el ingenioso puede hasta entretenerse
desdoblándose en creador y crítico. Porque es verdad que buenos
poetas y versificadores, y otros no tan buenos, siguen a Rubén y a
quienes lo imitan, y es verdad que lo romántico y lo modernista, lo
sentimental y lo pintoresco, las músicas y las musiquillas verbales se
mezclan en proporciones varias y acaban por sedimentarse en honorable medianía.. La lengua literaria normal venía combinando ecléc-
ticamente, desde antes de Darío, el vocabulario clásico y neoclásico
con ciertas notas algo más modernas. Si en Itálica «rodaron de marfil
y oro las cunas» —las de Adriano, Teodosio y Silio—, el posro-
mántico Luis G. Ortiz podía comenzar su soneto «al pie de la inocente y escondida / mística choza en que rodó mi cuna». Con sentido
igualmente vago y variable, y más sensorial a veces, leemos *místico*
y *eucarístico* en Rubén: «la magnificencia mística de sus arquitec-
turas», «hay una lámpara de albo carrara, / de una eucarística y
casta blancura». En las rimas más o menos ricas y difíciles de muchos modernistas, las dos palabras suelen asociarse tan fatalmente
(a menudo tan pobre y fácilmente) como se asocian *enigma* y *estig-
ma,* o como *cirio, lirio y martirio,* según veremos luego en el pri-

Raimundo Lida, «Rubén y su herencia», *La Torre,* XV (1967), pp. 293-301.

mer Lugones. ¿Cómo no iban a prestarse a burla estas y otras exquisiteces de léxico?

Invitaba a la parodia la ostentación de exotismos geográficos e históricos, en que lo zorrillesco se teñía de nuevos tornasoles y procuraba verterse en metros también nuevos y raros, la pretensión de selecta modernidad en tantos escritores mediocres sólo reunidos por las convenciones y *shiboleths* de un vago sub-rubenismo. Francisco Contreras, en unos versos que, no por voluntad suya, suenan casi a parodia de Rubén Darío —como de otro poema de Contreras, la «Canción del Príncipe Zafiro», ha dicho John Fein—, puede echarse a recordar lejanos amores («Llueve, llueve, llueve ... / ... Pienso, pienso, pienso ...») y escribir: «Pienso en ti, graciosa rosa de inocencia, / azulado ensueño de mi adolescencia, / que encendiste en mi alma la ilusión del fuego ...». El autor de *Lo cursi* coloca estratégicamente en *Los intereses creados* versos como «¡Alma del silencio que yo reverencio, / tiene tu silencio la inefable voz / de los que murieron amando en silencio, / de los que callaron muriendo de amor...!», y otros más cursis todavía, que el escéptico Crispín comenta con ironía mientras cae el telón. Será fácil dar hasta a las imágenes del propio Rubén un mecánico empujoncito hacia adelante. El cantor de *Prosas profanas* había hablado de sus manos de marqués; unas estrofas de homenaje al poeta en ocasión de su muerte hablarán de «las manos marquesas de su hastío». Todo muy fácil: el «adelante» pasivo es mera complicación superficial. Silva había escrito, contra los «colibríes» rubendariacos y decadentes, su «Sinfonía color de fresa con leche»; un personaje de novela —*El mal metafísico* de Manuel Gálvez (1916), con sus gruesas tajadas de vida literaria argentina— sigue a su vez, seriamente, el modelo del «Nocturno» famoso en su «Oda a los mares»:

> Y las olas
> y las olas
> y las olas que sollozan las angustias de los mares,
> van sin vida, van cansadas, van dolientes,
> van dolientes
> a morir sobre las playas,
> a morir sobre las playas,
> las lejanas, tristes playas solitarias ...

Y el poeta explica que lo que busca con esas repeticiones de palabras es un efecto como de pedal de órgano. En un mismo libro de Hilarión Cabrisas, *La caja de Pandora,* el molde métrico del «Responso a Verlaine» aparece utilizado, no sólo para una «Oración votiva a José Martí», sino para apóstrofes como este de «Muñecas de cera»:

> Muñecas que al inicio de un remedo de invierno
> lucís pieles lujosas y decorado tierno
> o traje *beige* de casimir;
> y que en las modas frágiles del ardiente verano
> estáis semidesnudas, como en rito pagano,
> bajo la tarde de zafir ...

del mismo modo que, en el último verso de «Fue más que el sol...», asoman los «Sonetos de los doce gozos» de Lugones: «¡y un romántico adiós en tu pañuelo!» (en Lugones, «el silencioso adiós de tu pañuelo») Si el modernista convencional protesta contra los éxitos de la absurda poesía «de vanguardia», evoca como ejemplos inmarcesibles (*Sed de infinito*),

> ... el regio poderío
> de «La Marcha Triunfal» del divino Darío;
> y el misticismo pálido de su dolor acervo [*sic*]
> que ensombreció la vida pura de Amado Nervo;
> y la Pampa infinita de Leopoldo Lugones,
> y de Santos Chocano las incaicas canciones ...

Y derrama por todas partes y con cualquier pretexto sus ripios y sus diluidas imágenes rubenianas:

> Señora: en la lejana línea del horizonte,
> cual un lírico Ulises que una conquista afronte,
> se ve la vela blanca de tu Jasón de ensueño
> que lleva en la cariátide de proa un Clavileño...

El crítico mal dispuesto no reconocerá límites entre Rubén y el rubenismo, entre Juan Ramón Jiménez y el afán de seguir las extravagancias de última moda. Si le es dado mirar más allá de Hispanoamérica y España ¿puede no ver que la alarmante modernidad ha cundido por todas partes? Si le molesta el metro de las «Ínclitas razas ubérrimas» (y, como es de esperar, ignora los lejanos intentos

de Esteban Manuel de Villegas, y los más próximos de López del
Plano, de José Eusebio Caro, de Sinibaldo de Mas), ahí tiene los
«bárbaros» ritmos antiguos de Carducci o D'Annunzio. Si le ponen
de mal humor las princesas tristes (que no querrá asociar a la de
Juan Valera ni a su Príncipe heredero del grande Imperio de la
China), Edmond Rostand le brindará la barata *mysticité perverse*
de su *Princesse lointaine,* de una colorida elocuencia que hoy no nos
parece muy alejada de la de Villaespesa y Marquina, aunque Rostand
aspirara a codearse con Hugo, Wagner y Maeterlinck. Con recelo y
mal humor es fácil verlo todo como una vasta conjura de innovaciones contra el espíritu nacional. No de muy otra manera se habían
dirigido pullas o sarcasmos, siglos antes, al afrancesado Santillana, al
italianizante Garcilaso, al anticastizo Góngora. En España, el rece-
loso y malhumorado puede olfatear sospechosas tendencias antipu-
ristas en un bando literario en que influyen con exceso los hispanoamericanos. Fray Francisco Blanco García [agustino de El Escorial
y autor de una *Historia de la literatura española en el siglo XIX* en
3 vols.] denuncia el peligro aún antes de aparecer *Prosas profanas.*

El enemigo está a la vista, y el crítico tiene sobrada tela en que
cortar, si se abstiene de distinguir calidades. Futuros grandes poetas, y medianos, y malos, se muestran ahí revueltos, ante el pole-
mista, como en una muchedumbre de imitadores —principalmente
de Darío, de sus discípulos y de algunos de los «raros» sobre los
que él llamó la atención— que trastornan anárquicamente las costumbres literarias de la época. Se reconocen a cada paso jirones de la
imaginería de Rubén, de su léxico, de su versificación, de sus temas y opiniones. Y es verdad que muchos de los imitadores se quedan en eso, en jirones, en fragmentos sueltos y piezas inertes, mientras que los otros, los verdaderos poetas, siguen adelante. El apóstrofe
a Roosevelt hace llorar noblemente al mexicano Icaza —nos cuenta Juan Ramón Jiménez—, pero en otros suscita admiraciones e
imitaciones bobas; Rubén mismo comenta, benévolo, la del joven
Carrasquilla Mallarino, sin callar su excesiva e ingenua verbosi-
dad, «defecto de la primavera y del americano bosque». Rubén sabía
distinguir bohemias involuntarias, falsos azules nocturnos, faunidas
de «tranquilidad y pasividad esencialmente burocráticas»; Fernández Moreno, fino, respetuoso, canta a un Darío «triste, genial y erra-
bundo»; los rubenistas-masa no tienen empacho en llamarse a sí
mismos, sin peligro de que se les desmienta, «hermanos en vida y

suerte» de «Villon, Verlaine y Darío» (Fernán Félix de Amador).
Dentro de la atmósfera común, escritores de méritos parecidos pueden ser de conducta y tono vital bien diversos, y traducirlo en
exterioridades retóricas muy distintas también. Cabe el versificador
mediano que se dedica mansamente a bordar sobre los hallazgos
de Darío o Silva. Y cabe el versificador, mediano también, pero
no manso sino cerril, que procura abrirse calle a codazos. Estas son,
a veces, fisonomías permanentes, y a veces meras etapas, que el buen
poeta suele muy pronto dejar atrás.

Imposible sujetar críticamente la obra de Rubén, en movimiento
a través de tres largas décadas, a las convenciones —incluidas las
suyas— en que los imitadores pasivos quedan presos. El contraste
con los lánguidos poetas de moda sirve a Galdós para elogiar al alegre y desenvuelto Enrique Gómez Carrillo y hasta al ligero Luis de
Tapia. Pero en tan elemental escala de valores ¿dónde colocar al
poeta de «Phocas el campesino», de la «Revelación» y de «Yo soy
aquel...»? Frente a los convencionales, el lector que responde con
profunda simpatía a ciertos poetas —no necesariamente Rubén— y
a muy determinados poemas, se resiste a disolverlos en ismos supra-
individuales. Y es muy natural que no se resignen a la autodisolu-
ción los poetas así clasificados. Sanín Cano podrá afirmar que
Unamuno, «sin saberlo, es un poeta modernista». Algo tendría que
decir sobre tal afirmación el meditador de Salamanca, que declara
en marzo de 1918: «No sé bien qué es eso de los modernistas y el
modernismo, pues llaman así a cosas tan diversas y hasta opuestas
entre sí, que no hay modo de reducirlas a una común categoría. No
sé lo que es el modernismo literario pero en muchos de los llamados modernistas, en los más de ellos, encuentro cosas que encontré
antes en Silva. Sólo que en Silva me deleitan y en ellos me hastían
y enfadan». Con más modesto alcance, el testimonio de Melchor
Almagro San Martín, que Lozano recoge, consigna la perplejidad
de las gentes ante ese modernismo de hacia 1900 que parece consistir en «decir pestes de los viejos autores consagrados», en seguir
las modas del día por lo que toca a muebles y peinados, en celebrar
las comedias de Benavente, la delicuescencia, los lirios y, por encima de todo, la poesía de Rubén. La impresión de confusa complejidad —y de desconcierto y desagrado ante ella— prevalece asimismo
en los desahogos de Emilio Ferrari, que organiza sus tachas de la
retórica modernista en parejas de epítetos como «superficial y eru-

dita», «mística y obscena», y la ve, en suma, más como arcaizante
que como profundamente moderna. Recuérdese, con García Goyena,
la referencia a Churriguera y Góngora (también Lozano cita alguna
acusación de «gongorismo recalentado»; por otra parte, el chileno
Vázquez Guarda —observa J. M. Fein— asestaba sus críticas a la
poesía «modernista o decadentista o gongorista»).

Entre los que miran con aversión al modernismo, hay quienes, responsables y honestos, se esfuerzan en distinguir grados de
infección o culpa. Se ha de empezar —insinúan— por una sana desconfianza luego, en casos aislados, podrá reconocerse que tal o cual
poeta tiene sus méritos, a pesar del bando a que en mala hora se le
ha ocurrido afiliarse. El anónimo redactor de «Mesa revuelta», en
Barcelona Cómica, 1898, habla de Santiago Rusiñol como de un
«poeta de verdad, *aunque* modernista» (es el redactor quien subraya). En cambio, los ataques ruidosos, la sátira más hostil, los
chistes sistemáticos de un «Melitón González» reúnen en montón a
sus víctimas: cuentan con que el público las conciba como una mezcla indiferenciada y risible de extravagantes —a veces, por añadidura, vagamente peligrosos para la sociedad. Cuando Pablo Pare-
llada, en el *Tenorio modernista,* quiere subrayar lo legítimo de su
ataque mostrándonos que no exagera, que, créase o no, las palabras
puestas en ridículo son ni más ni menos que cita textual de un poeta bien conocido, utiliza, para documentarlo, hasta la nota al pie.
Y buenos, medianos y malos entran por igual en la danza. Para estos
adversarios sí que modernismo es sinónimo de modernidad, de ofen-
siva modernidad, y no sólo en las letras. Nada más fácil que asociar la literatura molesta con el modo de ser y vivir de los literatos,
con sus barbas, sus melenas, sus sombreros. De lo pagano-francés
al decadentismo afeminado y corrupto no hay más que un paso, y,
como secuaces de tales modelos, los modernistas hispánicos son
objeto de acusaciones (¡y defensas!) increíbles. En lo literario, burla
a los pasajes más populares de Rubén Darío, a los más favorecidos
por los recitadores. Si el oído español se ha habituado a «La princesa está triste...» y a sus parodias, todavía Arniches, muchos años
después, podrá estar seguro de hacer sonreír hasta con el mero título
de una de sus «tragedias grotescas»: *La condesa está triste.* Burla
a la mitología grecolatina. Burla, a veces con muy contundente agudeza, a las afectaciones de vocabulario. Con retoques modernos (entre ellos la chistosa alusión a la manía de reemplazar la palabra

prólogo con suntuosos equivalentes; Lozano recuerda, en primer
término, el «Pórtico» de Rubén, y luego *atrio, peristilo* y *propileo*),
las parodias de Luis Gabaldón en el *Madrid Cómico* suenan a algunas de *La culta latiniparla:* «*Pétalos, pistilos y estambres,* calambres
artísticos por D. Arístides Borgañón y Fresneda, con una Portería
de Valbuena, un Claustro de doña Emilia Pardo Bazán y una Azotea
de Clarín». En el espejo ingenuamente deformador del *Tenorio modernista,* asoma una muy pálida imitación de la sátira verbal queve-
desca: «*Miguel:* En la librería me han dado esto para usted. —*But-
tarelli:* No se dice librería; se dice el universo empastado, la ala-
cena del intelecto». Ya se ve: las perífrasis que así se ponen en
ridículo tienen bien poco de modernistas. Estamos, con ellas, mucho
más cerca de Belarmino —el zapatero filósofo de Pérez de Ayala—
y su *cosmos* (=diccionario), y hasta de las preciosistas de Molière,
que de *Prosas profanas.* Pero ¡quién va a pararse en detalles!

Burla, en fin, al insensato afán de distinguirse, a los alardes
de originalidad y aristocracia. La confusión de calidades no se da
sólo en el crítico. Tampoco el escritor adocenado, cuando declara
en sus manifiestos —versos o prosa— sus pretensiones de libre individualismo, advierte lo limitado de su libertad, lo débil y manido
de su jactancia. La guerra a la academia llega a hacerse lugar común. En los mediocres, hasta los desmelenamientos de rebeldía resultan imitativos. Monótonamente convencionales y trasnochados, los
pujos de originalidad de un Cabrisas (*Sed de infinito*):

> Yo soy la paradoja, la antítesis perenne,
> el anhelo constante, la aventura sin tregua...
> Yo soy dueño de un coro de voces interiores,
> de íntimas armonías que en ufano concierto
> se mantienen en mi alma desde tiempos remotos...
> No escribo como nadie, ni me someto a escuelas.
> ni catalogo versos en ninguna tendencia:
> mi música está en mí, como dijo Darío.
> Ni soy nuevo ni viejo: soy lo que soy...

La vanidad misma es de segunda mano, tan sin aventura, tan trilla-
da como los títulos bajo los cuales agrupa Cabrisas sus versos: *Ego
sum, Música pánida.* «No escribo como nadie», «mi música está
en mí»... El adscribirse al modernismo no era garantía de ser
diferente.

Manifiestos y preceptivas, dilucidaciones y palabras liminares insisten fatigosamente en la identidad de modernismo y peculiaridad individual. «Sé tú mismo: esa es la regla»; así traduce Rubén, en «Los colores del estandarte», el ya viejo principio romántico y neorromántico (no llevemos las cosas hasta Píndaro). Y Rubén fue él mismo, pero no lo fue por modernista, sino por verdadero poeta. Rubén afirma orgulloso que con el modernismo se acabó «el hacer versos de determinada manera, a lo fray Luis de León, a lo Zorrilla, o a lo Campoamor, o a lo Núñez de Arce, o a lo Bécquer». En rigor, el hacer versos en la determinada manera de fray Luis se había acabado con fray Luis; en un sentido más laxo, ni se había acabado en tiempos de Rubén ni lleva miras de acabarse, como no se acabó en 1916 el hacer versos a lo Darío, ni el irritarse contra esa moda. «El individualismo, la libre manifestación de las ideas, el vuelo poético sin trabas, se impusieron», dice Rubén Darío. Antes y después, los grandes poetas, y sólo ellos, han podido volar libre e individualmente. Y no hay individuación posible en la subpoesía modernista como no la hay en subpoesía alguna, sea cual sea el sistema a que piense estar ajustándose. Claro que, para Bécquer principiante, aún no se había acabado el hacer versos a la manera del siglo xvi (tampoco para Darío principiante). «¿Y dejas, Pastor Santo...?», comienza la oda de fray Luis; «¿Y te vas?», imita Bécquer en el primer verso de la «Oda a la señorita Lenona en su partida» (1852), oda que no sólo repite varias veces el desolado «¿Y...?», sino que introduce además el «insano ábrego» y hasta el Betis —ya que no el Tajo— en el instante de alzar la frente, «la nueva al escuchar de tu partida». Pues bien: ¿qué modernismo, qué ismo permitió a Bécquer abandonar estas odas y alcanzar su propia individualidad y volar sin trabas? No contribuirá a aclarar las cosas el asociar como equivalentes lo modernista y lo moderno, ni profetizar al modernismo un siglo de duración, de suerte que la mejor poesía de hoy siga siendo modernista. Románticos somos...: ¿por qué no hablar de un romanticismo de dos o tres siglos, o de un patético modernismo individualista inaugurado por los «tres reformadores» de Maritain, o por Quevedo, o por *La Celestina,* o por Petrarca, o por el *noli foras ire* de san Agustín? Juegos de palabras. Lo cual no les quita que puedan ser a veces, por feliz accidente, estímulos para la conversación o el monólogo.

Pedro Salinas

RUBÉN, POETA ERÓTICO

En uno de sus juguetes poéticos, «Eco y yo», Rubén deja caer al pasar, como una travesura más de ese retozo rítmico a que se entrega, dos versos de insuperable significación:

> Guióme por varios senderos
> Eros.

Así fue. Eros, su guía constante, más que por varios, por casi todos los rumbos que probó su poesía.

En los dos primeros libros de su historia de poeta —los anteriores son pura prehistoria— *Azul* y *Prosas profanas,* lo amoroso predomina sin disputa. De las treinta y seis poesías que contiene el índice de *Prosas profanas,* no hay más de cuatro o cinco que se aparten de ese obsesivo asunto. El dato, de simple aritmética —y como tal recusable en buena crítica literaria siempre que se alegara por sí solo—, va hallando comprobaciones decisivas en cuanto nos acerquemos a analizar los poemas. En *Azul* Rubén quiere dar cuatro visiones líricas que correspondan a las cuatro estaciones, y las titula «El año lírico». Dos de ellas, «Primaveral» y «Estival», se sitúan en la selva. «Autumnal» se desarrolla en una localidad más indecisa y vaga: «las pálidas tardes». E «Invernal» está puesta en la ciudad inverniza, en un cuarto con encendida chimenea. ¿Cómo están definidos los cuatro tiempos del año, en estos escenarios? Por situaciones de estado amoroso, las cuatro. Por el amor animal, el del selvático idilio de tigre y tigresa; por la sensualidad de la floresta en una presente primavera, y las sombras de ninfas, diosas y demás personajes tradicionales del amor, evocados en lo pasado por la nostalgia que, en la cámara invernal, siente el poeta solitario de la mujer que no está allí, de la que podría estar a su lado, tal y como se la describe la imaginación:

Pedro Salinas, *La poesía de Rubén Darío*, Seix Barral, Barcelona, 1974, páginas 53-60.

nerviosa, sensitiva,
muestra el cuello gentil y delicado
de las Hebes antiguas:
bellos gestos de diosa,
tersos brazos de ninfa.

Y en la desvaída tarde otoñal, poseído de la muy romántica
«ansia / de una sed infinita», un hada misteriosa le conduce, al término de varias visiones, a la contemplación final: «un bello rostro
de mujer». Cuatro estaciones que son cuatro grados de amor; se
empieza por la más simple expresión biológica, la pareja de hermosas
bestias feroces, se pasa por refinadas reminiscencias helénicas, y se
acaba por una cierta idealización, la del otoño, más descargada de
sensualismo que ninguna, paréntesis vagamente idealizante.

Poema verdaderamente profético es el soneto «Venus». El nombre de la estrella es la base de todo el equívoco. Venus, diosa pa-
trona del amor, emblema del placer carnal, purifica su ser cuando
se la mira en lo alto del cielo, vuelta estrella. Pero a su vez la estrella, con lo que tiene de celeste e ideal, se carga, por su solo
nombre venusino, de la posible y deseable accesibilidad que tiene
todo lo que puede ser alcanzado por los sentidos. La ambigüedad
logra ese intercambio buscado de lo ideal y lo sensual. El poeta se
promete a ella:

O reina rubia, díjele, mi alma quiere dejar su crisálida
y volar hacia ti y tus labios de fuego besar;
. . . .
y en siderales éxtasis no dejarte un momento de amar.

Las mismas palabras con que se declara conjugan los dos elementos, «labios de fuego» y «siderales éxtasis». Verdadera oferta de
consagración. Colócase la vida bajo el patrocinio de la diosa, so especie de amor a la estrella. No se reserva ni un solo momento de
esa dedicación al servicio de amor. Se concibe el vivir como actividad
amorosa total. ¡Y con qué extrañas palabras formula Rubén la muda
respuesta de la estrella!

Venus, desde el abismo, me miraba con triste mirar.

Nada dice la dual amada, Venus-estrella, pero mucho expresa, no con palabras, sí con su triste mirar. Es presagio de imposibilidad, augurio de que jamás podrá ser poseída. Si se la prende por lo que tiene de Venus, se huirá, al cabo, por lo que tiene de estrella. Se presiente, con tierna melancolía, el final de la tragedia. Y acentúa el presentimiento el nombre que pone el poeta al lugar desde donde la estrella le ojea apenadamente: su abismo. El *suyo,* precisamente. ¿Entonces, Venus no era cielo? ¿No era atracción singular de lo más alto? ¿Vendrá a ser ahora centro de un vórtice, reina de un abismo? La situación que plantea el soneto queda flotando, en el aire, sin desenlace; las preguntas sin responder. Es que toda la lírica de Rubén Darío será una lenta respuesta a esa dilemática interrogación, que en vano quiso resolver el poeta con su equívoco de Venus-estrella: ¿es el amor gracia celestial o pérfido obsequio de los abismos y su dueño? [...]

¿Podremos colocar a Rubén en el linaje ilustre de los llamados poetas del amor? Si se trae a la memoria un rosario de nombres, Dante, Petrarca, el Shakespeare de los sonetos, Garcilaso, Bécquer, Elisabeth Barret Browning, y si se les adiciona el nombre de Rubén Darío como su parigual, ¿se le verá allí en su lugar justo, donde debe estar? (Y claro es que no se trata de diferencia en valor poético, ya que la lista lleva nombres tan desiguales en eso como Dante y Mrs. Browning.) No sería un intruso en la nómina, pero tampoco un hermano cabal en la hermandad de esos nombres.

El amor cantado por todos esos patricios de la lírica amorosa es amor total, inclusivo de cualquier modo del sentimiento amante, acaudalada corriente que lleva dentro de todo género de afluencias, lo más carnal y lo más espiritual, sensualidad e idealización; amor humano divinizado, síntesis del hombre en función de enamorado. Ante ese conjunto, ese agregado de sentimientos juntos unos a otros, Rubén Darío siente una parcialidad manifiesta, un irresistible favoritismo, por uno de los componentes. Es todo lo que al amor le llega por camino de los sentidos, y busca su satisfacción por la misma vía sensual. Los sentidos son los señores absolutos de la lírica de amor de Rubén, durante su primera época. En lo principal y en lo accesorio, en la tonalidad de cada poema y en el detalle de cada verso. Así, por ejemplo, en el soneto «De invierno», la última poesía de *Azul,* el atractivo sensual que emana sutilmente de la protagonista se halla copiosamente asistido por numerosos pormenores, el abrigo de marta cibelina, el fuego, el gato de Angora, la falda de Alençon, las jarras de porcelana china y el biombo japonés, que coadyuvan a la evocación de una atmósfera de lujoso sensualismo, donde las varias formas de la materia ofrecen cada cual su caricia. [...]

Conviene a poesías de esta clase, más que el nombre de amorosas, rico en demasía, otro que fue por mucho tiempo, y aún sigue usándose así, sinónimo suyo: erótico. Sin perder su capacidad de sinonimia con amor, en algunos casos intensifica el significado de deseo físico y su cumplimiento en el amor carnal. Se forma en la literatura, dentro del vasto *orbis amoris,* otro pequeño mundo propio voluntariamente confinado en las fronteras del placer sensual, cuyo cultivo y ditirambo vienen a ser términos de la poesía: el anacreontismo que hizo risa por toda Europa en el siglo XVIII confirió casi carácter de escuela a esa tendencia deliciosamente restrictiva del amor. No es que quiera yo rebajar a Darío a ese nivel, para mí secundario, de poeta erótico. Lo que quiero decir es que su poesía se presenta a la primera visión como una poesía de lo erótico. Llamar erótico a un poeta con designio clasificativo y valoratorio es colocarle encima una conceptuación diminutiva, privarlo de gran parte de su humanidad; «poetas eróticos» ya suenan a grupo semisecreto de aficionados a un cierto tipo de arte, a una escuela de poesía menor que renuncia a afrontar los mayores significados de lo humano. Poetas, cuando más, si así se lo ganan su encanto, su gracia, de media estatura, no es posible colocar a Darío, que fue poeta en grande, entre ellos. Precisamente el valor de Rubén es alzarse del erotismo natural a una especie de conciencia de lo erótico, que cada vez se complica con adherencias extrañas y superiores al erotismo elemental, y le guía por ese camino al descubrimiento de su tema y a sus más hermosas expresiones líricas. Su poetización de lo erótico es de tamaña profundidad que, sacándolo del tono lúdico superficial, discreteo de corte, o de grupo, lo convierte en palestra del juego más trágico, del gran problema del hombre. Su afán de gozar tiene, por algún tiempo, un solo lema: *Plus ultra.* Ir más y más allá, por los senderos del Dios. Pero tan lejos avanza que un día se encuentra, pasmado, con que tras ese más allá del erotismo había otro, verdaderamente sin fondo. [...]

En Rubén Darío no se encuentra ni un nombre centro de reunión de sus dedicaciones poéticas, ni siquiera una imagen femenina

definida, discernible y apersonada. Amor sin amada, por ser lo más
parecido que cabe a eso: amor con muchas pasajeras amadas:

> Plural ha sido la celeste
> historia de mi corazón ...

Cuando repasa, en la «Canción de otoño en primavera», por su
memoria, las mujeres motivadoras de su amor, se presenta primera
«una dulce niña», y luego «otra», y «otra», así anónimas desig-
nadas, hasta que por fin termina mentando a «las demás»:

> ¡Y las demás!, en tantos climas,
> en tantas tierras ...

Desfilan de estrofa a estrofa como un tropel innominado, del
que se separa, fugazmente, una para recibir su breve porción de recuerdo y continuar en seguida su marcha, con «las demás». Rubén
poco más abajo las bautiza: «fantasmas de mi corazón». Harto numerosas para acompañarle entre todas, se le ve solo, tristemente solo
—acaso de ahí provenga la veta específica de melancolía de este hermoso poema—, mucho más que a esos grandes poetas escoltados sin
pausa por la amada única.

Esto confirma que Rubén Darío vivió en una gran parte de su
poesía amorosa, y más intensamente dentro de su etapa *Azul, Prosas
profanas,* en pleno concepto clásico de lo erótico, obstinadamente
confinado en la consideración del amor como una fuerza, admirable
en sí, un impulso vital, de belleza propia e intransferible, que arroja
al que lo posee de mujer en mujer, conserva su independencia final
de todas ellas y sigue solo gozándose en su mismo goce.

OCTAVIO PAZ

SEXO Y MUERTE EN LA POÉTICA RUBENIANA

La imaginación de Darío tiende a manifestarse en direcciones contradictorias y complementarias y de ahí su dinamismo. A la visión de la mujer como extensión y pasividad animal y sagrada —arcilla, ambrosía, tierra, pan— sucede otra: es la «Potente a quien las sombras temen, la reina sombría». Potencia activa, dispensa con indiferencia el bien y el mal. Encarna, diría, la profunda, sagrada amoridad cósmica. Es la sirena, el monstruo hermoso, tanto en el sentido físico como en el espiritual. En ella confluyen todos los opuestos: la tierra y el agua, el mundo animal y el humano, la sexualidad y la música. Es la forma más completa de la mitad femenina del cosmos y en su canto salvación y perdición son una misma cosa. La mujer es anterior a Cristo: lava todos los pecados, disipa todos los miedos y su virtud lustral es tal que «al torcer sus cabellos, apaga al infierno». Sus atributos son dobles: es agua pero también es sangre. Eva y Salomé:

> Y la cabeza de Juan el Bautista,
> ante quien tiemblan los leones,
> cae al hachazo. Sangre llueve.
> Pues la rosa sexual
> al entreabrirse
> conmueve todo lo que existe
> con su efluvio carnal
> y con su enigma espiritual.

Los arquetipos de su universo son la matriz y el falo. Están en todas las formas: «el peludo cangrejo tiene espinas de rosa / y los moluscos reminiscencias de mujeres». La seducción del segundo verso no proviene únicamente del ritmo sino de la conjunción de tres realidades distintas: moluscos, mujeres y reminiscencias. La alusión a vidas anteriores es frecuente en la poesía de Darío e implica que la cadena de las correspondencias es también temporal. La analogía es

Octavio Paz, «El caracol y la sirena (Rubén Darío)», *Cuadrivio*, Joaquín Mortiz, México, 1964, pp. 58-64.

el tejido viviente de que están hechos espacio y tiempo: es infinita e inmortal. El carácter enigmático de la realidad consiste en que cada forma es doble y triple y cada ser es reminiscencia o prefiguración de otro. Los monstruos ocupan un lugar privilegiado en este mundo. Son los símbolos, «vestidos de belleza», de la dualidad, el signo viviente del ayuntamiento cósmico: «el monstruo expresa un ansia del corazón del Orbe». La filosofía de Darío se resuelve en esta paradoja: «saber ser lo que sois, enigmas siendo formas». Si todo es doble y todo está animado, toca al poeta descifrar las «confidencias del viento, la tierra y el mar». El poeta es como un ser sin memoria, como un niño perdido en una ciudad extraña: no sabe ni de dónde viene ni adónde va. Pero esta ignorancia esconde un saber informe. Frente al mar catalán: «siento en roca, aceite y vino, / yo mi antigüedad». Niño milenario, el poeta es la conciencia del olvido en que se sustenta toda vida humana: sabe que perdimos algo en el origen pero no sabe con certeza qué fue lo que perdimos o nos perdió. Percibe «fragmentos de conciencias de ahora y ayer», mira al sol negro, llora por estar vivo y se asombra de su muerte.

La crítica universitaria generalmente ha preferido cerrar los ojos ante la corriente de ocultismo que atraviesa la obra de Darío. Este silencio daña la comprensión de su poesía. Se trata de una corriente central y que constituye no sólo un sistema de pensamiento sino de asociaciones poéticas. Es su idea del mundo o más bien: su imagen del mundo. Como otros creadores modernos que se han servido de los mismos símbolos, Darío transforma la «tradición oculta» en visión y palabra. En un soneto no recogido en libro durante su vida confiesa: «En las constelaciones Pitágoras leía, / yo en las constelaciones pitagóricas leo». En la «confusión de su alma» la obsesión de Pitágoras se mezcla con la de Orfeo y ambas con el tema del doble. La dualidad adquiere ahora la forma de un conflicto personal: ¿quién y qué es él? Sabe que es, «desde el tiempo del Paraíso, reo»; sabe que «robó el fuego y robó la armonía»; sabe que «es dos en sí mismo»; y que «siempre quiere ser otro». Sabe que es un enigma. Y la respuesta a este enigma es otro:

En la arena me enseña la tortuga de oro
hacia dónde conduce de las musas el coro
y en dónde triunfa augusta la voluntad de Dios.

En otro soneto, dedicado a Amado Nervo y que pertenece también a la obra dispersa, la tortuga de oro aparece como el emblema del universo. Esta composición me parece ser una de las claves del Darío mejor y menos conocido y merecería un análisis detenido. Aquí apunto sólo mi perpleja fascinación. Los signos que traza la tortuga en el suelo y los que se dibujan en un carapacho «nos dicen al Dios que no se nombra». La forma en que se revela esa divinidad innombrable es un círculo; ese círculo «encierra la clave del enigma / que a Minotauro mata y a la Medusa asombra». En el soneto que cité primero la enseñanza de la tortuga consiste en mostrarle al poeta la «voluntad de Dios»; en el que ahora comento esa voluntad se identifica con el eterno retorno. La obra divina es la revolución cíclica que pone arriba lo que estaba abajo y obliga a cada cosa a transformarse en su contrario: inmola al Minotauro y petrifica a la Medusa. En el espíritu del poeta los signos de la tortuga se convierten en un «ramo de sueños» y un «mazo de ideas florecidas». Unión del mundo vegetal y el mental. Esta imagen se resuelve en otra más, predilecta del poeta: esos signos son los de la música del mundo. Son el emblema del movimiento cíclico y el secreto de la armonía: la orquesta «y lo que está suspenso entre el violín y el arco». Verso henchido de adivinaciones y reminiscencias: momento en que se detiene, sin detenerse, la voluntad circular que perpetuamente recomienza.

La analogía no es perfecta. Hay una falla en el tejido de llamadas y respuestas: el hombre. En *Augurios* pasan sobre la cabeza del poeta el águila, el buho, la paloma, el ruiseñor y cada uno de esos pájaros es un agüero de fuerza, saber o sensualidad. De pronto la enumeración cambia de rumbo, el lenguaje simbolista se quiebra e irrumpe el habla directa: «Pasa un murciélago / pasa una mosca / un moscardón ...». No pasa nada y llega la muerte. Sorprende el tono amargo y el voluntario, dramático prosaísmo de las líneas finales. Disolución del sueño en la sórdida muerte cotidiana. El tema de nuestra finitud adopta a veces la forma cristiana. En *Spes* el poeta pide a Jesús, «incomparable perdonador de injurias», la resurrección: «dime que este espantoso horror de la agonía / que me obsede, es no más de mi culpa nefanda». Pero Cristo es sólo uno de sus dioses, una de las formas de ese Dios que no se nombra. Aunque a Darío le repugnaba el ateísmo racionalista y su temperamento era religioso, y aun supersticioso, no puede decirse que sea un poeta cristiano, ni siquiera en el sentido polémico en que lo fue Unamuno. El terror de la muerte, el horror de ser, el asco de sí mismo, expresiones que aparecen una y otra vez a partir de *Cantos de vida y esperanza,* son ideas y sentimientos de raíz cristiana; pero falta la otra mitad, la escatología del cristianismo. Nacido en un mundo cristiano, Darío perdió la fe y se quedó, como la mayoría de nosotros, con la herencia de la culpa, ya sin referencia a una esfera sobrenatural. [...]

En el *Poema del otoño,* una de sus grandes y últimas composiciones, se unen los dos ríos que alimentan su poesía: la meditación ante la muerte y el erotismo panteísta. El poema se presenta como variaciones sobre el viejo y gastado tema de la brevedad de la vida, la flor del instante y otros lugares comunes; al final, el acento se vuelve más grave y desafiante: ante la muerte el poeta no afirma su vida propia sino la del universo. En su cráneo, como si fuese un caracol, vibran la tierra y el sol; la sal del mar, savia de sirenas y tritones, se mezcla a su sangre; morir es vivir una vida más vasta y poderosa. ¿Lo creía realmente? Es verdad que temía a la muerte; también lo es que la amó y la deseó. La muerte fue su medusa y su sirena. Muerte dual, como todo lo que tocó, vio y cantó. La unidad es siempre dos. Por eso su emblema, como lo vio Juan Ramón Jiménez, es el caracol marino, silencioso y henchido de rumores, infinito que cabe en una mano. Instrumento musical, resuena con un «incógnito acento»; talismán, Europa lo ha tocado «con sus manos divinas»; amuleto erótico, convoca a «la sirena amada del poeta»; objeto ritual, su ronca música anuncia el alba y el crepúsculo, la hora en que se juntan la luz y la sombra. Es el símbolo de la correspondencia universal. Lo es también de la reminiscencia: al acercarlo a su oído escucha la resaca de las vidas pasadas. Camina sobre la arena, allí donde «dejan los cangrejos la ilegible escritura de sus huellas» y su mirada descubre a la concha marina: en su alma «otro lucero como el de Venus arde». El caracol es su cuerpo y es su poesía, el vaivén rítmico, el girar de esas imágenes en las que el mundo se revela y se oculta, se dice y se calla. En el segundo *Nocturno* hace la cuenta de lo que vivió y no vivió, dividido «entre un vasto dolor y cuidados pequeños», entre recuerdos y desgracias, iluminaciones y dichas violentas:

> Todo esto viene en medio del silencio profundo
> en que la noche envuelve la terrena ilusión,
> y siento como un eco del corazón del mundo
> que penetra y conmueve mi propio corazón.

ENRIQUE ANDERSON IMBERT

LOS POEMAS CÍVICOS DE 1905

[Junto a la evasión aristocrática de la realidad, ahora rectificada por el tono filosófico y amargo de otras composiciones, los *Cantos de vida y esperanza* ofrecen] la vuelta [de Rubén Darío] a la preocupación social. Reaparecen —pero con las virtudes de un estilo soberbio— las actitudes de Darío anteriores a *Azul*: la política, el amor a España, la conciencia de la América española, el recelo a los Estados Unidos, normas morales... Un grupo de poesías intenta una revalidación de la cultura hispánica: «Cyrano en España», «Retratos», «Trébol» —tres sonetos por el centenario de Velázquez—, «Un soneto a Cervantes», «Goya», «Letanía de Nuestro Señor Don Quijote». Darío encuentra en España un pasado histórico que le da firmeza en el paso. Reanuda los lazos con la casta y así participa en las mismas herencias gloriosas. En este amor a España hay mucho de idealismo, de filosofía del arte y aun de influencia francesa. Como dice en «Cyrano en España»:

> nosotros exprimimos las uvas de Champaña
> para beber por Francia y en un cristal de España.

Otro grupo de poesías, en esta vuelta a lo social, parece inspirado por una política en defensa de la hispanidad. En el prefacio a *Cantos* Darío había anunciado. «Yo no soy un poeta para las muchedumbres. Pero sé que indefectiblemente tengo que ir a ellas». En «Salutación del optimista» eligió un verso propicio para alcanzar

Enrique Anderson Imbert, *La originalidad de Rubén Darío*, Centro Editor de América Latina, Buenos Aires, 1967, pp. 117-121.

a grandes oleadas el alma de las muchedumbres —versos sin rima, con rumor a hexámetros bárbaros— y cantó el resurgimiento del espíritu latino y la razón de ser de los pueblos que hablan español.

> Ínclitas razas ubérrimas, sangre de Hispania fecunda,
> espíritus fraternos, luminosas almas ¡salve!

¿Por qué la nación española y sus vástagos americanos han de recobrar la iniciativa histórica? Aparentemente, no por el propio esfuerzo, sino por la decadencia de los demás pueblos:

> Siéntense sordos ímpetus en las entrañas del mundo,
> la inminencia de algo fatal hoy conmueve la tierra;
> fuertes colosos caen, se desbandan bicéfalas águilas.
> y algo se inicia como vasto social cataclismo
> sobre la faz del orbe ...

Darío abomina los juicios pesimistas o desesperados, pero no ofrece más ideal de conducta que un entusiasmo que se encienda a la vista de misteriosos anuncios de un reino nuevo: «mágicas ondas de vida», «la celeste Esperanza», sueños de sibila y una luz que vendrá de un místico oriente... Tal optimismo era forzado. Nacía del espectáculo del propio fracaso —la guerra de 1898—; por eso los hispánicos oímos esa voz optimista deformada por la careta de cartón que el poeta se ha puesto sobre el rostro triste. Con los mismos alejandrinos de «Cyrano en España» continúa ahora, en «Al rey Óscar», el tema optimista de la «Salutación». Es el orgullo de que un rey escandinavo grite «¡Vive l'Espagne!». Contrastes convencionales entre el Mediodía y el Norte de Europa, enumeración de glorias españolas que dan vueltas como astros por una geografía pavorosa, el trémolo de versos alusivos a la derrota de 1898 y la nota optimista otra vez:

> ¡Mientras el mundo aliente, mientras la esfera gire,
> mientras la onda cordial alimente un ensueño,
> mientras haya una viva pasión, un noble empeño,
> un buscado imposible, una imposible hazaña,
> una América oculta que hallar, vivirá España!

Y en seguida, en el fuerte y grandioso ritmo de «A Roosevelt», todo este pueblo español diciendo «¡no!» al «futuro invasor de la

América ingenua que tiene sangre indígena» y «aun habla en español». Los «hombres de ojos sajones y alma bárbara», de los Estados Unidos, lo tienen todo: fuerza, dinero, poder, habilidad, democracia. Pero para sojuzgar a los «mil cachorros sueltos del León español» se necesitaría tener el apoyo de Dios, y con Dios no pueden contar. A Roosevelt lo llama «profesor de Energía». En la poesía que precede —«Pegaso»— Darío había dicho: «Yo soy el caballero de la humana energía», refiriéndose al valor de la energía espiritual, de la voluntad de creación. Dos energías, pues, la del espíritu y la de la materia. Estos versos se habían publicado en 1904, sin duda como reacción de Darío contra la intervención norteamericana en los sucesos de Panamá. En el primer poema de «Los Cisnes» el tema de lo español amenazado por lo inglés se viste extrañamente con el símbolo del Cisne, no ya erótico, como en otras composiciones, sino portador de la esperanza para salvar nuestra casta y cultura. Este uso simbólico del Cisne —el ensueño, la aristocracia espiritual, la realidad ideal en que se refugian los rechazados por el mundo feo y hostil— pone en contacto la poesía intimista y la poesía social de Darío.

> ¿Qué signo haces, oh Cisne, con tu encorvado cuello
> al paso de los tristes y errantes soñadores?
> . . . .
>
> La América española como la España entera
> fija está en el Oriente de su fatal destino;
> yo interrogo a la Esfinge que el porvenir espera
> con la interrogación de tu cuello divino.
>
> ¿Seremos entregados a los bárbaros fieros?
> ¿Tantos millones de hombres hablaremos inglés?
> ¿Ya no hay nobles hidalgos ni bravos caballeros?
> ¿Callaremos ahora para llorar después?

Se ve que en su torre de marfil Darío no ignoraba lo que ocurría en las calles, sino que, a su modo, quería defender el espíritu y aun la cultura hispánica, conminados por la agresión materialista del mundo.

Y así, casi sin transición, pasamos a otro aspecto de estas poesías inquietas por alarmas sociales: el de la moral. Nunca fue Darío indiferente a los problemas del mundo: los deploraba como fealdades y males innecesarios. Cuando tomaba partido elegía las buenas causas. Pero tomar partido no es tarea del poeta, decía. El poeta debe acercarse al misterio e inclinarse ante la belleza tranquila. Atento, eso sí, al Bien. Porque el Bien es también Belleza: «hagamos, porque es bello, el bien», dice en «Programa matinal». En «Helios», otra vez, la identificación entre el bien y la belleza: la mitología le presta la figura del sol —Helios, Apolo— y él la convierte en fuente de bondad y de arte. Aquel símbolo de la salud, en el cuento «El palacio del sol» (A) —cuento del sol salutífero que, dicho sea de paso, tuvo su antítesis en el sol agostador de «Un cuento para Jeanette»— ahora echa otros brotes. La sinestesia con que comienza «Helios» —al «ruido divino» del canto de la alondra responde la luz del alba con «música armoniosa» y «argentino trueno»— interioriza el tema y lo convierte en fuente de sensaciones. La carrera triunfante del sol tiene el mismo sentido que la carrera triunfante del poeta. El sol, con sus caballos; el poeta, con su Pegaso. Compárese «Helios» con «Pegaso». En ambos aparecen imágenes comunes. «Adelante ¡oh cochero celeste!» en el primero; y en el segundo, «voy en un gran volar, con la aurora por guía, / adelante en el vasto azur ¡siempre adelante!» En el primero, el sol tañe un sacro instrumento y hace temblar las cumbres que tocó Pegaso; en el segundo, se declara que «toda cima es ilustre si Pegaso la sella» y que Apolo, el Rey del Día, hizo brillar su escudo en la frente del poeta que monta a Pegaso. En estos años Darío se está derrumbando por un precipicio de sombras; y como un diamante que, en una gruta oscura, junta la luz que queda, él absorbe de la oscuridad de su alma unos pocos rayos y canta. Canta como una alondra la iluminación del nuevo día por un sol amigo de los hombres:

> y si hay algo que iguale la alegría del cielo,
> es el gozo que enciende las entrañas del mundo.

La violencia con que exalta el idealismo es síntoma del pesimismo moral:

> ¡Helios! Portaestandarte
> de Dios, padre del Arte,
> la paz es imposible, mas el amor eterno.
> Danos siempre el anhelo de la vida
> y una chispa sagrada de tu antorcha encendida
> con que esquivar podamos la entrada del Infierno.

La luz es lo que da sentido, desde arriba, a esa enumeración caótica del poema: manzanas, lirios, volcán, hueso, crepúsculo. La luz salva eso; y condena el miedo, la envidia.

También ético-estético es el tema de la «Letanía de nuestro Señor Don Quijote». Lo ético está en la condenación del mundo práctico: la canallocracia y el superhombre, la mentira social y la seudoverdad de los científicos, las academias y las convenciones... Lo estético está en que Don Quijote aparece como paladín de un nuevo heroísmo, el de los poetas imaginativos, soñadores, ilusos:

> ¡Ruega por nosotros, hambrientos de vida,
> con el alma a tientas, con la fe perdida,
> llenos de congojas y faltos de sol!

LUIS FELIPE VIVANCO

LA POÉTICA DE MANUEL MACHADO

El poeta de *Adelfos* podría muy bien haber sido algún lírico griego arcaico, a un mismo tiempo fragmentario y suficiente, pero no es otro que Manuel Machado Ruiz, nacido en Sevilla en el mes de agosto de 1874, once meses antes que su hermano Antonio. Manuel Machado, ya que no un lírico arcaico y fragmentario, es tal vez un semipoeta semipóstumo, semisimbolista y hasta semimachadiano, que empieza a publicar sus versos con el siglo. Le llamo semipoeta —y más adelante veremos por qué añado los otros semis— porque él mismo llama semipoesía a la suya, nada menos que en el discurso de ingreso a la Real Academia Española, que, por su parte, no es más que un discurso a medias y desde luego muy poco académico. Se trata más bien de un comentario incompleto, pero muy lúcido y muy explícito, sobre su poesía. Manuel Machado no se puede

Luis Felipe Vivanco, «El poeta de *Adelfos* (Notas para una poética de Manuel Machado)», *Cuadernos Hispanoamericanos*, n.º 275-276 (1976), pp. 70-76 y 84.

quedar más corto de lo que se queda, y lo titula: «Semipoesía y posibilidad». Y para explicar el título, nos dice: «Ah, el título de este trabajillo acaso os recuerde el de otro muy ilustre, nada menos que de Goethe, que decía: *Poesía y realidad.* * Pero la imitación de los buenos modelos no es cosa prohibida. Y, además, yo no llamo a mis versos sino *semipoesía,* y a mis realidades, que obedecen a la ley de vida de los simples mortales (*que es vivir como se puede*), no oso llamar otra cosa que *posibilidad*». [...]

Lo más importante de sus palabras es que llama a su obra poética semipoesía, y a su propia vida de poeta, posibilidad, en vez de realidad plena. ¿La vida de Manuel Machado no ha sido más —según nos confiesa a sus sesenta y cuatro años— que la posibilidad de llegar a ser un poeta entero como su hermano Antonio? Hay que tener en cuenta que don Manuel utiliza a Goethe como tapadera, pero en realidad está pensando en Antonio. El título de su discurso es un homenaje implícito a éste, aunque no se atreva, o no quiera, en aquellos días de separación y de persecución, citar su nombre. Manuel Machado no es más que un semipoeta, y hasta cierto punto semimachadiano, en comparación con Antonio, que es el poeta machadiano entero y verdadero. Esto es lo que su título encubre y descubre al mismo tiempo. Y como quiere que Antonio esté presente de alguna manera en su discurso, cita este verso suyo: «que es vivir como se puede». Pertenece este verso a un poema muy conocido en el que Antonio canta a la encina castellana, y entre otras cosas le dice:

> Naces derecha o torcida
> con esa humildad que cede
> sólo a la ley de la vida,
> que es vivir como se puede.

Y resulta curioso y significativo que Manuel recuerde y cite este verso en unos momentos y unas circunstancias en que él mismo está viviendo, no como quiere, sino como puede, y tal vez más torcido que derecho.

En efecto, Manuel Machado ingresa en la Real Academia en

---

* [Se refiere con seguridad a *Dichtung und Wahrheit* cuya traducción exacta es «poesía y verdad», pero cuyas primeras versiones españolas llevaron el título aducido por Machado.]

1938, cuando a la guerra española le falta un año para terminar (y poco más de un año para morir a Antonio), y ya se respira en la zona nacional un clima de triunfalismo desaforado. Le eligen académico el 5 de enero, y quieren que lea su discurso cuanto antes, como un acto más —y en cierto sentido, excepcional— de propaganda del nuevo Estado. «El día 19 de febrero de 1938 —nos cuenta Miguel Pérez Ferrero en su *Vida de Antonio Machado y Manuel*— es el solemne ingreso de Manuel Machado en la Real Academia Española. El acto se celebra en San Sebastián, capital de Guipúzcoa, en el Palacio de San Telmo, ricamente decorado y con asistencia de las altas autoridades. El público abarrotaba materialmente el salón.»

Cuanto más solemne el acto, menos apto para tanta solemnidad resultaba el discurso o semidiscurso de don Manuel, ni por su título —¡cuánta guasa sevillana hay en él: *semipoesía* y *posibilidad*!— ni por su contenido, que no era más que una lectura comentada de poemas, en tono menor y confidencial, salvo en los párrafos, en los que se adhería al Glorioso Movimiento y recitaba, entre otros, su soneto titulado «Francisco Franco». [...]

Se ha exagerado mucho, creo yo, la adhesión de Manuel Machado al Movimiento. Por un lado, como en el caso de tantos otros españoles, es algo circunstancial y geográfico, y por otro, algo obligatorio e impuesto, que hay que aceptar con reservas, es decir, con la sombra del hermano ausente pesando sobre la conciencia. Mientras el resto de la familia Machado, que se ha quedado en Madrid —la madre Ana Ruiz, Antonio y los otros hermanos casados—, sigue siendo republicano y liberal, izquierdista e institucionista, Manuel y Eulalia, su mujer, al llegar el 18 de julio están pasando unos días en Burgos —han ido a ver a una hermana de Eulalia que es monja— y no tienen más remedio que adherirse. Esta adhesión no impide que aparezca en algún periódico nacionalista un violento artículo contra él, como elemento sospechoso. La cuñada monja emplea toda su influencia, que debía ser bastante, en sacarle del mal paso. La verdad es que el poeta o semipoeta de *Adelfos, de El mal poema* y *Ars moriendi* —títulos cantan— no ha hecho más que semiadherirse, en el sentido de sus famosos versos:

que las olas me traigan y las olas me lleven,
y que jamás me obliguen el camino a elegir.

En esta ocasión o encrucijada, Manuel Machado no ha elegido
su camino, y ha dejado que las olas le lleven hasta su adhesión al
Movimiento y el sillón de la Academia.

Otra cosa es la procesión o semiprocesión que le iba por dentro
desde hacía varios años: la de su conversión religiosa, o al menos la
vuelta a la práctica del catolicismo. Manuel Machado, a semejanza
de su maestro Verlaine, se ha escrito su *Bonne chanson,* pero se la
ha escrito a destiempo, antes de *El mal poema* y de su matrimonio
en 1910. Creo, sin embargo, en un cambio de conducta religiosa a
partir de esta fecha, obra difícil y perseverante en la que Eulalia ha
puesto al mismo tiempo su corazón y su sonrisa. No voy a entrar en
el estudio del tema, que brindo a los amantes de su poesía. Me
gustaría que el acento religioso apareciera en ella después de la
crisis que significa *El mal poema* del año 9, pero no se puede
prescindir de las fechas de publicación de sus libros. En la segunda
edición de *Alma,* que aparece en 1907 con el título: *Alma. Museo.
Los Cantares,* está ya el apartado titulado: *La buena canción,* que
desaparece después en las *Poesías completas,* repartiéndose sus poemas entre diferentes títulos. En este apartado, además de *La mujer
de Verlaine, Kyrie eleisón,* que empieza y termina pidiendo: «¡la
caridad, la caridad, la caridad!», está *La Venus del hogar,* evocación de una mujer dormida que podría ser la esposa, con este final
tan fatalmente machadiano:

> Duerme sin soñar. Reposa
> Indiferente a su encanto,
> hermosa y buena, por cuanto
> la hizo Dios buena y hermosa.

No ha escrito en cambio Manuel Machado, a pesar del pequeño
y tardío poema que titula «Cordura», nada equiparable a «Sagesse»,
aunque tampoco haya tenido, que yo sepa, a partir del año 10, las
mismas recaídas que el *Pauvre Lélian* en los excesos eróticos y alco-
hólicos de una existencia anterior. [...]

Decía que Manuel Machado es un semipoeta semipóstumo. Lo de
semipoeta y semimachadiano ya hemos visto por qué. Lo de semipóstumo lo digo porque siempre se está despidiendo de la poesía,
siempre está escribiendo y publicando su último libro y sobreviviéndose a sí mismo. Como algunos matadores de toros, se retira «defini-

tivamente» de la afición, para volver al cabo de unos años al ruedo poético: en 1909, a los treinta y cinco años, publica ya su primer libro de adiós y desgana, titulado *El mal poema*. Es un libro de indiferencia vital convertida en lenguaje selecto de desánimo y desengaño. Y tal vez por eso mismo uno de sus mejores libros.

> Porque ya
> una cosa es la poesía
> y otra cosa lo que está
> grabado en el alma mía.

Apenas escrito este verso se da cuenta de que necesita explicarse a sí mismo, y tal vez al lector, la enorme confidencia espiritual que hay en él:

> Grabado: lugar común.
> Alma: palabra gastada.
> ¿Mía?: no sabemos nada.
> Todo es conforme y según.

Terminar un poema con la relatividad del adverbio *según* es poner de acuerdo lo más archiarraigado y sobreconsciente de la lengua con una posición radical de antipoeta. [...]

En el discurso de ingreso que ya he citado hay algunos párrafos de autobiografía profesional en que el poeta nos revela casi por completo su arte de hacer versos. En primer lugar, se refiere a su técnica personal y nos dice que para él escribir versos consiste... en no escribirlos. «Solamente por entreabriros un instante el taller, me referiré a dos condiciones relativas a la forma, más o menos interna, de mis composiciones. Primeramente es de saber que desde que yo escribo conscientemente algo de que puedo declararme responsable, para mí escribir es... no escribir. Así como otros confían inmediatamente a la cuartilla aquello que se les va ocurriendo, a reserva de corregirlo, modificarlo, perfeccionarlo luego, yo no consigno al papel sino aquello que habría de quedar en última instancia, y todas aquellas operaciones de selección y acabamiento se obran en mi interior de manera involuntaria y fatal: es decir, que voy rechazando y dando de lado, sin querer, a todo lo que luego habría de quitar, y aduciendo cuanto tendría que poner, con que la composición sale acabada y perfecta (en el sentido latino), tanto que no es ya susceptible de retoque o corrección (por mí al menos), y no porque esté mejor o peor, sino porque no puede estar de otro modo. Esta dolorosa selección interna me hace lento y poco fecundo, y me fatiga bastante, no por lo poco que escribo, sino por lo mucho que dejo de escribir.»

Todo esto, que parece una broma —un escritor nos confiesa que lo que le cansa es lo que deja de escribir— no puede estar dicho más en serio. Resulta que el poeta nos confiesa —en un testimonio excepcional que nos han dejado muy pocos poetas— que corrige sus versos de una manera involuntaria y fatal, antes de escribirlos sobre el papel. En este sentido, lo mismo que Juan Ramón Jiménez llamaba a Antonio: el fatal, podemos decir nosotros: Manuel Machado, el fatal. Y creo aún más: creo que esta cualidad de fatal que hay en Manuel influye sobre Antonio, y no al revés. Puesto a revelarnos su *secreto profesional* —como diría Cocteau— es como si nos dijera: mis versos no los corrijo yo, los corrige mi subconsciente. De esta manera su poética se nos aparece de acuerdo con una de las corrientes científicas más avanzada y fecunda de la época. A este primer acierto confesional debemos añadir un segundo, cuando nos dice que se cansa o ha llegado a ser —mucho antes que Juan Ramón *el cansado de su nombre*— el poeta cansado de toda posible poesía, no por lo poco que escribe, sino por lo mucho que no escribe, es decir, que no tiene más remedio que no escribir.

Acerquémonos un poco más a esta revelación inusitada de su peculiar actividad interna de poeta. Brotados de tan intensa labor de corrección y selección mental es como sus versos pueden llegar a ser tan pocos y tan acertados casi siempre. Y esto en una época de grandes vaguedades, de crepuscularismo y decadencia. Mientras los versos de otros grandes poetas contemporáneos suyos —con Juan Ramón Jiménez a la cabeza— se afirman como sugeridores y rastreadores de una realidad sentimental ensoñada, los de Manuel Machado son, en el momento mismo de nacer —y esto es lo que le acerca a los poetas griegos arcaicos que evocaba al principio— versos finales de antemano. [...]

El simbolismo idealista con el que Machado ha querido construir una interioridad puramente literaria —su título: *El reino interior,* nos recuerda otro de Rodenbach: *Le règne du silence*—, es algo que no le corresponde. Pero gracias a él y a su interioridad fallida puede escribir esa poesía romántica al revés que hay en *El mal poema.* También Baudelaire en *Les fleurs du mal* era un romántico

al revés. Y don Manuel, en el libro que publica a la misma edad que
Baudelaire el suyo, es decir, a los treinta y cinco años —edad decididamente posrromántica—, además de poesía al revés —lo que está
grabado en su alma—, quiere darnos la poesía del revés mismo de
la vida:

> Al alba son las manos sucias
> y los ojos ribeteados...

Tal vez un revés de bohemia sucedánea y un tanto anacrónica
que tampoco le corresponde. Por eso *El mal poema* no es libro que
se pueda repetir o imitar. Es un libro único en cada uno de sus
poemas únicos. En uno de ellos, *La canción del presente,* don Manuel emplea la expresión *antipático y zurdo* para calificar el absurdo
de la vida. *El mal poema* no nos resulta libro antipático a pesar de
su contenido, pero sí zurdo en la forma, porque hay en él mucha mano
izquierda, mucha más que en otros libros del autor, en los que ya
hay bastante. Y esta mano izquierda va a perdurar en los poemas que
recogerá más adelante con el título: *Dedicatorias.* Gracias a su mano
izquierda don Manuel llega a convertirse en un gran poeta de circunstancias. Ahora se trata de un mal poema en el sentido de «un mal
trago», pero sobre todo como expresión, a un tiempo confidencial y
exhibicionista, de una mala vida. O de la mala vida en general, característica de aquella época en que la buena vida era tan buena. Esa
mala vida ya estaba en las novelas de Galdós, y empezaba a estar en
las de Baroja y en los versos de otros poetas. Aquí se exhibe sin
disculpas y *sin noción de moral,* como funciona la chiquilla llamada
la diosa. Don Manuel, en su libro, es, como su *Friné,* poeta al margen de la sociedad —¿y qué poeta auténtico no lo es?— porque
quiere centrar en la mala vida el sentido marginal de su poesía. Por
eso resulta tan curioso que utilice su paso más juvenil por *el reino
interior* para llegar a idealizar todo lo que la mala vida tiene de falsa.
Y aún más: lo que idealiza es la falsedad misma de la mala vida, esa
falsedad que en el terreno social apenas puede traspasar los límites
de la prostitución callejera. Manuel Machado en su *Mal poema* es
un poeta no-conformista a su manera personal o existencial-metafí-
sica, pero no es un poeta «contestatario». En vez de protestar, acepta
lo mal vivido hasta convertirlo en materia de antierotismo y anti-
poesía.

GORDON BROTHERSTON

LA POESÍA COMO PINTURA: *MUSEO*

«Nadie más cortesano ni pulido que nuestro rey Felipe, que Dios guarde.» Esta frase, con el familiar «que Dios guarde», la pudo haber pronunciado de buena fe cualquier cortesano del siglo XVII sobre un monarca más cortesano y cortés que cualquiera de sus súbditos. A los regeneracionistas de principios de este siglo, por otra parte, la posesión de tales cualidades les parecía menos que real y pensaban desfavorablemente de ellas. Machado, como Velázquez, no excluyó ninguna de las dos posiciones: «Felipe IV» es un ejemplo resuelto de lo que Machado se decidió a hacer en sus poemas de «retratos»: «He procurado la síntesis entre los sentimientos de la época y los del pintor; la significación y el estado del arte en todo tiempo; la vocación del espíritu de los tiempos; la sensación producida hoy en nosotros». A lo largo de todo el poema se mantienen las posibilidades de interpretación múltiple a que dan lugar los primeros versos:

> Es pálida su tez como la tarde,
> cansado el oro de su pelo undoso,
> y de sus ojos, el azul, cobarde.

En este segundo terceto, la descripción vívida de cierto tipo físico, equivalente verbal de las pinceladas velazqueñas, puede también ser comentario de una etapa histórica: la cara pálida como el atardecer del día cuando el sol nunca se pone y tan vacía de sangre vital como una España en decadencia; el cabello de oro apagado y débil como el suministro de oro americano:

> Sobre su augusto pecho generoso
> ni joyeles perturban ni cadenas
> el negro terciopelo silencioso.

[...] El poder del último verso puede ser explicado en términos de la misma ambigüedad: el terciopelo, negro y silencioso en el

Gordon Brotherston, *Manuel Machado*, Taurus, Madrid, 1976, pp. 123-128.

museo, expresando la total lejanía y tristeza de la gloria pasada y
entonces, paradójicamente, el rey en aquel terciopelo tangible reco-
brando la fluidez y la inmediatez de la vida. Versos como éste dan
un significado preciso a la frase de Machado «en Velázquez veo la
vida»:

> Y, en vez de cetro real, sostiene apenas
> con desmayo galán, un guante de ante
> la blanca mano de azuladas venas.

Este último terceto ilumina la oscuridad del anterior y se hace
cuidadosamente eco de la ambigüedad del primer terceto. El rey es,
por una parte, censurablemente decadente, olvidando el cetro real por
un guante de ante; por otra parte, es deliciosamente así, con su
equilibrio, su refinamiento y sus manos con venas azules. Este último
detalle se diseñó para apelar particular y directamente al gusto aristocrático de los modernistas en un anémico estado anímico. En ninguno de los retratos conocidos de Felipe IV por Velázquez, y ciertamente en ninguno de los del Prado, del Museo de la Academia y del
Louvre, las galerías que Machado conocía bien, tiene el rey realmente
un guante de ante; un libro, un pergamino, sí, pero no un guante.
Machado introducía este detalle por alguna razón, tomándose la libertad que confesó estarse tomando con las pinturas originales en sus
poemas de retrato: «teniendo muy bien cuidado de cometer ciertas
inexactitudes que son del todo necesarias a mi intento». El guante
agudiza nuestro foco hacia la mano real: aquellas manos aristocráti-
cas que Darío demandó para sí mismo («mis manos de Marqués») y
que Valle-Inclán evocó en la *Sonata de otoño* en una frase extrañamente parecida a la del poema de Machado: «las manos blancas que
en los viejos retratos sostienen apenas los pañolitos de encaje». Machado mismo, al presionar sobre su propio deseo de ser descendiente
del Marqués de Montevelo, quien renunció a su nación para ser
cortesano de Felipe IV, mostró que él también tenía una debilidad
por los aires aristocráticos desplegados de otra forma en «Adelfos»
(«De mi alta aristocracia dudar jamás se pudo», etc.). Pero no era
sólo decadente en «Felipe IV»: porque no critica, pero tampoco
adula. El poema, dentro de su tono esquivo, es uno de los grandes
logros de Machado. Ninguno de los adjetivos disuena del tono amplio
y sutil, aunque la atmósfera no puede estar más detallada.

Manuel Machado fue el primer poeta español en dedicar un poema a un cuadro, siguiendo escrupulosamente el movimiento de otra forma artística como pudiera haber seguido la forma de un poema en otra lengua. Nadie en España antes de él, con el interés en la fusión de las artes tan típico de la época, había centrado su atención exclusivamente en un cuadro, ni encontró allí la inspiración para todo un poema. Machado se vio animado a hacer esto por dos razones: por su educación en la Institución Libre de Enseñanza, y por los experimentos de los parnasianos y los modernistas hispanoamericanos. Una de las facetas privativas del método educacional de la Institución era el rechazo de cualquier comentario *a priori* (rígido, pero necesariamente arbitrario) de la historia y del arte, con miras a que los alumnos adquiriesen bases de juicio sólo a través de un refinamiento de la experiencia personal directa. Durante las visitas a galerías de arte y museos (comienzo de un hábito de toda la vida en Manuel Machado), Giner de los Ríos y M. B. Cossío permanecían impasibles ante un cuadro para no perjudicar la reacción de sus alumnos: sólo cuando éstos hubieran reaccionado, informarían y detallarían situando el cuadro en una época y escuela. Esta experiencia y esta instrucción que recibió Machado, se enriquecieron con su familiaridad con la poesía francesa, los parnasianos y Verlaine, y con la obra de los modernistas hispanoamericanos: el Darío de los «medallones» y, sorprendentemente, Guillermo Valencia y Julián del Casal. Valencia, a quien Machado quizá conoció en París, publicó en *Ritos* un poema sobre un grabado de Durero y un soneto muy en la línea de Machado sobre el retrato de Erasmo por Hans Holbein. *Nieve* (1893), de Casal, contenía una serie de diez sonetos, titulados «Mi mundo ideal», sobre diez pinturas de Gustave Moreau; y en los de más éxito de entre ellos, en «Salomé» y «Galatea», por ejemplo, hay una indicación de la observación detallada con la profundidad de respuesta que caracteriza el poema de Machado. A Casal, sin embargo, le faltaba la perspectiva histórica y la erudición pura que permitía a la poesía de Machado la posibilidad de ser más que una puesta de parnasiano. [...]

«Felipe IV», dentro del contexto de la propia obra de Machado, fue el primero y el mejor dentro de una serie del mismo tipo, aunque no fuera un soneto, al contrario de la mayoría de sus poemas sobre pinturas, que recogió en *Apolo* (1911). Este libro contenía más retratos de la Corte de Felipe IV sobre la que él y su hermano en otro lugar mostraron un conocimiento histórico detallado en la obra *Julianillo Valcárcel*. «La infanta Margarita», la hija de Felipe IV, tiene muchas de las características de su padre. Machado mostró de nuevo que en este soneto había intentado captar y no juzgar «toda la elegancia, toda la decadencia, toda la infinita amargura de la deliciosa infanta». Cómo se parecen sus manos a las de su padre:

> La mano —ámbar de ensueño— entre los tules
> de la falda desmáyase y sostiene
> el pañuelo riquísimo.

Y con qué semejanza combina la dignidad, la elegancia y la fragilidad:

> Y corona no más su augusta frente
> la dorada ceniza del cabello,
> que apenas prende el leve lazo rosa.

Los efectos visuales de Velázquez son también sugeridos absolutamente por Machado en este poema; nos avisa sobre el hecho de que la princesa, atrapada en la complejidad de la decadencia, había hecho pintarse dos veces las mejillas, una vez con maquillaje y otra por Velázquez:

> el semblante,
> que hábil pincel tiñó de leche y fresa,
> emerge del pomposo guardainfante,
> entre sus galas cortesanas presa.

En su mayor explicitación, sin embargo, al poeta le faltan muchas de las posibilidades de «Felipe IV», su modelo. Pues, mientras que Machado dijo en «Felipe IV» que la cara del rey era «pálida como la tarde», nuevamente sugiriendo que «la tarde» era también el fin del imperio español, su descripción de la cara de la infanta fue más directa, forzada y, por tanto, limitada:

> Italia, Flandes, Portugal... Poniente
> sol de la gloria, el último destello
> en sus mejillas infantiles posa...

A pesar del deseo de Machado de captar «toda la infinita amargura de la deliciosa infanta», la enunciación de la tesis de la decadencia interrumpe la evocación de la presencia humana. El sujeto del poema, igualmente, se traslada del carácter a la caricatura. «Don Juan de Austria», el bufón de Felipe IV, el heredero deforme de un glorioso nombre, está acertadamente caricaturizado, pero también en el sentido de ser limitado, en un tercer soneto sobre la corte de Felipe IV:

> No fue en Lepanto, pese a su alto nombre.
> Pero, amigo de un rey de glorias harto,
> entre sus timbres de alta prez hay uno
> que hace de él un amable gentilhombre:
> prestó un doblón al gran Felipe cuarto
> en cierta noche de terrible ayuno.

El soneto termina casi como una anécdota, una broma. Y la broma, para su efecto, depende de una teoría preconcebida de aquel período de la historia. Es un comentario inteligente, un vestido hábil con las palabras de una idea fija. Si el rey en «Felipe IV» invita a la especulación e incluso a un examen más detallado, en «Don Juan de Austria» es una figura de cartón.

«Carlos V», aunque en muchos aspectos sea un poema excepcional, también depende estrechamente de una teoría de la historia, pero, claro está, como representante de un período diferente. La Corte de Felipe IV representa la decadencia como la de Carlos V representa la magnificencia enérgica. Machado pisaba un azaroso suelo al elevar a su héroe al estrado de un superhombre:

> lanza en mano,
> recorre su dominio, el Mundo entero,
> con resonantes pasos, y seguros,

Pero entonces, poniendo el esqueleto de nuevo en el cuadro, dio un paso atrás para salvarse y salvar al poema:

> En este punto lo pintó Tiziano.

5. LA EVOLUCIÓN DEL NATURALISMO EN LA NOVELA Y EL TEATRO

La novela y el teatro español del siglo xx nacen bajo el signo del naturalismo. En el caso del primer género de una forma rotunda y con el peso de una ejecutoria que aún es decisiva: en 1900, Galdós, empeñado en nuevas series de *Episodios*, recientes los éxitos de algunas de sus mejores novelas, autor de un polémico teatro e indiscutible decano de la *intelligentsia* progresista, era una presencia literaria muy viva, y, aunque los jóvenes Unamuno y Azorín vieran con explícita reticencia las cifras contables de librería, los grandes éxitos de público correspondían aún a Pereda, Valera, Palacio Valdés, la Pardo Bazán, Jacinto Octavio Picón..., unos ya claudicantes y otros en plena producción.

Hacia 1890 el naturalismo había sufrido una crisis de crecimiento y de objetivos. La crítica reaccionaria francesa (cual fue el caso de Ferdinand Brunetière) exageró sus perfiles e identificó con un retorno al espiritualismo lo que no pasó de ser una grave desconfianza respecto a los propósitos de 1870 (el naturalismo, postuló Zola, sería el supuesto de la vida política, científica e intelectual de los países progresivos), posibilitada por las decepciones históricas y por una suerte de confusa inquietud irracionalista que respondía, de algún modo, a las nuevas contingencias de la profesión y a la búsqueda de nuevos valores. La complicación de la psicología en la narración (a la que responden los nuevos protagonistas dubitativos, enfermizos o malditos), la exploración de nuevos ambientes (barrios míseros, prostíbulos, zonas rurales degradadas por la civilización industrial o por su propia involución), la indagación de relaciones humanas paroxísticas (lo erótico y lo sexual, la tiranía y la humillación pasionales), se convirtieron en un nuevo cosmos novelesco, al que no fue ajeno el conocimiento de la narrativa rusa de las dos décadas anteriores, y que se proyectó en vertientes muy diversas: lo que para unos fue simple profundización en los presupuestos del primer naturalismo, para otros fue la revelación de redenciones individuales (o de fracasos aleccionadores) y, para todos, una forma de denuncia de lo arbitrario, insolidario y represivo de la sociedad tradicional burguesa.

Como se decía en la introducción al capítulo 2, y se puede certificar en el párrafo precedente, la diferenciación tajante entre la continuidad naturalista y la innovación modernista (y noventayochesca) no puede sustentarse. Nos hallamos ante los términos de una misma crisis en la estimativa intelectual y artística y ante una llamativa convergencia de procedimientos. Lo que ya parece impensable a la altura de 1890-1900 es escribir una novela que reflejara en tipos y conflictos la totalidad de un panorama social complejo y la dialéctica de la razón (o del bien) contra la sinrazón (y el mal): la objetividad se ha transformado en perplejidad moral y la circunstancia concreta (la pasión, el paisaje, los datos del medio social...) han desterrado las pretensiones balzaquianas de que la novela compitiera con el registro civil. Por esto, la novela postnaturalista (o quizá mejor, el «segundo naturalismo») subraya la disgregación de la realidad con una aparente dispersión de tendencias y hasta, en más de un caso, con la mitigación de las normas tradicionales de construcción de un relato. La relación de «escuelas» que apunta un crítico coetáneo (R. Cansinos Assens [1925]) —distinguiendo «intelectuales», «preciosistas y arcaizantes», «cantores de la provincia», «eróticos», «galaicos» «madrileñistas»...— puede parecer pintoresca, pero es uno de los medios de reconocer deslindes en el marco de un principio de unidad; Ganivet, el Unamuno de *Amor y pedagogía* y el Baroja de *Paradox, rey* cultivan un relato satírico-filosófico; el Valle-Inclán de las *Sonatas* oscila entre lo erótico y lo provinciano (versión galaica); Felipe Trigo y Vicente Blasco Ibáñez combinan lo regional con lo erótico o lo social; López Pinillos y Eugenio Noel mezclan lo regionalista, lo satírico y lo erótico en la creación de una vigorosa caricatura regeneracionista de la España rural, etc...

De todos los citados en la incompleta nómina, Vicente Blasco Ibáñez (Valencia, 1866 - Menton, Francia, 1928) es, al decir de los manuales, quien más próximo se muestra al hacer novelesco del xix. Con mucha razón, sin embargo, C. Blanco Aguinaga [1978] ha defendido la viabilidad de la inserción en lo noventayochesco de quien fue, casi tanto como novelista, el líder del republicanismo valenciano, insolente diputado y, a través de su diario *El Pueblo,* un duradero mito de aquella ideología (E. Gascó Contell [1957], F. León Roca [1970], J.-N. Loubès - J. L. León Roca [1972], P. Vickers [1974]). Las «novelas valencianas» de Blasco parten de una antinomia muy desarrollada por el naturalismo —la contraposición de la aparente Arcadia rural y la brutal realidad de unas relaciones de dominio económico y violencia a flor de piel— y recorren, como ha señalado E. Sebastià [1966], todos los parajes de la vida valenciana finisecular: la ciudad mercantil en *Arroz y tartana* (1894), la huerta en *La barraca* (1898), los pescadores de la Albufera en *Cañas y barro* (1902), etcétera. Mayor empeño, aunque menos vigor, tuvieron las novelas sociales siguientes —*La catedral* (1903), *El intruso* (1904), *La bodega* (1905), *La horda* (1905)—, herencia del último Zola, a quien el autor convirtió en una religión personal; algo similar ocurre con las pinturas de ambientes e introspecciones psicológicas que intentó en *La maja desnuda* (1906) o *Sangre y arena* (1908) y, sobre todo, en la pretensión flaubertiana de «novelas arqueológicas» —desde *Sónnica la cortesana* (1901) hasta *El caballero de la Virgen* (1909)—, de mérito menos que pobre.

En 1909, Blasco renunció a su acta de diputado y emigró a Argentina. Allí organizó un confuso asunto de colonización agrícola, escribió alguna novela sobre la emigración y, poco gloriosamente fracasado, regresó a España, aunque se exilió ruidosamente a la llegada de la primera Dictadura (J. M. Carretero [1924]). Sus novelas de la guerra europea le granjearon fama internacional (sobre todo, *Los cuatro jinetes del Apocalipsis,* 1916), y Blasco se convirtió, sin vacilar, en el prototipo de novelista millonario de los años veinte y aun inverecundo organizador de su propia bibliografía (C. Pitollet [1921] y [1957]).

Felipe Trigo (Villanueva de la Serena, Badajoz, 1875 - Madrid, 1916) fue también un escritor muy popular y, en no parva medida, organizador de su propio culto. Pero si a Blasco le acompañó en su juventud un entusiasmo radical y organizado (y luego el crédito mercantil de los *best-sellers*), la fama de Trigo —al margen de su paso por el socialismo, de su condición de héroe de las guerras coloniales y de su propensión a la admonición política— se basó en el escándalo que rodeó sus publicaciones y en la reiterada afirmación de una liberación erótica y sexual en la que el autor —con criterios muy elementales— veía encarnada la salvación colectiva: salvación que se insertaría a la larga en una pintoresca estatalización paternalista de los medios útiles a la satisfacción y realización de los individuos (como demuestra en *Socialismo individualista* y argumenta, con pretexto en una curiosa polémica con Unamuno, en *El amor en la vida y en los libros*) (M. Abril [1917]).

Si el asendereado «erotismo» (y aun «pornografía») (A. T. Watkins [1954]) de Felipe Trigo han de verse bajo la óptica de sus utopías regeneradoras, sus inseparables maneras novelescas deben contemplarse también a la doble luz de aquel pensamiento y de un orden de cosas que no fue ajeno a su generación. Como ha demostrado con gran tino Fernando García Lara [1978], Trigo no es una anomalía curiosa sino un escritor de su tiempo y, por descontado, el mejor de cuantos hicieron de la vida sexual el punto de partida de sus relatos. Quizá los mejores de éstos son los que, cercanos a la autobiografía, trazan —sobre un cuadro vigoroso del medio burgués provinciano— la dificultad de una adolescencia sana: *Las ingenuas* (1901), *La sed de amar* (1905), *En la carrera* (1909), a las que se podría añadir *La bruta*, destrucción de una burguesita extremeña por la bohemia intelectual madrileña, y *El médico rural* (1912). Por otro lado, *Jarrapellejos* (1914) puede ser calificada sin exageración como la más briosa requisitoria contra el caciquismo español, secuela del perdurable mito de la izquierda pequeñoburguesa que estigmatizó en aquél el germen de los males de la sociedad española. Una insólita vena de humor —visible en relatos breves como *El papá de las bellezas* y *El semental* y aun en novelas extensas como *Sor Demonio* y *Las evas del Paraíso*— ha pasado desapercibida a los recientes «descubridores» del novelista pacense, más interesados por el Trigo «social» o por el misionero erótico de *La altísima*: quizás en ese registro resida el máximo de adecuación entre ideología, relato y eficacia que Trigo planteó en su día y ofrece al lector interesado de hoy.

En atención a valores próximos a éste, la reciente reivindicación de Trigo ha afectado también a otros novelistas coetáneos, a menudo perdidos en las nóminas de noventayochistas menores. Algunos capítulos del libro fundamental de Eugenio G. de Nora [1958], no por casualidad obra de un poeta y crítico comprometido con el realismo de postguerra, fueron hasta hace poco la única referencia bibliográfica accesible para su conocimiento, hoy considerablemente mejorado por reediciones frecuentes y algún estudio. Como arriba se indicaba, no cabe reducir este notable grupo de escritores a la mera condición de vestales del realismo hispánico frente a la dimensión intelectual de la novela noventayochesca, ni verlos indiscriminadamente en el rumbo de una «narrativa social»: Manuel Bueno y José María Salaverría, por ejemplo, persisten en el relato de protagonista, desde los supuestos de un cierto romanticismo radical (aunque curiosamente al servicio de un pensamiento muy reaccionario); Eugenio Noel y José López Pinillos (los más directos beneficiarios del rescate crítico y editorial) se ajustan al molde satírico, violento y regeneracionista que ya percibimos en algunas novelas de Trigo y que podría ser provisionalmente calificado como «casticista» (Á. Prado [1973]); Manuel Ciges Aparicio, quizá el más interesante de todos ellos, abarca registros que van del desgarrado relato de ambiente bohemio a la novela rural de tema caciquil; Pedro Mata, Eduardo Zamacois, Antonio de Hoyos y Vinent, Rafael López de Haro, Álvaro Retana, Joaquín Belda... recubren la gama de lo erótico desde el naturalismo confeso de los primeros y el decadentismo (a lo Mirbeau o lo D'Annunzio) del tercero hasta lo rosa, lo galante y lo cómico de los tres últimos; Ricardo León y Concha Espina suponen, por su parte, la continuidad del «realismo» tradicional, al servicio de un público que ya linda con los incondicionales de la «Biblioteca Patria» de novelas, curiosa experiencia clerical de relatos moralizantes en la que no faltan plumas conocidas.

Todos los citados, y bastantes más, hubieron de beneficiarse de un sistema de edición —las colecciones de novelas cortas— que supone uno de los más interesantes fenómenos de divulgación de la lectura en los primeros treinta años del siglo: desde *El Cuento Semanal* (1907) —cuyo formato y presentación competían directamente con los *magazines* en boga— hasta *La Novela Mundial* (1926) registramos algunas docenas de colecciones entre las que *La Novela Corta* (1915), primera en abaratar costos y reducir el formato, es la más duradera y la más significativa. Creadas como una fórmula editorial eficaz, las series de relatos breves se ajustaron muy bien a las limitaciones de los nuevos narradores para el texto de gran envergadura física y, en ese sentido, contribuyeron a fijar normas narrativas que se hallan a menudo en las mismas novelas largas (F. C. Sáinz de Robles [1975], Luis S. Granjel [1968]).

La situación del teatro en la década de los noventa era bastante menos halagüeña que la de la novela, ya que oscilaba entre el llamado «romanticismo de levita» (Echegaray fue su más conspicuo y proverbial representante, aunque no el único) y las formas de teatro popular (sainetes, parodias de obras famosas, vodeviles...) que, desde 1868, se habían desarrollado al conjuro de las sesiones continuas, el famoso «teatro por horas». Un crítico de información y valía excepcionales, José Yxart [1894]), apenas podía sino lamentar el contraste de la mísera escena española con la efervescencia teatral europea, pródiga en novedades naturalistas o simbolistas y ocupada en la sugestiva creación de «teatros libres». Como el crítico catalán señalaba, si el verso era enemigo principalísimo de la modernización, el naturalismo había de ser el germen de los nuevos hallazgos: con el primero había roto ya Galdós y, en parte, Enrique Gaspar; el segundo habría de llegar con el gran novelista-dramaturgo y, en gran medida, a partir de las campañas teatrales de Emilio Mario, titular del madrileño Teatro de la Comedia. A este escenario —y no al del Español, señoreado por los popularísimos Ricardo Calvo y Antonio Vico— correspondieron las máximas innovaciones dramáticas de la segunda mitad de la década de los noventa y muy particularmente las dos piezas más significativas de la ruptura: el *Juan José* (1895) de Joaquín Dicenta, germen del «teatro social» español (F. García Pavón [1962]) y, un año antes, *El nido ajeno,* primer estreno de Benavente (F. Ruiz Ramón [1975]).

Dicenta, clamoroso patrón de la juventud radical, se había iniciado en el «romanticismo de levita» y, de algún modo, no abandonó nunca sus presupuestos: su nueva manera dejó una docena de dramas pasionales, de acusado maniqueísmo, pero cuya temática —las huelgas reivindicativas, el obrero como sujeto de honor, el amor extramatrimonial, el estatuto social del artista creador— traía a las tablas españolas algo de lo que era habitual fuera de ellas (J.-C. Mainer [1972]). Jacinto Benavente (Madrid, 1866 - Madrid, 1954) fue un personaje de índole muy diferente: hijo de un acreditado médico madrileño, habitual de los cenáculos literarios más al día, su paso por el radicalismo fue fugaz y, pese al fracaso casi absoluto de *El nido ajeno*, halló muy pronto los resortes de un público burgués, al que, no obstante, supo educar para la recepción de un teatro brillante, algo discursivo, hábil mezcla de moralización y escepticismo. Y, del mismo modo, encontró en algunas compañías teatrales —la de María Guerrero y Fernando Díaz de Mendoza, particularmente— el excipiente ideal de sus comedias, junto a un apreciable cambio en las *mores* escenográficas: lo que era recitado vocinglero se trocó en discreteo de salón, subrayado por punzantes ironías o sutiles moralejas; lo que fue descuido en la puesta en escena se convirtió en el minucioso realismo que ya había obsesionado al actor Emilio Mario (J. Vila Selma [1952], I. Sánchez Estevan [1954], M. Fernández Almagro [1956], M. C. Peñuelas [1968]).

La mayoría de las comedias benaventinas son, como hubiera dicho Torres Naharro, «comedias a noticia» y vienen a componer una crónica complaciente de las preocupaciones y los prejuicios de su patio de butacas habitual. En esa búsqueda estriba la variedad de su teatro que pudo incluir un drama decadentista de aire fantástico —*La noche del sábado* (1904)— junto a vigorosos dramas rurales —*Señora ama* (1908), *La malquerida* (1912)—; una *moralité* modernista como *Los intereses creados* (1906) (J. Vila Selma [1970] y F. Lázaro Carreter [1976]) junto a los dramas ambientados en la imaginaria Moraleda, de raigambre regeneracionista —desde *La gobernadora* (1901) a *Pepa Doncel* (1928)— (K. Portl [1966]). Tal fidelidad a un público hizo de su teatro algo tan vulnerable a la crítica independiente como lo era aquél: la actitud de Benavente en las banderías de aliadófilos y germanófilos de 1914-1918 (entre las que adoptó un neutralismo antialiadófilo que se convirtió pronto en un furioso ataque contra los intelectuales españoles de signo avanzado) entrañó la defenestración del escritor del primado teatral que le otorgaran tirios y troyanos. Un mordaz artículo de Pérez de Ayala [1963] a propósito de *El collar de estrellas* fue la primera chispa de un conflicto que llegó a su culminación con el ruidoso estreno de *La ciudad alegre y confiada* (1916), continuación de *Los intereses*... pero, a la verdad, biliosa diatriba contra los entusiasmos belicistas de los aliadófilos y sus voceros más caracterizados (J.-C. Mainer [1972]). A partir de entonces, el «benaventismo» simbolizó, con evidente exageración por parte de sus detractores, todos los vicios y dependencias del teatro español de nuestro siglo (J. M. Valverde [1957], J. M. Rodríguez Méndez [1966], E. Llovet [1966]).

El mismo Pérez de Ayala que atacaba las raíces mismas del benaventismo fue el primer artífice de un prestigio teatral que está en las antípodas del comediógrafo madrileño: Carlos Arniches (Alicante, 1866 - Madrid, 1943), quien procedía del «teatro por horas» a cuya versión castizamadrileña había dado sus piezas más memorables. La crisis de aquella fórmula comercial llevó al escritor a mayores empeños a los que logró trasladar indemne buena parte de su mundo popular y su habla (M. Seco [1970]), sus héroes desastrados y bondadosos, sus matriarcas autoritarias, maridos pusilánimes, mocitas honradas y horteras agresivos, destinados a bochornosa derrota. Incrementó el censo, sin embargo, con una capacidad inigualable para la observación de la clase media venida a menos y, sobre todo, supo adecuar su moralismo de raigambre regeneracionista a una forma de comicidad verbal y plástica, descoyuntada y caricatural, que logra diluir una irreprimible tendencia a lo folletinesco en una desgarrada burla: el resultado fue la «tragedia grotesca», cuya aparición saludó Pérez de Ayala con entusiasmo, género al que se adscriben las mejores creaciones arnichescas: *La señorita de Trévelez* (1916), *¡Que viene mi marido!* (1918), *Los caciques* (1920), *Es mi hombre* (1921).

El teatro de Arniches es, en lo cómico, lo más valioso de la escena española de su tiempo. Ni la comicidad de mesa de camilla de los hermanos Serafín y Joaquín Álvarez Quintero, ni la «astracanada» de Pedro Muñoz Seca (que a menudo degrada su ingénita y aun subversiva gracia en estereotipos facilones), lograron para sus autores la fama intelectual de la que Arniches pudo alardear con toda justicia: desde Pedro Salinas hasta críticos y dramaturgos de hoy han encarecido su valor. Y una bibliografía más nutrida y valiosa de lo común (*Carlos Arniches* [1967], *Segismundo* [1966], M. Lentzen [1966] y V. Ramos [1966]) vino a confirmar en su primer centenario la actualidad de algunos de sus planteamientos escénicos.

No puede decirse lo mismo de la fórmula del teatro en verso que surge hacia 1910 y al margen de la sobrevivencia aún cercana de la métrica como vehículo dramático exclusivo. Sus cultivadores buscaron temas históricos o fantásticos, siguiendo una efímera moda del teatro francés (piénsese en el *Cyrano* de Edmond Rostand) y utilizaron metros modernistas: Eduardo Marquina fue el más conocido y popular de ellos, aunque también usaron el de Francisco Villaespesa, Enrique López Alarcón, Ramón Goy de Silva... y los hermanos Machado, Valle-Inclán y, desde luego, Federico García Lorca.

Pero el llamado «teatro poético» supuso una innovación mucho menor de la que había supuesto ya Benavente y las aportaciones de reforma llegaron por otros caminos. A principios de siglo, por ejemplo, se discutió sobre los «teatros libres», a semejanza del famosísimo de Antoine en París, pero el ejemplo no arraigó fuera de Cataluña; más tarde, la modalidad de teatros de repertorio, con cuidada dirección escénica, tuvo una representación desigual en las temporadas que Gregorio Martínez Sierra anduvo al frente del Teatro Eslava, pero marcó un hito en la historia externa de la dramática española.

Uno de los manifiestos errores de Martínez Sierra (que fue por añadidura un habilidoso comediógrafo al benaventino modo) fue rechazar la mejor creación de Jacinto Grau (Barcelona, 1877 - Buenos Aires, 1958), *El señor de Pigmalión* (1921), farsa que desarrolla el inquietante tema titular (las relaciones de un hombre con la estatua animada que creó) a través del dueño de unos títeres y sus muñecos. Grau se había iniciado en un intento de tragedia a lo Unamuno, pero sin demasiada viabilidad escénica —*Entre llamas* (1905), *El conde Alarcos* (1907)—, que a veces trata los mismos temas que obsesionaron al escritor vasco —*El burlador que no se burla* (1930), sobre el donjuanismo—, pero en la que acierta menos que en lo farsesco filosófico. Cierta tosquedad de fondo y forma no autoriza la redención de Grau más allá de su condición de renovador sin fortuna, aunque cuenta con alguna bibliografía propia que ha subrayado sus innovaciones (G. Rodríguez Salcedo [1966], L. García Lorenzo [1968] y [1971]). Pese a los esfuerzos del dramaturgo barcelonés (coincidentes con los de Unamuno, Azorín y, sobre todo, Valle-Inclán), la escena española anterior a 1936 vivió una modernización muy superficial y las prácticas teatrales, hechuras de un público de escasa receptividad, apenas reflejaron el vigoroso aliento renovador que se evidenció en otros géneros (E. Díez Canedo [1968]).

BIBLIOGRAFÍA

Abril, Manuel, *Felipe Trigo. Exposición y glosa de su vida, su filosofía, su moral, su arte, su estilo*, Renacimiento, Madrid, 1917.

Carlos Arniches. Conferencias pronunciadas con motivo del Primer Centenario de su nacimiento, Alicante, 1967.

Betoret París, Eduardo, *El costumbrismo regional en la obra de Blasco Ibáñez*, Fomento de Cultura, Valencia, 1958.

Blanco Aguinaga, Carlos, «Blasco Ibáñez: una historia de la revolución española y la novela de una revuelta andaluza», *Juventud del 98*, Crítica (Filología, 4), Barcelona, 1978 [2], pp. 176-207.

Cansinos Assens, Rafael, *La nueva literatura. II: Las escuelas*, Páez, Madrid, 1925.

Carretero Novillo, José María («El Caballero Audaz»), *El novelista que vendió a su Patria o Tartarín revolucionario*, Madrid, 1924.

Díez Canedo, Enrique. *Artículos de crítica teatral. El teatro español de 1914 a 1936*, 4 vols., Joaquín Mortiz, México, 1968.

Fernández Almagro, Melchor, «Benavente y algunos aspectos de su teatro», *Clavileño*, n.° 38 (1956), pp. 1-18.

García Lara, Fernando, «El sentido de una recuperación: Felipe Trigo», *Cuadernos Hispanoamericanos*, n.° 332 (1978), pp. 1-16.

García Lorenzo, Luciano, «Los prólogos de Jacinto Grau», *Cuadernos Hispanoamericanos*, n.º 224-225 (1968), pp. 1-19.

—, «Introducción», en J. Grau, *Teatro selecto*, Escelicer, Madrid, 1971, páginas 7-109.

García Pavón, Francisco, *Teatro social en España (1895-1962)*, Taurus, Madrid, 1962.

Gascó Contell, Emilio, *Genio y figura de Blasco Ibáñez. Agitador, aventurero y novelista*, Afrodisio Aguado, Madrid, 1957.

Granjel, Luis Sánchez, «La novela corta en España (1907-1936)», *Cuadernos Hispanoamericanos*, LXXIV (1968), pp. 447-508, y LXXV (1968), páginas 14-50.

Lázaro Carreter, Fernando, «Introducción», en J. Benavente, *Los intereses creados*, Cátedra, Madrid, 1976 [3].

Lentzen, Manfred, *Carlos Arniches: vom «género chico» zur «tragedia grotesca»*, Droz, Ginebra, 1966.

León Roca, Francisco, *Blasco Ibáñez: politica i periodisme*, L'Estel, Valencia, 1970.

Llovet, Enrique, «Jacinto Benavente y su circunstancia literaria y social», *Cuadernos Hispanoamericanos*, LXVIII (1966), pp. 519-526.

Loubés, Jean-Noël, y José Luis León Roca, *Vicente Blasco Ibáñez, diputado y novelista. Estudio e ilustración de su vida política*, Université de Toulouse-Le Mirail (Études et Documents, III), Toulouse, 1972.

Mainer, José-Carlos, «Unamuno, personaje de una novela de Felipe Trigo», *Literatura y pequeña burguesía en España. Notas (1890-1950)*, Edicusa, Madrid, 1972, pp. 59-76.

—, «Joaquín Dicenta», *ibid.*, pp. 29-58.

—, «Consideraciones sobre Benavente, los intelectuales y la política», *ibid.*, páginas 121-140.

Nora, Eugenio G. de, *La novela española contemporánea. I: (1898-1927)*, Gredos (Biblioteca Románica Hispánica, II, 41), Madrid, 1958.

Peñuelas, Marcelino C., *Jacinto Benavente*, Twayne Publishers (TWAS), Nueva York, 1968.

Pérez de Ayala, Ramón, *Las máscaras (1920)*, en *Obras completas*, III, Aguilar, Madrid, 1963.

Pérez Minik, Domingo, *Debates sobre el teatro español contemporáneo*, Goya, Santa Cruz de Tenerife, 1953.

Pitollet, Camille, *Vicente Blasco Ibáñez: les romans et le roman de sa vie*, Calman-Lévy, París, 1921.

—, «Cómo escribí el libro sobre Blasco Ibáñez», *Boletín de la Biblioteca Menéndez Pelayo*, XXXIII (1957), pp. 221-365.

Portl, Karl, *Die Satire im Theater Benaventes von 1896 bis 1907*, Hueber Verlag (Münchner Romanistische Arbeiten, 22), Munich, 1966.

Prado, Ángeles, *La literatura del casticismo*, Moneda y Crédito, Madrid, 1973.

Ramos, Vicente, *Vida y teatro de Carlos Arniches*, Alfaguara, Madrid, 1966.

Rodríguez Méndez, José María, «Benavente: un autor para una sociedad», *Revista de Occidente*, IV (1966), pp. 219-234.

Rodríguez Salcedo, Germán, «Introducción al teatro de Jacinto Grau», *Papeles de Son Armadans,* XLII (1966), pp. 13-42.

Ruiz Ramón, Francisco, *Historia del teatro español. Siglo XX,* Cátedra, Madrid, 1975.

Sáinz de Robles, Federico C., *La promoción de «El Cuento Semanal» (1907-1925),* Espasa-Calpe (Austral, 1592), Madrid, 1975.

Sánchez Estevan, Ismael, *Jacinto Benavente y su teatro. Estudio biográfico y crítico,* Ariel, Barcelona, 1954.

Sebastià, Enric, *València en les novelles de Blasco Ibáñez. Proletariat i burgesia,* L'Estel, Valencia, 1966.

Seco, Manuel, *Arniches y el habla de Madrid,* Alfaguara, Madrid, 1970.

Segismundo (Homenaje a Arniches), II, 1966.

Torrente Ballester, Gonzalo, *Teatro español contemporáneo,* Guadarrama, Madrid, 1957.

Valverde, José María, «Carta a un lector de Benavente», *Papeles de Son Armadans,* IV (1957), pp. 217-221.

Vickers, Peter, «Vicente Blasco Ibáñez: literatura e ideología», en *Siete temas sobre historia contemporánea del País Valenciano* (varios autores), Universidad de Valencia, 1974, pp. 175-203.

Vila Selma, José, *Benavente, fin de siglo,* Rialp, Madrid, 1952.

—, «Notas en torno a *Los intereses creados* y sus posibles fuentes», *Cuadernos Hispanoamericanos,* n.° 243 (1970), pp. 588-611.

Watkins, Alma T., *Eroticism in the novels of Felipe Trigo,* Bookman Associates, Nueva York, 1954.

Yxart, José, *El arte escénico en España,* 2 vols., Imprenta de «La Vanguardia», Barcelona, 1894-1896.

PETER VICKERS

NATURALISMO Y PROTESTA SOCIAL EN BLASCO IBÁÑEZ

La puesta en escena *regionalista* del ciclo valenciano naturalista obedece a motivos ideológicos ya que la descripción y costumbrismo regionalistas empleados por Blasco reflejan sus preocupaciones de republicano federal. En su introducción a las poesías de Curros Enríquez, Blasco declara: «En las provincias es, pues, donde hay que buscar hoy las manifestaciones del genio nacional, pues la literatura, dando sin duda con esto un alto ejemplo a la política, se descentraliza y busca para desarrollarse el amparo de una autonomía regional, aspirando a que la antigua república de las letras no sea una república unitaria, sino federalista».

Pero el naturalismo no sólo se limitaba a encerrar una protesta contra los valores establecidos de los reaccionarios dirigentes. En su *Novela experimental,* inspirada directamente en *La introducción a la medicina experimental* de Claude Bernard, Zola expone sus teorías sociológicas sobre la novela, teorías que, analizadas hoy en día, resultan ser no más que pseudocientíficas y cuyo «corpus» teórico está a menudo en contradicción con su praxis creativa. Estas mismas teorías empleadas por Blasco en mayor o menor grado a través de sus novelas valencianas y en sus cuatro novelas «de tesis» posteriores —*La catedral, El intruso, La bodega* y *La horda*— suponen que el novelista, en un examen minucioso de la sociedad que describe, identifique y aísle los factores deterministas negativos que actúan sobre

Peter Vickers, «Vicente Blasco Ibáñez: literatura e ideología», en *Siete temas sobre historia contemporánea del País Valenciano* (varios autores), Universidad de Valencia, Valencia, 1974, pp. 189-198.

los personajes, proveyendo así a los sociólogos, a los economistas, a los médicos y a los políticos de diagnósticos y datos para que éstos, ya fuera de los confines de la novela, puedan proceder a neutralizar o eliminar los factores deterministas que alteran el comportamiento del individuo o de la sociedad en general. [...]

Así, con la excepción de *Arroz y tartana,* su primera novela naturalista, donde la influencia y el pesimismo de Zola son más palpables, Blasco sitúa todas sus novelas naturalistas, desde *Flor de mayo,* escrita en 1895, hasta *La horda,* que apareció en 1905, en un plano sociopolítico, dejando ver o entrever en último término o en el fondo del argumento soluciones politizables o la esperanza optimista de un nuevo orden.

En *Flor de mayo,* el principal responsable por la tragedia que culmina la novela, es decir, el naufragio en que perecen «el retor», su hijo, su hermano Tonet y las tripulaciones de otras barcazas de pesca, es la subyugación económica de las zonas periféricas a la ciudad de Valencia, lo cual hace que los pescadores zarpen a la mar con tiempo desfavorable con el fin de ganar su miserable sustento. Las famosas palabras de la vieja «tía Picores» resumen adecuadamente esta tesis: «Ya no enseñaba el puño al mar. Le volvía la espalda con desprecio, pero amenazaba a alguien que estaba tierra adentro, a la torre del Miguelete. Allá estaba en enemigo, el verdadero autor de la catástrofe. Y el puño de la bruja del mar, hinchado y enorme, siguió amenazando a la ciudad mientras su boca vomitaba injurias. ¡Que viniesen allí todas las zorras que regateaban al comprar en la Pescadería! ¿Aún les parecía caro el pescado? ¡A duro debía costar la libra!».

Pasemos a examinar brevemente *La barraca,* tal vez la más politizada de las novelas regionales. Algunos críticos han sugerido que la clave del argumento de esta obra se halla en el choque entre dos entidades: el individuo y el grupo, pero opino que la cuestión es más profunda y más amplia que esto. Batiste llega con su familia a la huerta desde una zona de secano y ocupa la casa derrumbada y las tierras abandonadas que habían pertenecido a un viejo labrador, «el tío Barret», muerto años antes en presidio por el asesinato del terrateniente —irónicamente llamado don Salvador— cuyas constantes exigencias y aumentos del arriendo habían llevado a Barret a la ruina, habían matado a su mujer del disgusto y obligado finalmente a sus hijas a entrar en la prostitución. Los huertanos, para vengar a

Barret y temiendo que ellos mismos no tardarían en ser objeto de amenazas de expulsión, se solidarizan e impiden que los herederos de don Salvador coloquen otro campesino en las tierras malditas. Así pues, la llegada de Batiste amenaza con destruir la tenaz resistencia que hacen los huertanos frente a los amos que residen en Valencia, amenaza con echar a perder una victoria moral. La ocupación de la barraca abandonada constituye una profanación a la memoria de Barret, el mártir que hizo que la resistencia del huertano y su defensa del *statu quo* fuese una realidad.

Pimentó podría parecer como un bravucón antipático, y superficialmente lo es, pero es también el portavoz de los sentimientos de los campesinos, y no es por nada que Blasco lo llama «el caballero andante de la huerta». Pimentó es cobarde; acecha a su enemigo en emboscadas pero refleja así el único medio de combate que tienen los de la huerta: «paciencia y mala intención», una frase constantemente repetida. Tanto Batiste como Pimentó y los demás huertanos son, según nos reitera Blasco, víctimas de una situación sumamente injusta: los que trabajan las tierras deben convertirse en pequeños propietarios, en dueños de ellas; el campesino y la huerta son explotados por la ciudad. Los huertanos, por razones socio-político-económicas, se ven *obligados,* para retener lo poquísimo que les queda, a expulsar a Batiste que sólo pide con qué vivir. La expulsión de Batiste equivale a una victoria, más moral que práctica, de la huerta sobre la ciudad. El trágico desenlace argumental estriba en que el individuo —Batiste— ha tenido que ser sacrificado para lograr el triunfo de la comunidad —la huerta—. Pero lo importante es que ningún sacrificio habría sido necesario si no hubiera existido el cáncer de las castas, o sea, la división entre terratenientes amparados por la ley y los arrendatarios cuya única defensa es el trabuco y la astucia. *La barraca* es una novela optimista; las soluciones sugeridas no son más que esquemáticas pero, a través de la victoria de la huerta, se vislumbra la esperanza de que esto pueda ser el comienzo de la revolución rural ideada por Blasco.

Sherman Eoff hace hincapié en el pesimismo que predomina en *Cañas y barro* y ciertamente una lectura puramente literaria confirma esta opinión. Sin embargo, hay dos elementos en esta novela que la desvían de un final que descansa en una resignación pesimista. Primero, el asesinato del niño recién nacido seguido del suicidio de Tonet se deben a la avaricia de Neleta, una avaricia que tiene su razón de ser en la abyecta miseria de los pescadores 'acustres de El Palmar. La miseria de los desheredados de la Albufera la ha conocido Neleta desde su niñez, ha visto cómo su madre se mató a trabajar, relegada al último puesto del mercado de pescado de Valencia, como vemos en *Flor de mayo,* y es el conocimiento de esta miseria, con sus profundas raíces socioeconómicas, lo que impulsa a Neleta a cometer un crimen monstruoso cuyas causas pueden encontrarse en la semiesclavitud en que viven ella y su comunidad. A pesar del trágico desenlace de *Cañas y barro,* Blasco nos permite vislumbrar un rayo de esperanza: el sufrido y trabajador tío Toni está al final a punto de librarse de la tiranía del lago, convirtiéndose en pequeño propietario de unos campos de arrozales que ha ido llenando de tierra durante varios años. Se deduce que esta nueva posición le permitirá protegerse de las condiciones infrahumanas de El Palmar y emanciparse de la explotación de los amos y de la ciudad.

La pregunta que puede entreverse a través de *La barraca, Flor de mayo* y *Cañas y barro* encierra indignación y protesta. ¿Cómo se puede esperar que los campesinos y pescadores se porten como seres civilizados cuando los poderosos les asignan el papel de bestias de carga, cuando la ciudad les destierra a los márgenes de la sociedad y les explota con sus tasas de consumos y sus arriendos, y el Estado les cobra impuestos que no pueden pagar y se niega a educarlos? Blasco, a lo largo de estas tres novelas, nos sugiere que, mediante la educación, el embrutecimiento del campesino y del pescador puede ser eliminado, y se supone que, como consecuencia lógica, su conciencia y combatividad políticas puedan ser fortalecidas. En *La barraca,* la grotesca figura de don Joaquín, el maestro, cuyo «templo del saber» es una vieja chabola a punto de derrumbarse, simboliza el espantoso atraso de la educación rural.

Entre naranjos nos presenta, con otra clase de optimismo, el triunfo del arte libre y de los valores estéticos sobre la grosera y brutal vulgaridad. Superficialmente, *Entre naranjos* trata de una historia de amor. Rafael Brull, joven cacique y diputado conservador por Alcira, se enamora de Leonora, una célebre cantante de ópera que vuelve a su pueblo natal al cabo de bastantes años de ausencia. Leonora corresponde al amor de Rafael y los dos deciden huir juntos a Italia. Sin embargo, en el último instante Rafael cede ante las presiones de su familia y marcha a Madrid para ocupar su escaño en las Cortes, abandonando a su amante. Años más tarde Leonora presencia un

discurso político dado por Rafael en la Cámara, un discurso perogrullesco, retórico y hueco dado por un hombre amargado por su destino y por lo prosaico de su vida. Rafael ha heredado toda la ambiciosa y deshonesta mezquindad de la dinastía Brull, y es el darse
cuenta de esto Leonora, el ser consciente de la pureza de su arte, de
su libertad de artista y de su superioridad moral sobre la clase social
que representa Rafael, lo que constituye, a pesar del desenlace aparentemente desgraciado, el optimismo y la esperanza de la obra. La
novela acaba con el triunfo de lo bello, la libertad, el ideal y el arte
que han podido mantener su integridad frente a la corrupción social
y política, y Rafael, el cacique y el diputado, el hombre del *establishment,* reconoce su derrota y su inferioridad. [...]

La última etapa literaria de Blasco Ibáñez de que vamos a tratar
es la de las llamadas novelas «sociales», una etapa que yo prefiero
llamar su segundo período «de tesis». Esta época abarca desde 1903
a 1905, en que escribe *La catedral, El intruso, La bodega* y *La horda.*
Como León Roca señala, no existía ningún indicio que sugiriese que
Blasco iba a abandonar repentinamente la novela regional y costum-
brista; todo lo contrario, ya que en la primera edición de *Cañas y
barro* se anuncia que Blasco piensa escribir *La señora Vicenta,* un
relato centrado en uno de los barrios populares de Valencia. Sin
embargo, los acontecimientos políticos dictaron un abandono definitivo del ciclo valenciano.

En febrero de 1903, Rodrigo Soriano, un ex-monárquico y su
más fiel colaborador político, publicó en el mismo periódico de Blasco
y durante la ausencia de éste un artículo titulado «Revolucionarios de
entretiempo», una mezcla de parodia satírica y ataque en forma de
mofa contra el papel desempeñado por Blasco en la política local y nacional. Los resultados eran de esperar y causaron un auténtico escándalo. Soriano fue expulsado de Fusión Republicana, llevándose con
él gran número de electores republicanos, y no tardó en fundar su
propio diario republicano rival *El Radical,* desde cuyas páginas desató
una campaña de violencia y difamación, acusando a Blasco, con más
o menos justicia, de ser un revolucionario solamente de nombre y
hasta de entenderse con los partidos dinásticos. Así pues, en espacio
de muy poco tiempo, Blasco Ibáñez vio su porvenir político seriamente comprometido: su partido republicano se había dividido en
dos por el cisma y no cabe duda de que los partidos proletarios se
aprovecharon de la confusión para ganar adeptos para sus propias

causas y que los partidos conservadores no perdieron la ocasión de redoblar sus ataques contra el republicanismo valenciano. Así que, mientras el mero hecho de haber escrito las novelas regionales puede considerarse como síntoma de su confianza en sí mismo y en su posición política, el escribir las cuatro novelas de tesis debe verse como un intento de salvar lo que le quedaba de su partido, de impedir que desapareciese el carisma de revolucionario que había tardado más de diez años en elaborar, y contraatacar con una renovada serie de profesiones de fe política a los que le tachaban de tibieza revolucionaria.

Estilísticamente, las cuatro novelas sociales constituyen una mescolanza de las características pertenecientes a sus dos etapas literarias anteriores: es decir, del período de las postrománticas novelas por entregas y del ciclo valenciano naturalista. Estilísticamente, repito, las novelas de tesis, con su desgraciada fusión de dos géneros esencialmente antitéticos, son híbridos que rayan en lo grotesco y, con la posible excepción de *La horda,* son decididamente errores estéticos. Sin embargo, en cuanto a su forma y a sus propósitos, son un fiel reflejo de la trilogía folletinesca que Blasco había escrito diez años antes. Domínguez Barberá, con bastante razón, denomina las novelas de tesis «novelas-meeting». De nuevo nos encontramos ante el interminable monólogo didáctico, la dialéctica ideológica en forma de pregunta-respuesta, los personajes-símbolos, los representantes del *establishment* retratados como monstruos de iniquidad y los portavoces del nuevo orden como seres privilegiados que poseen una aplastante superioridad moral e intelectual.

De nuevo también nos hallamos ante esa tensión entre el pesimismo literario propio del naturalismo y el optimismo exigido como apoyo político. *La catedral* termina con el asesinato por sus discípulos de Gabriel Luna, el anarquista bienintencionado pero equivocado en cuanto a su fe en el altruismo ideológico del proletariado. Pero Blasco nos deja con la esperanza de que llegará un día, en un futuro no demasiado lejano, en que el proletariado se alzará al unísono con pureza de ideales. *El intruso* acaba con la revuelta de los obreros industriales bilbaínos desgastándose inútilmente en la frenética destrucción de imágenes religiosas, pero el protagonista, el doctor Aresti, olvida por un momento su cinismo para declarar con fervor que la toma de conciencia del proletariado es sólo cuestión de tiempo y que la próxima vez bajará la horda de sus minas armada con dinamita para borrar del mapa el Bilbao corrompido por el capitalismo y el fanatismo religioso. En *La bodega* la revuelta campesina contra los terratenientes de los latifundios jerezanos termina como era de esperar: en una farsa sangrienta y en un redoblamiento de la represión. Sin embargo, el anarquista mesiánico, simbólicamente nombrado Fernando Salvatierra, tronando contra el campesino que se deja embrutecer por el alcohol con que alimentan los amos su resignación, expresa su optimismo con las siguientes palabras: «La justicia y la paz dormitaban en la conciencia de todo hombre. Ellas despertarían. Más allá de los campos estaban las ciudades ... y en ellas otros rebaños de desesperados, de tristes; pero que repelían el falso consuelo del vino ... Ellos serían los elegidos; y mientras el rústico permanecía en el campo con la resignada gravedad del buey, el desheredado de la ciudad despertábase, poníase en pie ... ».

ENRIC SEBASTIÀ

EL MUNDO RURAL DE BLASCO IBÁÑEZ. EN FERROCARRIL Y A CABALLO

El mundo rural de los inmigrantes de Valencia vivía [a finales del siglo XIX] ajeno al ferrocarril. De todas las rutas que tienen por objeto a la ciudad, debemos dar especial consideración a la gente que las transita. Y para algunos de estos caminantes que tienen a la urbe por meta, el ferrocarril carecía, todavía, de sentido. Pero también hay otros: ciertos grupos muy minoritarios que más pronto tienden a valorar la ciudad como una simple etapa asociada a su puerto de mar. Este tipo de consideración la había promovido primeramente el vino, y luego, a continuación, la naranja. También tiene sentido el ferrocarril para aquellas gentes que, incluso considerándola meta, ve en la ciudad y en su *hinterland,* no ya un puerto para la exportación, sino una gran clientela importadora de cereales y tejidos.

Enric Sebastià, *València en les novelles de Blasco Ibáñez. Proletariat i burgesia,* L'Estel, Valencia, 1966, pp. 71-79. (Traducción castellana de Josep M.ª Portella.)

Es notorio que en aquella época de la Restauración el tipo de transporte más beneficioso para el ferrocarril no es el de personas. Y cuando éstas viajan, el tren las define, las clasifica sociológicamente.

Los viajeros procedentes de Alcira —la ciudad situada *Entre naranjos,* título de una novela de la serie valenciana, escrita en 1900— o de Alcoy o de Alicante ya no tienen demasiado parentesco sociológico con el subproletariado emigrante de jornaleros. Los usufructuarios valencianos del tren son aquellos que ya han iniciado su diferenciación social, que ya empiezan a tener consciencia de clase, o bien los que sin tener esta condición pretenden emular a una clase social cuyo *status* se afanan por asimilar. Dicho con otras palabras: se trata de los burgueses, la clase media o, por lo menos, de los proletarios aspirantes a la ostentación del *status* propio de la clase social inmediata superior. El inmigrante proveniente de cualquier rincón del país es un simple campesino sin pretensiones de aparentar, cuya única esperanza está en convertirse en proletario.

En las novelas de Blasco Ibáñez, que tan minuciosamente cronifican los tres primeros lustros de la Valencia de la Restauración, el ferrocarril no pasa de constituir una simple referencia ocasional, una mera nota paisajística, y Blasco nunca deja traslucir la importancia, siquiera sea minimizada, que el nuevo medio ya había adquirido en otros lugares, por aquel tiempo.

No puede dejar de sorprendernos cómo el ferrocarril pudo escapar a la reflexiva atención del novelista, justamente en el período de su máxima fidelidad a la técnica y a las premisas del naturalismo literario. En efecto, es claramente evidente el perfecto dominio de Blasco en aquella técnica, como queda patente en *Arroz y tartana,* donde la esmerada observación de los fenómenos sociales y el análisis exhaustivo de motivos alcanza una precisión rigurosa; asimismo, la índole de éstos responde específica e ineludiblemente a los temas exigidos por la escuela de Zola —esquematización y reducción de la realidad vital a símbolos: la ciudad, el mercado, la bolsa, las fábricas, el teatro...—. Por otro lado, hay que considerar que, desde la plataforma temporal en que fueron escritas estas novelas, era perfectamente factible valorar las consecuencias y el impacto que en la vida valenciana había producido aquella gran innovación técnica, que ya entonces contaba con casi cincuenta años de existencia, puesto que el primer ferrocarril importante de la región —el de Valencia a Játiva— se había inaugurado en 1852.

Esta omisión es, en verdad, significativa. Tal vez las razones que lo expliquen sean, en parte, de tipo ideológico. Blasco escribe su primer ciclo de novelas, el de las valencianas, en el período tempestuoso y romántico de su actividad política —aunque, curiosamente, estas novelas son poco reveladoras de su ideario político que, en cambio, se hará evidente en las novelas españolas del ciclo siguiente, ya en un tiempo en que la actividad política del novelista había bajado mucho en la vida real—. Así pues, por motivos que aquí no vienen al caso, en sus novelas —con la excepción, relativa, de *Arroz y tartana*— rehúye cualquier motivo que haga referencia a las clases privilegiadas, tanto si se refiere a la burguesía como a la aristocracia. Y el ferrocarril está íntimamente vinculado a la burguesía que lo había creado; ha nacido gracias a las clases medias que invirtieron sus ahorros en los gastos costosísimos e inacabables del tendido de vías; ha sido fomentado expresamente por la burguesía comercial y ha acabado por originar la más aborrecida de todas ellas, la burguesía financiera, la que «el viejo Cánovas» acababa de aristocratizar otorgándole títulos nobiliarios, a la que el joven republicano Blasco satiriza en todas sus novelas, simbolizándola repetidamente en el personaje del avaro. El ferrocarril era estimulado por el Estado y explotado con carácter de colonialismo económico por la Banca transpirenaica —Péreyre, Rotschild— en colaboración estrecha con la nueva aristocracia española de cuño financiero: marqués de Salamanca, marqués de Comillas y, en su versión local, el marqués de Campo... Ya vemos que eran demasiados los intereses oligárquicos implicados en aquel medio de locomoción —que, desde luego, el progresista Blasco apreciaba en lo que valía— al que, por otra parte, no tenían acceso las clases populares que el gran novelista valenciano biografiaba.

En efecto, Vicente Blasco, típico «burgués de agitación» —en la clasificación sociológica de José María Jover— que era editor, periodista, literato, diputado republicano, devoto discípulo de Pi y Margall, escribe desde el diario democrático de su propiedad, y en su folleto, para el pueblo urbano, sobre una población mayoritariamente extraurbana constituida por campesinos, obreros y pescadores, para quienes el ferrocarril —el invento más revolucionario del siglo XIX— resultaba algo ajeno totalmente a sus vidas e intereses. Y a Blasco, joven de veintisiete o veintiocho años, sólo le interesa entonces el género de vida de ese pueblo, los sufrimientos y la miseria que analiza con unas técnicas que acababa de aprender del naturalismo francés y con su talante victorhuguesco de tierna comprensión hacia el desheredado, el «paria» social, *Les misérables*...

Por otra parte, el *rol* económico-social del ferrocarril sólo hubiese tenido cabida en dos de las novelas del ciclo valenciano: la urbana y la del hábitat naranjero. El carácter cerrado, estático, de *Arroz y tartana* —además de las razones ideológicas antes mencionadas— se lo dificultaban, y se limitó al breve tributo de una imagen dramática; en *Entre naranjos* sólo se le dedica una necesaria alusión. Las otras tres novelas se refieren al *hinterland* más próximo a la ciudad, al hábitat de las microrrutas que son el dominio de la tartana, del carro, del tranvía de sangre, del rocín...

El ferrocarril no ha sido, pues, deliberadamente silenciado en las novelas de Blasco Ibáñez, quien se merece con toda propiedad la consideración de cronista exhaustivo de los fenómenos sociales de la Valencia de su época. De la omisión de que le hace objeto en sus novelas se desquita Blasco en una brevísima narración suya —*El parásito del tren,* escrita en 1896— donde aparece bien formulada la premisa de la vinculación del tren a las clases medias e, inversamente, las dificultades de acceso que tenía para amplios sectores de población.

El parásito del tren es un miserable jornalero de La Mancha que no puede pagar el billete semanal que le permita pasar unas horas junto a su mujer e hijos. Por eso ha de viajar de polizón en los estribos y topes de los vagones, exponiendo la vida a cada momento, acosado continuamente por los agentes de la autoridad y los empleados de la empresa ferroviaria. Finalmente, perseguido por éstos y ante la insolidaridad de los viajeros, el infeliz peón es atropellado y muerto.

Se podría conjeturar —volvemos al artificio metodológico que seguíamos— que los últimos personajes del País Valenciano que nos queda por registrar, atraídos por el mercado de la ciudad de fecha tan burguesa como es la vigilia de Navidad, desfilarían con algunos días de antelación y no por la caseta de los consumeros del puente de la Mar —que hemos tomado como observatorio sociológico—, sino por la estación ferroviaria inaugurada en 1862 y llamada de la Sociedad de Ferrocarriles de Almansa a Valencia y Tarragona hasta el año 1899, en que fue absorbida por la Compañía del Norte, y que por entonces se emplazaba en los Jardines de San Francisco, delante

de la actual Casa del Ayuntamiento. Unos serán vendedores: turrone-
ros de Jijona, datileros de Elche, arropieros de Benigánim, paseros de
Denia. Otros serán compradores: terratenientes y caciques de la Ribera, como los que protagonizan *Entre naranjos,* dueños del poder
político y económico, gente de tartana.

En contraste con el ferrocarril, la presencia de medios de locomoción tradicionales y peculiares del país en su obra es vigorosa y reiterada. Repasémoslos: la *tartana,* vehículo de la ciudad y de sus alrededores; el *carro,* medio de carga y transporte; el *laúd,* o barca de
vela latina del Grao y del Cabañal, que pesca y hace contrabando; la
catarrojina, barquichuelo de la Albufera, sin quilla, para surcar la
laguna; y, sobre todo, la *caballería*: rocín, jaca, macho...

La caballería, sin la que carecería de sentido la vida eminentemente agraria de la llanura valenciana, recibe del novelista la atención que le corresponde. El autor no podía eludirla ni menospre-
ciarla, pues su presencia en la vida huertana es directa y constante,
y está vitalmente entrañada en el género de vida campesino, sea cual
sea el *status* social de los diversos grupos.

Blasco, incluso, llega a elevar la caballería a la categoría de protagonista de fondo, de árbitro de acontecimientos importantes. Hace de
ella un motivo literario que, en la escala de valores del novelista,
recibe una evaluación parecida a la del mercado, la caseta de los
consumeros..., el inmigrante, el usurero, el gandul..., o —en otro
aspecto— a la obsesión de la dialéctica generacional, el incentivo del
adulterio, la furia de la *libido* y el *fatum* clásico que preside los desenlaces.

Y, no hace falta decirlo, la caballería a que nos referimos es el
rocín.

En las novelas blasquistas aparece otro animal de carga, pero ads-
crito a una función determinada, el buey, el animal utilizado para
sacar de la mar las barcas de pesca. Este animal manso y enorme es
uno de los personajes que el «Blasco de la pintura» —amigo íntimo
y contrapunto artístico del Blasco novelista—, Joaquín Sorolla, plas-
mará en sus «marinas valencianas», trasladando al lienzo el mundo
de *Flor de mayo,* incluso con el famoso remate de la novela: «¡Y aún
dicen que el pescado es caro!». La presencia del buey en la novela
blasquista es proporcional al mismo tiempo a la importancia y a los
límites de su *rol.*

Sin embargo, hay otra novela de Blasco —y eso significa otra área individualizada dentro del contexto geográfico valenciano— de la que el caballo (y el buey) quedan excluidos totalmente: la de la Albufera, el espacio terrible de la laguna y el marjal, el ambiente de las fiebres endémicas, el mundo mísero y palafítico de *Cañas y barro,* donde no se come otra carne de sangre caliente que la del gorrión o del conejo cazados furtivamente en el «coto» vedado de la vecina dehesa, y la de las ratas de agua cogidas en canales y acequias. La Albufera es un testimonio único en España del pasado geográfico del Mediterráneo, y el género de vida de las gentes de la Albufera presenta una disonancia terrible, y que aún no se ha evaluado suficientemente, con el resto de los pobladores de la llanura valenciana; el contraste con la de los habitantes de la huerta es brutal, superior a cualquier hipérbole.

Aparte de *Cañas y barro,* en las otras cuatro novelas el caballo recibe una atención primordial. En ellas desempeña hasta cinco funciones distintas: arrastre, locomoción, transporte, labranza y vigilancia. Oímos siempre el sonido de sus patas, a veces a ritmo lento y seguro, cuando se halla al servicio del labrador, a veces alegre y acompasado, cuando magnifica a la burguesía, a veces seco, rápido y aturdidor, cuando lo cabalgan los agentes del orden público. En cualquiera de los casos, el caballo siempre aparece activo, cumpliendo una función específica o una pluralidad de funciones, subrayando un *status,* denunciando a una clase social...

Las demás veces lo vemos uncido. Tira del carro del agricultor de secano o de regadío, llevando entonces odres de vino, cargas de cereales o tubérculos, en el primer caso, o verduras, naranjas, estiércol, en el segundo. Otras veces, el caballo cumple una función de locomoción: tira de las desvencijadas tartanas de las pescateras o de las mejor cuidadas de servicio público, o de las más coquetas de la clase media en las que se va a la casita de veraneo o a la propiedad rural; o también de la elegante berlina burguesa, cuando se trata de aparejarse a la aristocrática *Alamera,* en la que el patriciado urbano ha instalado su tribuna de ostentación... y de envidias. Y, otras veces, el cometido del caballo será menos brillante, pero más noble, cuando arrastrando el arado romano trazará los surcos en los campos huertanos, siendo, como es, el siervo más directo.

Sin embargo, a veces el caballo está desuncido. Lo vemos albardado peregrinar por las calles de la ciudad para recoger el estiércol a domicilio que, como él mismo cuando muera, habrá de servir para abonar una tierra siempre sedienta, siempre hambrienta. El labrador de secano unas veces lo cabalga, otras lo lleva del ronzal tras haberle cargado el serón al máximo. La Guardia Civil lo monta militarmente... En cualquier caso le vemos mostrar su importancia trascendente, subrayar el género de vida de un pueblo que depende del caballo casi con la misma intensidad que del agua.

La muerte de la caballería marca indefectiblemente un hito acongojante y a veces decisivo de la vida familiar y señala un destino precipitadamente dramático al labrador, al arriero y hasta al burgués, cuyo *status* rubricaba.

Precisamente uno de los episodios más patéticos de los avatares de la patricia que protagoniza *Arroz y tartana* ocurre cuando, definitivamente arruinada por los incesantes dispendios invertidos en mantener las pautas sociales propias del *status* al que se adscribe, ha perdido el signo mínimo e indispensable que la vincula a una posición social a la que sólo pertenece en apariencia. Pero la necesidad de aparentar es ahora más apremiante que nunca; de esta simulación depende la única salvación posible: el compromiso matrimonial de sus hijas con cualquiera de los miembros de esa nueva y acaudalada burguesía comercial que ella, dama patricia, tanto había despreciado hasta hacía poco. Y este signo indispensable para rubricar el engaño ante la buena sociedad codiciada es el caballo que, inesperadamente, en el momento más inoportuno, agoniza en el establo junto a la «galera»— vehículo de compromiso, de mucho éxito, entre la berlina y la tartana— que seguía el trote, donde se exhiben las *niñas* ante los posibles *novios,* que acudían al estrado de la susodicha «escuela de pompa»: el aristocrático paseo de la *Alamera.*

La noticia es terrible; madre e hija, espantadas, van al establo: «Era un espectáculo extraño. A la luz de un farolillo colocado junto al pesebre, los trajes azul y rosa de las niñas, sus sombreritos de flores, las joyas deslumbrantes de la mamá... contrastaban con la sucia cuadra. Allí, tumbados en el estiércol, el caballo lanzaba sus estertores de moribundo. Se abalanzaron las tres a la pobre bestia, soltando sus faldas, cuyos bordes barrieron la suciedad del suelo. Doña Manuela, casi arrodillada en el estiércol, cogía la cabeza de "Brillante" ... Estallaron los sollozos y las exclamaciones de desconsuelo ... ¡Adiós, compañero de grandeza! ... Mueres representando la fortuna que se aleja de casa; el prestigio que se pierde, la altivez que se desvanece, y cuando salgas de ella, a altas horas de la noche, en sucio carro para ser conducido a donde te explotarán por última vez, convirtiendo tu piel en zapatos, tus huesos en botones y tu carne en abono fertilizante, por la puerta entreabierta entrará la pobreza, la desesperación de una miseria disimulada, y quién sabe si la deshonra, eterna compañera de los que se aferran tenazmente a las alturas de donde el destino les arroja». Las *niñas,* hijas de casa, acaban de tomar consciencia, por primera vez, del elemento básico de toda angustia: la inseguridad. Y la madre «en torno a ella, ni un mal rayo de esperanza ... Necesitaba dinero para reponer esta pérdida que tanto podía influir en el prestigio de la familia, y para satisfacer ciertos compromisos que, como de costumbre, la agobiaban con urgencia; pero ... no encontraba ... un solo hombre».

La reiteración del drama que significa la muerte del caballo, sea cual sea la condición social de su amo, es una constante en las novelas valencianas de Blasco. El motivo se repite tantas veces que se convierte en obsesión, en tópico compulsivo; el labrador, de ordinario ya tenía problemas para satisfacer entero el arrendamiento de la tierra, pero, ahora, muerto el caballo, no tiene más remedio que recurrir al usurero. Y, si antes de la desgracia ya le era difícil pagar el «rento» semestral, después habrá de pagar los crecidos intereses que devengará el dinero tomado en préstamo para poder comprar la nueva bestia. La situación es idéntica si, en lugar del arrendatario, se trata del propietario de una pequeña parcela. Y el remate suele ser el mismo: la proletarización absoluta del que se ha visto desposeído o embargado de su tierra y, al tiempo, la concentración de riqueza en otros. Esta acumulación de bienes implica indefectiblemente el poder sobre otros, que pronto se transformará en político para, así, disponer de los resortes legales que conserven y aumenten aquella riqueza adquirida tan hábilmente.

Fernando García Lara

EL LUGAR DE LA NOVELA ERÓTICA: FELIPE TRIGO

Continuamente se viene repitiendo el carácter contradictorio del erotismo de Felipe Trigo como producto del radical enfrentamiento idealismo/materialismo patente en su obra —así, ese «erotismo originariamente ideal, traspasado de escenas de una violencia inédita», del que nos habla Rafael Conte—, simbolismo/naturalismo —resumido por Mainer en la expresión «naturalismo simbolista»—, etc.

Pero sin necesidad de acudir a interpretaciones posteriores, quizá fuera el mismo Trigo quien, al enunciar la fórmula-resumen de su credo estético, el *Trascendentalismo cósmico,* o la repetida propuesta-síntesis sobre el significado de su erotismo: «Venus ennoblecida por el místico resplandor de la Concepción Inmaculada ...», mejor acertara a indicarnos la naturaleza real de esta contradicción: su falsedad. En realidad se trata de palabras que no indican nada real.

Falsa contradicción porque, aparte el tinte hegeliano de la fórmula en donde «trascendentalismo» refiere una interpretación estática del arte y «cósmico» la intemporalidad o eternidad que lo apoya, renunciar al aspecto lírico y contemplativo del arte equivalía a contenidismo —quedarse, pues, sólo con lo erótico—, mientras que reconocer la prepotencia del contenido llevaba a la imposibilidad de asumir el «trascendentalismo cósmico». Por eso nuestra novela erótica hubo de recurrir a un sinónimo que diera certeza a la intención estética no encontrando nada mejor que el disfraz romántico para arroparse.

De ahí también mi extrañeza ante la forma de presentarnos Bergamín a Trigo, por cuanto su prólogo a *El médico rural* se inicia y queda marcado por una contradicción fundamental. Dice Bergamín: «El tema erótico, con el que, a nuestro parecer, perjudicó su obra novelesca, por utilizarlo como *argumento preferente* de una propaganda moral ...».

Ante todo, no conviene olvidar que la novela erótica queda defi-

Fernando García Lara, «El sentido de una recuperación: Felipe Trigo», *Cuadernos Hispanoamericanos*, n.º 332 (1978), pp. 1-16.

nida, sin más, por el carácter de sus temas precisamente, a través
de los cuales intenta explicar al individuo y al mundo. El tema del
amor cobra, pues, valor determinante hasta el punto de que será el
único revelador en la práctica de estas novelas. Por eso me causa
extrañeza que haya venido de un maestro de la talla de Bergamín
ese juicio negativo sobre el valor real de la temática erótica en este
tipo de narraciones. Problema distinto será explicar el por qué surgieron en el interior de una ideología concreta, la de la burguesía
finisecular española, unas necesidades capaces de poner en marcha el
espectacular entramado de la novela erótica y si su respuesta fue la
más adecuada a los intereses de la ideología dominante, etc. Pero
lo que nunca puede ponerse en duda es que estas novelas consiguen
su especificación, su «deslinde» de las demás, por la especial reelaboración de un *tema* —colocado, en consecuencia, tanto al principio
como al final de la obra—. Y decimos reelaboración porque creo que,
efectivamente, esta literatura no produce el tema erótico, ya presentado unitariamente por una novelística anterior, sino que lo reelabora y lo utiliza en ese mismo sentido que dice Bergamín ya que
reelaborar este tema en las concretas condiciones y relaciones ideológicas en que se fijó, así como definirlo, será, por demás, su único
objeto.

Acabamos de escribir «concretas condiciones y relaciones ideológicas» y esto nos pone sobre la pista de un nuevo problema a causa
del cual, una vez más, Trigo queda resentido ante el deficiente tratamiento de la crítica. Me refiero a esa estructura subyacente que
enlazaría esa determinada concepción del erotismo con el momento
histórico que lo produce. [...]

Digamos entonces que el tema del amor, visto como elemento
capaz de reforma social y moral, y como explicable a través de la
literatura, no es algo a lo que pueda aplicársele una serie de esquemas en abstracto —regeneracionismo, reeducación del país, actitud
«moderna» ante la vida, etc.—, incluso si se explicita que esos esquemas provienen de una clase social [la pequeña burguesía (sin más
precisiones)], dado que seguirían tan en abstracto como antes. Por
el contrario, lo que habría que aclarar es todo un proceso: precisamente aquel en el que nuestra novela erótica queda inscrita, ya que
es en el interior de dicho proceso donde únicamente estas narraciones
van a tener justificación. De tal forma que sólo a condición de explicitar el proceso en toda su complejidad, nos será posible explicar el

real funcionamiento y los mecanismos exactos que esta novelística pone en marcha.

En este sentido cabe decir que el proceso a que nos venimos refiriendo se corresponde a ese conglomerado epistemológico del siglo XIX que tanta nomenclatura ha generado y al que Juan Carlos Rodríguez llama «horizonte positivista del conocimiento», según el cual la «razón» —en tanto que noción clave de ese positivismo— puede y debe establecer las normas exteriores a seguir por la colectividad y por cada uno de sus individuos. Por lo tanto la narración encargada de encarnar dicho proceso deberá «novelar» el conflicto entre la capacidad de la razón —íntima y objetiva a la vez— y el poder de la norma exterior cuando esta norma es o se vive como irracional, opresiva, arcaica, etc. La operación narrativa implica, así, la elección de algo que represente estas dos posturas —norma exterior, irracional, por un lado; racionalidad objetiva e íntima, por otro— de tal forma que pueda establecerse dicha relación, bien como *conflicto* entre ambas razones colectivas —la espúrea y la auténtica—, bien como clara llamada de reforma para intentar imponer una moral —moral sexual, en este caso— de acuerdo con la verdadera racionalidad objetiva que debe reinar sobre la sociedad.

Por supuesto que este es un problema de la ideología; pues el primer convencimiento, en efecto, del sujeto ideológico que escribe la novela erótica es la creencia de que el contenido de la historia del mundo contemporáneo se define por la necesidad de una *reforma* mediante la ficción. Pero, no obstante, la ficción requiere plasmarse en obra escrita y el erotismo va a adoptar esa naturaleza narrativa, además de objetivarse como tal erotismo. Esto equivaldrá no sólo a objetivar la reforma, sino a tematizarla. Porque, aunque la novela erótica se acaba una vez desvelada la situación erótica, ésta no nos descubre toda su profundidad sino sólo a condición de que toda la colectividad esté inmersa en ella, ya que la colectividad marca realmente los límites de la narración.

Ahora bien, que toda esta problemática sea presentada —en tanto que ideología global y consciente— como propia de la pequeña burguesía es a su vez tan poco claro como el propio *status* teórico del término pequeña burguesía y sólo a nivel sintomático puede aplicarse. A nivel sintomático: por cuanto en el horizonte positivista propiamente dicho, es decir, en los países donde la revolución burguesa se ha llevado a cabo, como en Francia o Inglaterra, la temática erótica, encarrilada ya dentro de una moral *laico-liberal* en sentido amplio, puede representarse de acuerdo con una perspectiva de disección sociológica (Balzac) o biologicista (Zola) o bien desde el *voluntarismo vitalista nietzscheano* (de D. H. Lawrence a Henry Miller), etc. Sin contar con el carácter de liberación del inconsciente que le otorgan al erotismo los surrealistas a partir de la especial lectura de Freud que hacen, o el decadentismo *culturalista* con que lo enfocan un Thomas Mann o un Huxley.

Por el contrario en España, donde tal moral laico-liberal no es en absoluto un inconsciente ya formado y asentado sino un proyecto global a realizar, puede pensarse que semejante problemática sea el síntoma de unos intereses correspondientes a nuestra pequeña burguesía. Pero nada más.

Porque, por otra parte, todos los valores que va arrastrando nuestra burguesía a lo largo de los sucesivos intentos frustrados de hacer su revolución, se van a fusionar de hecho, en la novela erótica, en una única dirección: la del apoyo al proyecto de consolidación del nuevo inconsciente colectivo, de la nueva moral; proyecto en el que se encontraba inmerso decisivamente todo el horizonte burgués de principios de siglo.

Parece incluso claro que es a partir de este hecho —el hecho de que sus contenidos partieran de una verdad ideológica destacada y apoyada por la pequeña burguesía: la necesidad de una reforma— como mejor se evidencia el éxito de que gozaron estas novelas ya que facilitaría hasta límites extremos su capacidad de comunicación inmediata, su relación con el público. Démonos cuenta de que lo que el público, ante todo, lee en estas novelas, es una nueva moral del sexo y comprenderemos sus ventas masivas.

Efectivamente el más extendido argumento sobre la revisión crítica de estas novelas se viene fundamentando en la necesidad de explicar unos triunfos editoriales que, en última instancia, es el sistema más visible del inconsciente enfoque «extraliterario» a que tales obras se ven sometidas. Con una contradicción primaria, pese a todo: pues si admitimos que los términos en que fueron expresados en la narración los contenidos eróticos no eran algo estrictamente «sociológico», la necesidad de fundamentar un análisis en la sociología ha de deberse, o bien a un nuevo enfoque de los estudios literarios que no permitieran hacer estos estudios sin «sociología», o bien que, desprovistos de su valoración literaria, estos textos han llegado hoy hasta nosotros condenados a ser un simple dato digno de ser únicamente manejado por el sociologismo como tal dato, o sea, sin valor literario peculiar.

Y sin embargo es ésta la cuestión que se nos presenta como irreversible: nuestra novela erótica novecentista ha bajado ya todos los escalones en su desvalorización como literatura y se configura hoy, ante la crítica, precisamente así: como un hecho sociológico —curioso, sin duda— que rellena todo lo que atañe a su significación. La crítica se apoya incluso para ello en el mismo proyecto novelístico que constituía a tales textos. En vista de que éstos, al reunir la obscenidad con la ética que la justificaba, se afirmaba precisamente a partir del intento de inscribir a la obscenidad entre los valores permanentes del espíritu humano, se caía por su propio peso el que se estableciera un dogma que redujera el arte a su actualidad necesaria e inmediata y, por lo tanto, a que se ofrecieran como un simple dato que es precisamente el dato que maneja la sociología literaria. Y, en efecto, todos estos novelistas eróticos tuvieron buen cuidado de hacer amplias declaraciones explicativas de que, si escribían así, era por un hondo sentido ético.

Por supuesto que las contradicciones pululan en estos textos: cuando se pretenden nietzscheanos, sus páginas se cubren sin embargo de lamentaciones y remordimientos —o sea, los temas más odiados por Nietzsche, como se sabe—. Igualmente vemos cómo un sistema narrativo pretendidamente apologético de una «ética libre» sólo comunica de hecho una obsesión pecaminosa. Incluso el planteamiento explicitado por alguno de estos autores, como es el caso sistemáticamente ejemplar de Rafael López de Haro quien, en unas respuestas dadas a Julio Cejador, le precisa que sus «novelas de la carne» eran únicamente «concesiones al bolsillo» y que las escribía «para ganar dinero», nos indica expresamente esa contradicción tan típicamente pequeñoburguesa entre el afán de «ser tomado en serio» y su «mala conciencia» ante las obras que lo han hecho famoso.

El sociologismo hace, por tanto, muy bien en llamar la atención sobre un fenómeno, el del éxito editorial, sin precedentes en aquellos tiempos. Pero su siguiente operación no puede minimizar problemas, tan interesantes desde mi particular punto de vista, como el de la absoluta historicidad de lo erótico, pues, de esta forma, fijaríamos estas producciones en el proceso ideológico global de nuestra burguesía. Igual que ocurre con el problema de la concreta configuración textual, ya que nos aclararía por qué estos autores necesitan reconvertir melodramáticamente unos modelos narrativos confeccionados con anterioridad a lo largo de todo el siglo XIX, etc.

De hecho, además, sólo viendo el asunto en su uniforme trayectoria, en la homogeneidad que tiene a pesar de que los modelos iniciales así como sus modelos ideológicos, reformistas, se convirtieran algunas veces en meros devaneos didácticos basados en los Lorrain, D'Annunzio, etc., identificaremos objetivamente el problema de nuestro erotismo novecentista en tanto que enraizado, en su génesis y desarrollo, en la ideología dominante misma.

Igualmente, el parecer puesto de manifiesto por cierta crítica fenomenológica, que sólo se ve en tales planteamientos la encarnación de un decisivo *esprit d'époque* aprovechado de manera distinta por cada autor —así, por ejemplo, se explica que, mientras Trigo utiliza el erotismo como el hallazgo para una «mística de la salvación humana», Pedro Mata lo introduce únicamente como recurso técnico, como elemento energético capaz de activar la trama de sus novelas; y en Joaquín Belda, finalmente, sería, más abajo aún, algo usado sólo como factor determinante para la venta de sus libros, y así sucesivamente—, nunca podrá dilucidar todo el cúmulo contradictorio de nuestro erotismo, ni sus variaciones.

Acaso el *esprit d'époque* pueda explicar la distancia entre un Trigo que, a la pregunta de si se estaba registrando una producción singularmente copiosa de novelas cuyo erotismo pudiera ser censurable, contesta que: «No he leído ninguno de los libros a que Vd. alude; pero no dudo, no puedo dudar de su desdichadísima existencia y de su número excesivo, en vista de las reiteradas y públicas protestas que por parte de la crítica vienen suscitando. No los he leído (porque no me place perder el tiempo en tonterías), a pesar de no haber faltado quienes pretendan hacerme responsable de la aparición de esos engendros. Acerca de esto, rechazo toda solidaridad y toda culpa. Mi literatura, para estudiar la vida en su total integridad, obedeciendo a un propósito inquebrantable y trascendente, tiene que descender a recogerla, en ocasiones, hasta en sus rasgos más brutales; esos rasgos están en la propia vida, y yo, con gran piedad y con dolor del alma, no hago más que reflejarlos como en un espejo». Y un Joaquín Belda que en 1920 declaraba a López Pinillos: «Por eso yo, que no busco la inmortalidad, no me saldré del terreno de la "sicalipsis", aunque me emplumen. Pero no cambiaré tampoco; es decir, no imitaré a los escritores que tomaron y toman en serio la pornografía...». O, en otro caso, ¿cómo puede explicar la sociología literaria esas pretendidas relaciones y separaciones de la «otra literatura», si tenemos en cuenta que estos escritores no pensaron jamás que pudiera existir «otra literatura»? ¿De qué modo explicar, entonces, ese genial sarcasmo narcisista de Trigo, de quien nos cuenta Manuel Abril: «Por entonces también se hizo unas postales, en donde aparecía él de sombrero de copa, levita con vueltas de raso, gabán al brazo... ¡Matador!. Y decía en la tarjeta: "Escritores ilustres. Serie A". Ni había tal serie, ni había más editor de las postales que el propio interesado ...». O este otro de Pedro Mata que reflexionaba así: «¡El enorme conflicto que se va a armar cuando yo muera! ¡Y al pasar a la inmortalidad, donde yo tengo mi lugar reservado, se trate de poner una lápida en la casa donde nací! Mis admiradores van a enloquecer a fuerza de dudas y disensiones, porque vamos a ver: ¿dónde colocan mi lápida?, ¿encima, debajo, a la derecha o a la izquierda de mi ilustre colega? ...», si, como en el presente caso, sabemos que el ilustre colega a quien Mata se refiere es Miguel de Cervantes.

Quizás únicamente podamos encontrar una excepción en el caso extremo y sintomáticamente ejemplar de Joaquín Belda, quien, en esa misma entrevista que referíamos antes, contesta así a la pregunta sobre el dinero que ganaba anualmente: «Unas veinte mil pesetas. Más que todos los novelistas jóvenes, exceptuando a Ricardo León, que es el escritor de la gente seria. De modo que aquí *el poco dinero que se dedica a la literatura* es para los serios y para los "sicalípticos" ...».

Repito que, si no es en este caso, no se encuentra, de entre los catalogados como eróticos, una actitud tan resuelta en separar la literatura «sicalíptica» como algo específico; por el contrario, abundan las justificaciones moralistas.

Ni «sociología», pues, ni «espíritu de época»: los novelistas eróticos se consideraban, ante todo, como novelistas; y el problema a resolver es el problema de cómo abordar la especificidad y el funcionamiento determinante de estas novelas.

Así pues, y para terminar: recuperar a Trigo y la novela erótica en general no puede consistir sólo en ese ejercicio nostálgico que se nos propone ni en la presentación de algo insólito o la sorpresa de su actualidad. Pero tampoco es la pura y simple rehabilitación de las figuras simbólicas y representativas de una tradición, la nuestra, liberal, a la que nosotros, gentes de postguerra que sólo han podido vivirla en forma de mala conciencia, tuviéramos que recurrir para no perder el hilo conductor de nuestro pasado inmediato. Por lo menos no parecen ser perspectivas muy aleccionadoras para un planteamiento riguroso.

Melchor Fernández Almagro

EL PRIMER BENAVENTE

En *El nido ajeno* (1894), Benavente desarrolla un asunto que, de ser tratado por Echegaray, habría dado lugar al uso de gruesas y graves palabras —adulterio, traición— que, en un momento, exigen el grito y descomponen el ademán. Pero precisamente porque los personajes de Benavente no necesitaban violencia alguna de expresión para decirlo todo y preferían quitarle hierro al drama, lejos de proporcionarlo, su incipiente teatro prometía un cambio radical, cuando no en temas, sí en la matización y medida de caracteres y situaciones.

El peligro de la mutua atracción amorosa de María y Manuel —hermano del marido de aquélla— es conjurado a tiempo, limpia y noblemente: Manuel se ausenta del hogar de María y José Luis, poniendo tierra por medio. Y al despedirse de José Luis con un abrazo, le dice: «¡Para siempre, no!... Hasta que seamos muy viejos y no quepan desconfianzas ni recelos entre nosotros ... Cuando no podamos dudar ni de nosotros mismos. Entonces volveré a buscar un rincón donde morir en el nido ajeno».

No es este, ciertamente, el final a que estaba acostumbrado el público de entonces, hecho a la fuerte emoción de los desenlaces cruentos. Como el de *Mancha que limpia,* drama de Echegaray, estrenado semanas después con clamoroso éxito: «¡Cuánta sangre!...», exclama un personaje. Y replica el protagonista, justificando el homi-

Melchor Fernández Almagro, «Benavente y algunos aspectos de su teatro», *Clavileño*, n.º 38 (1956), pp. 2-8.

cidio con la vindicación del honor: «No importa nada: esa es mancha que limpia».

A la luz del juicio histórico, Echegaray y Benavente no se excluyen. Ni el autor joven pensó de seguro en rivalizar con el autor viejo, a quien nunca dejó de admirar, y de cuyo arte no falta, por cierto, algún reflejo en el propio *Nido ajeno,* con ser tan patente el contraste de los dos modos de entender el arte dramático. Pero Benavente no podía por menos de aspirar a imponer su personal concepto en función de un tiempo nuevo, y era indefectible la contraposición de su teatro al de Echegaray, determinando, en público y crítica, una polémica que no hubiese suscitado por sí solo *El nido ajeno,* pero que forzosamente motivaron las obras ulteriores, en rápida sucesión de estrenos: *Gente conocida,* en 1896; *El marido de la Téllez, De alivio* y *La farándula,* en 1897; *La comida de las fieras* y *Teatro feminista,* en 1898; *Operación quirúrgica* y *Despedida cruel,* en 1899; *La gata de Angora, Viaje de instrucción* y *Por la herida,* en 1900; *Modas, Lo cursi, Sin querer, La gobernadora* y *El primo Román,* en 1901; *Amor de amar, El tren de los maridos* y *El automóvil,* en 1902.

Citamos las obras estrenadas por Benavente —sin contar tres traducciones y los dramas de que luego hablaremos—, durante los ocho años primeros de su actividad teatral, no sólo para dar la medida de la fecundidad del autor, sino también para ilustrar ese dato con una observación que explica, en tesis general, algunas deficiencias del repertorio español contemporáneo: sin una constante labor, reflejada en frecuentes estrenos, nuestros comediógrafos y dramaturgos no consolidarían ni su nombre, ni sus ingresos. Todos —Benavente, los hermanos Quintero, Arniches— han sufrido, estéticamente, el contragolpe de la superproducción.

Las obras citadas, muy diversas entre sí, por su tema, género y respectivas modalidades —comedias en su mayoría, más un apropósito, un juguete cómico, una zarzuela, un drama—, venían a coincidir en la calidad del diálogo: flúido, natural, elegante; literario con exceso, a veces; inclinado a la sentencia o a la digresión; nunca teatral en sentido peyorativo; mordaz en la crítica y sátira de las costumbres; agudo en la exploración psicológica.

El factor psicológico se nos muestra incluso en las comedias de menor empeño, con lo que el más leve cuadro de costumbres —por ejemplo, *El marido de la Téllez,* boceto de comedia en un acto, de ambiente teatral— se realza notablemente. Y un tercer rasgo de los que dan inequívoco aire de familia a las obras que Benavente produce en la primera de sus fases, es cierta falta de unidad que en *Gente conocida* se hace notar por modo singularísimo. Hasta el punto de que el autor lo confiesa al calificar su obra de «escenas de la vida moderna», confirmando así un propósito implícito en otras obras: la observación del hombre y de la vida, sin someterse rigurosamente a la clásica disciplina de «la exposición, el nudo y el desenlace».

Benavente se creyó en la necesidad de defenderse contra el reproche de su «extranjerización», que formulaban críticos o espectadores reacios al planteamiento de una cuestión previa: ¿era posible la renovación del teatro español sin mirar a los del extranjero, con adecuada atención?... Y publicó una autocrítica de *Gente conocida,* al modo con que Alejandro Dumas, hijo, explicaba sus obras —o como las explicaría Bernard Shaw, tiempo adelante—; autocrítica a que pertenecen estas palabras: «La composición de la obra de anoche es la que usan varios escritores muy conocidos, Lavedan y la condesa Martel, entre otros. En las obras de esta última es, quizá, donde puede hallarse mayor parecido con las «escenas» de anoche, mejor que en *Pequeñeces* del P. Coloma y en *Las personas decentes* de Gaspar».

No pocos de los fertilizantes del ingenio de Benavente procedían del extranjero. Pero el ingenio de Benavente era tan poderoso y propio que acertó a asimilar cualesquiera influencias, con la personalidad de que es muestra un vastísimo repertorio, tan abundante en obras de inspiración autóctona. Y fue Benavente muy escrupuloso en la declaración de sus fuentes, como acabamos de ver en el caso de *Gente conocida,* hasta el punto de que cuando tomó pie en un poema de Tennyson para componer su comedia *La señorita se aburre,* o en cierto poema de Thompson para una de sus últimas obras, *El lebrel del cielo,* así hubo de confesarlo, expresamente, en carteles, programas y ediciones. Si Enrique Gómez Carrillo acusó un día —1912— de plagiario a Benavente por supuestas semejanzas de *La comida de las fieras* con *Le repas du lion,* de Curel, y si no faltó, más tarde, quien insinuase acusación análoga a propósito de *Servir,* título idéntico al de una comedia de Lavedan, nada más fácil que el cotejo de los respectivos textos para comprobar, categóricamente, la absoluta diferenciación de las obras caprichosamente enfrentadas como modelo y copia. Acreditó Benavente en tanto grado la fertilidad de su invención, que, aparte razones de probidad, para nada hubiera necesitado aprovecharse de obras ajenas. Pero si esto es evidente, no lo es menos que en el teatro benaventiano se respira —y esto no es ciertamente demérito— una atmósfera impregnada de la literatura y el teatro extranjero de su tiempo.

En cualquier supuesto, las comedias de Benavente a que aludimos desbordan vida española. Trátase, en la parte más cuantiosa y de mejor calidad, de cuadros de costumbres avalorados por una dimensión de profundidad que no es frecuente en el género —muy dado a la observación superficial— y que el autor obtiene calando no poco en la humanización de los tipos, ya que no siempre alcancen la categoría, dramática o cómica, de caracteres, contribuyendo a justificarlos la intención satírica y el matiz de las pasiones o afectos, mucho más que el asunto.

La vida de salón se refleja en *Gente conocida*; la capital de provincia presta su ambiente a *La gobernadora*; la política, el campo y sus gentes aparecen en *La farándula* y en *El primo Román*; el desmoronamiento de la casa ducal de Osuna sugiere *La comida de las fieras*; las diferencias de clase y educación participan en el choque amoroso de *La gata de Angora*; en *Lo cursi* se denuncia el mal de que padecían los que todo lo supeditaban a ser elegantes, o, mejor dicho, a parecerlo. «Antes existía lo bueno y lo malo —dice el personaje de que se sirve el autor para glosar la acción—, lo divertido y lo aburrido, y a ello se ajustaba nuestra conducta. Ahora existe lo cursi, que no es ni lo bueno ni lo malo, ni tampoco lo que divierte o lo que aburre; es... una negación, lo contrario de lo distinguido.»

Esto, el «quiero y no puedo» —o el «quiero y no sé»—, la parodia de las clases altas en lo que puedan tener de pegadizo, es la cursilería, y lo que ya sabe —ampliando el tema— el sociólogo de hoy, lo presentía el comediógrafo de ayer: la vida, que el trabajo hace más independiente y digna, acaba con el tipo de la señorita cursi del *fin de siglo*: tema patético si recordamos a las hijas del galdosiano *Miau*; ridículo, si traemos a cuento las caricaturas festivas de Luis Taboada. Benavente se sitúa en el punto de vista del satírico que sonríe, compasivo, y punza con terapéutico estilete.

El ser humano, en relación con la clase social a que pertenece, influido por sus prejuicios e intereses, es una típica preocupación de Benavente, que ve al hombre en sus distintas situaciones y nos da la versión adecuada en extensa galería de tipos: el título del reino, el

banquero, la gran dama, el periodista, la señora de compañía, el go-
moso, el diputado, la doncella, el casinista, el camarero... Y el poeta
modernista, flor del momento. Benavente lo caricaturiza en el Teófilo
Everit de *La comida de las fieras,* cuyo papel estrenó, por cierto,
Valle-Inclán. «... ¡Oh, qué retrato!», exclama Teófilo ante cierta pintura que describe así: «Una dama italiana del Renacimiento; una patricia triste, altiva, con la altivez desolada de las cumbres solitarias;
sugestiva como la *Gioconda* de Leonardo, o la *Nelly* de Reynolds,
con los ojos glaucos, felinos, y las manos... ¡Oh, las manos...! Dig-
nas de un soneto de Rosseti... Manos liliales... *Made to be kissed
and to bless...*».

Pero a pesar de esa jocosa caricatura del poeta modernista, Benavente toma partido por la nueva escuela. La defiende otro de sus
personajes, esta vez en *Lo cursi*: Félix, literato, de los que a la
sazón eran llamados «decadentes» y que, replicando a un detractor
del modernismo, ironiza en esta forma: «En literatura, ya sé en qué
consiste (lo español, lo castizo); en lo que ustedes llaman vigor; en
concluir los dramas a tiros y los cuentos a navajazos, como si todos
los días se recogiesen docenas de cadáveres por esas calles...». Benavente mismo es modernista, a ratos, en su prosa. Apunta ese estilo
en algunas palabras de *La gata de Angora,* a cargo del pintor Aurelio, retratista de Silvia: «... blancuras marchitas, un otoño de blancuras, que fueron pureza y ya sólo son elegancia». En otro tipo de
comedias que luego examinaremos, se acentúan esos matices de expresión, y Azorín afirma que «Intelecto de amor», artículo de Benavente en *Revista Ibérica* (1902), «es un sutil compendio de modernismo». La adscripción de Benavente, quisiéralo o no, al modernismo era un modo más de rendir tributo al espíritu de su tiempo.
Y no olvidemos que Benavente dirigió *La Vida Literaria* (1899),
semanario de clara divisa modernista.

[Modernista es, de hecho, el] escéptico pensamiento, estribillo
de *La noche del sábado,* imbuido de un pesimismo a lo Schopenhauer, muy de moda entre los literatos del fin de siglo. Lejos de
destruir la realidad en que viven unas gentes, corrompidas o frívolas, son ellas mismas las destruidas, en suicidio físico o moral, y no
llegamos a saber si Imperia, en definitiva, señoreará su vida, porque
el telón desciende, por última vez, cuando debiera empezar el drama
de la voluntad indomable. Hasta ese momento, el autor se ha limitado, en verdad, a crear ambiente propicio al encuentro y convivencia

de príncipes y aventureros: jirones, más o menos fastuosos, de una pintoresca Europa que viviendo, más que la tragedia, el vodevil y la opereta, pasaba por una honda crisis: cuando no era suceso raro que esta o aquella princesa huyese con un violinista o con el preceptor de sus hijos, y algún archiduque, escapando de la Corte, se perdiese, mar adentro, en un yate fantasma.

Nada de salón aristocrático o de gabinete burgués, ni de *boudoir* o de estudio de pintor. Los escenarios de Benavente en *La noche del sábado* y *La princesa Bebé*, intercambiables o punto menos, son: el *hall* de una villa en la Costa Azul, un *music-hall,* una *trattoria,* el salón de un palacio imperial —jardín nevado al fondo—, un casino de estación de invierno... Entre decorados de esa índole, vuelve a sonar el *ritornello* mismo de *La noche del sábado,* en *La princesa Bebé.* Transcribimos el diálogo final:

> PRÍNCIPE ESTEBAN: Mi princesa Bebé! Todo lo alegras, todo lo embelleces. Cerca de ti, la vida es más intensa, y se siente que el alma es infinita...
> LA PRINCESA ELENA: Como la vida. Comprenderlo todo, amarlo todo... Vivir en todo, vivir toda la vida...
> PRÍNCIPE: Vivir, no; es doloroso, es triste, es hacer mal y padecerlo... Soñar, soñar como ahora...
> PRINCESA: ¡Vivir... soñar!... Las dos cosas... Amar... Amar es todo... es sueño y es vida...

En *El dragón de fuego* se proyecta Europa, a través de la política imperialista de la Gran Bretaña —Silandia—, sobre la India —Nirván—, y el tema requiere la decoración de una ciudad en ese país del Oriente: el salón del trono del rey de Nirván, un interior de la casa del general en jefe de las tropas silandesas; una cabaña en el campo nirvanés; la selva sagrada de Sindra; la gran terraza de los elefantes...

Tales escenarios liberaban al público español de confinamiento en que le tenía el teatro histórico-romántico, con sus mazmorras y góticos salones, o la comedia al uso, en cuartos más o menos «modestamente amueblados». Benavente concedía toda su importancia al ambiente que habían de respirar sus personajes, diversamente aclimatados. Pero sacrificaba un tanto las criaturas de su ingenio en aras del pintoresco y abigarrado conjunto. No por capricho calificó Benavente su *Noche de sábado* de «novela escénica». Lo más probable, en tesis general, respecto a cualquier novela trasplantada a la escena, es que prevalezca, sobre el estudio a fondo de los caracteres, su plasticidad y movimiento exterior.

En ese sentido del ambiente, del medio social y geográfico en que se desarrolla el asunto, Benavente emplea un lenguaje saturado de la literatura en boga, llamada «modernismo» en España, pero que, realmente, se ajustaba a un patrón internacional, con repercusión, como antes decíamos, en las otras artes. El modernismo, *lato sensu,* abarca desde los mármoles y escayolas —de todo había— d'annunzianos a los carteles de Alfonso Mucha, pasando por la poesía de Rubén Darío, de Laforgue, de Samain; por el teatro de Maeterlinck y Wilde; por la arquitectura de Gaudí y las novelas de Pierre Loti, e incluso las de Abel Hermant, que si no pueden ser llamadas propiamente modernistas, reflejan la sociedad del momento. Es el tiempo que marca su sello, muy claramente, por lo que hace al lenguaje de los literatos, en pasajes como este de *La noche del sábado,* a cargo del artista Leonardo, quien se apoya en el elogio de Imperia a las rosas —«no hay flores más hermosas»— para expresarse a este tenor: «Ni que más hablen de la vida. Todos los colores de la carne son sus colores; rojas como sangre, como labios encendidos; rosadas, como carnes de niños; ambarinas, con suave caricia de carmín, como desnudos de Tiziano. Éstas, opulentas de vida como diosas de Rubens; éstas, exangües, pálidas, como manos de virgen... Mira cómo viven... Así, vueltas, semejan marquesitas; sus faldas, las hojas de su corola. Mira ésta, parece una preciosa marquesa Pompadour, con sus *paniers* de rosa; y el tallo, el talle esbelto, y ésta, de verdes hojas a sus lados, las mangas abullonadas... Ésta parece una infanta de España con su pomposo guardainfante... Y ésta, de carmesí aterciopelado, triunfante dogaresa veneciana...».

Francisco Ruiz Ramón

LOS INTERIORES BURGUESES BENAVENTINOS

Desde muy temprano, los críticos que se han ocupado del teatro de Benavente han intentado establecer clasificaciones de su abundantísima obra —172 piezas— utilizando distintos criterios. Temáticos: ciclo satírico, ciclo de la alta comedia, ciclo dramático, ciclo simbólico (González Blanco); valorativos: período ascendente (1899-1919), período descendente (1920-1948) (Jerónimo Mallo) o de otra índole. El último intento de clasificación global es el de Marcelino C. Peñuelas que distingue seis grupos: piezas satíricas, piezas psicológicas, piezas rurales, piezas fantásticas, comedias, piezas sentimentales y piezas misceláneas, entre las cuales considera obras tan dispares como *La noche del sábado* (1903), *La mariposa que voló sobre el mar* (1926), *Santa Rusia* (1932) o *La melodía del jazz-band* (1931), más otras muchas que no guardan entre sí punto alguno de contacto. A todas las clasificaciones citadas cabría hacérseles reparos, pues siempre hay piezas que podrían incluirse en varios o en ninguno de los grupos propuestos. Nosotros vamos a prescindir de todas ellas, no para proponer una nueva clasificación que sirva de panacea, pues ni creemos en la clasificación perfecta ni nos importa mucho ni poco el deporte de clasificar. Nuestra clasificación se atiene a un hecho de fácil verificación: la homogeneidad dramática de los distintos lugares escénicos principales en donde Benavente sitúa la acción y los personajes de sus obras, lugar escénico que, a nuestro juicio, posee auténtica función estructural tanto de la acción y de los personajes, como del diálogo y del ambiente que condiciona los anteriores elementos, clasificación que— repetimos— no pretendemos sirva de modelo, limitada como está a la intención presentativa de los aspectos fundamentales de la dramaturgia benaventina. Benavente, como antes los dramaturgos de la «alta comedia», como los comediógrafos realistas coetáneos cuyo mayor empeño es reflejar la psicología y las costumbres, la ideología y la moral de la sociedad burguesa, bien para aleccionar bien para satirizar o para trazar desenfadadamente la

Francisco Ruiz Ramón, *Historia del teatro español. Siglo XX*, Cátedra, Madrid, 1975, pp. 26-30.

crónica diaria, reúne a sus personajes en cuatro espacios escénicos fundamentales: los interiores burgueses ciudadanos (salones y gabinetes); los interiores cosmopolitas (lujosos salones en una elegante estación invernal, en un yate, en un palacio), los interiores provincianos (salas, saloncitos y salones de Moraleda o esos salones y saletas al aire libre que son una Plaza Mayor o un palco) y los interiores rurales (cocina, comedor o sala de campesino acomodado). En esos mismos espacios escénicos, aunque transfigurados por el truchimán de una intención simbólica o vagamente poética, transcurre la acción del «teatro fantástico» o «infantil» para el que tan mal dotada estaba la imaginación benaventina, como lo demuestran tres de esas piezas —El príncipe que todo lo aprendió de los libros (1909), Y va de cuento (1919), La novia de nieve (1934)— tan escasamente fantásticas como problemáticamente «infantiles». Sólo una obra, precisamente su obra maestra, Los intereses creados, trasciende esos cuatro espacios dramáticos al saber despegarse en ella de todo prurito de actualismo. Fuera de esos espacios quedan también otras obras menores —menores por sus contenidos o por su realización— como son, por no citar sino tres casos extremos, significativos, además, de esa versatilidad no sólo literaria sino ideológica de Benavente: El dragón de fuego (1904), Santa Rusia (1932) y la imperdonable e inconcebible Aves y pájaros (1940), desgraciada y tendenciosa falsificación de la guerra civil del 36.

Es el más privilegiado de los espacios escénicos benaventinos, el que concentra la mayor parte de su teatro, desde las dos primeras piezas —El nido ajeno (1894) y Gente conocida (1896)— hasta las últimas comedias del Benavente de la postguerra —desde Al fin, mujer (1942) y La culpa es tuya (1942) a Al amor hay que mandarle al colegio (1950) y Su amante esposa (1950) y en el que podemos citar títulos tan representativos como Lo cursi (1901), Rosas de otoño (1905), Campo de armiño (1916) o Titania (1945).

En este escenario, siempre definido por la elegancia a la moda, y puesto con gusto, congrega unos personajes cuyo vestido y cuya palabra están siempre a tono con el ambiente desahogado y sin problemas económicos dentro del que se desenvuelven sus vidas. Juntos ya los personajes, estén o no motivadas su presencia, sus entradas o sus salidas, comienzan a conversar incontiniblemente, manteniendo siempre la mesura, el buen tono, buscando deslumbrar con el ingenio, dueños de los recursos y sutilidades del idioma, maestros de la esgrima verbal, del arte de la alusión, de las medias palabras, enarbolando ideas generales acerca de todo, con un exquisito dominio de la retórica sentimental, preocupados por el efecto que producen, atentos a las apariencias pero desinteresados por las sustancias, escudada la intimidad de cada uno de ellos detrás de la brillante cortina de sus palabras, como si su misión y su función como personajes fuera solamente la de airear lo público, resguardando lo privado. A través de esas incesantes conversaciones de salón, disciplinadamente distribuidas en grupos, accedemos al pequeño pero completo repertorio de los modos de vida públicos del grupo social de la alta burguesía, anquilosada en unos principios heredados desde los que se juzga la realidad, pero en contradicción manifiesta con esa misma realidad, como si fueran incapaces de sustituirlos por otros a tenor de las nuevas necesidades y aspiraciones, condenándose a sí mismos a vivir en una eterna y estéril contradicción entre la teoría y la praxis, entre el sistema moral e ideológico y las conductas y modos de comportamiento. Me parece indudable —porque es demasiado sistemático en este grupo de obras para ser accidental o casual— que Benavente captó esa contradicción en la alta burguesía madrileña de finales del XIX y principios del XX —contradicción ya insinuada por los dramaturgos de la alta comedia y, sobre todo, por Enrique Gaspar, aunque su formulación fracasara, especialmente en los primeros, por defecto del lenguaje y por exceso de sentimentalización y de preocupación moralizante—. Benavente encuentra el lenguaje dramático idóneo, no sólo por haberlo desentimentalizado, despojándolo de todo énfasis retórico, sino —y esto es más importante— por haberlo dotado de ese ritmo interior que le permite expresar, debajo de lo dicho, lo pensado y lo sentido. Y esto, desde sus primeras piezas, en especial desde *Gente conocida,* en donde utiliza hábilmente los apartes para mostrar el contraste entre palabra interior y palabra exterior. Ahora bien, si Benavente supo captar esa contradicción de una burguesía —incluida en ella, naturalmente, la aristocracia— en plena descomposición moral y crear un lenguaje teatral idóneo, cuya oquedad reflejaba la oquedad de esa sociedad, no supo, en cambio, ver las tensiones internas que la sacudían ni acertó a crear el esquema dramático necesario para configurar, mediante acciones, un verdadero conflicto que enfrentara colisivamente individuos. Respecto a lo primero, Benavente prefirió la mordacidad y la ironía a la visión de profundidad. Respecto a lo segundo, el dialogador hábil y el cronista de salón escéptico y nunca comprometido terminó, o, mejor, empezó por comerse al dramaturgo. Al mismo tiempo, guardando la suficiente distancia para satirizar, ironizar y criticar con mordacidad unas veces, y otras con ingenio —convertido en fin y no sólo en medio— al grupo social previamente acotado, Benavente acabó identificándose con él, aunque con psicología de *enfant terrible* y, como consecuencia, jugando su mismo juego: el de los bellos sentimientos. De satírico se fue volviendo moralista, viniendo a dar en comediógrafo de «alta comedia», sin perder su superior valor literario. Atacó la falsedad de las convenciones sociales, el egoísmo del varón, la hipocresía y el fariseísmo, la tiranía de las apariencias, la malignidad, pero sin poner seriamente en cuestión las bases mismas de sustentación de la sociedad criticada. Todas estas piezas suponen, claro está, un diagnóstico, pero no del mal profundo, del auténtico mal, sino de los males accidentales, de los pequeños males curables, cuyas medicinas universales son la moral del sacrificio y el amor que todo lo vence.

La sátira benaventina no aspira a remover zonas profundas de la conciencia individual ni social, sino a reflejar escépticamente, con agudeza pero sin trascendencia, las costumbres de una sociedad en la que su cronista no acertaba a ver ni siquiera graves problemas. En un artículo titulado «Proteccionismo y libre cambio» escribía acerca de las limitaciones del autor dramático en España: «En primer lugar, la vida española es tan apacible que apenas ofrece asuntos al autor dramático. En problemas sociales no hay que pensar, porque a nadie interesan. Ya sabemos que en España no existen problemas. El problema religioso es sólo un pretexto para programas políticos; ese problema, como el de los garbanzos, lo tiene cada uno resuelto a su manera, y no hay para qué llevarlo al teatro. El problema social viene a ser, en resumidas cuentas, lo que un primer actor decía de cierto drama estrenado por él: "Hambre y tiros: cosas siempre desagradables"». El tono es, naturalmente, irónico, pero lo cierto es que Benavente no se atrevió a forzar esos condicionamientos que presionaban el trabajo del autor teatral. Prefirió atenerse a una de sus máximas: «No ahondéis demasiado; al ahondar todo puede venirse abajo». Antes de que todo pueda venirse abajo, Benavente endereza la obra hacia el buen fin, de manera que las bases de su sociedad queden a salvo. Reléase, por ejemplo, para citar dos casos extremos y opuestos entre sí por la índole de sus protagonistas —Nené e Isabel— *El hombrecito* (1903) y *Rosas de otoño*.

Ramón Pérez de Ayala

SOBRE LA TRAGEDIA GROTESCA

La farsa macabra no es de desdeñar, y menos en España, en donde viene de tradición milenaria y acaso por idiosincrasia espiritual. Su origen patente se remonta a Séneca, a quien Nietzsche llamó, con expresión feliz, «el torero de la virtud». El estoicismo de Séneca se diferencia de las demás disciplinas de estoicismo por lo pronto en el tono, que así como en éstas es austero y enjuto, en aquél es socarrón y pingüe. El estoicismo tiene dos aspectos: uno positivo, la práctica de la virtud; otro negativo, la serenidad ante las adversidades y la muerte. El estoicismo ibérico se desentendió de lo positivo, y así se quedó en una moral negativa, compatible con toda inmoralidad activa. Séneca predicaba la virtud, pero la burlaba con ágiles quiebros y vivía muellemente. La picaresca española es la historia anecdótica del estoicismo senequista en acción. El pícaro era un estoico y un sinvergüenza. El pícaro se reía, con ánimo sereno, del hambre, del sufrimiento y de la muerte. En la literatura española hay innumerables testimonios de inversión de lo patético en bufo. En el último tercio del siglo XIX eran tipos cómicos obligados del sainete y de la caricatura el maestro de escuela y el cesante, desastrados y hambrientos. Lo que ahora denominan «el fresco», personaje imprescindible en las obras bufas, no es sino supervivencia del pícaro. La insensibilidad española se corresponde con el senequismo, esa sofisticación del estoicismo; porque el estoicismo persuade a la insensibilidad y entereza en las propias adversidades, pero no induce a la burla y dureza con las adversidades ajenas, antes al contrario en tanto el español suele ser tan árido para el dolor de los demás como para el propio.

La aridez y sequedad de ternura de que adolece el pueblo español las puso Arniches de manifiesto en *La señorita de Trevélez*, contrastándolas con lo florido y tierno de dos almas, humanas verdaderamente, que se disimulaban bajo una envoltura corporal ridícula.

Ramón Pérez de Ayala, «La tragedia grotesca», *Las máscaras* (1920), en *Obras completas*, III, Aguilar, Madrid, 1963, pp. 328-338.

En la tragedia grotesca *Que viene mi marido,* Arniches realiza una obra de estilo, o, si se quiere, de estilización, sobre aquel rasgo característico de españoles: la insensibilidad. El autor ha tomado como punto de partida la insensibilidad (o senequismo, o picarismo) del carácter español, y la va desarrollando y perfilando, sin cuidarse de la aparente verosimilitud, y sí solo de la expresión, hasta consumar un edificio imaginario, que, no por artificioso, deja de ser en el fondo más real y sugestivo que la copia mecánica y naturalista de un suceso cierto, pero futil.

No olvidemos advertir que el picarismo, o senequismo rahez y anecdótico se define en la práctica por una nota intelectual, que es como su última diferencia, junto a todo el resto de normas de conducta. Es desde luego el picarismo un estoicismo o moral negativa que se compagina maravillosamente con la inmoralidad activa. Pero no basta ser estoico y sinvergüenza para ser pícaro, como no basta, según Quevedo y Chamfort, ser marido engañado para ser cornudo. El título diplomado de pícaro exige una certificación de aptitud intelectual específica: maliciosa agilidad con que burlar y torear a la virtud, inventiva de recursos con que salir campante de lances prietos, sutileza de ingenio con que industriarse a través de la vida. Los pícaros son caballeros, pero caballeros de industria. La escuela de picarismo es la necesidad, conforme aquella sentencia: «La necesidad aguza el ingenio». Pero no todos aprovechan la enseñanza de esta escuela. En definitiva, que el ingenio es la nota diferencial del picarismo; ingenio más de acción que de labia. Luego veremos cómo en la tragedia grotesca de Arniches resplandece rarísimo ingenio.

Y ahora puntualicemos el calificativo de tragedia grotesca. Comencemos por lo grotesco. Conceder que lo grotesco es lo cómico exagerado es conformarse con poco; viene a ser como decir que una casa es un gabán de piedra o que un gabán es una casa de paño. Primeramente nos encontramos con que la palabra *grotesco* no es castellana, sino italiana, si bien le hemos suprimido una *t.* La voz italiana es *grottesco,* que viene de *grotta*: gruta. En castellano debiera decirse grutesco, y así se dijo. En una edición añeja del *Diccionario de la Academia* se describe así lo grotesco: «Adorno caprichoso de bichos, sabandijas, quimeras y follajes; llamado así por ser a imitación de los que se encontraron en las grutas o ruinas del palacio de Tito. *Florum frondiumque et pomorum insectorum insuper deformiumque animalium implexus atque contextus».* Se refiere a la

arquitectura y a la pintura. Es, por lo tanto, un procedimiento decorativo de estilización, en que el designio del artista se sobrepone a
la rutina de las formas naturales acostumbradas. Es lo grotesco, en
su primera apariencia, arbitrariedad inverosímil; trátese de artes plásticas o ya se trate de literatura. Pero sólo en su primera apariencia,
pues, como más arriba se ha dicho, estos artificios imaginarios son
a veces más reales que la copia mecánica de la naturaleza. En este
sentido: que la copia mecánica repite los resultados de la actividad
de la naturaleza, sus obras acabadas, o sea, lo ya rígido, lo ya sobre-
seído, lo ya inerte, lo ya muerto; en tanto, la finalidad de esos artificios imaginarios de arte estriba en imitar a la Naturaleza en lo esencial, en su manera de obrar, en lo fluido, lo continuo, lo sensible y lo
vivo. ¿Reproduce lo grutesco la Naturaleza en su manera de obrar?
Sin duda. Por lo grutesco, el arte se anticipó en adivinar una doctrina que la ciencia, al cabo de muchos años, se había de hacer la
ilusión de descubrir: la doctrina de la evolución natural. Sostiene esta
doctrina que la infinita diversidad de formas naturales no fueron
creadas *ab initio* y de sopetón, sino que de la prístina e insensible
materia fueron surgiendo, por evolución, las formas inorgánicas, las
vegetales, las zoológicas y las humanas. La Naturaleza está de continuo en vías de transformación, si bien los hombres en general no
ven sino las transformaciones conseguidas y desconocen el nexo inequívoco entre una y otra, no de otra suerte que el espectador de un
teatro ve salir en escena un actor como rey, y poco después el
mismo actor como bufón; pero se le oculta aquel período en que
el actor, en trance de transformarse dentro de su camarín, es a medias rey y a medias bufón. Lo grutesco imita plásticamente a la
naturaleza en período de transformación y evolución: de aquí que
sus manifestaciones sean monstruosas a la par que bellas. [...]
    Trasladando las observaciones anteriores a la motivación psico-
lógica, que es el terreno de lo dramático, clasificaremos como almas
grotescas aquellas en que las formas superiores de la conciencia aparecen implicadas, apenas nacientes y casi absorbidas en las formas
inferiores del instinto; almas obscuras que en vano se afanan hacia
la claridad; pequeños monstruos inofensivos, porque ni el instinto ni
la inteligencia están lo bastante deslindados para determinar acciones violentas. En estas almas hay un asomo de conciencia, que es lo
que de ellas sale al exterior; pero la conciencia está integrada en el
instinto, que es el móvil recóndito y confuso de los actos que eje-

cutan. La mayor parte de los hombres poseen un alma grotesca. Arniches, en su última obra, nos presenta unas cuantas almas grotescas, y nos las presenta grotescamente, como es debido; unas cuantas almas que se juzgan libres, pero que están enraizadas en el bajo subsuelo del instinto de codicia.

Se levanta el telón. Una sala modestamente amueblada. Se oyen ayes y alaridos en aposentos interiores. Varios personajes salen y entran, atraviesan aturdidos la escena. Acuden unos vecinos. ¿Qué pasa? Una madre y una hija que están accidentadas. ¿Por qué? Los personajes, en su aturdimiento, olvidan satisfacer nuestra curiosidad, que va subiendo de punto, aguijada por varios lances ridículos, hasta que, promediado el acto primero, nos informamos de todo. ¡Un drama terrible! La niña de la casa, Carita, tenía un padrino millonario, que la ha dejado heredera. Pero... según condición que impone el testador, la niña no podrá entrar en posesión de la fortuna sino al quedarse viuda. La carta del notario, con el testamento, se les ocurrió leerla estando presente el novio de la niña, Luis, que es estudiante de medicina. La niña y su madre han caído con sendos patatuses. El novio se pone pálido, se apoya en el hombro de un tío de la niña, y exclama: «Ay don Valeriano, qué infamia... Yo me muero». Y el buen tío replica: «Hombre, todavía no; espera a ver, espera a ver...». Pero ¿cómo se le ocurrió al padrino semejante infamia? ¿Sabía que la niña tenía novio? Sí, lo sabía, y por celos, lo aborrecía. Había pretendido casarse con su ahijada, y como ésta se negase, él se había respondido, avieso y sentencioso: «Yo te prometo que algún día desearás la muerte de ese hombre». Por evitar que llegue ese día, el estudiante no quiere casarse. Consternación en la familia. Examinan entre todos las posibilidades y contingencias futuras. No hay solución satisfactoria. El padrino les ha condenado a una vida amarga y desesperada. Se imagina uno al viejo riéndose con faz sardónica de ultratumba. Por cuanto, he aquí que un compañero del novio da con una idea que anulará el pérfiido conflicto póstumo promovido por el padrino. Este compañero, llamado Hidalgo, se explica así: «Hay en mi sala del hospital un enfermo que lleva allí dos meses. La afección que afecta a este quídam se ha hecho incurable, según el pronóstico de las dieciocho eminencias médicas que le han visitado. Ha entrado esta mañana en el período preagónico». Hidalgo propone que Carita se case *in articulo mortis* con el enfermo; se quedará viuda al día siguiente, y, ya millonaria, se casará con su Luis. Después de cortas dubitaciones, la familia se somete al plan facultativo. La codicia les ha dado aliento y esperanza.

Este acto es delicioso de movimiento, comicidad y donaire. Pero hasta aquí no aparece la tragedia; cuando más, un drama conjurado a tiempo, a la picaresca, por industria del ingenio.

La tragedia grotesca comienza en el acto segundo. Realmente, el modo de concebir Arniches la tragedia grotesca es de una penetración y agudeza asombrosas. Algunos revisteros teatrales se figuraron que el autor calificaba su obra de tragedia grotesca porque se dispone a tomar la muerte a chanza. Sorprendente miopía del entendimiento, cuando el concepto de tragedia grotesca se descubre tan paladino en *Que viene mi marido*.

Hemos visto que lo grotesco sorprende a la naturaleza en vías de transformación, y cómo en lugar de repetir servilmente las obras acabadas y rígidas de la Naturaleza toma las formas naturales más superiores y nobles y las ofrece, desenvueltas, sin solución de continuidad, en varios antecedentes de formas inferiores. Así, en un mascarón de talla grutesca observamos algunas facciones cabalmente humanas y otras que degeneran hacia la animalidad, el mundo vegetal, y, por último, la materia inorgánica; acaso las orejas se retuercen y pasan a ser alas de dragón; quizás la lengua que sale de la boca, es lengua al principio, luego penca de acanto, luego columna arquitectónica. Cabe en lo grutesco la posibilidad de subvertir el orden de la naturaleza a voluntad del hombre, comenzando por lo último para concluir por lo primero, como se hace, por ejemplo, con una cinta cinematográfica. ¿Habéis visto, por ventura, una cinta cinematográfica a la inversa? Todo va hacia atrás, todo se retrotrae. De una lisa superficie de agua surten al pronto sinnúmero de gotas que, trazando una curva gentil, van a reunirse en un punto, de donde sale disparado, cabeza abajo, un hombre con taparrabos, el cual se eleva prodigiosamente en el aire hasta caer de pie en lo más avanzado de un trampolín. Algo semejante a esto será lo grotesco, aplicado a la tragedia. Una tragedia grotesca será una tragedia desarrollada al revés.

¿Y qué es una tragedia al revés? Arniches lo ha resuelto, con certera perspicacia. En la tragedia, la fatalidad conduce ineluctablemente al héroe ‹trágico a la muerte, a pesar de cuantos esfuerzos se realicen por impedir el desenlace funesto. El héroe trágico no tiene más remedio que morirse. Por el contrario, el héroe de la tragedia grotesca no hay manera de que se muera ni manera de matarlo, a pesar de cuantos esfuerzos se realicen por acarrear el desenlace funesto. Tal es el tema de los actos segundo y tercero de *Que viene mi marido*.

Bermejo, el moribundo del hospital, después de casado *in articulo mortis,* ha ido restableciéndose poco a poco y ya le han dado de alta. Los parientes y el novio de la desposada han ocultado a ésta el *trágico* desenlace. En el fondo de todas estas almas grotescas, penumbrosas, se insinúa el deseo de deshacerse del resucitado; pero como carecen de la determinación para las acciones violentas, se conforman con preparar cepos en que el imprevisto esposo parezca morirse por cuenta propia, víctima de la fatalidad. Bermejo no tiene un cuarto al salir del hospital. Sus inopinados afines le proporcionan vestido y sustento, a condición de que no aparezca por la casa; vestido, un traje de alpaca delgadísimo, y estamos en el riguroso enero; sustento, en un restaurante barato, en donde, por rara casualidad, le sirven setas en todas las comidas. Pero la fatalidad protege a Bermejo. Carita se ausenta de su casa por unos días, a pasar en un pueblo, con unas amigas, la primera temporada del imaginario luto. Y ya puede Bermejo presentarse en la casa. Viene como un desenterrado. Se deshace en excusas: «Perdónenme que no me haya muerto; pero es que materialmente no me ha sido posible... ¡Ni con dieciocho médicos! Todo ha sido inútil. No, no he sabido morirme». Ya fuera del hospital, Bermejo ha hecho lo que ha podido por morirse. Inútil. «Atravieso todas las tardes la Puerta del Sol, de siete a ocho, y no sé qué hacen esos automóviles que ni me tropiezan. Me coloco intencionadamente ante los tranvías. Me tocan el timbre, y como si me tocaran *El conde de Luxemburgo.* Pues nada: me empujan con delicadeza, me apartan y pasan rápidos.» El tío Segundo dice: «Aceptamos sus disculpas. No ha podido usted realizar su propósito; ¡qué le vamos a hacer, paciencia!». Pero el tío Valeriano es más reacio en avenirse: «¡Paciencia!... Pero perdone que le digamos que, en cierto modo, lo que ha hecho usted es una informalidad». Y replica Bermejo: «¿He podido yo hacer más para fallecer que tomarme todas las medicinas que me han dado? A mí se me han inyectado cuarenta y seis clases de vacuna. Se me han administrado veinticuatro sueros y diecisiete caldos microbianos; a mí se me han administrado hasta los últimos Sacramentos... Y yo, tomándomelo todo... ¿He podido hacer más?». Bermejo comunica su resolución irrevocable de suicidarse allí mismo, lo cual, naturalmente, impiden los parientes. El tío Valeriano, demostrándole amoroso interés, le aconseja que, puesto que está decidido, busque un fondo a propósito donde el suicidio revista caracteres románticos: «Ahí tenemos el Retiro, la Moncloa, lugares de una belleza y amenidad que envuelven el suicidio en un ambiente de poesía que conmueve. Espronceda no los hubiera desdeñado. Y en otro caso, ahí tenemos también el Canalillo. No echemos el Canalillo en saco roto: una cinta de plata, álamos en las orillas...». Se aplaza el suicidio, por haber sobrevenido varias peripecias inesperadas, al cabo de las cuales Bermejo, en un acceso de arrebato, se arroja por el balcón a la calle. Gritos y lamentos. Reaparece a poco Bermejo, ileso. Ha caído sobre el toldo de una tienda que pertenece a unos parientes de su esposa; ha roto el toldo y luego ha venido a dar de rechazo sobre Hidalgo, aquel estudiante de Medicina que ideó lo del casamiento *in articulo mortis,* y le derrienga.

En el acto tercero, Bermejo está obeso como un cebón. Asistimos a varias asechanzas que los parientes e Hidalgo le tienden, por ver si al cabo revienta. En vano. El tío Valeriano llega a comprender el sentido trágico a la inversa que preside el curso de la vida de Bermejo. «A ese hombre —dice el tío Valeriano— le hacen la autopsia y engorda.»

El desenlace de la obra está hallado con notable agudeza.

Bermejo es un fresco, un pícaro, mezcla de estoico y sinvergüenza. Así como el estoico honrado se sobrepone a la fatalidad, aceptándola, el estoico pícaro se burla de ella, la torea y acaso llega a rendirla en su favor. Bermejo no es tal Bermejo; se llama Menacho. Los conatos de suicidio han sido contrahechos. Cuando se arrojó por el balcón, bien sabía que le amparaba el toldo... Faltándole qué comer y en dónde dormir, acostumbraba ingresar en los hospitales, simulando insólitas enfermedades. Cada vez que ponía en juego la combinación necesitaba una cédula falsa. Afortunadamente, la última cédula pertenecía a un individuo que ha muerto después de casarse sin saberlo, *in extremis,* con Carita. Conque ya tenemos a Carita viuda y millonaria.

Apuntemos ahora algunos defectos del teatro de Arniches. Cuando un escritor posee temperamento y cualidades sobresalientes de autor dramático —que tal es el caso de Arniches—, sus defectos suelen ser concesiones al gusto predominante de la época en que escribe: la inflazón del lenguaje de Shakespeare, el movimiento vertiginoso de las comedias de Lope, el ergotismo de los dramas de Calderón, la sentimentalidad de Racine.

Las preferencias y aversiones del espíritu español contemporáneo derivan de un sentimiento raíz, que difícilmente se hallará tan afirmado en ningún otro pueblo ni en ningún otro tiempo: el miedo a la verdad. La España de hoy (el hoy en la historia de un pueblo puede abarcar media centuria) se estremece con la sola presunción de tener que afrontar en algún momento la verdad. Quiere ignorar, lo quiere desesperadamente. Y como la función de patentizar la verdad corresponde a la inteligencia, España, que había comenzado por abdicar de la inteligencia, ha concluido por odiarla. El dicterio más apasionado es el de «intelectual».

El público teatral español pide a sus autores que satisfagan en alguna medida aquellas dos condiciones: primera, rehuir y rodear, con episodios y expedientes dilatorios, la emisión sincera y rotunda de la verdad; esquivar las situaciones extremas, distraer la atención de lo sustancial hacia lo accidental; en suma: lo que se llama habilidad comúnmente, y que ya hemos analizado en otro ensayo; segunda, respetar la abdicación que de su inteligencia ha hecho el público y darle gusto, abdicando también el autor de cuando en cuando, y no otra cosa es el retruécano o preferencia por la risa más plebeya y obtusa, la de origen fisiológico, con daño de la risa noble, de origen intelectual.

Los defectos de las obras de Arniches se ocasionan de la habilidad que muchos encarecen en este autor, y que las priva de plenitud, y del abuso del retruécano, que las priva de armonía. Hablo de las obras extensas, porque en las breves ha llegado con frecuencia a los aledaños de la perfección. Me queda por estudiar un punto importante: el *astracanismo*, plausible y artístico en Arniches, deplorable y vacío en sus imitadores.

Debo anticiparme a una probable objeción. Alguno de esos fiscales linces, atropellados y reparones, se adelantará a afirmar de ligero que las observaciones que aquí he explanado sobre la génesis y trascendencia de las dos obras extensas de Arniches, se las atribuyo, como claros y meditados propósitos artísticos, al autor, antes de aplicarse a escribir las obras. Lo rechazo. Tales inepcias no son de mi cosecha. El artista tiene la virtud de crear; el crítico está obligado a analizar. Encomiar la exquisitez de un melocotón no significa dar a entender que el árbol que lo ha producido ha estudiado química orgánica ni arboricultura. El hombre vulgar distingue un melocotón sabroso de uno insípido, o de uno de cera, con solo tocarlo y probarlo. Luego, un químico analiza la composición del fruto y un arboricultor declara cuáles son las buenas cualidades que residen en la condición del árbol, y cuáles las malas, que se deben a la condición del ambiente o al modo de cultivo.

6. MIGUEL DE UNAMUNO

Miguel de Unamuno (Bilbao, 1864 - Salamanca, 1936) ha ostentado durante mucho tiempo el primado de su generación y, en no pequeña parte, el de las letras españolas del siglo xx. Ventajosamente conocido fuera de nuestro país, objeto predilecto de monografías de hispanistas (y aun de no hispanistas), ha podido encarnar simultáneamente la imagen de un afortunado precursor exótico de algunas formas del pensamiento ético de nuestra época (el subjetivismo radical, la angustia religiosa —sin religión positiva—, el pirandellismo, el existencialismo...) y, por otra parte, ser la paradigmática imagen de quien encarna el «problema de España» y se convierte, como admiraba el gran romanista Ernst Robert Curtius, en «praeceptor» y «excitator Hispaniae».

La actual e inevitable mengua del crédito unamuniano es, en gran medida, resultado de la menor cotización intelectual de aquellos valores que, si en Europa caducaron a mediados de los cincuenta, en España hubieron de persistir más tiempo, en parte por la escasa creatividad y el epigonismo de los intelectuales de postguerra y en parte por el llamativo anacronismo de la lucha ideológica antifranquista en las dos primeras décadas de la postguerra. Es muy significativo, en efecto, que Unamuno y su obra hayan sido preferente *quaestio disputata* en la nueva valoración política y cultural de la crisis de fin de siglo y que, precisamente por eso, no pocos de los nuevos estudiosos muestren hacia las actitudes unamunianas el mismo despego que en su día experimentaron intelectuales de izquierda como Armando Bazán [1935]. Críticas que, desde posiciones antagónicas, fueron también las de Ortega y Gasset, quien vio en Unamuno al intelectual de una especie europea que se extinguiría con él y con Bernard Shaw, y que, bastante antes, había calificado de «energuménica».

No poco de esto hay, desde luego, en una dilatada obra que se presenta desperdigada en artículos de periódico y, en proporción menor, en tan interesantes cuanto alguna vez fallidos intentos de renovación de los géneros literarios. Una parte y otra de su producción se referían en última instancia a la omnipresente personalidad de su autor, cuidadosamente configurada como un personaje más y éste a su vez referido a una suerte de Unamuno profundo, insobornable «yo» del escritor. Los hasta cuatro «yoes» que, siguiendo a Oliver Wendell Holmes en una conocida broma literaria, distinguía Unamuno (el que uno es, el que uno piensa que es, el que uno quiere ser, el que los demás piensan que es uno), eran, sin embargo, un único ser cuya biografía conocemos con bastante precisión (M. García Blanco [1965], E. Salcedo [1964]): un catedrático universitario de lengua griega (Y. Turin [1962]), voluntariamente recluido en una arquetípica capital de provincia, padre de numerosa prole, monologador infatigable en las tertulias, trajeado siempre a la usanza de un pastor protestante. Como ciudadano, fue con notoriedad un súbdito incómodo en la línea de otros intelectuales europeos de su tiempo; ya catedrático, se adhirió al socialismo (R. Pérez de la Dehesa [1966], C. Blanco Aguinaga [1978], E. de Bustos Tovar [1976]) y, aunque su militancia fue efímera, contribuyó a la poco brillante historia del marxismo español con originales aportaciones; su primera expulsión del rectorado salmantino (1912), su aliadofilia en la guerra europea (L. Urrutia [1970] y Ch. H. Cobb [1976]) y su republicanismo le dieron, más adelante, una significación que llegó a su punto máximo cuando fue desterrado a Fuerteventura por el dictador Primo de Rivera (S. de la Nuez [1964]) y, huido a Francia, encabezó una sonada campaña antimonárquica; la república de 1931 lo tuvo como diputado y ciudadano de honor, pero también como un permanente detractor de la política autonomista (J. Bécarud [1965]); por fin, la rebelión militar de 1936 contó con su apoyo inicial, aunque el curso de los acontecimientos (la bárbara represión y el tono general de venganza y cretinismo que hubo de respirar) le condujo a una famosa ruptura pública. Aquellos dramáticos hechos del paraninfo salmantino precipitaron su muerte y no impidieron el escarnio final: un entierro «falangista» fue la inmerecida coronación de sus vacilaciones, al poco de haber sido cesado como rector honorífico de la universidad por las Gacetas oficiales de ambas Españas en lucha.

El acercamiento psicoanalítico a la personalidad unamuniana (J. L. Abellán [1964] y, desde supuestos psicocríticos, Á. R. Fernández González [1976]) ha insistido, con razón, en la raíz unitaria del talante unamuniano: un desolador vacío espiritual (consecuencia de la crisis religiosa de 1897, minuciosamente analizada por un *Diario* inédito hasta hace poco y bien conocida desde los trabajos de A. Zubizarreta [1960 a] y A. Sánchez Barbudo [1968]) hubo de alumbrar un dramático deseo de inmortalidad y secundariamente unas creencias voluntaristas que ocultaran de algún modo la certeza de la muerte (Mario J. Valdés [1964]). De ese modo, pudo Unamuno saldar la paralela y más radical crisis de sus convicciones políticas revolucionarias, al trocarlas en un vago agonismo espiritualista, dominado por conceptos como el de tradición eterna, guerra espiritual, fe colectiva, cuyo carácter idealista, arbitrario y sintomáticamente anacrónico en el trance de modernización política del país (o puramente reaccionario en el peor de los casos) ha sido señalado por trabajos de Elías Díaz [1968] y Bernhardt Schmidt [1975].

No resulta fácil reconstruir con estas piezas un sistema de pensamiento coherente, posibilidad que el mismo Unamuno, apologista de la contradicción y la paradoja, hubiera rechazado como grave limitación de la libertad de su discurso. Quienes como Julián Marías [1943], François Meyer [1955], J. Ferrater Mora [1944], S. Serrano Poncela [1953], A. C. Regalado [1968], Agnes Lacy [1967] y Ciriaco Morón [1964] han pretendido una sinopsis orgánica de su pensamiento, han señalado tal limitación y han insistido a menudo en la fuerte componente literaria del mismo. Las ideas literarias y las lecturas (M. J. y M. E. Valdés [1973]) —entendida la literatura como expresión de la radical intimidad; leída como búsqueda de la verdad del «yo» en otros «yoes»— reconocen un abolengo marcadamente romántico y, desde luego, nada propicio a los conceptos estéticos de nuestro siglo (como ha señalado agudamente Emilio Alarcos Llorach [1964]), pero, en cualquier caso, han incorporado a la sensibilidad del lector español importantes nombres europeos (Pascal, Carlyle, Flaubert..., como registran agudos trabajos de J. López Morillas [1961], F. Ynduráin [1969], Carlos Clavería [1970]) y relativizan necesariamente la originalidad hispánica de Unamuno. Su creación literaria parte, en suma, de una copiosa «literaturización» de una experiencia personal típica del pensamiento europeo posterior a 1870 (como ya se apuntaba, en propósito caracterizador más amplio, en el primer apartado de este volumen) y se debate en la irresoluble antinomia de la afirmación individual y el alumbramiento de una ética colectiva, entre la afirmación del sujeto personalizado como justificación estética y moral (descubrimiento de la literatura burguesa) (V. Ouimette [1974]) y el retorno a la fe colectiva y tradicional que anega lo individual en lo colectivo (tesis preburguesa que cabe interpretar como inadaptación pequeñoburguesa al peculiar rumbo de la historia de su tiempo). Lo colectivo y lo individual, la mutabilidad y lo inmutable, la Historia y la intrahistoria, son las parejas de opuestos que juegan en el pensamiento unamuniano respecto al lenguaje (tema ejemplarmente estudiado por C. Blanco Aguinaga [1954]) y que alumbran, a su vez, la duplicidad (también estudiada por C. Blanco Aguinaga [1959]) entre un «Unamuno agónico» y un quietista «Unamuno contemplativo», seguramente mucho más sincero y real que el primero. Su misma obsesión religiosa (determinante de la conversión de 1897 pero en palmario conflicto con la religión católica siempre) supone otro rasgo significativo de la no modernidad de un pensamiento en tanto referido a la realidad española (cuya polémica anticlerical era el mero umbral de una posible laicización del país); la debatida «heterodoxia» unamuniana (J. L. L. Aranguren [1948] y Joan B. Manyà [1960]), como su «quijotismo» de 1905 (sucesor de una marcada y «progresista» enemiga al héroe cervantino), eran patéticas vías muertas en cuanto pretensión de reforma moral y cívica de la sociedad española: la heterodoxia procedía en línea recta del «modernismo» decimonónico; el quijotismo era poco más que la adaptación a la circunstancia regeneracionista de la lectura romántica del *Quijote*.

Como se decía más arriba, la mayor parte de la producción de Unamuno se desgranó en la casi diaria colaboración periodística, cuyo conocimiento por parte de la crítica no es aún ni completo ni sistematizado. Contribuyó decisivamente a la plasmación de la retórica particular del ensayismo español contemporáneo que en su caso —y más que en ninguno de sus contemporáneos— tenía un punto de partida autobiográfico que desarrolla la reflexión por una suerte de círculos concéntricos: el recuerdo de la infancia (tan importante en Unamuno), la vivencia del paisaje, su peculiar entendimiento de la lectura, una mínima fabulación (como sucedía en el cuento clariniano, tan bien conocido por el escritor), son los pretextos más usuales de esa desperdigada autobiografía espiritual que conforman los ensayos del autor vasco, a menudo agrupados por él mismo en volúmenes de cierta unidad temática.

Su más renovadora y perdurable aportación lo fue, sin embargo, a la narrativa: ya fuera al cuento (Eleanor S. Paucker [1965]), ya a la novela (o «nivola», como llegó a llamarlas para subrayar su heterodoxia con respecto al canon naturalista más usual). «Autobiografías» las ha llamado con justicia Ricardo Gullón [1964] sin que por ello tuvieran que ver con los hechos contables de su vida personal, y tanto J. Marías como después F. Ayala [1974] y R. E. Batchelor [1972] han insistido en el carácter ancilar que sus ficciones mantienen con una ya conocida visión de la realidad: la afirmación de la personalidad propia, la lucha contra el instinto, el afán de dominio sobre los demás, la distancia entre la vida y la filosofía, la relación de dependencia entre los seres humanos, son los temas obsesivos de una narrativa descarnada, poblada de personajes a la vez enterizos y problemáticos (Agnes Moncy [1963]) y en cuyo fondo suele alentar, aunque disminuida por la tensión superficial de las pasiones, una vigorosa y crítica visión de la realidad provinciana española cuya estricta trabazón familiar (noviazgo, matrimonios, hermandad, filiación y nepotismo) es el germen de los conflictos.

Con todo, la primera novela de Unamuno, *Paz en la guerra* (1897), surgió con la intención de explicar, a través de una proyección autobiográfica bastante simple, el hogar político y espiritual del escritor finisecular (M. García Blanco [1965], Ch. Marcilly [1965], R. Pérez de la Dehesa [1966]), mientras que la segunda, *Amor y pedagogía* (1902), resulta una fábula clariniana, tocada de cierto humor caricatural, sobre la utopía pedagógica positivista (Paul R. Olson [1969]). *Niebla* (1914), llamada ya «nivola», es el primer relato donde un pequeño infierno doméstico (tan típico, como se indicaba, de Unamuno y aun de toda su generación) se eleva a la categoría de drama de la identidad, abriendo insalvable zanja entre la libertad y el destino (G. Ribbans [1970], Frances M. Weber [1973]), línea que prosigue en *Abel Sánchez* (1917) —novela del cainismo hispánico en la que (Ch. H. Cobb [1972]) andan como fuente de inspiración las intervenciones unamunianas en el conflicto de aliadófilos y germanófilos— y las *Tres novelas ejemplares y un prólogo* (1920) (C. Blanco Aguinaga [1964]) —más su próxima pariente, *La tía Tula* (1921)—. Las más impresionantes ficciones del escritor pertenecen, sin embargo, a la última etapa de su producción: *Cómo se hace una novela* (1928) (A. Zubizarreta [1960 *b*]) es una singular mezcla de autobiografía y ensayo, fruto de un exilio ya mencionado y clave imprescindible para entender la función de la literatura según Unamuno; en las tres novelas cortas de 1930 —*San Manuel Bueno, mártir, La novela de Don Sandalio, jugador de ajedrez* y *Un pobre hombre rico, o el sentimiento cómico de la vida*— la voluntad de objetivación de sus temas más patéticos alcanza una singular eficacia. El primer relato —ejemplo de subordinación de elementos (paisaje, perspectiva del narrador ficticio, acción) a una finalidad— es, quizás, el más conocido y analizado de Unamuno: bajo la parábola de la pérdida de una fe y su dramática sustitución por la voluntad de creer (A. Sánchez Barbudo [1968], C. Blanco Aguinaga [1961], Pelayo H. Fernández [1966], R. Gullón [1977]), se oculta un dramático diagnóstico de su desesperanza —y no sólo religiosa— y de su temor al futuro.

El teatro unamuniano arranca de los mismos temas que su novelística y también como ésta tiene el propósito de reconducir al público a un dramatismo esencial, ajeno a los «perifollos de la ornamentación escénica» (como dijera en un resonante ensayo de 1896) y coincidente en tal sentido con un importante sector renovador del teatro europeo de su tiempo (F. Lázaro Carreter [1956], Iris M. Zavala [1963], Andrés Franco [1972]): la búsqueda de lo que, en el prólogo de *Raquel,* formulará como «poesía dramática» en contraposición a la «oratoria dramática». La hipoteca de tal modo de hacer es un hirsuto esquematismo que lastra la mayoría de las creaciones teatrales del autor. La más antigua de ellas, *La venda* (1897), es una reelaboración simbólica de la pérdida de su fe; *Fedra* y *Raquel encadenada* son revisiones de las sendas heroínas epónimas (la clásica y la bíblica mujer de Jacob) y dramatizan la insatisfacción biológica femenina, abismo al que se asomó alguna vez el Unamuno de las novelas (y que constituye el segundo plano de otro drama, *El pasado que vuelve*); *La esfinge, Soledad* y *Sombras de sueño* exploran el conocido dilema de la personalidad entre la conciencia y la imaginación, entre uno mismo y los demás (M. P. Palomo [1975]). Planteamiento que llega a su exasperación extrema en *El otro* y *El hermano Juan o el mundo es teatro* (estudiadas desde supuestos psicoanalíticos por C. Feal Deibe [1976]), mero esqueleto de drama el primero y oscura reflexión sobre el arrepentimiento de Don Juan (y sobre la voracidad femenina) el segundo.

La poesía lírica unamuniana le asegura un lugar de honor en la historia del género en nuestro siglo XX, aunque sus puntos de partida tengan poco que ver con los que determinaron sus rumbos (F. Ynduráin [1969]). Los ritmos y las imágenes del escritor (que los tiene, pese a la frecuente acusación de prosaísmo y rigidez que se le imputa) provienen del clasicismo decimonónico, línea fugaz en la lírica española del siglo pasado pero decisiva en un Carducci (constante admiración de Unamuno), mientras que la deuda simbolista es muy escasa. En ese sentido, tanto las *Poesías* de 1907 como el *Rosario de sonetos líricos* de 1911 son libros anómalos en el panorama de su tiempo, como lo es el largo poema religioso *El Cristo de Velázquez* de 1920, o el deliberadamente becqueriano *Teresa* de 1924: el rasgo filosófico, la meditación religiosa, la anécdota familiar o infantil, el encuentro de un «paisaje del alma» son los datos que remontan, en bien medido castellano y en clásicas comparaciones, un universo poético de elevado valor aunque no poca dureza. Los elementos intuitivos e irracionales del pensamiento de Unamuno —visibles ya en los poemas de circunstancias escritos en el destierro— tienen un lugar fundamental en el largo volumen *Cancionero* que, a guisa de un «diario poético», elaboró el autor entre 1928 y 1936, aunque sólo fue dado a conocer en 1953 mediante una excelente edición de F. de Onís. Si bien no todas las composiciones tienen idéntico valor, es obvio que nos hallamos ante alguno de los máximos logros poéticos de Unamuno y precisamente en razón de aquella componente de repentización (sobre un recuerdo nimio, una impresión fonética, un trivial episodio doméstico), tan importante en la sensibilidad del escritor y a menudo tan frustrada por sus glosas filosóficas: en este caso, la mera intuición de una analogía o el confuso brotar de un pensamiento gratuito nos entregan, con patética inmediatez, algunos de sus temas más inquietantes y permanentes (véanse los trabajos de M. García Blanco [1954], M. Alvar [1971], y, sobre el *Cancionero*, el de Josse de Kock [1968]).

Es muy posible que, de toda la obra de creación de Unamuno (lírica, novelesca y dramática), sobrevivan para el lector de hoy estos valores fundamentales de lo intuitivo y sobre, en cambio, la ganga filosófica y el tono amonestador y algo megalómano que los reiteran. Tan distante de las estéticas de su época, Unamuno fue, sin embargo, el síntoma español de una temática literaria internacional (la búsqueda de un teatro y una novela «de almas y pasiones»; la crisis de la identidad del personaje; la intuición como forma de comprensión) que, no por haber caducado en cuanto moda literaria, dejó de estar presente en la nueva estimativa del siglo xx. De su encarnación unamuniana seguirán siendo inolvidables muchos de sus recuerdos personales (la infancia bilbaína, la vida familiar, el descubrimiento del paisaje castellano), casi todos sus poemas y bastantes menos de sus novelas y dramas; sobre sus ensayos de mayor envergadura —*En torno al casticismo* (1895 en la revista *La España Moderna*; 1905 en volumen), *Vida de Don Quijote y Sancho* (1905), *Del sentimiento trágico de la vida en los hombres y en los pueblos* (1912), *La agonía del cristianismo* (1925)— no parece que los criterios y preferencias del lector de hoy se pronuncien con excesivo entusiasmo.

BIBLIOGRAFÍA

Abellán, José Luis, *Miguel de Unamuno a la luz de la psicología*, Tecnos, Madrid, 1964.

Alarcos Llorach, Emilio, «Sobre Unamuno o como no debe interpretarse la literatura», *Archivum*, XIV (1964), pp. 5-17.

Alvar, Manuel, «Unidad y evolución en la lírica de Unamuno», *Estudios y ensayos de literatura contemporánea*, Gredos (Biblioteca Románica Hispánica, II, 154), Madrid, 1971, pp. 113-139.

Aranguren, José Luis L., «Sobre el talante religioso de Miguel de Unamuno», *Arbor*, XI (1948), pp. 485-503.

Ayala, Francisco, «La novelística de Unamuno», *La novela: Galdós y Unamuno*, Seix-Barral, Barcelona, 1974, pp. 113-161.

Batchelor, R. E., *Unamuno novelist: a european perspective*, The Dolphin Books, Oxford, 1972.

Bazán, Armando, *Unamuno y el marxismo*, Madrid, 1935.

Benítez, Hernán, *El drama religioso de Unamuno*, Universidad, Buenos Aires, 1949.

Bécarud, Jean, *Miguel de Unamuno y la Segunda República*, Taurus, Madrid, 1965.

Blanco Aguinaga, Carlos, *Unamuno, teórico de lenguaje*, El Colegio de México, México, 1954.

—, *El Unamuno contemplativo*, El Colegio de México, México, 1959.

—, «Aspectos dialécticos de las *Tres novelas ejemplares*», *Revista de Occidente*, n.º 19 (1964), pp. 51-70.

—, «Sobre la complejidad de *San Manuel Bueno, mártir*», *Nueva Revista de Filología Hispánica*, XV (1961), pp. 569-588.

—, «El socialismo de Unamuno (1894-1897)», *Juventud del 98*, Crítica (Filología, 4), 1978, pp. 57-116.

Bustos Tovar, Eugenio de, «Sobre el socialismo de Unamuno», *Cuadernos de la Cátedra Miguel de Unamuno*, XXIV (1976), pp. 187-248.

Clavería, Carlos, *Temas de Unamuno*, Gredos (Biblioteca Románica Hispánica, II, 10), Madrid, 1970².

Cobb, Christopher H., «Sobre la elaboración de *Abel Sánchez*», *Cuadernos de la Cátedra Miguel de Unamuno*, XXII (1972), pp. 127-147.

—, «Introducción y edición», en M. de Unamuno, *Artículos olvidados sobre España y la Primera Guerra Mundial,* Tamesis Books, Londres, 1976.

Díaz, Elías, *Revisión de Unamuno. Análisis crítico de su pensamiento político,* Tecnos, Madrid, 1968.

Feal Deibe, Carlos, *Unamuno: «El otro» y Don Juan*, Planeta, Barcelona - Universidad de Buffalo, 1976.

Fernández González, Ángel R., *Unamuno en su espejo*, Bello, Valencia, 1976.

Fenández, Pelayo H., *El problema de la personalidad en Unamuno y en «San Manuel Bueno»*, Mayfé, Madrid, 1966.

Ferrater Mora, José, *Unamuno. Bosquejo de una filosofía*, Editorial Sudamericana, Buenos Aires, 1944.

Franco, Andrés, *El teatro de Unamuno*, Ínsula, Madrid, 1972.

García Blanco, Manuel, *Don Miguel de Unamuno y sus poesías*, Universidad de Salamanca (Acta Salmanticensia, Filosofía y Letras, 8), Salamanca, 1954.

—, *En torno a Unamuno*, Taurus, Madrid, 1965.

—, «Sobre la elaboración de la novela de Unamuno *Paz en la guerra*», *Revista Hispánica Moderna*, XXXI (1965), pp. 142-158.

Gullón, Ricardo, *Autobiografías de Unamuno*, Gredos (Biblioteca Románica Hispánica, II, 76), Madrid, 1964.

—, «Relectura de *San Manuel Bueno*», *Letras de Deusto*, VII (1977), páginas 43-51.

Kock, Josse de, *Introducción al «Cancionero» de Miguel de Unamuno*, Gredos (Biblioteca Románica Hispánica, II, 111), Madrid, 1968.

Lacy, Agnes, *Miguel de Unamuno: The retoric of existence*, Montonand Co., La Haya, 1967.

Lázaro Carreter, Fernando, «El teatro de Unamuno», *Cuadernos de la Cátedra Miguel de Unamuno*, VII (1956), pp. 5-29.

López Morillas, Juan, «Unamuno y Pascal» y «Unamuno y sus criaturas: Antolín S. Paparrigoulos», *Intelectuales y espirituales,* Revista de Occidente, Madrid, 1961.

Manyà, Joan B., *La teología de Unamuno*, Vergara, Barcelona, 1960.

Marcilly, Charles, «Unamuno et Tolstoi: de *La guerre et la paix* à *Paz en la guerra*», *Bulletin Hispanique*, LXVII (1965), pp. 142-158.

Marías, Julián, *Miguel de Unamuno,* Espasa-Calpe (Austral, 991), Madrid, 1943.

Meyer, François, *L'ontologie de Miguel de Unamuno*, Presses Universitaires de France, París, 1955.

Moncy, Agnes, *La creación del personaje en las novelas de Unamuno*, La Isla de los Ratones, Santander, 1963.

Morón Arroyo, Ciriaco, «*San Manuel Bueno, mártir* y el sistema de Unamuno», *Hispanic Review*, XXXII (1964), pp. 227-246.

Nuez, Sebastián de la, *Unamuno en Canarias. Las islas, el mar, el destierro*, Universidad, La Laguna, 1964.

Olson, Paul R., «The novelistic logos in Unamuno's *Amor y Pedagogía*», *Modern Language Notes*, LXXXIV (1969), pp. 248-268.

Ouimette, Victor, *Reason aflame. Unamuno and the heroic will,* Yale University Press (Yale Romanic Studies, Second Series, 24), New Haven-Londres, 1974.

Palomo, María Pilar, «El proceso comunicativo de *La Esfinge*», *Semiología del teatro,* Planeta, Barcelona, 1975, pp. 145-166.

París, Carlos, *Unamuno. Estructura de su mundo intelectual,* Península, Barcelona, 1968.

Paucker, Eleanor S., *Los cuentos de Unamuno, clave de su obra,* Minotauro, Madrid, 1965.

Pérez de la Dehesa, Rafael, *Política y sociedad en el primer Unamuno (1894-1904),* Ciencia Nueva, Madrid, 1966.

Regalado, Antonio C., *El siervo y el Señor. La dialéctica agónica de Miguel de Unamuno,* Gredos (Biblioteca Románica Hispánica, II, 116), Madrid, 1968.

Ribbans, Geoffrey, *Niebla y soledad. Aspectos de Unamuno y Machado,* Gredos (Biblioteca Románica Hispánica, II, 172), Madrid, 1970.

Salcedo, Emilio, *Vida de Don Miguel,* Anaya, Salamanca, 1964.

Sánchez Barbudo, Antonio, *Estudios sobre Galdós, Unamuno y Machado,* Guadarrama, Madrid, 1968, pp. 67-290.

Schmidt, Bernhardt, «*Sobre la europeización,* ensayo de Unamuno», *El problema español de Quevedo a Azaña,* Cuadernos para el Diálogo, Madrid, 1975, pp. 179-230.

Serrano Poncela, Segundo, *El pensamiento de Unamuno,* FCE, México, 1953.

Turin, Yvonne, *Miguel de Unamuno, universitaire,* SEVPEN (Bibliothèque Génerale de l'École Pratique des Hautes Études), París, 1962.

Ugalde, Martín de, *Unamuno y el vascuence,* Vasca Ekin, Buenos Aires, 1966.

Urrutia, Louis, «Presentación y edición» en M. de Unamuno, *Desde el mirador de la guerra,* Centre de Recherches Hispaniques (Thèses, Mémoires et Travaux), París, 1970.

Valdés, Mario J., *Death in the literature of Unamuno,* University of Illinois Press, Urbana, 1964.

— y María Elena Valdés, *An Unamuno source book: A catalogue of readings and acquisitions,* University of Toronto Press, 1973.

Weber, Frances M., «Unamuno's *Niebla*: from novel to dream», *PMLA,* LXXXVIII (1973), pp. 209-218.

Ynduráin, Francisco, «Unamuno en su poética y como poeta», *Clásicos modernos,* Gredos (Campo Abierto, 24), Madrid, 1969, pp. 59-125.

Zavala, Iris M., *Unamuno y su teatro de conciencia,* Universidad de Salamanca (Acta Salmanticensia), Salamanca, 1963.

Zubizarreta, Armando, *Tras las huellas de Unamuno,* Taurus, Madrid, 1960 (*a*).

—, *Unamuno en su nivola,* Taurus, Madrid, 1960 (*b*).

ELÍAS DÍAZ

EL ANTIPROGRESISMO UNAMUNIANO

La forma en que se concibe por Unamuno la religiosidad va a determinar en él —fundamentalmente a partir de los años situados en torno a 1897, fecha de su famosa crisis, resuelta con solución intimista— una actitud que sin duda puede definirse como de clara oposición al progreso; sobre todo de oposición, recelo y miedo al progreso entendido desde un punto de vista material.

Es una actitud que se vincula a su enemistad de fondo hacia la razón y hacia la ciencia (consecuencias también de la crisis del 97). Su espiritualismo, entendido como extremo antimaterialismo, le lleva de hecho a una real infravaloración de todo lo propio y estrictamente humano y en concreto a una real infravaloración de los esfuerzos hechos por los hombres para mejorar, de un modo u otro, sus condiciones materiales de vida; en este sentido su actitud aparece —sobre todo en ciertas ocasiones— como profundamente reaccionaria. Unamuno no se limita a reivindicar lo espiritual; a través de una total ruptura entre espíritu y materia, sus alegatos a lo que en verdad conducen es, como decimos, a una total infravaloración de lo material.

Puede decirse que esta actitud antiprogresista de Unamuno comienza a exteriorizarse con total claridad tras la crisis del 97; son los años de la ruptura, más o menos tajante, con los grupos socialistas de la revista bilbaína *La Lucha de Clases,* y posteriormente con los anarquistas de *Ciencia Social* y *La Revista Blanca.* [...]

Indudablemente, el cambio no fue ni totalmente radical ni abso-

Elías Díaz, *Revisión de Unamuno*, Tecnos, Madrid, 1968, pp. 43-57.

lutamente instantáneo; al contrario, venía preparándose desde años atrás: casi podría decirse que estaba alojado, latente en él desde el principio de su vida intelectual. [...] Con todo [y] ser cierta esa relativa continuidad [...] no cabe desconocer la existencia ni la importancia de ese viraje desde un Unamuno más racional y progresista —anterior a 1897—, hacia un Unamuno más intimista y antiprogresista, que será el que acabará conformando más permanentemente su personalidad. Una similar evolución seguirá, claro está, con respecto al «regeneracionismo».

Del Unamuno de la primera etapa son los trabajos como «La dignidad humana», «La crisis del patriotismo», «La juventud intelectual española» y «Civilización y cultura», todos ellos publicados en 1896 en la revista *Ciencia Social,* de Barcelona; todavía en 1898 (junio-julio) aparecen, con ese mismo signo, «¡Muera don Quijote!» y «¡Viva Alonso el bueno!» (suficientemente conocidos y bien expresivos en sus mismos títulos) y otros a los que aludiremos al hablar de los contactos del primer Unamuno con el marxismo y el socialismo.

En cambio, muestran ya el paso hacia el intimismo antiprogresista otros escritos, como «La vida es sueño», del mismo 1898 (noviembre); «Nicodemo el fariseo» (1899) y, ya con toda claridad, los tres ensayos de 1900: «¡Adentro!», «La ideocracia» (publicado antes, en 1899, como «La tiranía de las ideas») y «La fe». En 1905, con la *Vida de don Quijote y Sancho,* quedará ya definitivamente impuesta esta tendencia, que —aun sin olvidar su primera breve etapa— es a la que, como gran época de madurez, vamos a referirnos aquí fundamentalmente.

Unamuno no profesará ninguna simpatía hacia el término «progresismo»; le desagrada la propia palabra, pero también su contenido; en gran parte, como hemos dicho, su antiprogresismo procede de su espiritualismo. Utilizamos aquí los términos progresismo y reaccionarismo, como valoración positiva del progreso y valoración negativa, miedo al progreso, respectivamente.

Operando con su método de identificación y con-fusión de los contrarios intentará salir Unamuno del esquema lógico progresismo *versus* reacción, sin lograr con ello otra cosa que afirmar su propio reaccionarismo. Criticará así al progresismo precisamente por su carácter pretendidamente conservador; escribe en este sentido: «El concepto de progreso de los progresistas es un concepto eminentemente conservador y, en el fondo, estático». Esta calificación —paralela a la que da también del marxismo como filosofía igualmente conservadora —deriva del hecho de que para Unamuno todo programa, toda planificación racional de los hechos, tiene ya un sentido conservador. Desde esa actitud, que cabría calificar de super-revolucionarismo estético, toda comprensión y control racional de la realidad supone una limitación conservadora del libre despliegue de unas abstractas fuerzas vitales incontrolables e irracionales. [...] [Con todo, es evidente] el carácter profundamente reaccionario de esa crítica a la técnica y a la civilización material —es el «¡Que inventen ellos!» de Unamuno—, hecha además, como frecuentemente suele ocurrir con brutal ironía, por intelectuales pertenecientes a sociedades subdesarrolladas. En este sentido, insistir obsesivamente en la miserable España de finales de siglo, e incluso en la posterior, sobre los peligros que el bienestar y la tecnificación representan para el «ser del hombre», aparte de una burla cruel, producto de una mentalidad elitista, significaba querer evadirse de las exigencias de esta realidad histórica concreta, infravalorando las necesidades reales de la gran mayoría de esos hombres.

Unamuno se adhiere, en efecto, a la conocida tesis, nada progresista, de la técnica, del mundo de las máquinas, como factor que irremediablemente conduce a la despersonalización del hombre, a la deshumanización del mundo. No hay en él una suficiente comprensión del sentido liberador del hombre que la técnica puede también representar; no vincula esos efectos de la técnica a los sistemas generales de los modos de producción, que es lo decisivo; su actitud queda así en un intimismo antiprogresista, totalmente inválido para el mundo moderno. En un artículo titulado «Mecanópolis» [1913] —visión fantástica de una ciudad mecanizada en la que Unamuno se ahoga— escribe: «Y desde entonces he concebido un verdadero odio a eso que llamamos progreso, y hasta a la cultura, y ando buscando un rincón donde encuentre un semejante, un hombre como yo, que llore y ría como yo río y lloro, y donde no haya una sola máquina y fluyan los días con la dulce mansedumbre cristalina de un arroyo perdido en el bosque virgen».

La idílica salida de Unamuno ante el problema de la técnica y su influencia sobre la vida humana viene dada, como se ve, desde una actitud de evasión y de incomprensión de las necesidades del mundo actual: en efecto, regresar atrás o salirse de la realidad ya no es una solución válida; sin embargo, Unamuno se situará con frecuencia en esa actitud de evasión de la realidad ante la no-comprensión de la misma. «Yo no le oculto —escribe Unamuno a Jiménez Ilundáin en agosto de 1915— que hago votos por la derrota de la técnica y hasta de la ciencia, de todo ideal que se contraiga al enriquecimiento, la prosperidad terrenal y el engrandecimiento territorial y mercantil... Si la guerra abate la soberbia mundana europea y nos devuelve a una especie de nueva edad romántica, bien venida sea.» Unamuno es incapaz de matizar y de distinguir; lo suyo —él mismo lo había dicho— era fundir y confundir.

Junto a la evasión de la realidad, hay también en Unamuno una actitud de escepticismo, de falta de ilusión en el progreso humano; ironizará, a veces justificadamente, ante la ingenuidad de algunos progresistas, pero tampoco aquí conservará el sentido de la proporción y del equilibrio, y terminará en una postura realmente negativa y pesimista. En 1932, en los momentos iniciales de la esperanza republicana, escribe: «Es que, lector, me está desazonando el observar cómo se hinchan ilusiones de un porvenir de riqueza y sabiduría y de bienestar, en una España renovada por arte mágica. ¿Que mejoraremos? ¿Quién lo duda? Pero hay que poner tope a las ilusiones. Y sobre todo hay que pensar para qué; esto es: en el para qué de para qué; para qué fin —esa mejoría—. Y si no es mejor el opio —que dijo Lenin— de morir dormido». Esta actitud de insistente recelo ante el progreso es constante en su obra.

Ahora bien, llegados a este punto cabría, en efecto, plantear la cuestión de fondo de esa dimensión antitécnica y anticientífica unamuniana, tal y como, con todo rigor, ha hecho Manuel Ballestero aludiendo al doble nivel en el que dicho problema debe y puede ser afrontado; escribe en este sentido: «Es claro que, en un primer análisis —y parcialmente es verdad— las raíces de tal actitud hay que buscarlas en la incomprensión que Unamuno tenía de la relación entre ciencia-técnica y humanismo. ¿Pero —se pregunta Ballestero profundizando en el problema— no existe en tal temática una reivindicación, confusa es cierto, una protesta frente a determinadas "alienaciones"?». Indudablemente, y es justo hacer resaltar este aspecto de la crítica unamuniana: la protesta existe aunque, precisamente por su confusión, más aún, por sus eternas contradicciones sin síntesis, no sea siempre ni muy objetiva ni muy eficaz.

Puede decirse que esa crítica de Unamuno, dirigida contra las sociedades modernas desarrolladas, es muy discutible que sirva de fundamento: desde ella es muy difícil tanto remover y transformar, como construir. Es una protesta contra ciertas alienaciones —las producidas por las sociedades formalmente liberales— que sin embargo supone y exige a su vez una defensa implícita de otras más reaccionarias alienaciones, las derivadas de una concepción mágico-irracional de una filosofía «humanista» de la miseria. [...]

En este punto concreto de su antiprogresismo, de su recelo ante el progreso y ante la técnica, cabe en efecto constatar la presencia de elementos críticos frente al hecho de ciertas alienaciones humanas en la sociedad del bienestar y, sobre todo, de la utilización de la técnica como recurso para la eliminación de la crítica a nivel ideológico. Sin embargo, el sentido último y más pleno de esa actitud de Unamuno se expresará, en relación siempre con su espiritualismo, a través de caracteres realmente reaccionarios; la extralimitación de los puntos de vista religiosos le llevará ilegítimamente a esa auténtica infravaloración de los. problemas estrictamente humanos a que hemos hecho referencia.

Parcialmente consciente de sus contradicciones, Unamuno trata de defenderse frente a los que, como él dice, quieren encasillarle entre los pesimistas y los antiprogresistas. Un artículo de 1913, titulado precisamente «Credo optimista», servirá para aclarar suficientemente su posición: comienza afirmando su fe en el progreso, fe que paradójicamente viene incluso a resultar excesiva. «Yo, señor mío —dice Unamuno—, creo en el progreso general humano y en el progreso de nuestra patria española en especial, tanto como el que más y mejor crea en ellos.» Enumera puntos concretos de ese progreso en que, según dice, cree, y termina afirmando: «Creo que llegarán tiempos en que no hagan falta ni leyes escritas promulgadas y sancionadas, ni autoridad que las haga cumplir por la fuerza, abusando, como es natural, de ella, sino que bastará la buena voluntad de cada uno y el sentimiento de humanidad. Y creo más: y es que nos acercamos a esos tiempos dichosos. Creo que la ciencia, el conocimiento del hombre y del universo por el hombre mismo se acrecienta y perfecciona de día en día; que vamos descubriendo verdades nuevas, y que acabaremos por descubrirlas todas, menos una. Una sola, aunque la única que de veras debe importarnos».

Aquí está el punto de inflexión que marca el vertiginoso retroceso de esa fe en el progreso alegada por Unamuno: aparece el espiritualismo, la extralimitación de la religiosidad, su obsesión absorbente por lo ultraterreno, y entonces todo el progresismo anterior desaparece. «Ahora —puntualiza Unamuno— creo también que todo ello no vale un comino sin lo otro. Y lo otro, ¡ay!, me parece más dudoso. Y en lo otro, en lo de más allá, estriba todo.» Es un camino sin salida; la pregunta por el más allá absorbe totalmente a Unamuno; todo lo de esta vida humana terrena es, en el fondo, indiferente; lo importante es resolver el otro problema, pero ese problema, dirá expresamente Unamuno, no tiene solución.

La forma en que Unamuno se plantea y vive la pregunta por el más allá viene en última instancia a dar como resultado esa clara actitud en favor de la conservación —escéptica y sin excesivos entusiasmos, es cierto—, pero conservación en definitiva del orden existente; una actitud en cualquier caso nada progresista, poco preocupada en el fondo por una real transformación de la sociedad. Escribe, en efecto, Unamuno en ese mismo artículo que estábamos analizando: «Creo que lo mismo lo que llamamos bien que lo llamado mal se desvanecen en nada, y que a remate de cuentas no vale la prosperidad más que el infortunio, como no sepamos lo otro. Y lo otro no lo sabemos». No tiene sentido trabajar por lo perecedero; mejor será dejar las cosas como están y pensar en el más allá; la conclusión de Unamuno es que «cuanto mejor sea la vida, más penoso nos será el tener que dejarla y más dolorosa la perspectiva de tener que perderla un día, y que no vale la pena de poner ahínco y esperanza en cosa perecedera».

Carlos Blanco Aguinaga

IMÁGENES DEL UNAMUNO CONTEMPLATIVO

Treinta años después de *Amor y pedagogía,* en 1932, narra Unamuno uno de sus nostálgicos paseos por Madrid; nos cuenta cómo

Carlos Blanco Aguinaga, *El Unamuno contemplativo,* El Colegio de México, México, 1959, pp. 135-145.

un día se detuvo brevemente en una plaza solitaria, lejos del bulli-
cio, y, en una prosa segura, asentada, sin pretensiones, nos dibuja
—rápido boceto en tono menor— la figura de una madre y de un
niño que, abrazados en plena paz, se entregan al buen sueño, al
sueño de dormir. A tantos años de distancia, persiste [una] idea central y, en pocas palabras, resume Unamuno su concepto de la relación que existe entre el hijo y la madre: «La plaza inspiraba sosiego ... En uno de los bancos una madre joven, novicia en maternidad al parecer, recogía en su regazo a un niño que dormía, y la
madre, inclinando la cabeza, dormía también. Eran dos sueños con-
jugados, y madre e hijo soñaban de seguro lo mismo: reposo. Y las
bocas dormidas sonreían en sueños». Si, dejándonos llevar de la
fácil leyenda, nos empeñamos en ver en Unamuno sólo al agonista,
al hombre que se complacía en vivir a plena conciencia, despierto a
la angustia y al dolor, podrá parecer extraño el deleite de nostálgica
contemplación de lo vivido íntimamente con que Unamuno se detiene frente a una escena al parecer tan insignificante como ésta. No es
ello accidental sin embargo, no obedece al impulso de una pura circunstancia, sino que la idea del *sueño inconsciente,* cuyo centro simbólico es el regazo de la madre, es una de las constantes de su pensamiento y su sensibilidad no agónicos. En efecto, recordamos ahora
haber leído en *Amor y pedagogía* que «el sueño es la fuente de la
salud, porque es *vivir sin saberlo*»; y recordamos entonces que, en
Paz en la guerra, don Miguel Arana, cansado de bailotear en la
plaza, se acostaba para *«perder conciencia en el sueño»* de la misma
manera que don Manuel, el protagonista de *San Manuel Bueno, mártir,* quería «dormir sin sueño» para evitar la agonía que le provocaba
su falta de fe. Cuando en otra parte leemos que «dormir es acaso lo
más espiritual que podemos hacer; es tomar un baño en nuestro
protoplasma anímico, en el océano del espíritu; es acostarse en el
regazo de Dios», debemos recordar que en Unamuno, como en todo
auténtico creador, nada se da sin antecedentes; que cada idea, cada
frase, cada metáfora, van preñadas de resonancias conceptuales e ima-
ginativas que las hacen depender de otras ideas, otras palabras y
otras metáforas suyas. Así, en las tres oraciones citadas, el lector
puede detenerse, primero, en dos de las tres metáforas centrales
(*protoplasma anímico, océano del espíritu*) y dejar que resuenen en
ellas, a diecisiete años de distancia (estas palabras son de 1912), las
metáforas en que se apoya, en *En torno al casticismo* y en *Paz en la*

guerra, por ejemplo, la teoría de la *intrahistoria* que es *lo incons-ciente* de la Historia; se podría, también, encontrar el parentesco entre la frase *tomar un baño* y algunos de los verbos centrales de la obra de Unamuno: *ahondar, zahondar, chapuzarse, sumergirse,* los cuales, por su relación entre sí y por la relación que tienen con el valor simbólico que da Unamuno al *agua,* significan generalmente la entrada en la inconsciencia (*océano*); podríamos detenernos igual-mente en la idea «dormir-actividad espiritual» y recordar que en su teoría de la intrahistoria y en dos de las novelas aquí comentadas, dormir es una actividad natural, pero que, según explica Unamuno en otra parte, el hombre *natural* y el hombre *espiritual* están mucho más cerca entre sí que ninguno de los dos del intelectual y que, en algu-nas ocasiones, llegan incluso a la comunión absoluta. Si a esta nebu-losa de conceptos y metáforas [...] añadimos el hecho de que la soñolienta y natural ternura maternal de Marina es una ternura *hú-meda* (como húmedo es el Bilbao lluvioso y marítimo en que viven sus vidas intrahistóricas Josefa Ignacia y Pedro Antonio), veremos que el concepto de la vida inconsciente y del sueño se apoya, con todo rigor e insistencia, en dos símbolos básicos: *la madre* y *el agua,* los cuales se funden en las palabras citadas cuando después de pasar por la metáfora del *océano* termina Unamuno diciendo que «dormir ... es acostarse *en el regazo de Dios*»: vuelto el concepto a lo divino (la forma más positiva de la intuición de lo eterno), toda la idea del buen sueño de dormir culmina así en la imagen del regazo, es decir, en la idea de la madre, nimbo que cobija el mundo eterno del sub-consciente del niño-hombre.

No cabe duda, pues, que estamos frente a una idea fundamental del Unamuno contemplativo. Por algo en el drama *Soledad,* Agustín, el agonista, cansado de tanta batalla en la historia (concretamente, en la política), busca el sueño de dormir, la inconsciencia, en el seno de su mujer-madre. En el sueño que desde su ser no agónico anhe-laba Agustín, como en el sueño en que más a gusto vive y muere Apolodoro, encontramos el significado último que para Unamuno tiene la idea de la madre como imagen viva del subconsciente. No es, pues, casualidad que se goce Unamuno en la escena de la madre no-vicia que duerme con su hijo dormido; como no es casualidad que describa tan detalladamente las sensaciones y pensamientos de Apo-lodoro y de su madre en *Amor y pedagogía*: si el Unamuno agonista es el hombre despierto y «despertador» de conciencias, el contemplativo será el buscador del sueño de paz inconsciente y continua, absoluta, en el regazo de la madre. [...]

[La] interdependencia simbólica «madre-sueño de dormir» aparece en la obra poética de Unamuno ya completamente establecida desde 1899, en «Al sueño», uno de los poemas centrales y menos comentados de *Poesías*. Ahí, en un principio de desnudo y equilibrado clasicismo invoca Unamuno al sueño como *abrigo* contra los combates del alma y como *dueño del albedrío,* es decir, como realidad superior en que la agonía desaparece:

> ¡Dueño amoroso y fuerte,
> en los reveses de la ciega suerte
> y en los combates del amor abrigo,
> del albedrío dueño,
> del alma enferma cariñoso amigo,
> fiel y discreto sueño!

A continuación le atribuye al sueño la virtud de ser apóstol de la *paz eterna y honda,* portador de la *santa. calma:*

> Eres tú de la paz eterna y honda
> del último reposo
> el apóstol errante y misterioso
> que en torno nuestro ronda
> y que nos mete al alma,
> cuando luchando por vivir padece,
> la dulce y santa calma
> que a la par que la aquieta la enardece.

Y cuando por fin llega el poema a declarar, no ya que en el sueño se esconde la verdad más amarga —muerte total, vacío, nada—, sino que en él «la verdad se revela», en este momento culminante, fundamental a la dimensión más positiva del Unamuno contemplativo, aparece por primera vez, centrada en la palabra *regazo,* la relación sueño-madre:

> la verdad se revela,
> paz derramando en torno;
> al oscuro calor de tu regazo
> . . . .
> desnuda alienta la callada vida
> acurrucada en recatado olvido,
> lejos del mundo de la luz y el ruido.

Unos versos más adelante ciñe Unamuno su concepto en la metáfora central del poema. La referencia es ya directa, y la madre —la imagen de la madre con el niño en su regazo— es ya aquí, y una vez más, el símbolo que cobija el meditar de Unamuno sobre el sueño de la paz de la inconsciencia:

> Tú con tierno cariño
> nos meces en tu seno
> como la madre al niño,
> cantándole canciones
> con suave ritmo de caricias lleno,
> y cuando llega tu hora,
> jadeantes se tienden las pasiones
> a dormir a tu sombra bienhechora.

[...] Y es que lo que domina la obsesión de Unamuno por el sueño de dormir es la esperanza, implícita en la imagen del regazo de la madre, de abandonar el mundo de la guerra y la muerte para volver a la paz inconsciente de la vida prenatal; la fe interior y abismática de que la muerte se vence con el *desnacer*. «¡Oh sueño! ¡mar sin fondo y sin orillas!»: con estas palabras termina su poema «Al sueño». «¡Santo sueño prenatal!», exclamará años más tarde. Y, en *Teresa,* así le escribía Rafael a su amada:

> ... en el claustro maternal me pierdo
> ... en él desnazco perdido.

Claustro maternal: esta metáfora española tan común adquiere, como tantas otras que Unamuno remoza, nuevo sentido, su sentido originario, al aparecer aquí con el valor preciso que le da el cerrado tejido de símbolos que forman la trama más íntima de su obra. Y dentro de este tejido de símbolos el verbo *desnacer,* tan repetido por los lectores de Unamuno, tiene una función básica que no comprenderíamos jamás desde el punto de vista del pensar y el sentir del agonista para quien «desnacer perdido» sería el terrible nacer en cuanto otro —o morir— que temía Nicodemo. Años antes de que Unamuno hubiese escrito *Teresa* ya le decía Don Fulgencio a Apolodoro —en *Amor y pedagogía*— que «así como nuestro morir es desnacer, nuestro nacer es un desmorir». Y veinte años después, por la misma época en que escribía Teresa, el torturado y ambicioso Agustín de *Soledad,* derrotado en la política, exclamaba ante su mujer: «Oh, si pudiera achicarme... achicarme... aniñarme... hacerme niño... menos que niño... y encarnar de nuevo en tu seno, Soledad, y dormir allí, para siempre... para siempre... para siempre...». Entonces, su mujer, Soledad, la mujer-madre de exacto valor simbólico evangélico, le llama «hijo mío» y le ofrece cantarle y *brezarle* para adormilarle en su seno. Ante lo cual Agustín se entrega: «Cántame, Soledad, acúname». Ella responde cantándole, en efecto, como a un niño:

> Duerme, niño chiquito,
> que viene el Coco,
> a llevarse a los niños
> que duermen poco...

Lo cual, según afirma nuestra razón positiva y agónica, es sólo un engaño; una manera de olvidar la única verdad, la de la guerra. Pero no nos importa aquí si el mundo del seno materno es, en verdad, lo que puede salvar al hombre de su guerra y de su muerte; no nos importa si el concepto de *desnacer* corresponde a una realidad objetiva o es sólo consoladora idea. Lo que subrayamos es una tendencia de Unamuno a *creer* en estos conceptos nebulosos, a entregarse a ellos. Una manera de ser suya que no encuentra aterrador «perderse» para vivir en la imagen inconsciente de otro.

CARLOS CLAVERÍA

UNAMUNO Y FLAUBERT

«Ce roman l'occupait exclusivement; il disait: "Ça, ce sera le livre des vengeances!". Vengeance de quoi? Je ne l'ai jamais deviné et ses explications à ce sujet ont toujours été confuses... Vengeance de quoi? J'y reviens sans pouvoir me réprondre; de la bêtise humaine sans doute, qui l'offusquait et qui le faisait rugir de fureur quand

Carlos Clavería, «Unamuno y Flaubert», *Temas de Unamuno*, Gredos, Madrid, 1953, pp. 72-96.

elle ne le faisait pâmer de rire ...» [(G Flaubert, *Souvenirs litté-raires*, II).]

Tal había sido la «enfermedad» que Flaubert arrastró consigo hasta más allá de la muerte. «La mort ne calma pas cette grande co-lère. Du fond de la tombe, le romantique impénitent lançait encore à la tête du bourgeois cette facétie énorme de *Bouvard et Pécuchet*», ha escrito un crítico francés. [...]

Los años por los que Unamuno escribió el ensayo «Leyendo a Flaubert» debieron ser una época en que esas lecturas del autor francés dábanle la consciencia de los síntomas de una enfermedad que podía darse en otros individuos en idénticas circunstancias y momentos. En agosto de 1911, baja Unamuno de las cumbres purí-simas de su sierra de Gredos y encuentra en Salamanca el primer volumen de la correspondencia de Flaubert que un amigo le envía desde París. Lo hojea y exclama: «¡Pobre Flaubert! ¡Qué aguda, qué dolorosamente sintió la estupidez humana! ¡Cómo se [*sic*: léase *le*] dolió el burgués satisfecho de sí mismo, que cada mañana, mientras toma su café con leche y su pan con manteca, se informa de las noti-cias de la víspera!». El conocimiento de la obra y del *tic* de «este hombre, en cuya alma repercutía más que en la de ningún otro la in-curable tontería humana», debía, sin embargo, datar de mucho antes. Precisamente empieza «Leyendo a Flaubert» con el recuerdo de algo que años ha había proclamado y que ofrece indudable relación con mucho del sentir flaubertiano: «Hace años, cuando empezaba a escri-bir para el público, dije que "repensar los lugares comunes es el mejor medio de librarse de su maleficio ...". A mí sigue parecién-dome tan claro como cuando lo formulé hace años». Y el gran Pero Grullo y sus viejas y respetadas verdades fueron invocados —y no sólo en esta ocasión—, repensados por Unamuno, ya que así lo perogrullesco «pierde el maleficio de todo lugar común, que es el de fomentar nuestra pereza de pensamiento, sustituyendo una idea por una frase». Es significativo que en un ensayo de 1902, comentando su traducción de *La Revolución Francesa*, de Thomas Carlyle, dijera que en el libro de éste, entre metáforas, prosopopeyas, epifonemas, vaticinios y digresiones, «no faltan patochadas que podían haber ido a la colección de Flaubert», y hasta encuentra en él una cierta rique-za de «patochadas y solemnidades perogrullescas» sólo comparable a la que ofrece la obra de Victor Hugo. Es decir, que Unamuno andaba ya por aquel entonces inquiriendo en sus lecturas, con manía flaubertiana, qué frases podrían formar parte de un catálogo de tonterías y vulgaridades.

El índice de la obra de Unamuno puede proporcionar por sí solo títulos que revelan suficientemente su reacción ante el espectáculo de la sensatez mediocre y satisfecha que, aún más que en los libros, se respira en el trato con las gentes, lo mismo en el mundo de las letras que en la vida cotidiana. Ensayos como «¡Ramplonería!», «Vulgaridad», «Un filósofo del sentido común» [todos de entre 1905 y 1912] evidencian la persistencia del tema en su labor de publicista y una oposición violenta a toda manifestación hablada o escrita de pereza mental o de pensamiento sin altura. Hablando de Balmes (materia del tercer ensayo citado), al que Unamuno leyó en sus mocedades, destacaba un párrafo «que no carece de una cierta elocuencia vulgar y de lugares comunes —los propios del sentido común ...», y en Balmes pensaba seguramente Unamuno cuando hace tronar contra el sentido común al filósofo Don Fulgencio de Entrambosmares, en uno de sus parlamentos a Apolodoro, en *Amor y pedagogía*, su primera novela. La ramplonería del ambiente, el asentimiento y repetición de «viejas y borrosas imágenes», la incomprensión y repulsa de toda idea original y atrevida, en nombre de una lógica adocenada y burguesa, son hondamente sentidas por Unamuno, que condena estas características de la «inteligencia, por esencia, presencia y potencia, ramplona» de los españoles y la vulgaridad imperecedera de sus contemporáneos. Seguramente en estos primeros años del siglo en que se escribieron estos ensayos luchó Unamuno más que nunca por imponer sus ideas y sus peculiarísimas maneras literarias frente a un público reacio que calificaba las cosas del autor de extravagancias o disparates. En un ensayo-cuento, «La locura del doctor Montarco», mejor tal vez que en ninguna otra parte, expresó Unamuno cómo su protagonista se lanza a escribir, y su primer cuento, «entre fantástico y humorístico, sin descripciones y sin moraleja», choca con el medio. Montarco siente el mismo acceso de cólera, una crisis de la «enfermedad de Flaubert», y estalla: «¿Pero usted cree que voy a poder resistir mucho tiempo la presión abrumadora de la tontería ambiente?... Son ya cinco las personas que se me han acercado a preguntarme qué es lo que me proponía al escribir el cuento ése, y qué quiero decir en él y cuál es su alcance. ¡Estúpidos, estúpidos y más que estúpidos!... Este pueblo no tiene redención, amigo; está irremisiblemente condenado a seriedad y tontería, que son hermanas mellizas ...».

Unamuno debía ahogarse, como Montarco, entre «tontos constitucionales», entre gentes «estúpidamente graves» que soltaban «sensateces como puños de Pero Grullo», y como el doctor del cuento debió sufrir al oír que le achacaban «que se tenía por un genio y a los demás tenía por pobres diablos». Con ideas, que como hemos visto, repitió en otro ensayo del mismo año, Montarco y Unamuno se defienden serenamente: «¿Soberbio yo? Sólo los tontos son de veras soberbios, y, francamente, no me tengo por tonto; no llega mi tontería a tanto ...».

En un cuento que Unamuno publica poco después puede verse qué técnicas literarias y qué armas empleaba, a la manera de Montarco, en una obra escrita teniendo muy presente la estulticia provinciana: desprecio del argumento y del interés de la narración, salidas ingeniosas, humorismo, paradojas... Principalmente, paradojas, cuya etimología aborda Unamuno en ese cuento para llegar a la conclusión de que paradoja casi quiere decir herejía. También en el citado ensayo sobre Balmes explica lo que para él supone la paradoja: «el más genuino producto del sentido propio», «el más eficaz elemento del progreso». En la historia del pensamiento humano, considerada como «conflicto y juego mutuo entre el sentido común y el propio». Unamuno había tomado el partido de la paradoja contra la perogrullada, contra el sentido común.

Tanto «La locura del doctor Montarco» como «Y va de cuento...» —que así se llama— están escritos en el período de gestación de la *Vida de don Quijote y Sancho.* En su reclusión, el doctor Montarco lo que más lee es el *Quijote.* El director de la casa de salud dice que «si usted coge su ejemplar y lo abre al acaso, es casi seguro que se abrirá por el capítulo XXXII de la parte II, en que se trata de la respuesta que dio Don Quijote a su represor, aquel grave eclesiástico que en la mesa de los duques reprendió duramente al Caballero andante». En efecto, cuando se acercan a Montarco, éste está leyendo aquellas páginas del *Quijote* en que «el muy majadero y grave eclesiástico» llamó a Don Quijote «Don Tonto». Y piensa Montarco, como pensó siempre Unamuno al comentar y recordar ese pasaje, en el versículo veinticinco del capítulo V del Evangelio de San Mateo, que dice: «Quien llamare tonto a su hermano, es reo del fuego eterno». Paradójicas, al parecer, estas ideas y asociaciones de Unamuno, revelaban su indignación contra los dómines, dogmáticos definidores de lo que era sensatez y cordura, que confundían la tontería con la sublime locura de un Don Quijote, y, en su estúpida soberbia, eran capaces de llamar tontos a los que no pensaban como ellos. El médico de Montarco defiende, lo mismo que Unamuno en su comentario al libro cervantino, la locura frente a los que prefieren el estancamiento de las ideas y niegan toda posibilidad de aventura al espíritu. En su glosa al capítulo XXXI de la segunda parte del *Quijote* dice Unamuno dirigiéndose a su héroe, tan absurdamente insultado: «¡Don Tonto! ¡Don Tonto! ¡Y cómo te viste tratar, mi loco sublime, por aquel gran varón, cifra y compendio de la verdadera tontería humana!». [...]

[Sin embargo], una posible relectura de la obra de Flaubert en aquel cuchitril de una «pension de famille», no lejos de la Estrella, en el año 1925, durante su vida de exiliado en París, puede hacerle ver más claro el sentido de *Bouvard et Pécuchet*: «Mentira la supuesta impersonalidad u objetividad de Flaubert. Todos los personajes poéticos de Flaubert son Flaubert, y más que ningún otro Emma Bovary. Hasta M. Homais es para burlarse de sí mismo, por compasión, es decir, por amor de sí mismo. ¡Pobre Bouvard! ¡Pobre Pécuchet!».

A través de ese que llamó «libro doloroso», y que tanto le recordaba a Don Quijote y Sancho, fue Unamuno aprendiendo la piedad última que Flaubert sintió por la tontería humana, piélago en el que todos estamos sumergidos. ¿No sería, pues, ahora el momento de recapitular sobre toda una vida sufriendo de la inevitable plaga de los tontos y de sus tonterías? Un artículo periodístico de 1933, titulado precisamente «La enfermedad de Flaubert», parece ser un alto en el camino en el que se recuerda y comprueba una vieja dolencia que pesa y coarta: «Sí, tiene usted razón, amigo mío; tiene usted mucha razón: es una terrible enfermedad. Y de la que no sabe uno cómo defenderse. La padeció aquel intelectual —modelo de intelectuales— que fue Gustavo Flaubert, el gran solitario, el inmortal creador del no menos inmortal M. Homais. Y en un pasaje de su inacabada obra *Bouvard y Pécuchet,* aludió Flaubert a esa terrible enfermedad cuando escribió que esos dos monigotes —¡y tan suyos!— encontraron la lamentable —"pitoyable"— facultad de descubrir la mentecatez humana y no poder tolerarla. De todos los dolores del entendimiento, pues éste suele dolernos —¡y qué dolores los suyos!—, éste es el más insoportable. Más que el de la duda, más que el de no lograr la comprensión de algo. ¿Aunque no será, en el fondo, que el que sufre de esa enfermedad flaubertiana es porque no comprende la mentecatez, su verdadera razón de ser? ¿No es acaso falta de caridad, de amor al prójimo, de humanidad, en fin? ¿No es inhumano que le duela a uno más una mentecatada, una simpleza que se le diga, que no una palabra que se le juega?».

[...] Se enternece, por último, Unamuno pensando en Flaubert y en la «bêtise du soleil» de que habló el san Antonio de las tentaciones flaubertianas: «¡Pobre Flaubert! ¡Pobre Sol!» Se ablanda, se compadece; pero la realidad cotidiana de los mentecatos Homais, Bouvard y Pécuchet es demasiado fuerte. Hubiera querido Unamuno cambiarse para no sufrir a los que creen a pies juntillas en la trivialidad científica, para no sufrir la gravedad imposible de la cordura momificada, la chabacanería y lugares comunes de la conversación diaria, la estupidez de las ideologías y encasillados políticos, la falta de objeto de la actividad y de la ambición humana, la superficialidad atropellada sin asomo de angustia ni intimidad, toda la vaciedad y el automatismo que lleva implícito el comercio entre hombres. Si la «enfermedad de Flaubert» arrastró piedad y conmiseración por la Humanidad y hasta por él mismo, era porque, en la última etapa de su vida, quizá la agonía unamunesca caminaba hacia la desesperación más absoluta. Nos hemos sorprendido ante una aspiración, inimaginable en él, Miguel de Unamuno, de querer ser, siquiera por una vez, lo que no se es: ansias de verse libre del dolor del entendimiento, limpio, al fin, de la «enfermedad de Flaubert».

Francisco Ayala

NOVELA Y FILOSOFÍA

No es ya que recabe la autonomía y afirme la dignidad de la creación novelesca frente a la filosofía o la ciencia, sino que con irresistible sarcasmo destituye Unamuno las pretensiones —para él fúti-

Francisco Ayala, *La novela: Galdós y Unamuno*, Seix-Barral, Barcelona, 1974, pp. 123-136.

les— de todo pensamiento sistemático. La denigración de esas pretensiones es uno de los temas frecuentes y siempre repetidos a lo largo de la obra unamuniana, como que está relacionado con el núcleo mismo de su concepción original del hombre y pertenece a la esencia de su personal filosofía. Aparece ya, y nada menos que en calidad de motivo central, en *Amor y pedagogía,* la primera novela en que, habiendo abandonado los supuestos realistas de *Paz en la guerra,* procura acomodar el género novelístico a las necesidades de expresión de su propia visión del mundo. En el prólogo de «esta novela o lo que fuere, pues no nos atrevemos a clasificarla», declara que a muchos ha de parecerles «un ataque, no a las ridiculeces a que lleva la ciencia mal entendida y la manía pedagógica sacada de su justo punto, sino un ataque a la ciencia y a la pedagogía mismas, y preciso es confesar que, si no ha sido tal la intención del autor —pues [agrega socarronamente] nos resistimos a creerlo en un hombre de ciencia y pedagogo—, nada ha hecho, por lo menos, para mostrárnoslo».

La novela misma constituye, en efecto, una burla cruel contra el cientificismo y, más radicalmente, contra el propósito de regir la conducta por normas de razón. Y en cuanto a los «Apuntes para un tratado de cocotología», con sus prolegómenos, historia, razón del método, etc., son broma tan pesada que seguramente nunca ha querido tomársela en todo su alcance y se ha preferido trivializarla bajo el dictado impreciso de «paradojas» o de «cosas de don Miguel». Sin embargo, esas facecias revelan una preocupación capital, que reaparece constantemente en la obra de Unamuno, formulada en todos los tonos. Un cuento de 1915, «Don Catalino, hombre sabio», vuelve a llevarla a la ficción satírica: «Don Catalino cree, naturalmente, en la superioridad de la filosofía sobre la poesía, sin habérsele ocurrido la duda —don Catalino no duda sino profesionalmente, por método— de si la filosofía no será más que poesía echada a perder», comienza diciendo. Y aunque esa convicción suya se encuentra repetida en sus escritos de diversos géneros, desde muy temprano (*Amor y pedagogía* se publica en 1902) hará de la novela instrumento idóneo, tanto o más que del ensayo o de la poesía, para dar expresión a intuiciones fundamentales que —piensa él— un tratado sistemático no conseguiría apresar nunca en su palpitación viva; pues el tratado sistemático sólo sirve para capturar en sus redes pajaritas de papel; es decir, no sirve sino para perder el tiempo. Como una vez más dirá en 1927: «El sistema —que es la consistencia— destruye la esencia del sueño y con ello la esencia de la vida. Y, en efecto, los filósofos no han visto la parte que de sí mismos, del ensueño que de ellos son, han puesto en su esfuerzo por sistematizar la vida y el mundo y la existencia».

Por consiguiente, su desconfianza frente a las especulaciones racionales no es, como alguien ha conjeturado, circunstancial, ni se debe a la estrechez de un concepto de razón que en seguida había de superarse en el campo académico de la filosofía profesional, pero cuya superación y amplificación quedó fuera de su alcance; no es que echara mano de la novela por mero recurso; ni tampoco que la parangonara con la filosofía sistemática como vía alternativa para expresar las mismas intuiciones fundamentales, según vendría a hacer más tarde Sartre, simultaneando tratados filosóficos y ficciones literarias. En Unamuno la novela es el vehículo más a propósito para interpretar la realidad, y por fidelidad filosófica hacia la esencial índole de esa realidad se atiene a ella. En una carta a Warner Fite, el traductor norteamericano de *Niebla,* se refiere Unamuno al tema del ente de ficción como realidad autónoma, y explica que «lo expuse en una novela porque no lo habría podido hacer en un tratado didáctico de filosofía, donde la argumentación, a falta de fantasía, pierde toda su fuerza. Y ello aun a riesgo de que digan de mí, como de Royce, que he escrito libros de filosofía y... ¡novelas! Pero yo sé que la más honda filosofía del siglo XIX europeo hay que buscarla en novelas. ¡Pobres filósofos sin novelería!». Estamos, como puede verse, en el polo opuesto del *roman expérimental* de Zola, cuya intención era hacer ciencia de la novela y reducir así a cosa la vida humana; pues, como arguye Unamuno discutiendo con su citado personaje de Catalino, «ustedes los sabios estudian las cosas, pero no a los hombres... "Hombre, hombre, amigo don Miguel ... —replica el personaje a su autor— ... Hay antropólogos, es decir, sabios que se dedican a estudiar al hombre ...". "Sí, pero como cosa, no como hombre"».

A la fecha de hoy, difícilmente le parecerán a nadie extravagancias, o excentricidades, las posiciones de Unamuno frente a la creación literaria en relación con la filosofía especulativa. El desarrollo de ésta ha conducido por diferentes caminos y bajo rótulos distintos a lo que genéricamente acostumbra designarse por existencialismo: a esa ampliación del concepto de lo racional por la que, según proponía

Ortega, pasa a abarcar también lo vital e histórico, haciendo del sujeto viviente que se encuentra «tirado» en este mundo (del unamunesco «hombre de carne y hueso» con su clamor de eternidad, y no sólo del yo pensante cartesiano) punto de partida, y aun centro, para la comprensión del universo abierto a su conciencia. Esta filosofía, dentro de cuyo ámbito suele colocarse a Unamuno, casi siempre con título de precursor, avanza hasta tocar el límite de toda posible expresión sistemática. Las tribulaciones de Heidegger —uno de sus mayores exponentes— con el lenguaje, el lúcido patetismo con que se esfuerza por superar la palabra, su reconocimiento de la poesía y su postulación última del silencio, abonan la actitud de nuestro supuesto precursor. ¿Acaso no había escrito él (en *Cómo se hace una novela*) que «no hay más profunda filosofía que la contemplación de cómo se filosofa. La historia de la filosofía es la filosofía perenne»?; es decir, que la verdadera filosofía es el ensueño en que los filósofos se hacen a sí mismos, su novela. [...]

Unamuno se atiene a la novela no como recurso ante las deficiencias técnicas de una filosofía académica que pronto debía ampliar sus conceptos, sino por fidelidad a la índole esencial de la realidad, según él la entiende; y que él entiende esta realidad en un modo acorde con lo que hoy suele designarse bajo el nombre genérico de existencialismo. No es, pues (recuérdese la carta citada), que Unamuno escribiera libros de filosofía y ... ¡novelas! Las novelas son, en su ánimo, instrumento insuperable para comunicar su visión del mundo, dándole expresión adecuada. No cabe distinguir, por un lado, dentro de su obra, las que se llaman de pensamiento, y por el otro, obras literarias o de imaginación —novela, teatro, poesía—, montadas acaso sobre el esqueleto de aquellas especulaciones; sino que todas sus actividades arrancan por igual del centro mismo de su personalidad: no sólo aquellos ensayos que más podrían considerarse filosóficos, aunque nunca «sistemáticos»; también sus novelas, sus versos, sus artículos de diario, sus cartas particulares; y no ya sus manifestaciones escritas, sino también las verbales, sus conversacione, sus actos y actitudes, sus exteriorizaciones todas... Es cierto: dentro del campo existencialista, otro filósofo, el mencionado Jean-Paul Sartre, en quien concurren igualmente las dotes de literato extraordinario, simultanea el trabajo teórico con la redacción de novelas, cortas y largas, piezas de teatro y hasta guiones cinematográficos donde trata de expresar, en forma distinta, sus intuiciones y concepciones fundamentales; pero hay esta diferencia: que, con todo su talento, las producciones literarias de Sartre «ilustran», si así puede decirse, o, si se prefiere, «encarnan», su sistema; mientras que las del filósofo español lo constituyen, son parte esencial de su pensamiento, que adquiere de este modo un ritmo respiratorio, circulatorio y hasta digestivo, como función vital casi indiferenciada de un individuo concreto, el siempre repetido «hombre de carne y hueso», que mediante ellas nos incorpora a la intimidad de su ser. (Recuérdese su frase relativa al lector: «le hablaba a solas los dos, oyéndome los respiros, alguna vez las palpitaciones del corazón, como en confesonario». Así se explica que los escritos de Unamuno provoquen muchas veces en nosotros —o, cuando menos, por mí hablo— la inconfundible reacción de náusea que nace al contacto de las operaciones fisiológicas.)

RICARDO GULLÓN

RELECTURA DE *SAN MANUEL BUENO*

Don Manuel Bueno, personaje central de la novela, es en términos estilísticos (no en términos psicológicos) lo que Boris Eichenbaum llama «un oxymoron personificado»: una figura escindida por la contradicción que le constituye. Esa contradicción, asumida y operante en el texto, se produce por la voluntad de vivir como creyente y por la imposibilidad de creer. Personaje y vida agónicos, en el sentido unamuniano del término, polémicos consigo mismo, sintiendo la vida como combate entre lo desiderativo y lo racional, y aceptando como única verdad sólida el amor al semejante, es decir, la caridad.

El oxymoron personificado es clave de la estructura y del drama referido en la novela. Se organiza ésta en torno al agonista y no hay más argumento que el de su íntimo debate. Su contradicción puede

Ricardo Gullón, «Relectura de *San Manuel Bueno*», *Letras de Deusto*, VII (1977), pp. 43-51.

explicarse como producto de un régimen y de una clase social determinada, pero para hacerlo así es obligado leer el texto con la vista puesta fuera de él, en un referente que, siendo el mismo, aparecerá distinto según sea la perspectiva del lector. Convendría, para excluir las contingencias de la variación, atenerse al texto en sí y leerlo con objetividad, rehuyendo las asechanzas de la interpretación que, ya se sabe, inducen a suplantar la visión del autor, o del narrador, por la del lector.

Al abordar estas cuestiones constato un hecho expresable de varias maneras; me atendré a dos: 1) la solidez del texto choca con la vulnerabilidad de la lectura; 2) su estabilidad contrasta con las variables del acto de leer. Depende la lectura de variaciones en situación (cultural, social, personal), estado de ánimo, tiempo... ¿Quién no ha observado el cambio que por acumulación de lecturas se ha producido en el *Quijote,* del siglo XVII al presente? Lo esencial, lo considerado esencial, fue decantándose poco a poco. [...]

Tres puntos destacaré en relación con Don Manuel: la problemática que lo constituye; las analogías entre él y la figura de Jesucristo, y la recurrente identificación espacio-personaje. Separados en el análisis, no en la lectura, donde, en retórica simbiosis contribuyen a una composición de lugar —y de forma— muy persuasiva. Convincente por la autenticidad de la experiencia ofrecida, el lector la entiende, aun sin compartir los supuestos desde los cuales fue imaginada. Y excusándome por incurrir en lo paradójico, diré esto: el distanciamiento del lector respecto al tema, lejos de obstaculizar la comprensión de la obra, facilita la concentración en la lectura y la percepción de aquélla en el contexto que le es propio. Hoy a nadie sorprende, aun si muchos lo contradicen, el *dictum* rotundo de Northrop Frye: la literatura tiene por contexto la literatura misma.

Sobre el hombro de los habitantes de Valverde de Lucerna, su pueblo, Don Manuel se dirige a interlocutores menos visibles: al lector, desde luego, visto en su individualidad, nunca en la colectividad llamada público, por la que no tenía simpatía alguna; más lejos y en otra dirección, a Fogazzaro, por ejemplo, y a sus criaturas, o a figuras de ficciones que el párroco de Valverde continuaba o contradecía, como el Pedro Polo, de la galdosiana *Tormento,* dividido y, como dice el título, atormentado por una escisión, más elemental y más común que la de aquél.

Los indicios que registran analogías entre el buen pastor de almas y Jesucristo son a mi juicio tan claros que establecen entre ellos una relación de identidad. Empezando por el nombre: Manuel es Emmanuel, y así se llamó el Redentor; en lengua hebrea Immanuel significa «Dios con nosotros» y aplicado al párroco sugiere que su presencia hace sentir a sus feligreses la proximidad de lo celestial. (Sensación reforzada por las imágenes espaciales de que en seguida hablaré.) Dice la narradora: «el día primero de año iban a felicitarle por ser el de su santo —su santo patrono era el mismo Jesús Nuestro Señor», marcando por la indicación del patronazgo una primera semejanza de los homónimos.

Se llama luego «divina» a la voz de Don Manuel, adjetivo que ahorra todo comentario. Y la voz es el instrumento de la comunicación y, en este caso, del adoctrinamiento. Por si el lector no hubiera retenido el sentido de la alusión, y para remacharlo, se añade que cuando el párroco predicaba el sermón de Viernes Santo, «era como si [los presentes] oyesen a Nuestro Señor Jesucristo mismo, como si la voz brotara de aquel viejo crucifijo ...». La identificación queda así bien establecida. Todavía, más adelante, vuelve el texto a recoger el estremecimiento de Lázaro, hermano de la narradora, cuando oyendo a Blasillo el bobo cree «oír la voz de Don Manuel, acaso la de Nuestro Señor Jesucristo».

Esto en cuanto a la voz portadora de la palabra. Atendiendo a lo dicho por esa voz, la identificación Jesús-Manuel es más inequívoca, más contundente, pues ya no depende de lo hasta aquí presentado como adjetivo seleccionado por la narradora, o de un «como si», arraigado en símil y no menos atribuible a impresiones de aquélla, o de una creencia de Lázaro, situados en el punto de vista de su hermana. Si tales analogías pudieron derivarse de la perspectiva, no ocurre lo mismo cuando las constataciones operan sobre el mensaje mismo, recogido, en cuanto tal, sin alteración alguna.

Habla Don Manuel con palabras de Cristo: «¡Dios mío, Dios mío!, ¿por qué me has abandonado?» (evangelios de San Marcos y San Mateo), y luego, «En tus manos encomiendo mi espíritu» (evangelio de San Lucas). El lector advierte, una vez más, que el espíritu del hijo de Dios alienta en el sacerdote y que éste vive a su modo la pasión de aquél, compartiendo su dolor y la sensación de abandono que padecía a la hora de la muerte. Pero [...] quien así habla es un sacerdote, o predicando, en la primera cita, o ejercitando su ministerio de consuelo, en la segunda. Por lo tanto, cabría una lectura del texto limitada a entender sus palabras en función del oficio. [...]

Otra analogía, reiterada, tan significativa como la expuesta, se establece entre personaje y espacio novelesco. Situada la aldea del cuento, a orillas de un lago legendario (con su leyenda o tradición dentro) y junto a una montaña, ambos elementos concurren a la caracterización del personaje: lleva la cabeza como la Peña del Buitre su cresta, y en sus ojos hay «toda la hondura azul» del lago. Bajo éste duerme una ciudad sumergida que una vez al año emerge para despertar y vivir durante unas horas; así, «en el fondo del alma de nuestro Don Manuel hay también sumergida una villa y se oyen sus campanadas». Quienes así duermen —además de las almas de los abuelos, del pasado— son los intrahistóricos de hoy, y el lago les sirve de cuna, manteniéndoles en el sueño el agua maternal que es Don Manuel. Agua, símbolo de la maternidad, suscitadora, como dice Gaston Bachelard, «de ensueños sin fin». Ensueño o sueño de soñar que aquí es el de creer en la resurrección y en la vida perdurable.

Metáfora central, el lago, como el personaje a quien se refiere, desempeña función privilegiada: sintetizar el espacio novelesco como reducto del sueño que es vida, de la protección maternal (útero de las oscuras añoranzas del adulto) contra amenazas exteriores y contra la verdad misma, a veces difícil de soportar. Vivir del sueño es la tentación rechazada por Don Manuel en cuanto a su vida; propuesto, en cambio, para los demás.

Es el lago espacio del milagro, y a él acuden enfermos, sobre todo histéricos —poseídos, endemoniados—, en busca de curación y descanso. No sorprende que Don Manuel emprenda «la tarea de hacer él de lago, de piscina probática», tratando de aliviarlos, como lo consigue, por medios cuya eficacia explica bien la psicología profunda: su presencia, su mirada, la autoridad de sus palabras y su voz, dice el texto; es decir, poder de sugestión de una personalidad fuerte sobre los débiles e influenciables. La inmersión real en las aguas milagreras sustituida por la entrada en la acogedora tibieza del alma donde todo mal es bañado en comprensión y sometido a cura de amor.

Todo el pueblo acaba siendo Don Manuel. Se dilata el personaje a ojos del narrador hasta ser el pueblo entero, llenándolo «de su aroma», modo de subrayar y de anticipar la transfiguración en lago o piscina probática que por vía de la imagen indicará su sentido. Pueblo y agua que rezan por las almas de todos, incluidas las de Lázaro y Don Manuel. Citaré, para concluir este punto, una observación de Bachelard que puede contribuir a iluminarlo y a orientar al lector: «El lago —escribe— es un gran ojo tranquilo. El lago coge toda la luz y hace un mundo. Por él ya el mundo es contemplado, es representado. Él también puede decir: el mundo es mi representación». Estas palabras, en donde la filosofía de Schopenhauer se deja oír, son aplicables a la situación de Valverde de Lucerna (recuérdese, Lucerna, entrada de la luz), y el lago-personaje contempla el mundo y lo hace. Don Manuel puede decir también que *su* mundo es *su* representación, una creación de su voluntad. (Y seguimos en Schopenhauer.)

Percepción de lo azul por lo azul; el lago donde se refleja el cielo visto por el ojo azul. Color emblemático de lo celeste; vínculo, en este caso, entre las imágenes que a él se refieren y las expresiones encaminadas a establecer el paralelismo Jesús-Manuel. Así va reforzándose la trama textual y la problemática novelesca, tercer punto de los convocados al análisis. Problemática enunciada por la contradicción constituyente del personaje. [...]

Después del protagonista el narrador reclama la atención del crítico. Narrador que es narradora, Ángela Carballino, ferviente admiradora (y el adjetivo dice la extensión e intención del modo afectivo que le vincula al santo) de Don Manuel y puntual cronista suyo. Desempeña diversas funciones y de ahí la complejidad de su figura: siete son, por lo menos, esas funciones, entrecruzadas en la acción dramática, pero separables en el análisis. Ángela es narradora, mensajera, confesante, confesora, testigo, ayudante e hija-madre del protagonista. Narrador-testigo, narrador-personaje con peculiaridades muy interesantes.

Desde el primer párrafo de la novela, constan el nombre y la función narrativa de Ángela Carballino: «quiero dejar aquí consignado, a modo de confesión, y sólo Dios sabe, que no yo, con qué destino, todo lo que sé y recuerdo de aquel varón patriarcal ...». Leeremos, pues, cuánto quien escribe sepa y recuerde de este Don Manuel, ya aquí calificado de santo. Puede anticiparse así una convicción surgida en un narrador constituido como parcialidad, no tanto excluyente de otras, como reducida por el propósito confesional a proyectar en el texto lo que el sentimiento considera como estricta verdad. Refiere lo visto y oído —función testimonial—, pero también lo sentido, incorporándolo al testimonio y como parte de él. Siendo la única fuente de información, se interpone necesariamente entre los hechos y el lector, imponiéndole la tarea de despejar la bruma sentimental para descubrir la clave de la personalidad protagonista.

No omnisciente, sino limitada a lo aprendido sobre Don Manuel, su limitación sería garantía de fidelidad, si el espejo no estuviera turbio de amor. Y si la voz narrativa se dirige siempre a un lector, a éste, al oyente incumbe el empeño discriminante de separar el puro relato «objetivo» de su dramatización. Si, en general, el narrador deja ver más nítidamente su persona cuando pasa de lo concreto a lo abstracto, de la visión a la idea, Ángela, poco interesada en sí misma, soslaya las generalizaciones, atendiéndose a la rememoración de circunstancias y dichos. Por eso induce a confiar en su palabra.

Señalada, antes y ahora, la unidad de perspectiva, recordaré, de paso, la unidad tonal: Ángela habla desde el principio al fin en un tono que tanto se ajusta a las situaciones como las constituye del modo —en la forma— que el lector las enfrenta; oímos su voz, aun si en lo dicho —en lo escrito— se intercalan otras, incluida la de Don Manuel, citado textualmente. Siendo ella enlace único entre lector e incidente novelado, su posición en la estructura es excepcional, por fronteriza: habla *de* los personajes *en* la novela y desde ella, pero *a* un lector situado, fuera, al otro lado de la página.

La función testimonial queda registrada en lo ya dicho. Haré un par de observaciones más: sobre testigo, Ángela Carballino es partícipe en la acción —en seguida notaremos la importancia de su participación— y tal participación atenúa, o al menos matiza la neutralidad en principio atribuible a narradores de su clase. En cuanto testigo se conforma necesariamente a los azares de tal actividad: puede no ver o no recordar con precisión; falible, como cada quien, e influenciable, no tanto desde el exterior, por otros, por el reflujo de su propia pasión.

Ángela, mensajera de Dios. Su función como tal se bifurca: en una dirección es mensajera entre Dios y Don Manuel, su siervo y, en la medida indicada, su representante y hasta su equivalente; en otro sentido, mensajera entre Don Manuel y el lector, transmisora —e intérprete— del mensaje en la rememoración del comportamiento. Si Manuel participa de la naturaleza de Emmanuel, quien recoge y comunica su pasión y muerte es bueno figure con nombre angélico, de simbólica resonancia.

Partícipe de esa manera y por esa función, lo es, a la vez de otros modos, no menos significantes. Por razones de espacio conviene englobar las cuatro funciones pendientes de análisis en un comentario que condense lo pertinente a cada una de ellas. Confesante desde el principio, pues confesión es su relato, se advierte luego que la relación «natural» de Ángela con Don Manuel es la de penitente a penitenciario; pronto se deslizan en esa relación insospechados elementos: «volví a confesarme con él para consolarlo», dice, y su decir es revelación de que ha penetrado la infelicidad del santo, aun si todavía ignora sus causas. De ahí a la confidencia, a la comunicación operante en dos direcciones, hay una distancia rápidamente salvada. La confesante se convierte en confesora.

Transformación insólita, incidente misterioso, pero no inexplicable, antes muy explicable en contexto. Ángela sabe ya, por boca de Lázaro (otra confesión), el secreto de Don Manuel, cuando vuelve al tribunal de la penitencia, en estado de ánimo vacilante, dudando de quién sea el reo y quién el juez. Es ella quien hace la pregunta fundamental: «¿cree usted?», de donde, y después de la tácita respuesta negativa, se deriva la cuestión o petición última del sacerdote: «y ahora, Angelina, en nombre del pueblo, ¿me absuelves?».

Incidente explicable, dije, pues es claro que Don Manuel se siente culpable de ocultar a los feligreses su incredulidad, de mantenerles en el engaño. Necesita ser perdonado y solicita el perdón de quien en ese momento representa al pueblo, de la sacerdotisa (así se siente la muchacha, iluminada), que sin vacilar le absuelve.

Paralelamente a esta inversión de las posiciones iniciales respecto a la confesión, se produce alteración no menos absoluta en la relación paternofilial de Don Manuel y Ángela. El texto es explícito y acorde a las realidades presentadas: «padre espiritual» de la muchacha es el párroco santo; padre de su espíritu, en el sentido de engendrarlo y formarlo según lo conocemos. Pero, conforme va introduciéndose la hija en el alma del padre y descubriendo en sus sombras y repliegues la necesidad de consuelo, va transformándose y adaptándose a las exigencias de su nuevo papel. Siente «afecto maternal» por el padre, y por ser madre, además de ser pueblo, para consolarle, lo absuelve; cuando salen de la iglesia después de darle la absolución, «se [le] estremecían las entrañas maternales».

Y hay más: creación del padre espiritual, del guía y orientador. Atraída a su esfera y deslumbrada por la luz emanante del santo, una vez sobrepuesta al descubrimiento de las penas en que vive, además de sentirse madre, por el hecho de convertirse en cronista de sus hechos, lo hace suyo, se lo apropia y crea en el texto. Transmisora de la imagen creada, madre en verdad engendradora de su criatura, hace *su* San Manuel, el único Don Manuel que el lector conoce. Nada es preciso añadir respecto a su función como ayudante del protagonista, harto manifiesta en lo ya escrito. Explícitamente dice el texto: «le *ayudaba* en cuanto podía en su ministerio» (subrayado mío), y es llamada «diaconisa», puntualizando el carácter subordinado de su relación con el presbítero.

Gustaba Unamuno de introducir en la ficción figuras duplicantes de las de sus primeros agonistas. No falta en *San Manuel Bueno* tal duplicación, presentada en forma de eco, para reforzar los signos estimulantes de una versión en profundidad del código estructural. Blas, el bobo, viviente en la inconsciencia, repite palabras del párroco cuyo sentido ignora; recorre el pueblo clamando «¡Dios mío, Dios mío, ¿por qué me has abandonado?», y al hacerlo subraya sin quererlo la más enigmática de las resoluciones divinas, privar al hombre de la capacidad de discernir, abandonar al inocente en la mentecatez; al mismo tiempo repite inconscientemente la queja clamada por Don Manuel desde la conciencia más lúcida, sugiriéndose en la ecolalia lo entrañable de la convicción que desde lo racional desciende y se instala en abismos de sombra.

Cuando Don Manuel muere, Blasillo muere; muertes simultáneas o, más bien, una sola en y de los dos, significando la extinción de la inconciencia y de la conciencia, del mismo golpe. Al faltar la voz «divina», el eco carece de función, pues el vacío no consiente resonancia. El resto, bien se sabe, es silencio, y en ese resto queda el pasaje del Credo imposible de cruzar sin ayuda de quienes con su fe transportan al que calla cuando llegan las palabras indecibles.

Muerto el hombre bueno, Lázaro, continuador del empeño ilusionante, pero sin fuerza bastante, desaparece igualmente. Ángela, sola y «desolada» concluye su memoria reflexionando sobre la lección del santo: unirse al pueblo y vivir —y morir en él—; si esto se consigue, el alma se salva en la comunión general, incluso si cree no creer, como fue el caso del resucitante y el resucitado. Vidas ejemplares, en cuanto sirvieron de ejemplo a las gentes sencillas de

Valverde de Lucerna que, ateniéndose a lo visto, canonizan a Don Manuel sin esperar a que el obispo comience las diligencias de beatificación.

El final de la narración declara la intención testimonial muy explícitamente, y antes, Ángela pone retóricamente en cuestión la sustancia de su testimonio: ¿cuál es la verdad y cuál es la mentira?, ¿cómo separar en el recuerdo lo vivido de lo soñado?, ¿qué es, en última instancia, creer? Y será el lector quien deba responderlas; el tú implícito en el texto, el oyente mudo, llamado a dar las respuestas y con ellas el descifrado de las figuras y de la novela.

Iris M. Zavala

EL TEATRO DE UNAMUNO

Unamuno busca la última realidad del hombre por medio del teatro. Es una especie de método de conocimiento. Sentía Unamuno la necesidad de crear espiritualmente; él mismo, desde su conciencia, otras vidas que acompañaran y a la vez fueran suyas. Suyas pero distintas. Puebla su obra, el teatro especialmente, de criaturas vivas con el afán de que le acompañen. Es un proyectarse fuera, en ajena desnudez, a sí mismo. El mundo que nos da es el de los personajes, mundo temporalizado. Cada personaje aborda el tema de la existencia y la persona humana desde distintos supuestos y en diversos sentidos. Muestra una dimensión. Es un punto de vista. Pero existen. «Ex-sistere significa estar, *sistere,* fuera de sí, *ex.* Y no existe sino para los demás.»

En su teatro comienza con *La esfinge,* intento de echar fuera de sí un problema que lo acongojaba, a especie de catarsis. Este drama interior lo proyecta fuera de sí. *La venda* es el mismo drama, pero visto simbólicamente. Ambas obras son autobiográficas dramatizadas. Con *Fedra* ya va en busca de la *persona.* Es un intento para

Iris M. Zavala, *Unamuno y su teatro de conciencia,* Universidad de Salamanca, Salamanca, 1963, pp. 179-186.

apresar directamente la persona, sin cuidarse de su circunstancia ni de la existencia en que se hace. El mito, por esta misma razón, no determina la obra. Todo es persona para Unamuno, incluso Dios. *Soledad* es una proyección de la lucha del autor por crear personajes. Profundiza en la persona con *El otro*. Es un ir a las profundidades del abismo para apresar directamente la persona, sin cuidarse de nada externo. Todo ocurre dentro, en el interior del hombre, es la lucha consigo mismo. Desde dentro, sin alusiones a un mundo exterior, desnudo el reducto de la personalidad: mismidad. Podríamos decir de este drama, utilizando la cita del ensayo «Civilización y cultura»: «Es la conciencia de mí mismo el núcleo del recíproco juego entre mi mundo exterior y mi mundo interior». Sólo que aquí el mundo exterior está reducido al mínimo. Es un dentro de dentro. ¿Búsqueda de Dios? Ya lo había dicho en *Cómo se hace una novela*: «Los hombres de diario o de autobiografías y confesión, San Agustín, Rousseau, Amiel, se han pasado la vida buscándose a sí mismos —buscando a Dios en sí mismos—, y sus diarios, autobiografías o confesiones no han sido sino la experiencia de esa rebusca. Y esa experiencia no puede acabar sino con su vida».

Luego de este abismático dentro de dentro sale al exterior. Vuelve al mundo de fuera con *El hermano Juan,* proclamando que todo es teatro, que todo es *res* ficción. Asimismo proclama que la ficción y la realidad quedan vinculadas en una relación de subordinación: lo real del personaje es ficticio visto desde el hombre, pero éste lo es visto desde Dios, ya lo había dicho Augusto Pérez. El real ahora es el que representa. Fuera del teatro tiene un experimento de la misma índole en su novela *Don Sandalio* (1933). Personaje visto desde fuera. Sólo sabemos de él lo externo. *Sombras de sueño,* por su parte, es la lucha de los dos mundos; el externo y el interno. Del personaje y la persona. En este drama, Unamuno no interviene, como en los anteriores. Es el propio personaje el que se mueve en la historia, en su historia. [...]

Soledad es el centro del teatro unamuniano. Con esta obra asistimos por primera vez al teatro de la conciencia. No es que la obra sea representativa de este tipo de teatro, sino que es donde por primera vez deja ver Unamuno el tipo de teatro que le interesa escribir. El teatro de la vida y el teatro de la conciencia son realidad en esta obra. Han pasado once años desde *Fedra*. Mediante Agustín, el personaje central, se explica el mismo Unamuno. La lucha de Agustín por crear personas es la propia lucha unamuniana. El drama es un esfuerzo por reducir al escenario todo el torbellino ontológico y religioso que vivía el propio Unamuno. Es el escenario donde se presenta la propia vida del autor. Por eso puede decir Agustín: «Yo no hago papeles ni producciones. ¡Creo personas!».

La obra, llena de elementos autobiográficos y representativa de las eternas luchas unamunianas, definirá el teatro de la conciencia, sobre todo en el primer acto. En la escena primera, dice Agustín: «Le tengo aquí, aquí (se señala a la cabeza). ¡Y no lo saco! Le veo, le oigo, le siento palpitar, le siento nacer... Para mí está claro, clarísimo. Pero ¿cómo se lo pondré a la vista de los otros? ¿Cómo lo echaré fuera de mí? ¿Cómo será otro, otro que yo...? Uno que me lleve como yo ahora le llevo..., y quiero verlo, verlo... Fuera, mío, henchido de vida..., chorreándola... Porque hasta que no esté fuera, hasta que no le vea fuera de mí no estaré vivo...».

Este es el drama del dramaturgo. Necesita sacar fuera de sí al «otro», pero sacarlo con todo su contenido psíquico. Sacándolo fuera de sí podrá comprenderse. Pero «como soy tan torpe que no logro darles carne, como no consigo que se vean las serpientes torturadoras, los retortijones los moverán a risa». Agustín va por la vida «recogiendo semillas de drama». Todos son óvulos de personajes. Es que Agustín quiere ser Dios. Es decir, buscando su inmortalidad personal necesita que de él dependan ciertas vidas. Ambos con personajes: autor y personaje, puesto que ambos son una función de la libertad creadora de un hacedor.

La definición más completa del teatro de la conciencia está en la escena séptima del primer acto:

ENRIQUE: Usted quiere pintar la salida del sol de manera que tapando todas las ventanas del aposento, o a medianoche cerrada, el sol pintado alumbre como el del alba... El arte tiene sus límites que usted quiere romper y crear como Dios. Y así...

AGUSTÍN: Seré autor, actor y público. Me representaré a mí mismo y para mí mismo, para mi propio goce. ¡Autor, actor y público!

PABLO: ¡Y empresario!

ENRIQUE: ¡Y Dios!

AGUSTÍN: ¡Autor, actor y público, repito! ¡Padre, Hijo y Espíritu Santo! Y un solo Dios verdadero... ¡Yo!

De esta manera se formula el teatro de la conciencia. Pero en la obra hay un doble juego conceptual. No es sólo teatro de la conciencia, sino teatro de la vida. Todo es teatro en la obra. Todos son personajes. Así, pues, cuando Agustín ha decidido abandonar el teatro y entrar en política, dice: «Sí, que me presento..., que me presento... Y va a ser algo como poner ante mí una de mis criaturas. ¡Voy a representar mi propio papel! ¡Magnífico! ¡Yo, autor, actor y personaje! Me creo a mí mismo, me lanzo al tablado y me represento. ¿Y cuál soy yo? ¿Lo sabe usted, Enrique?».

Es decir, no sólo autor de ficción, sino autor de sí mismo.

El otro corresponde a la vertiente interior del teatro de la conciencia. Es la filosofía unamuniana concebida dramáticamente: el hombre en lucha consigo mismo dentro de su propia conciencia y la angustia metafísica que ello produce. Un antecedente de la obra, aparte del relato «El que se enterró», lo podemos encontrar en «Artemio, Heautontimoroumenos» (1918), que no es otra cosa que el hombre que se atormentaba a sí mismo. «El hombre que se lanzó a su vida pública, a su carrera social, llevando en sí, como todo hijo de hombre y mujer, por lo menos dos yos, acaso más, pero reunidos en torno de estos dos que le acaudillaban.» Son los yos que luchan dentro del hombre: todas sus posibilidades de existencia. En el drama es el propio Unamuno hecho problema dentro de sí mismo, más que problema, *metablema,* puesto que luchando, ahondando en sí mismo busca trascenderse «hacia dentro, concentrándose para irradiarme, y llegaré al Dios actual, al de la historia». Unamuno lucha con sus yos, con sus posibilidades. El «otro» es, pues, el propio Unamuno, al igual que son él mismo el asesinado y el asesino. El drama responde a un esfuerzo desesperado por ir a las íntimas fuentes: un excesivo *ensimismamiento* produce el drama. Por esta razón, en su necesidad de precisar conceptos, había definido Unamuno en *Soledad* (escena tercera, acto tercero), la diferencia entre ensimismarse y enajenarse: mejor enajenarse, el ensimismamiento produce tragedias: produce crimen-suicidio, como en este caso. De ahí la pregunta: «¿Quién es el muerto? ¿Quién es el más muerto? ¿Quién es el asesino?» (escena cuarta, primer acto). Porque Caín, al matar a Abel, es la víctima; se ha matado a sí mismo. «Y entonces sentí que se me derretía la conciencia, el alma; que empezaba a vivir, o, mejor, a desvivir, hacia atrás, redrotiempo, como en película que se haga correr al revés... Empecé a vivir hacia atrás, hacia el pasado, a reculones, arredrándome... Y desfiló mi vida y volví a tener veinte años, y diez, y cinco, y me hice niño, ¡niño!, y cuando sentí en mis santos labios infantiles el gusto de la santa leche materna..., desnací..., me morí... Me morí al llegar a cuando nací, a cuando nacimos...»

La verdad del drama es que «el uno es el otro», que «todos somos uno». Es decir, no hay unidad interior. Unamuno siempre estuvo consciente de la pluralidad del ser; sabía que el ser no es singular. Somos legión, y necesariamente matamos posibilidades para hacer nacer otras. Somos verdugo y víctima: matamos a Caín en Abel o a Abel en Caín. La singularidad es lo que da gozo, la pluralidad engendra odio: «Y cosa tremenda no poder ser uno, uno, siempre uno, y el mismo, uno... ¡Nacer sólo para morir solo! ¡Morir solo, solo, solo!... Tener que morir con otro, con el otro, con los otros... Me mata el otro, me mata...». Este es el sentimiento trágico. Tomaba a uno por otro. Ya en 1911, en el artículo «El desinterés intelectual» confesaba: «¡Me han tomado por otro!», exclamaba una vez lleno, más que de compunción, de terror, un pobre amigo mío. «Y este dolor, este intensísimo dolor de que le tomen a uno por otro es, créamelo, uno de los que más pueden afligir a un espíritu sensible. Y el que le dirige a usted, y por mediación de usted a todos sus lectores, estas líneas, conoce este triste pesar de que le tomen por otro, está acostumbrado a que le tomen por otro.»

El dolor procede de no ser siempre el mismo, no encontrar unidad en nuestro ser, estar siempre divididos, eternamente divididos. No poder ser todos a la vez: que todo fluya perennemente, que todo sea un rehacerse. Nadie sabe quién es: «Todo hombre se muere, cuando el destino le traza la muerte, sin haberse conocido, y toda muerte es un suicidio, el de Caín». Sólo podrá apelar Unamuno a la caridad cristiana, al amor —quien más ama es quien más compadece—; hay que invocar la compasión por medio del Ama: madre, ya que también es madre la que cría.

Corresponde esta obra a la lucha dentro del seno de la misma conciencia: es el propio Unamuno que lucha dentro de sí mismo; sus «yos», sus múltiples inter-relaciones entre sus «yos»; éstos y los de los demás hombres y sus «yos» y Dios. La conciencia misma es el drama, y en ella se origina la lucha agónica, la angustia metafísica. Es la lucha de querer serlo todo y querer ser uno y el mismo siempre. Es la conciencia la que lucha consigo misma: esa conciencia que es el «ansia de más y más, el hambre de eternidad y sed de infinidad, las ganas de Dios..., cada conciencia quiere ser Dios». Y esa es su lucha. Esa conciencia que es una sociedad de personas, donde viven y luchan éstas. Esa lucha es lo que ha escenificado Unamuno. La lucha de su conciencia consigo mismo, encarnando en personajes sus «yos» combatientes. Lucha de hombre y de intra-hombre; del yo que se desarrolla en la historia y el yo tras histórico. El «otro» es Unamuno. Pero también es la víctima y el verdugo: Caín y Abel. Todo es uno y lo mismo. Hurga Unamuno dentro de sí mismo buscando su última unidad, la sustancia de su persona, pero conocerse es morir. «La acabada personalidad está al fin de la vida», nos había dicho. Tocar el fondo de la persona —de esta persona concebida como un hacerse continuo, un hacerse en Dios, ya que la existencia verdadera es la volitiva o ideal— es dejar de ser. «Verse es morirse, Ama. O matarse. Y hay que vivir, aunque sea a oscuras. Mejor a oscuras.»

Éste fue el asomarse al brocal del pozo, que confesó en la «Autocrítica del drama *El otro*». Un deseo de arrimarse al pozo «sin fondo de nuestra conciencia humana y personal, y de bruces sobre él tratar de descubrir su propia verdad, la verdad de sí mismos».

El hermano Juan o el mundo es teatro es la vertiente externa del teatro de la conciencia. El mundo es comedia. Todos representamos una pieza y morimos, pero la comedia continúa. Ha concebido y creado Unamuno este personaje desde su preocupación por la personalidad: el ser y su representación. Don Juan es el auténtico personaje, sabe que la vida es teatro, y está consciente de que se representa a sí mismo. Con sus pasos va afirmando la verdad del teatro del mundo, pero, como siempre, se trasciende en Unamuno de un plano humano al divino; la vida es comedia, pero «comedia divina», al igual que Dios también es *El otro,* el otro del sueño.

Como en *Niebla,* aquí todo es ficción, «todo teatro, y lo son los espectadores mismos». Le interesa a Unamuno Don Juan Tenorio, porque al «Yo sé quién soy», de Don Quijote, opone su «Yo sé qué represento». Todo es lucha de personalidad, de «representación». «No sé lo que aquí juega la necesidad física, material de conservarse, ni la de reproducirse, sino la necesidad psíquica, espiritual, de representarse y con ello de eternizarse, de vivir en el teatro que es la Historia de la Humanidad.»

Todo es lucha de representación, como lo fue la muerte de Abel por Caín, en este caso la de «ser recibido en la mente, en la memoria del Creador». Todo es ficción, todo es representación.

Don Juan es el hombre que se hace en la historia: «Así me nací», dice en cuanto aparece en escena. El *recuerdo,* que permite la acción en imperfecto —durativo del pasado—, juega un papel importante en la obra. Todo es representación en el escenario de la conciencia. En el *recuerdo,* que permite ver *arredrotiempo* el proceso biográfico o espiritual de *hacerse.* El *recuerdo* es un núcleo semántico que toma el lugar de la realidad teatral. En el recuerdo se reconstruye a sí mismo y comprende que su esencia es la representación: «Juan, Juan, Juan, ¿te ves a ti mismo?, ¿te oyes?, ¿te oyes?, ¿te sientes?, ¿te ves? ¿Eres el de Inés y Elvira?; ¿el de Matilde?; ¿eres el de Antonio y Benito?; ¿eres el del público?; ¿te sueñas?; ¿te escurres en sueños? (*Pisando el suelo.*) ¡No, no, que me hinco en firme, en madera de siglos henchida de recuerdos inmortales! (*Palpa la mesa y la silla.*) ¡Tan reales, tan teatrales como yo, no cabe duda! ¡Mi hermana mesa!, ¡mi hermana silla!». La existencia es, pues, el teatro. El hombre vive con toda su existencia y la representa. Por eso puede preguntar Don Juan: «¿Existo yo? ¿Existes tú, Inés? ¿Existes fuera del teatro? ¿No te lo has preguntado nunca? ¿Existes fuera del teatro del mundo en que representas tu papel como yo el mío? ¿Existís pobres palomillas? ¿Existe don Miguel de Unamuno?, ¿no es todo esto un sueño, niebla?». Y viene a continuación la respuesta al interrogante ¿qué es existir?: «Sí, hermana, sí, no hay que preguntar si un personaje de leyenda existió, sino si existe, si obra. Y existe don Juan y don Quijote y don Miguel y Segismundo y don Álvaro, y vosotras existís, y hasta existo yo..., es decir, lo sueño... Y existen todos los que nos están aquí viendo y oyendo mientras lo estén, mientras nos sueñen...». Hay que hacerse, hacerse «personaje», hacerse uno al mundo, al teatro. [...]

Unamuno planteó, pues, en el teatro, el problema de la conciencia. Pero la conciencia, en su ontología, debemos repetirlo, es lo mismo que *representación.* En esta ontología se afirma la auto-creación del hombre. Por ello se puede poner a prueba la autenticidad de la creación y de su propia persona. El hombre es, en esta ontología, representante, creador y creación de sí mismo. *El otro* es representación del mundo en la propia conciencia unamuniana del mundo interno y del externo. *El hermano Juan* destaca el concepto escénico de la personalidad. Tener conciencia es representarse. Hay que hacer espectáculo de uno mismo. En su representación, en la del «otro» y en la representación de la sociedad desea Unamuno aprender la última realidad: Dios. Esa es su búsqueda. Dios era para él la proyección del hombre al infinito y *Persona, Conciencia del Universo*. Es necesario aprehenderle porque la suya es la única realidad verdadera. Es Dios el único que nos puede dar la salvación. Es Él quien nos salva de la nada. Por eso «cada conciencia quiere ser Dios»; es decir, quiere ser eterna, serlo todo. No podemos morir e ir a una nada completa. Nuestra conciencia tiene que ser eterna. Esa es la contradicción trágica: *serse* y *serlo todo*: la vida y la sobre vida.

Francisco Ynduráin

LA RIMA EN LA POÉTICA UNAMUNIANA

Hacia 1900, unos años antes de su primer libro de versos (*Poesías*, 1907) [Unamuno] es particularmente duro en sus ataques a la rima: «Y digan lo que quieran, no veo que el consonante sea una excelencia artística, sino más bien un elemento que recuerda el tamboril de los negros africanos» (artículo en *El Correo,* Valencia, 1900). Y en el mismo año, en carta a Juan Arzadun, manifiesta su desdén por nuestra poesía, que no suele ser sino «huera descripción o elocuencia rimada, y en cuanto a la forma, música de bosquimanos, tamborilesca, machacona, en que el compás mata el ritmo. Sólo aquí puede pasar por gran poeta Zorrilla, encarnación de la vacuidad sonora y tarareante, con sus eternos lugares comunes y sus eternos versos agudos... Yo insisto en que nuestro pueblo está capacitado para gustar los *musings* a lo Wordsworth o a lo Coleridge; nuestro pueblo, entiéndase bien, no nuestros cultos, en cuyos oídos resuenan aún las oquedades de *El vértigo* o de *La última lamentación de Lord Byron,* o las soflamas rimadas de aquel buen patriota y mal poeta que se llamó Quintana». Tampoco sale mejor librado el modernismo que «gusta de la rima y las busca ricas; yo creo que ese bárbaro artificio

Francisco Ynduráin, «Unamuno en su poética y como poeta», *Clásicos modernos,* Gredos, Madrid, 1969, pp. 59-125.

nacido de la decadencia romana, es un halago meramente sensual de oídos poco finos, y atenaza el pensamiento». Y pocos días después, «me repugna la rima, que me parece demasiado sensual. Además, la rima establece un elemento de asociación externa de ideas —*rima generatrice*— buena para quien hace la poesía de fuera a dentro... Pero a mí la rima me estorba». [...]

La repulsa de Unamuno es clara y terminante al rechazar el tipo de poesía más en boga hacia fines del siglo, y muestra cómo su voluntad artística se ha forjado sobre todo en la contradicción. Busca, por el contrario, una versificación liberada de la constricción de la rima y, naturalmente, encuentra un apoyo en los poetas cultivadores del verso libre: Carducci, de quien [cita] sin aceptar demasiado su teoría de la *rima generatrice*. En efecto, el italiano le parece «un poeta discursivo, ilativo. En sus cantos hay un argumento lírico ... Por eso puede prescindir de la rima; porque la asociación poética de las imágenes y pensamientos es interna y robusta. Fijaos bien que hay poetas que necesitan de la rima para no perderse en la más absoluta incoherencia ...». Y sigue con su censura a la poesía de Zorrilla, por vacío, para elogiar a Campoamor, aunque con reservas. Y la misma adhesión manifiesta a los versos libres de José Martí, que le hicieron vibrar «con la recia sacudida de aquellos ritmos selváticos, de selva brava..., poesía desgreñada, desmelenada, sin afeite, [que] nos traía viento libre de selva que barría el viento cargado de perfumes afeminados, de salón, de versos cantables, de vaivén de hamaca, de sonsonete dulzarrón, con que se recrean las señoritas que saben aporrear el piano». Como elogia el verso de Whitman, en el que el ritmo es una espuela para un pensamiento ya de suyo desbocado. Estos pasajes, del año 1914, coinciden con las tentativas de Unamuno por encontrar expresión en el verso blanco, y con sus primeros pasos en el largo poema que completaría seis años más tarde, *El Cristo de Velázquez*. Así recoge en carta a un amigo la satisfacción por su éxito en la lectura pública que hizo en el Ateneo madrileño de mil quinientos versos de su poema, durante hora y cuarto, gracias, dice don Miguel y no sin causa, a que «soy excelente lector, y que dicen que algunos de mis versos sólo suenan a tales cuando los leo yo». Lo que no hizo ya después es la defensa del verso libre, anunciada para el prólogo a la edición de *El Cristo de Velázquez,* en 1920.

Claro es que mientras tanto Unamuno había escrito muy numerosos poemas en metro y rima disciplinados, tradicionales, como el

Rosario de sonetos líricos. En 1911 anota que «desde hace algunos meses me ha dado por escribir sonetos y la mayor parte de ellos los escribo no para desarrollar o condensar un pensamiento o una sensación, sino para desarrollar un endecasílabo, un verso, una frase que me guste». Pero nuestro poeta opone al ritmo externo de mero cuento de las sílabas y acentos el «ritmo interior», aunque no aclara más de qué se trate ni en qué consista, anunciando que volverá sobre ello más adelante. Porque tampoco aclara mucho la indicación, en el mismo artículo, de que «es menester que en versificación, como en música, se sienta el continuo recitado wagneriano», que opone a las «arias, cavatinas y demás *cantabili,* para tenores donizzetiescos». Esta curiosa comparación entre poesía y música, que luego volveremos a tomar, indica al menos su orientación a tonos de expresión poética más llenos, de huelgo más amplio y de más ambiciosa trascendencia. No deja de ser curiosa esta preferencia wagneriana, de cuya precisión no podemos hacernos ciertos, y que nos recuerda, por contraste, la ironía de Valle-Inclán, a cargo de su Marqués de Bradomín, sobre la música de ese teutón. El laborioso trabajo de poda y retoque, de ajuste y lima a que ha ido sometiendo su gran poema nos evidencia la autenticidad de estas observaciones, hechas sobre una experiencia muy exigente. Suponía don Miguel que mil quinientos versos no podían resistirse si no era dentro de la libertad de un ritmo flexible, adaptado a la andadura del idear y del imaginar: de ahí los numerosos encabalgamientos que una y otra vez evitan la monotonía. «Si en vez de mil quinientos endecasílabos libres les leo ciento cincuenta décimas o ciento ochenta y ocho octavas, no lo resisten», escribe aún, comentando su ya citada lectura en el Ateneo. Todavía por esos tiempos, y pese a haber publicado los sonetos ya citados, Unamuno considera esta forma como «algo forzado». Y no porque el ritmo y la rima sean «una bobada», sino porque «el oído castellano, por una larga mala educación, está deseducado, occidentado en vez de orientado al ritmo complejo y rico». Por experiencia sabe, dice, que «para escribir décimas, octavas, etc., hay que ponerse a ello, es decir, hay que proponerse de antemano emplear una cualquiera de esas formas rítmicas, pero el que se pone a escribir porque el alma le pide versos, le demanda expresiones rítmicas de sentimientos fugaces..., ese tal escribe, sin apenas darse cuenta de ello, endecasílabos libres». Continuamos en el mismo círculo vicioso de afirmar que es malo lo que no le gusta y de que sólo le gusta lo

que no es malo desde el punto de vista del ritmo; pero tampoco está
más claro qué entendía por ritmo.

En el fondo, parece que Unamuno se debate entre los opuestos
problemas de libertad y constricción, de anarquía y disciplina, y trata
igualmente de superar los peligros de una monotonía que percibe en
el esquema de ritmos, recurrencias quiero decir, demasiado fijas y
sostenidas. Nos lo confirma, para estos años —seguimos en la altura
de 1914—, otro pasaje del artículo citado en último lugar, cuando
pone reparos a la asonancia, que no es *generatrice*, como la rima perfecta, pero «liga y ata lo bastante para embarazar los libres movimientos. Y como es de costumbre mantener una misma asonancia en
una larga serie de versos, produce un efecto de machacante monotonía. Difícil se nos hace hoy aguantar un largo poema en artificio estró-
fico, en octavas reales, en décimas; pero más nos costaría en verso
asonantado». Y sigue con su «convicción estética» de que «para escribir un largo poema el metro más acomodado hoy en castellano es
el endecasílabo libre», justamente en el que está componiendo *El
Cristo*. No es necesario recalcar la distorsión a que Unamuno somete
las formas de que disiente, y la escasa beligerancia que les concede:
empieza por ridiculizarlas y sin más base que una convicción.

De cualquier modo, no es sólo en el verso donde encuentra Unamuno motivos de insatisfacción con los moldes tradicionales y aun
de su tiempo, pues le vamos a oír quejarse de la falta de flexibilidad
de la lengua, de ese castellano que no tiene «formas contractas», lo
que constituye «un grave tropiezo para la versificación», y de otras
deficiencias en flexibilidad, apuntadas ya en 1899. [...] Su juicio
acerca de nuestra lengua literaria se perfila todavía en uno de sus
Ensayos (1916), cuando lo encuentra «acompasado y enfático, lengua
más de oradores que de escritores ...», que «necesita para europeizarse a la moderna, más ligereza y precisión a la vez, algo de desarticulación, puesto que hoy tiende a la anquilosis, hacerlo más desgranado,
de una sintaxis más involutiva, de una notación más rápida». En esto
Unamuno coincide en la común empresa, común a los escritores de su
generación, de apear la lengua literaria del enfatismo retórico de finales del XIX, y de sus ascendientes más o menos ilustres: en este nuevo
gusto por la frase construida sin grandilocuencia, como en tono menor, evitando los acompasados efectos de contrastes obtenidos por las
amplias ramas de prótasis y apódosis, con el consiguiente juego de
engarces sintácticos. Así percibe Unamuno intuitivamente la alianza

entre ritmos y estructuras sintácticas en dos tonos de modulación y
articulación distintas y aun opuestas. Ahora comprenderemos mejor
su antipatía a los versos a la manera de Zorrilla o Núñez de Arce, su
escasa estima por la versificación del Siglo de Oro, especialmente en
estos años en torno a la creación de su gran poema sobre el Cristo
velazqueño, y cuando ya había ensayado diversos metros sin rimas en
sus poemas anteriores, como puede verse en el tomo de *Poesías*,
donde los sáficos de «Salamanca» alternan con endecasílabos libres
tan hermosos como los de «La catedral de Barcelona». [...]

Parece claro que en el libro *Teresa* (1924) Unamuno se ha ido
librando de su enemiga hacia la rima. Es, en efecto, en esta obra
escrita «a más de la mitad del camino de la vida», y donde ha
quedado sobreviviendo uno de los ex futuros Unamunos, el momento
en que se nota una crisis hacia formas de versificar más sujetas a la
disciplina del consonante. Al principio del libro todas las rimas son
asonantadas, «influidas por Bécquer, flojo versificador. Pero se ve
luego que, a medida que se adensa su sentido y pensamiento poético,
acude al consonante» (acude, claro es, al personaje de ficción, Rafael), y en la *epístola* final nos sorprende con una nueva manera de
considerar la rima y su poder:

> Que lo eterno es la vuelta, la carrera
> es el ritmo y la estrofa, y es la rima
> la pasada y la futura primavera,
> las aguas que del mar quedan encima;
> es la canción eterna de la historia,
> y el paso fiel que la quietud anima,
> y deja espuma aquí y allí escoria.
> En *Del Amor*, dijo Stendhal que el verso
> fue inventado en favor de la memoria...
> ¡No! es la memoria misma; el universo
> late por él y en el latir perdura
> y se retrata en él nítido y terso.

No sería abusivo ver en esta interpretación de la rima algo relacionado con el «eterno retorno» nietzscheano, un reparo al incesante
fluir del tiempo, fijado memoriosamente con lo que esa entidad rítmica cobra sentido más grave, trascendido. Lo cierto es que en los
sucesivos libros de don Miguel, y muy singularmente en el último,
en el *Cancionero*, vamos a encontrarnos con un insistente rebusco de

la rima. Al publicar (1925) *De Fuerteventura a París*, libro formado por sonetos, justifica Unamuno esa preferencia así: «¡Qué intensidad de emoción alcanza un sentimiento cuando se logra encerrarlo en un cuadro rígido, en una forma fija, cuando se consigue hacer un diamante de palabras con sus catorce facetas lisas y brillantes y sus cortantes aristas!».

En el titulado *Romancero del destierro* (1927) son muchas más las composiciones en que ha utilizado la rima consonante y estrechamente trabada, pese al título, que no las de asonantadas en tiradas. Y de éstas se ha servido en las composiciones menos líricas, en las de tono satírico y panfletario. Y a medida que avanzamos por su obra nos encontramos con la marcada intensificación del empleo de rimas perfectas, como se advierte en el *Cancionero*. El propio autor lo notó en carta a Sáinz Rodríguez: «En un principio casi todo lo que hacía era asonantado; en los últimos meses de mi destierro fronterizo lo aconsonantaba procurando enfurtir la frase, no perder la línea... y que ello saliera denso pero fluido, pues el agua corriente pesa menos que los témpanos de hielo y además salta las presas» (2 de marzo de 1930). Es en el *Cancionero* donde podemos seguir y como sorprender al poeta en su juego de los recursos que la rima le brinda, precisamente de esa rima generadora que lleva desde la palabra a la idea. En los apuntes que son muchas de las composiciones, y que tal vez el autor hubiera eliminado, aunque ha dejado constancia de que quería publicarlo íntegro, por no fijarnos en poemas de más cuerpo, nos entrega Unamuno su clave de poeta desde la palabra:

> Consonante que apiola
> discordantes de la idea;
> es la rima que recrea
> y la lógica, una bola.

O:

> Arrima palabras, rima;
> ve soldando tetraedros;
> ya vendrá el soplo que anima;
> de cristales hará cedros.

Es decir —perdóneseme la obvia exégesis—, que Unamuno espera de lo formal, mineralizado en cristales, el salto a lo animado y espiritual; de lo muerto a lo vivo.

Fácil es entresacar del *Cancionero* otras composiciones de tipo entre gnómico y lúdico, en las que Unamuno juega los recursos de la rima:

> Ir cazando con la rima
> palabras que se perdieron
> . . . .

O:

> ¿Memoria?... escoria, victoria y gloria!
> lo que enseña la rima, Dios divino.
> Rima generatriz, fuente de historia;
> que discurra la lengua es nuestro sino.

Y al azar de la asociación rimada:

> Calle y aula
> boga y toga
> recia soga
> triste jaula.

O:

> Riman nubes con querubes,
> y rima piedra con yedra;
> canta verdura en la piedra,
> cantan en azul las nubes.

7. RAMÓN DEL VALLE-INCLÁN

La figura y la obra de Ramón del Valle-Inclán (1866-1936) han experimentado en las dos últimas décadas una notable mutación estimativa: de ser el paradigma español del «arte por el arte», hecho de brillantez estilística y arbitrariedad ideológica, han pasado a encarnar, en el extremo opuesto, la más radical versión de una literatura comprometida con la realidad de su tiempo. Ya Pedro Salinas [1970] llamó la atención sobre esta paradoja valleinclanesca que creyó resolver denominando al escritor gallego «hijo pródigo del 98», regresado de las nieblas modernistas al talante crítico y patriótico que parecía connatural a la citada promoción. La observación tenía extremos de previsible fecundidad pero, muy significativamente, la bibliografía del autor en los años cuarenta (pensemos en los libros de Francisco Madrid [1944], Ramón Gómez de la Serna [1944], Melchor Fernández Almagro [1966]) prefirió abordar al personaje a través de su biografía, con el manifiesto riesgo de embalsamar la memoria de Valle en su imagen más banal: un atuendo raído, un detonante físico —delgadez espiritada, ostensible manquera, guedejas y barbas blancas, antiparras redondas— y un atrabiliario talante de tertuliano, cosas todas que no por reales dejaban de ser una estudiada actitud del escritor.

No obstante esto, el dilema artificiosidad-compromiso en la obra de Valle-Inclán venía de lejos. Hacia 1920, las publicaciones intelectuales más destacadas del momento (y más caracterizadas a menudo por su deseo de superar «lo noventayochesco») recogen su obra reciente —*Divinas palabras* aparece como folletón en *El Sol*; *Luces de bohemia*, en la revista *España*; la *Farsa y licencia de la reina castiza* y *Los cuernos de Don Friolera*, en *La Pluma*, exigente publicación del Ateneo madrileño; *Tirano Banderas*, en *El Estudiante*, órgano de la izquierdista Federación Universitaria Escolar— y, en el caso de la penúltima de las revistas citadas, se le dedica un memorable número monográfico (n.º 32, 1923) que cuenta con la colaboración de Manuel Azaña, Ramón Pérez de Ayala y Salvador de Madariaga, entre otros notorios protagonistas de la hora política y literaria. Reconocimiento que, cuando menos en el caso del segundo, vendría a serlo de un proyecto de arte realista y nacional, de rica expresividad y profunda problemática política, destinado a reemplazar el egotismo de la cancelada etapa finisecular; lo podría ratificar el admirativo prólogo que Antonio Machado —otro relativo relapso de las agonías finiseculares— puso a la reedición barcelonesa, en plena guerra civil, de *La corte de los milagros*.

Problemas parecidos asistieron a la polémica restitución de Valle-Inclán al final de los años cincuenta y principios de la década siguiente: la necesidad de una narrativa crítica e histórica y, en forma mucho más notoria, la renovación de los conceptos teatrales anclados en un naturalismo veteado de simbología. Un libro como el de J. A. Hormigón [1974], epígono forzoso de la polémica, ejemplifica hasta la caricatura la vindicación del Valle-Inclán popular, prebrechtiano y comprometido. A cambio, y en fechas también recientes, un trabajo tan estimulante como el de J. Fernández Montesinos [1966] quizá rebaje en exceso el significado de una evidencia en la última etapa de Valle-Inclán: su designio de establecer frente al chafarrinón de las clases altas, el dolor y la fe de los humillados y ofendidos. Puede que sin distinguir demasiado entre el mítico rey Carlino de sus *Voces de gesta* y el apóstol libertario Fermín Salvochea que aparece en *Baza de espadas*: o quizá abarcando a ambos en un mesianismo populista que, matices aparte, era idéntico en 1911 y 1932.

Lo evidente es que, con Valle-Inclán, nos hallamos ante una «realidad» parcial —imaginaciones heroicas y literaturizadas, decadente y podrida «alta sociedad» isabelina, alucinada y fantasiosa antropología de campesinado tradicional— que no reconoce capas sociológicas intermedias y que la literatura, como una emanación de la propia singularidad de estos grupos-límite, se produce bajo las normas de una intensa estilización artística y una vivaz intensificación expresiva de raíz modernista (R. Lida [1968]). De ahí que haya sido fácil rastrear abundancia de autoprecedencias en la obra del escritor (E. S. Speratti Piñero [1968]) o reducir a unidad, con mayor o menor fortuna, la raíz estética de su arte (G. Díaz-Plaja [1965], Antonio Risco [1966], M. Bermejo [1968], Antonio C. Regalado [1977]) y que hayan abundado los enunciados de «claves» de Valle-Inclán a partir de experiencias creativas no literarias (E. Llorens [1975]) o, cuando menos, no exclusivamente: como es el caso de la reducción a teatralidad de la obra valleinclanesca, ya sugerida en una acertada frase de Pérez de Ayala (que habla de «la visión del mundo *sub specie theatri*») y prolongada por otros muchos estudiosos.

En cualquier caso, la obra de Valle no puede ser, en principio, considerada como un bloque enterizo, caracterizado por una precoz conciencia y voluntad de estilo. Desde sus primeras publicaciones (recogidas y anotadas por William Fichter [1952]) y sus primeros cuentos, nos hallamos ante un afortunado mimetismo modernista, cuyo mérito mayor radica en lo armonioso de la prosa y cuya mayor —y relativa originalidad— estriba en un tratamiento mitificador (entre prerrafaelita y decadentista a la francesa) del ambiente galaico, debidamente intemporalizado (un siglo XIX con aromas de sempiterna Edad Media). De esa adolescencia literaria y tan literaturizada (V. Paz Andrade [1967] ha ofrecido insuficientes datos sobre la misma y J. Amor y Vázquez [1958] con J. Rubia Barcia [1955] estudios sobre su galleguismo), arranca el primer ciclo importante de su obra: las cuatro *Sonatas* (tan modernistamente puestas bajo la advocación de Primavera, Estío, Otoño e Invierno). El Marqués de Bradomín, el protagonista, queda bien definido por su famosa síntesis —«feo, católico y sentimental»— e implícitamente por su *tempo* histórico (el enfrentamiento armado de la nobleza rural con la metódica y poco gloriosa implantación de la hegemonía burguesa durante el período revolucionario de 1868-1875), lo que, a la vez, clarifica la peculiar relación de Valle, sombra atrabiliaria de su creación artística, con el mundo moral cuyas consecuencias vivía. Quizás esto genere la peculiar ironía con la que el escritor reproduce sus propias fuentes de inspiración (aquellos «plagios» que denunció con gran escándalo Julio Casares) y, en cierta medida, dibuja su propio personaje —cofrade, desde luego, de una conocida hermandad finisecular de héroes malditos— abocándolo hacia el melancólico fracaso invernizo tras la exaltadora primavera romana. Tal ironía radical ha sido señalada por R. Callan [1964], pero tampoco agota la virtualidad de lo que fue, desde su misma aparición, modelo muchas veces imitado de prosa narrativa modernista (véanse sobre sus aspectos estilísticos los excelentes trabajos de A. Alonso [1955] y sobre su conjunto estético el valioso de A. Zamora Vicente [1969]).

Los dos ciclos siguientes —las trilogías de *La guerra carlista* y las *Comedias bárbaras*— continúan la ambientación campesina y la conocida debilidad por la ornamentación modernista pero, al tiempo, ofrecen notables innovaciones. La más visible de las que se perciben en las *Comedias* es su indeterminación genérica: si E. G. de Nora [1958] ha podido —con toda clase de cautelas— estudiarlas como novelas, para A. Matilla [1972] se definen como teatro y efectivamente lo son con mucha mayor propiedad que las híbridas novelas dialogadas de Galdós o aun de Baroja, ajustándose muy bien al término que Pérez de Ayala acuñó pensando en ellas. Si exceptuamos la última, *Cara de plata* (1922), que por razones cronológicas y otras de más peso, J. Alberich [1968] considera al margen del conjunto (pese a ser previa en la dinámica interna del ciclo), nos hallamos —con *Águila de blasón* (1907) y *Romance de lobos* (1908)— ante un vitalísimo retablo (que Valle llamará «bárbaro» en buscada reminiscencia carducciana o de Lecomte de Lisle) del que emerge la figura de Juan Manuel de Montenegro, personaje que fuera secundario en las *Sonatas*. En el viejo vinculero sobreviven los elementos satánicos y donjuanescos, blasfemos y voluntaristas, pero ya no atemperados por la ironía y el decadentismo sino potenciados por su representatividad sociológica: rama final de una estirpe feudal, de horca y cuchillo, asediada por la creciente preburguesía —escribanos, clérigos...— y sitiada por sus propios retoños, aunque significativamente amparada por sus más humildes vasallos que lo llaman «nuestro padre» ante su final holocausto (véase el reciente trabajo de Joaquina Canoa [1977]).

La visión de esta Arcadia feudal, que Valle-Inclán remite a su peculiar entendimiento de la militancia carlista, reaparece de nuevo en las tres novelas de la penúltima guerra civil —*Los cruzados de la causa, El resplandor de la hoguera, Gerifaltes de antaño* (1908-1909)— donde el fanatismo popular y los paralelos sufrimientos de ese mismo pueblo, gallego o navarro, alcanzan un protagonismo más vivaz que antes, cercano a veces a la grandeza tolstoiana. Esta idea utópica de lo campesino ha suscitado algún trabajo importante: tras los muy afortunados de M. García Pelayo [1966] y J. A. Maravall [1966], el opúsculo de J. A. Gómez Marín [1967].

Precisamente el año 1909 —publicación de las dos últimas novelas de la serie citada— fue particularmente importante en la evolución del escritor, ya que a esa fecha pertenecen también el relato breve *Una tertulia de antaño*, manifiesta prefiguración del futuro ciclo *El ruedo ibérico*, y la primera redacción de la pieza teatral *Farsa y licencia de la reina castiza*, claramente emparentada con el inminente esperpento teatral. Los años siguientes, sin embargo, se dedica al ensayo de formas teatrales modernistas, de valor relativo y estrechamente relacionadas a su vinculación a la conocida compañía de comedias regentada por María Guerrero y Fernando Díaz de Mendoza. Rota esta relación en 1912, publica cuatro años después dos obras de interés: el esotérico ensayo de estética *La lámpara maravillosa*, nada útil como clave de su arte pero sí como justificación de su peculiar creatividad, y *El embrujado*, obra teatral que objetiva con fortuna la vida trágica del campo gallego y que anuncia *Divinas palabras*. En 1917, su entusiasta aliadofilia ante la guerra europea le inspira un breve apunte bélico en que, no sin causa, J. E. Lyon [1974] ha visto un cambio decisivo en el sentido de su arte.

La constatación del cambio pertenece de pleno derecho al año de 1920 y no tardó, como sabemos, en interesar a escritores generacionalmente muy distantes. A esta fecha pertenecen un libro de poemas, *El pasajero. Claves líricas* (cf. M. Borelli [1961] y M. Durán [1974]), la definitiva versión de la conocida *Farsa y licencia...* y, sobre todo, dos decisivas obras teatrales: *Divinas palabras* y *Luces de bohemia*. Aunque en la primera sea inútil ver un complejo simbolismo político (como pretende G. Umpierre [1971]), es evidente que se trata de un serio distanciamiento de la emotividad ruralista anterior y la entronización de una perspectiva que combina la caricatura distante, la movilidad de lo farsesco y, sobre todo, una profunda ambigüedad deliberada. *Luces de bohemia* —que comparte tales características formales— ha pasado a ser, en los últimos quince años, la obra considerada cimera en la producción de Valle. Sus dos redacciones (1920 y 1924, la última muy acentuada en sus aspectos de denuncia social y política) lograron reflejar, con inusual vivacidad, un mundo marginal, salpicado de algún personaje real y no escasas claves, que el autor había compartido y que aquí, convencido quizá de su retórica vacuidad (aunque también piadoso con ella), enfrenta a su propia miseria: de la caricatura cruel (del regeneracionismo, del arte por el arte, de la moral del «artista») emerge, sin embargo, como máximo portavoz de la ambigüedad, el patético deambular del protagonista (Max Estrella), doblado de su sardónico *alter ego* Don Latino, víctima y a la vez conciencia del bien dibujado descenso a los infiernos que estructura una obra aparentemente dispersa.

Valle-Inclán bautizó como «esperpento» a esta pieza de «elegía y sátira» (Gonzalo Sobejano [1966]) que ha sido, entre las del autor, la que goza de más amplia y reciente bibliografía (F. W. Weber [1967], y, sobre todo, A. Zamora Vicente [1969]). Con ello, acuñó un término que puede utilizarse sin reservas para su obra posterior, pese a que sólo tres piezas teatrales más —las recogidas en *Martes de Carnaval*— vuelven a llevarlo como epígrafe. La teoría estética del «esperpento» ha suscitado abundante bibliografía: menos de la precisa se ha dedicado a rastrear sus orígenes literarios (con el citado volumen de Zamora [1969] se han de citar dos breves trabajos de I. M. Zavala [1970]) y a señalar su configuración en la dinámica interna de la obra del autor (por ejemplo, M. Durán [1974] y E. S. Speratti Piñero [1975]); muy abundante es, sin embargo, la bibliografía destinada a descripciones más o menos inmanentes de los recursos estéticos de tal modalidad teatral o narrativa (tras las precursoras aportaciones de E. S. Speratti Piñero [1968]) y J. L. Brooks [1956] citaremos los volúmenes de R. Cardona y A. Zahareas [1970] y M. E. March [1969], además de los libros de conjunto sobre el teatro de Valle, E. González López [1967] y Sumner M. Greenfield [1972] particularmente). Entre sus confusos orígenes (la parodia escénica, la caricatura política, la creación lingüística del sainete, las formas humorísticas de la poesía simbolista...) y su mecánica descriptiva (el estilo «de acotación escénica», la caleidoscópica dispersión de lo argumental, la caricatura sistemática, el clímax creado por la frase nominal...) está, sin embargo, la clave posible de un procedimiento creador que recubre, en una llamativa unidad, narrativa y teatro.

Descripción de la realidad y de los personajes «desde arriba» (como diría el propio Valle), antiheroica, que se proyecta sobre el mito para destrozarlo (así en *Las galas del difunto,* 1926, donde un Juanito Ventolera, «pistolo» repatriado de Cuba, parodia a Don Juan Tenorio), degra-

da el drama de honra (como en *Los cuernos de Don Friolera,* 1921, caleidoscópica visión de una venganza marital en ambiente cuartelero) y pone
en solfa los confusos orígenes de una Dictadura militar real (*La hija del
capitán,* 1927). Pero también el «esperpento» es germen de novela: en
1926, *Tirano Banderas* (bien estudiada en sus recursos por R. Gullón
[1966]) ejemplifica sus posibilidades al jugar, simultáneamente, con un
rico vocabulario (mezcla de hablas americanas) y con los recuerdos históricos de muchas dictaduras transatlánticas.

Es evidente, sin embargo, que el empeño más arriscado del último
Valle fue rematar una serie de varias novelas que plasmaran el final del
reinado de Isabel II, el estallido de la Septembrina y el proceso revolucionario posterior hasta la guerra de Cuba. Una vez más, la idea suponía
un ajuste de cuentas de los herederos forzosos de la España liberal con
su poco glorioso pasado cercano: tal lo era Valle-Inclán, disidente carlista en su mocedad, y tales Baroja y Unamuno, tábanos pertinaces de la
calma restauracionista que les vio nacer. Para su empresa, Valle se documentó notablemente (cf. el sugerente estudio de A. Sinclair [1975] y
el arriba citado de Zavala [1970]), pero no pudo concluir sino dos
largos relatos, *La corte de los milagros* (1927) y *Viva mi dueño* (1928),
dejando a medias un tercero (*Baza de espadas*) y un episodio del cuarto
(*El trueno dorado*). El material disponible demuestra, sin embargo, la
consistencia del proyecto y la difícil maestría alcanzada por el autor en el
tratamiento esperpéntico de un mundo (corte isabelina y bajos fondos,
nobleza rural y campesinos desheredados) que venía siendo un persistente
revenant en su obra anterior y que ahora se alza con la condición de protagonista de un sintagma racial que se ha hecho emblema: el Ruedo Ibérico.
Su complejidad no ha sido, sin embargo, muy propicia a los estudiosos:
tras el precursor trabajo de Jean Franco [1962] cabe destacar los muy
fértiles asedios de E. S. Speratti Piñero, ya citados, y de F. Ynduráin
[1969], más el trabajo de conjunto de J. M. García de la Torre [1972].

Como ya se apuntaba arriba, Valle-Inclán y Antonio Machado han pasado a constituir los dos máximos valores literarios de la literatura nacida
a fin de siglo, eclipsado un mucho Unamuno (que se benefició hasta
hace poco de idéntica situación), no demasiado boyante el crédito de Baroja y oscurecido (en forma a menudo irreversible) Azorín. Ambos, Valle
y Machado, comparten también un alto grado de representatividad en
orden a un ente estético y cívico de vagos perfiles que, usando una vez
más del término de Gramsci, denominaré «literatura nacional-popular».
Pero en una forma llamativamente opuesta: si en la prosa de Machado
(como veremos) el propósito de conseguir una literatura de tales connotaciones es evidente y, sin embargo, no acaba de realizarse en la práctica
artística de su última época, en Valle-Inclán, por el contrario, una estética
y un talante favorables a esto han de suponerse a partir de sus obras de

madurez. Y todo esto, como se ha ido indicando, en insalvable contradicción con sus propias manifestaciones teóricas y, a veces, con su limitada visión de la realidad española. Y aunque, por otro lado, puedan argüirse, como evidencias de su adscripción al concepto, la atrevida mezcla de agria sátira y patética piedad y, más aún, las conocidas innovaciones en orden a la expresividad escénica. Todo en Valle podría apuntar —y, de hecho, apunta— a una suerte de constantes en el realismo nacional español (consabidas invocaciones a Quevedo y Goya) y a menos hipotéticas concomitancias con las formas tradicionales de lo farsesco en el marco universal de la sátira popular: ambas parecen las claves elegidas por la nueva bibliografía.

BIBLIOGRAFÍA

Alberich, José, «*Cara de Plata,* fuera de serie», *Bulletin of Hispanic Studies,* XLV (1968), pp. 297-308.

Alonso, Amado, «Estructura de las *Sonatas* de Valle-Inclán» y «La musicalidad en la prosa de Valle-Inclán», *Materia y forma en poesía,* Gredos (Biblioteca Románica Hispánica, II, 13), Madrid, 1955, pp. 257-300 y 313-369.

Amor y Vázquez, José, «Los galaicismos en la estética valleinclanesca», *Revista Hispánica Moderna,* XXIV (1958), pp. 1-26.

Bermejo Marcos, Manuel, *Valle-Inclán: introducción a su obra,* Anaya, Salamanca, 1968.

Borelli, Mary, *Sulla poesia di Valle-Inclán,* Palatine, Turín, 1961.

Brooks, J. L., «Valle-Inclán and the "esperpento"», *Bulletin of Hispanic Studies,* XXXII (1956), pp. 152-164.

Callan, Richard, «Satyre in the *Sonatas* of Valle-Inclán», *Modern Language Quarterly,* XXV (1964), pp. 330-337.

Canoa, Joaquina, *Semiología de las «Comedias Bárbaras»,* Planeta-Universidad de Oviedo, Barcelona, 1977.

Cardona, Rodolfo, y Anthony Zahareas, *Visión del esperpento. Teoría y práctica en los esperpentos de Valle-Inclán,* Castalia, Madrid, 1970.

Díaz-Plaja, Guillermo, *Las estéticas de Valle-Inclán,* Gredos (Biblioteca Románica Hispánica, II, 85), Madrid, 1965.

Durán, Manuel, *De Valle-Inclán a León Felipe,* Finisterre, México, 1974, páginas 11-127.

Fernández Almagro, Melchor, *Vida y literatura de Valle-Inclán,* Taurus, Madrid, 1966 [2].

Fernández Montesinos, José, «Modernismo, esperpentismo o las dos evasiones», *Revista de Occidente,* n.º 44-45 (1966): Homenaje a Valle-Inclán, pp. 146-165.

Fichter, William, *Publicaciones periodísticas de Don Ramón del Valle-Inclán anteriores a 1895,* El Colegio de México, México, 1952.

Franco, Jean, «The concept of the time in the *Ruedo Ibérico*», *Bulletin of Hispanic Studies*, XXXIV (1962), pp. 177-187.

García de la Torre, J. Manuel, *Análisis temático de «El Ruedo Ibérico»*, Gredos (Biblioteca Románica Hispánica, II, 174), Madrid, 1972.

García Pelayo, Manuel, «Sobre el mundo social en la literatura de Valle-Inclán», *Revista de Occidente*, n.º 44-45 (1966): Homenaje a Valle-Inclán, pp. 257-287.

Gómez de la Serna, Ramón, *Don Ramón del Valle-Inclán*, Espasa-Calpe (Austral, 427), Buenos Aires, 1944.

Gómez Marín, José Antonio, *La idea de sociedad en Valle-Inclán*, Taurus, Madrid, 1967.

González López, Emilio, *El arte dramático de Valle-Inclán*, Las Américas Publishing Co., Nueva York, 1967.

Greenfield, Sumner M., *Ramón María del Valle-Inclán: anatomía de un teatro problemático*, Fundamentos, Madrid, 1972.

Gullón, Ricardo, «Técnicas de Valle-Inclán», *Papeles de Son Armadans*, XLIII (1966), pp. 21-86.

Hormigón, Juan Antonio, *Valle-Inclán: la política, la cultura, el realismo y el pueblo*, Alberto Corazón Ed. (Comunicación B), Madrid, 1974.

Lida, Raimundo, «Darío, Lugones, Valle-Inclán», en A. N. Zahareas y otros, eds., *Ramón del Valle-Inclán. An appraisal of his life and his works*, Las Américas Publishing Co., Nueva York, 1968, pp. 433-443.

Llorens, E., *Valle-Inclán y la plástica*, Ínsula, Madrid, 1975.

Lyon, J. E. «Valle-Inclán and the art of the theatre», *Bulletin of Hispanic Studies*, XLVI (1969), pp. 132-152.

—, «*La medianoche*: Valle-Inclán at the crossroad», *Bulletin of Hispanic Studies*, LII (1974), pp. 135-142.

Madrid, Francisco, *La vida altiva de Valle-Inclán*, Buenos Aires, 1944.

Maravall, José Antonio, «La imagen de la sociedad arcaica en Valle-Inclán», *Revista de Occidente*, n.º 44-45 (1966): Homenaje a Valle-Inclán, pp. 225-256.

March, María Eugenia, *Forma e idea de los esperpentos de Valle-Inclán*, Castalia, Madrid, 1969.

Matilla, Alfredo, *Las Comedias Bárbaras: historicismo y expresionismo dramático*, Anaya, Salamanca-Madrid, 1972.

Nora, Eugenio G. de, «Valle-Inclán como novelista», *La novela española contemporánea (1898-1927)*, Gredos (Biblioteca Románica Hispánica, II, 41), Madrid, 1958, I, pp. 49-96.

Paz Andrade, Valentín, *La anunciación de Valle-Inclán*, Losada, Buenos Aires, 1967.

Regalado, Antonio C., *El demiurgo y su mundo. Hacia un nuevo enfoque de la obra de Valle-Inclán*, Gredos (Biblioteca Románica Hispánica, II, 261), Madrid, 1977.

Risco, Antonio, *La estética de Valle-Inclán*, Gredos (Biblioteca Románica Hispánica, II, 96), Madrid, 1966.

Rubia Barcia, Jesús, «Valle-Inclán y la literatura gallega», *Revista Hispánica Moderna*, XXI (1955), pp. 93-126 y 294-315.

Salinas, Pedro, «Significación del esperpento o Valle-Inclán, hijo pródigo del 98», *Literatura española. Siglo XX*, Alianza Editorial, Madrid, 1970, páginas 86-114.

Sinclair, A., «19th Century popular literature as a source of enrichment of Valle-Inclan's *Ruedo Ibérico*», *Modern Language Review*, n.° 70 (1975), páginas 84-96.

Sobejano, Gonzalo, «*Luces de bohemia,* elegía y sátira», *Papeles de Son Armadans*, XLIII (1966), pp. 89-106; reeditado en *Forma literaria y sensibilidad social*, Gredos, Madrid, 1969, pp. 224-240.

Speratti Piñero, Emma Susana, *De la «Sonata de otoño» al esperpento. Aspectos del arte de Valle-Inclán*, Tamesis Books, Londres, 1968.

—, *El ocultismo en Valle-Inclán*, Tamesis Books, Londres, 1975.

Umpierre, Gustavo, «*Divinas palabras*»: *alusión y alegoría*, University of North Carolina Press (Estudios de Hispanófila, 18), Chapel Hill, 1971.

Varela, José Luis, «El mundo de lo grotesco en Valle-Inclán», *La transfiguración literaria*, Prensa Española, Madrid, 1970, pp. 211-255.

Weber, Frances W., «*Luces de bohemia* and the imposibility of art», *Modern Language Notes*, LXXXI (1967), pp. 575-589.

Ynduráin, Francisco, *Valle-Inclán. Tres estudios,* La Isla de los Ratones, Santander, 1969.

Zahareas, Anthony N., Rodolfo Cardona y Sumner Greenfield, eds., *Ramón del Valle-Inclán: An appraisal in his life and works*, Las Américas Publishing Co., Nueva York, 1968.

Zamora Vicente, Alonso, *Las Sonatas de Valle-Inclán*, Gredos (Biblioteca Románica Hispánica, II, 17), Madrid, 1969 [2].

—, *La realidad esperpéntica (Aproximación a «Luces de bohemia»)*, Gredos (Biblioteca Románica Hispánica, II, 123), Madrid, 1969.

Zavala, Iris M., «Notas sobre la caricatura política y el esperpento», *Asomante*, XXVI (1970), pp. 28-34.

José Fernández Montesinos

MODERNISMO, ESPERPENTISMO, O LAS DOS EVASIONES

[La] obra primeriza [de Valle-Inclán] se amasa con una fuerte levadura romántica y su romanticismo, como tantos otros, arranca de un desapoderado deseo de escapar a la realidad, a toda realidad. La literatura es ensoñación. En creerlo así coincide con muchos otros. Peculiaridad suya muy marcada es que, como un diablo metido en el círculo trazado por una bruja, no pueda hurtarse a la fascinación que sobre él ejercen ciertas vivencias inolvidables. Experiencias propias, recuerdos librescos, ¿qué importa? Transcurrido el tiempo, sin los deslindes que permitía una documentación que nunca tendremos, todo es uno. Tanto más cuanto que, fuese lo que quiera lo vivido, se vivió a través de la literatura. Literatura cada vez más consciente de sí misma, cada vez más consustancial con un estilo en que se van alquitarando con creciente esmero los mejores recuerdos de muy buenas lecturas. La primera en importancia, tal vez en calidad, la de Eça de Queiroz —del que había de publicar alguna excelente traducción, y traducir puede ser una alta escuela de estilo—. Eça se le asemeja mucho por su formación: él también fue un romántico, aunque, por haber querido, forzado por sus circunstancias, ser deliberadamente un realista, fuese romántico a pesar suyo. Eça tuvo también el culto de la perfección formal y decantó en una lengua muy afín a la de Valle las más exquisitas experiencias de los grandes estilistas franceses. Eça tuvo, empero, una cualidad que nuestro novelista no consiguió hasta muy tarde, y llegó a ella por otros caminos: fue un

José Fernández Montesinos, «Modernismo, esperpentismo, o las dos evasiones», *Revista de Occidente*, n.º 44-45 (1966), pp. 152-160.

gran ironista y un terrible satírico. He escrito otra vez que sólo el humor o la ironía preservan los grandes estilos de los estragos del tiempo y del ridículo en que incurre todo lo decrépito, y porque ello es así, y porque Valle no aprendió su lección hasta muy tarde —la ironía es de más difícil aprendizaje que el estilo, y el humorismo no se aprende— la parte modernista de su obra «data» a veces de modo lamentable y hoy no podemos darnos sin cierta reluctancia a la plena fruición de algunas lecturas. Se leen mejor algunas historias breves que las *Sonatas*; *Flor de santidad* (1904) es de todo punto admirable, pero *Flor de santidad,* cuyo contenido pudo Antonio Machado resumir en un soneto (¡qué exacta es la frase «sabio romance campesino»!) demostraba que aquel arte no podía pasar de allí. Ortega y Gasset, en un admirable artículo sobre *Sonata de estío* —un artículo de sus veinticuatro años, 1904— vio ya muy agudamente sus límites infranqueables. Elogioso en apariencia, el juicio del crítico es más bien negativo y anticipa lo que más tarde, con mayor acritud, dijo sobre Gabriel Miró: prosa perfecta, requintada, acicalada; ¡cuánto trabajo ha puesto el artista en redondear cada frase! Pero una novela es otra cosa. Rehuyendo toda realidad, dándose por entero al ensueño, de espaldas a la angustia del vivir diario, el novelista va desnovelizando la novela.

Ficciones así, irrealidad pura, no son desconocidas de la historia literaria. Algo muy análogo había sido la novela pastoril, aunque sus circunstancias no fueran las mismas. Surgió en tiempos en que la novela era más una aspiración que un hecho, en que pugnaba por constituirse en un género nuevo, infinitamente libre, el que por fin crea Cervantes, no sin pasar él mismo por un avatar pastoril. Los dos caminos van en direcciones exactamente inversas. Mientras lo pastoril duró, su índole no fue muy diferente de la del modernismo: elusión de realidades mezquinas, escape hacia un mundo imaginario en que todo es posible, al menos todo lo que no entre en colisión con perentorios imperativos morales. En esta ensoñación literaria los autores tratan de salvar lo que más valía en sus vidas, sus amores, lo que los ennoblecía de manera que no debía morir del todo. Y fingiéndose una nueva vida fuera de la realidad cotidiana, se incluían en aquélla bajo una máscara que no debía engañar a nadie. Lo que hacían era, paradójicamente, dar carne de novela a otra irrealidad mayor que la que practicaban: explicitar lo que en la poesía bucólica iba implícito. Justo porque no había existido una novela previa a ellos. ¿Qué había pasado que condujese a aquellos amores, a aquellos dolores, que justificase tantas lágrimas? Pero no podía ser. El nuevo género muere con el mismo libro que lo crea, con la *Diana,* que el autor, para darle bulto, tiene que rebutir de materia novelesca excelente, pero heterogénea: la historia anterior de todos los personajes, que figuran ser pastores, pero que no lo son de veras. Montemayor creía sin duda que para ser novelesco, el personaje tiene que parecer lo que no es, que tiene que unimismarse con su máscara. Esto era falso; lo que había sido en su vida real resultaba más novelesco.

No sería necesario mucho ingenio para probar que algo parecido es lo que acaba por hacer el Valle-Inclán modernista, a contrapelo. No crear un mito, sino mitificarse a sí mismo. Quizá no fuera ése el propósito inicial. La primera que ve la luz es la *Sonata de otoño,* y en ella el protagonista no presenta aún los rasgos, sensiblemente acentuados, del de la *Sonata de estío.* Pero aunque se haga difícil creer que al comenzar la serie no tuviese el autor idea del carácter que iba a darle, fue creándolo a medida que se *instalaba* en él. Al terminar las cuatro novelas, Valle-Inclán se ha identificado con Bradomín. Ha puesto en su héroe todo lo que hubiera querido ser, se ha soñado en él y ha comenzado a representar un papel que le permitirá ya todas las evasiones. [...]

El esperpentismo, cuya fórmula ya había entrevisto Valle-Inclán, va a dominar la última fase de su vida artística. La primera ojeada hace creer que una reacción extremosa lo va a devolver a la vida, que verá, es claro, en sus aspectos más siniestros o sórdidos. Hombre de violencias y por lo tanto de extremos, el nervioso saltar del palacio al tugurio se explicaría psicológicamente bien. Examinando con mayor atención esas obras que por modo explícito califica de esperpentos, y las que a ellas pueden asimilarse, vemos pronto que no es así o no lo es del todo. El esperpento no es una inmersión en la vida o en un cierto medio, sino todo lo contrario; es nuevamente una evasión. Valle va a ese medio acorazado de un rencor previo de raíz antes estética que moral. El viejo romántico no se desmiente nunca.

La del esperpento es una concepción teatral, y hasta los que no son teatro tienen en él su origen. Pero es un muy peculiar teatro el que origina el esperpento: teatro de bululúes y titiriteros, cuando no la recitación de los ciegos romancistas. El guiñol va a dar a Valle-Inclán muchas de las condiciones de su técnica nueva. Primero el pergeño de sus personajes, luego la dinámica de sus movimientos y siempre su condición de máscaras. Todo lo cual pasa del teatro a la novela como vamos a ver en seguida.

Retengamos algo que se lee en *Los cuernos de Don Friolera* (1921), que examinaremos aquí un poco, aunque no sea el primero. Este esperpento es maravilloso y, dentro de este teatro, para mí el mejor, aunque ya veremos dentro de qué límites. Lo preceden y lo terminan un prólogo y un epílogo en que dos personajes típicos de este nuevo mundo descubierto por don Ramón, Don Estrafalario y Don Manolito, ven representar una farsa guiñolesca de Don Friolera y comentan luego un romance de ciego compuesto para exaltar la hazaña del mísero teniente. Lo que más nos interesa es el prólogo, lleno de paradojas que, tomadas a la letra, serían negación de toda la literatura que no cupiese en el guiñol, donde cupo, no se olvide, la historia de Don Gaiferos. «Mi estética es una superación del dolor y de la risa como deben ser las consideraciones de los muertos al contarse historias de los vivos.» Con otras muchas cosas que culminan en que la redención del teatro ha de venirnos de esa *Tragedia de los cuernos de Don Friolera* que representa el bululú. Como una dramaturgia semejante no se podría realizar sino en muy tasada medida, las condiciones para la creación de un esperpento se angostan extraordinariamente. Ver las cosas desde una perspectiva ante la que no sean posibles la risa ni las lágrimas, por carecer de sentido, no es viable si los espectadores no las contemplan desde más allá de la muerte; como este no es el caso, la implacable alternativa es la deshumanización de los personajes, que ya no serán ellos, sino la situación en que se hallen. Todo lo cual queda contradicho con el esperpento mismo, que sí hace reír mucho —y esa es la intención del bululú— porque los personajes son marionetas y porque las situaciones son en extremo cómicas; las más cómicas, franca sátira. La más sorprendente novedad con que nos vamos a encontrar en los esperpentos es que suelen ser sátira cruda y muy sangrienta —recuérdese *La hija del capitán*—, pero sátira de orden muy extraño, pues no se sostiene, como todas, o muy raramente, en postulados éticos. Valle se ensaña con determinadas creaciones suyas porque las hac[e] representar cosas que le son antipáticas, con antipatía más est[ét]i[ca] que otra cosa. Se diría, por ejemplo, que Valle-Inclán encue[ntra ri]dículo a Don Friolera porque lo ve y lo juzga desde la re[verencia] que le inspira el teatro de Calderón. (En un punto acier[ta plena]mente: los héroes de ese teatro actúan, y no sin protes[ta] por una presión social incontrastable, que puede originar dramas terribles. Ahora vemos todo eso en caricatura: «En el Cuerpo de Carabineros no hay maridos cabrones». Hay que tener en cuenta que el pobre teniente de cuchara lleva ya muchos años casado, es un carcamal, y en el fondo su mujer no le importa un pito. Esas circunstancias, que podrían hacer su caso más patético, aquí lo hacen más grotesco.) [...]

La tragedia grotesca no es invención de hoy. No hablemos ahora de precedentes cervantinos; en la inmensa obra de Galdós abundan esos seres patéticamente inútiles, chiflados, desequilibrados, enloquecidos por las circunstancias en que viven. Pero aunque se divierta y nos divierta con las figuras de Don José Relimpio, de Don José Ido del Sagrario, de Don Pito, de Don Pío Coronado —un cornudo nada calderoniano, por cierto— Galdós nunca escamotea el drama terrible que aflige a esos grotescos personajes. Galdós, nadie lo diría, es un sentimental.

Es decir, que para lograr lo más original de su obra, Valle tiene otra vez que volver las espaldas a la realidad, a toda realidad humana —¿qué realidad humana «interesante» podría haber sin risas y sin lágrimas?—. Situarse en una perspectiva «de ultratumba» muy problemática por cierto, desde la que las gentes se vean como siluetas, como sombras, como muñecos; no son más que muecas y visajes. Ni suelen hablar como todo el mundo. Otra de las sorpresas que va a depararnos Valle-Inclán es su nuevo lenguaje, esta «verba», como él diría, con un curioso galicismo no muy preciso —puede ser facundia, puede ser un modo de hablar— no infrecuente en sus últimos libros; tan distintos del «sabio romance campesino» y de las exquisiteces líricas de antaño que parece lo exactamente opuesto; lenguaje hecho de giros jergales, de caló más o menos auténtico, de muchas más cosas que el autor inventa, transforma o deforma. Este lenguaje —que ante el mármol del café, según es fama, era aún más truculento que sobre las cuartillas— y la violencia de la sátira, han sido asociados por muchos al recuerdo de Quevedo; añádase que ambos fueron grandes caricaturistas, con un poder deformante raro entre nuestros escritores. Todo lo cual es verdad en la apariencia, y quizá no mero azar. Parece ser que don Ramón había leído y recordaba mucha literatura del Siglo de Oro, y Quevedo no podía dejar de serle simpático, aunque no lo cite nunca, que yo recuerde. Pero las semejanzas no van más allá de la superficie, pues los supuestos de uno y otro no podían ser más diversos, aunque los temperamentos sean sorprendentemente afines. Cuando Quevedo dice, en *La hora de todos*: «Entró Venus, haciendo rechinar los coluros con los ruedos del guardainfante, empalagando de faldas a las cinco zonas, a medio afeitar la jeta, y el moño, que le encorozaba de pelambre la cholla, mal encasquetado por la prisa», nos hace pensar involuntariamente en Valle-Inclán. Pero aquella frase, en que apenas hay una palabra *normal,* precisamente porque se trata de Venus, que don Francisco asimila a cualquiera de esas «damas» que detesta, casquivanas, frívolas, ávidas, que siempre piden, dinero o matrimonio, es una burla caprichosa. La sátira de Quevedo no es siempre esto; en lo esencial no lo es nunca. Quevedo, en su condenación del mundo que lo rodea, de esa fauna equívoca y maligna que pulula en *Los sueños*, en *El buscón*, en muchedumbre de escritos menores, en jácaras, en romances: tahures, logreros, rufianes, daifas..., sigue siendo el estoico de siempre. Porque lo es los abomina, no sólo burla de ellos. Quevedo parte siempre de una moral estoica que no fue nunca la de Valle, anárquico en moral como en todo; estoicismo el de Quevedo exacerbado por el fenómeno de la decadencia española, para él tan evidente. La vida es un mal inevitable; el angustioso destino del hombre, dependiente del tiempo fugitivo y lanzado a la muerte, debe acerar en nosotros la voluntad heroica, puño alzado contra un cielo implacable o impasible. Quevedo quisiera que los españoles volvieran a la hazañosa virtud antigua, y cuando los ve metidos en el tráfago de la corte —de su España no vio otra cosa— falsificando sus vidas, fulmina contra ellos sus más crueles tiros. Los temas más persistentes de la sátira quevediana podrían resumirse en esto: es necedad falsificar la vida. Por ello en literatura fue un rabioso anticulterano: el culteranismo era para él la ocultación de la verdad bajo la máscara de la palabra. ¡Cómo hubiera puesto a los «nefelibatas» de ahora, de vivir en sus días! Valle-Inclán... ¿Qué es lo que quiere realmente Valle-Inclán según novelas y esperpentos? En los últimos sólo se echa de ver lo que no quiere, y ello puede ser diverso y aún contradictorio. Y allí donde más afirmativo se muestra no nos permite deducir sino que adora la violencia ciega y las palabras bellas y musicales —o torvas y explosivas—.

José Antonio Maravall

LA IMAGEN DE LA SOCIEDAD ARCAICA
EN VALLE-INCLÁN

En el mundo de Valle-Inclán, la casa señorial es la unidad de existencia común, muy rara vez la ciudad o la villa. Junto a aquélla, se sitúan núcleos rurales de población que giran en torno de la mansión del señor. En la morada del rico —que por serlo toma caracteres señoriales, en una normal correspondencia entre riqueza y nobleza, de carácter feudal—, se cobija toda una grey de criados, bajo una vinculación de dependencia personal y heredada —«nacidos muchos de ellos bajo el techo del pago», se comenta alguna vez por el autor—. Una sociedad sin registro civil, anterior al estadio administrativo en la evolución de la vida social, donde las gentes son llamadas por sus nombres propios y un étnico de casta o de lugar, comarcalmente conocido.

Se trata de un grupo de gentes de condición servil. De un joven campesino se dice que «tenía las respuestas estoicas de un paria... parecía el hijo de un antiguo siervo de la gleba»; de una sirviente se observa «su bondadosa sonrisa de sierva vieja y familiar» (*Sonata de otoño*). Y circundando este pequeño grupo favorecido de los servidores que habitan la casa señorial, el tropel de mendigos que viven, no en dependencia habitual de servicio respecto al señor, sino como pretexto para que éste manifieste sus virtudes y sus riquezas, «patriarcas haraposos, mujeres escuálidas, mozos lisiados, racimo de gusanos que se arrastran por el polvo de los caminos y se desgrana en los mercados y feriales de las villas, salmodiando cuitas y padrenuestros, caravana que descansa al pie de los cruceros y recuenta la limosna de mazorcas y mendrugos de borona» (*El Marqués de Bradomín*).

Como en una estampa hagiográfica medieval, en torno a la novicia caritativa de la *Sonata de primavera,* se reúnen los pordioseros —en el más literal sentido de la palabra—: «aquellas cabezas humil-

José Antonio Maravall, «La imagen de la sociedad arcaica en Valle-Inclán», *Revista de Occidente*, n.º 44-45 (1966), pp. 240-249.

des, demacradas, miserables, tenían una expresión de amor»; como los de *Flor de santidad,* que «besaban la mano que todo aquello les ofrecía y rezaban para que hubiese siempre caridad sobre la tierra»; como los de *El embrujado,* que juzgan que sufrir su pena, irremisible, es cumplir la ley de Dios. Las novelas de la guerra carlista retratan una semejante caterva de indigentes pasivos, famélicos y devotos, alrededor de los cabecillas y soldados de las partidas vascona-varras, como esa mendiga, confidente de los facciosos por el don de un mendrugo, que arrastra su «vida humilde y pecadora, toda encendida en el sentimiento religioso de un pueblo que une su sed de justicia con la esperanza resplandeciente de hallar un día, al final de la guerra, padre clemente en su rey» (*El resplandor de la hoguera*) —clemencia que puede significar consuelo, pero nunca remedio de su miseria. Los «episodios» de *El ruedo ibérico* nos dan una visión similar, no ya sólo en tierras andaluzas, sino en los palacios madrileños de los cortesanos isabelinos —sólo que aquí falta hasta el consuelo—. La estructura de la sociedad, en el mundo que Valle-Inclán presenta, queda reducida a dos grupos: señores y criados, y como fondo una masa pasiva y amorfa de desheredados y desvalidos. [...]

Esto corresponde exactamente al patrón de sociedad estática de economía agraria, en su forma más tradicional: una sociedad, como en las novelas valleinclanescas, en la que pocos tienen sobrantes para vender y se compra poco, en que no hay salario, sino remuneración en especie, y en que la limosna, también en especie, es la manera de ganarse el pan que ejerce una parte considerable de la población. Las familias de grandes propietarios territoriales y los que para ellas trabajan, que Valle-Inclán saca a la escena, pertenecen a una sociedad basada en el sistema de remuneración consistente en ventajas domésticas y bienes de consumo, porque el trabajo a jornal y el pago en dinero hubieran bastado para quebrar esa estructura en no mucho tiempo. Se sirve, como la protagonista de *Flor de santidad,* como los campesinos y criados de *La corte de los milagros,* en general, por el yantar y el vestir. Trabajar es servir. Una vez más, se trata de una estampa medieval, utópicamente presentada. En la Edad Media, escribió Marx, las relaciones sociales de los individuos en su trabajo se dan como relaciones interpersonales, sin tomar el aspecto de relaciones sociales entre las cosas, es decir, entre los productos del trabajo. Con ello concuerda la estampa valleinclanesca.

De ahí, la crítica de Valle-Inclán contra la política desvincula-

dora y desamortizadora. «Los mayorazgos eran la historia del pasado
y debían ser la historia del porvenir» (*Los cruzados de la causa*). No
se diga que esto es una ocurrencia literaria que no guarda relación
con la ideología que sustenta la obra valleinclanesca. Se trata de una
reviviscencia del pasado, de tipo utópico. Con ello se corresponde la
preocupación erudita —y más que erudita, biográfica, personalísima— de Valle, por las cuestiones heráldicas y genealógicas, observada por Alonso Zamora, que revela la atávica adhesión del autor a
las formas más arcaizantes de la aristocracia de linaje, cuyo papel
social trata de defender. Naturalmente, a ningún autor de utopías se
le ocurre pensar que la sociedad adopte los detalles de su invención.
Pero lo cierto, es que Valle-Inclán en esos años, como ciudadano,
milita en el carlismo y en la reacción. El pensamiento reaccionario,
sin llegar a los extremos de un Manterola, incluso en el campo isa-
belino, no estaba lejos de tales ideas. Unas décadas antes de que
Valle escribiera, Donoso Cortés llegó a defender el sistema de la
sopa de convento como manera de sustentar al pueblo, y Bravo Mu-
rillo intentó convertir de nuevo en régimen legal las arcaicas vincu-
laciones de mayorazgos y otras similares. Valle-Inclán, en 1911, participa, asumiendo todo el carácter polémico del hecho, en el banquete
a los diputados carlistas e integristas que combatieron el proyecto
de «Ley del Candado», de Canalejas, un intento liberal de quebran-
tar las fuerzas arcaizantes e inmovilistas.

Por esos años, en *Los cruzados de la causa* (1908), Valle señala
el quid de la cuestión. Todo se levanta, en las páginas de esta novela, contra el poder de ricos burgueses, compradores de bienes desa-
mortizados, y contra gente de la Administración que con el poder
estatal apoyan a aquéllos. «Esa ralea de criados que llegan a amos»,
les llama el señor feudal, pidiendo que se les cuelgue y se quemen
sus casas. Y el aristócrata carlista, refinado por sus lecturas y viajes,
le hace observar que esa justicia, «que deseamos los que nacimos
nobles y también los villanos que aun no pasaron de villanos, es la
que hará Carlos VII». En la época de su carlismo, Valle-Inclán concibe éste como la fórmula que salvará de la amenaza burguesa, capitalista y liberal, a la arcaica sociedad agraria y rural, cuyos valores
humanos se resumen en el pensamiento de la tradición. En un primer momento, la trilogía de *La guerra carlista* se anunció bajo el
título común de «La España tradicional». [...]

En el esquema que hasta aquí hemos trazado de la sociedad arcaizante, rural, agraria, en la obra de Valle, ve su autor el contenido social del carlismo. Le atrae en éste la garantía de la tradición, y la lucha, sangrienta si hace falta, contra la sociedad burguesa. El arcaísmo sociopolítico del carlismo es, para aquél, promesa de futuro: «Cuando más lejana es la ascendencia hay más espacio ganado al porvenir», dice en *La lámpara maravillosa,* y, una vez más, un principio estético se confunde con un principio sociopolítico. La reacción, en cuanto tal, sólo le interesa como instrumento de la tradición, y si no es así no le interesa. De ahí su agria hostilidad contra la Corte de Madrid, aun comprobando que cada vez se había apartado más del liberalismo, que cada vez estaba más dominada por el clericalismo, que en tales aspecto, cada vez se parecía más al carlismo, por lo menos a algunos sectores de éste. Abomina del predominio clerical que simboliza en la figura del P. Claret —en boca suya pone estas crueles palabras: «entre nosotros el democratismo es hambre atrasada... cuantos hoy conspiran, buscan comer» (*Viva mi dueño*). Caricaturiza en la reina su credulidad, su ignorancia y su sensualismo a rienda suelta: «turbada de lujurias, milagrerías y agüeros», entregada a las patrañas de Sor Patrocinio. La crítica que dirige a la reina está siempre teñida de indulgencia, en atención a su exuberancia vital y a su condición de persona regia. Lo que Valle denigra y desprecia, sobre todo, es la estólida rigidez de los funcionarios, la rancia y chismosa poquedad de los palatinos, la zafiedad de ciertos clérigos —a diferencia de la exquisita educación y liberal criterio de los grandes eclesiásticos romanos—, el inútil parasitismo de señoritos aristócratas, la cínica concupiscencia de banqueros y políticos, la ignorante petulancia de algunos escritores, en la sociedad superficialmente aburguesada que rodea el trono de Madrid. [...]

La vida deformada e insatisfactoria de Madrid, le hace a Valle-Inclán levantarse contra la cultura urbana, tomando a aquélla como expresión normal de la segunda y optando en su lugar, como ya hemos visto, por la sociedad campesina. Si el mundo de Madrid es la manifestación de la cultura burguesa y racionalizada, hay que volver a las formas arcaizantes del mundo rural. Ganivet y Unamuno partieron de un planteamiento paralelo y si coincidieron también en gran parte de su fondo ruralista, su solución política no llegó a los términos, radicales en uno u otro sentido, de Valle. Todos ellos toman no lo propiamente negativo del régimen burgués como base para rechazar el mismo, sino su falseamiento tal como en Madrid se da, sin advertir lo que de deformación por insuficiencia e inadecuación hay en ese Madrid [...].

Su feroz ironía contra los personajes del régimen constitucional es constante: contra López de Ayala y los conjurados civiles y militares de la Unión Liberal; contra Cánovas, de «expresión perruna y dogmática»; pero no menos contra Olózaga, contra Espartero —el nombre de doña Baldomera, «nombre histórico, nombre símbolo», dado a una ridícula señora que aparece, sensible y afrancesada, en *Baza de espadas,* tiene toda su intención—, contra Sagasta, contra Ruiz Zorrilla y, sobre todo, contra Prim, a quien ataca despiadadamente, a diferencia del respeto con que trata a Cabrera, cuando presenta a ambos exiliados en Londres. Esa hostilidad a Prim es, además, aversión al catalán, como también al valenciano, al mediterráneo en general, como representante de una sociedad más abierta y dinámica. Añadamos que en *Luces de bohemia,* su estrafalario protagonista dice, con la anuencia de todos, que Castelar es un idiota. También en la misma obra se ironiza sobre alguien que «ha nacido institucionista», de la misma manera que en *La corte de los milagros* se hace burla del krausismo: «Estos tiempos le ha dado por leer filosofía krausista y está insoportable. Se le ha puesto entre cejas la austeridad, que consiste en andar a pie con unas botas muy gordas y comer bellotas del Pardo». Entre otra muchas posibles alusiones a recoger, recordemos que en *La cabeza del Bautista,* librepensador es el indiano tacaño y ridículo. [...]

Su oposición al sistema politicosocial de la burguesía se basa inicialmente en una postura tradicionalista. Pero las críticas de este carácter tuvieron siempre, y tienen en Valle-Inclán, mucho de común con las que se orientan en los intereses del proletariado. Ello facilita el desplazamiento de una a otra actitud. «El pensamiento proletario tiene en muchos aspectos —ha escrito Mannheim— una significativa afinidad con el pensamiento conservador y reaccionario. Aunque derivan de finalidades básicas totalmente diferentes, esa afinidad une, no obstante, a los dos modos de pensamiento en su oposición a las finalidades del mundo capitalista burgués y al carácter abstracto de su pensamiento.» La crítica proletaria y la crítica reaccionaria, efectivamente, coinciden en gran parte: la primera se hace desde un racionalismo llevado al extremo que, en consecuencia, pone de manifiesto sus fundamentos extrarracionales; la segunda, desde creencias irracionalistas, pero que para expresarse polémicamente tienen que aceptar cierto grado de racionalización. Unas y otras protestan a la vez contra una sociedad mecanicista, que no reconoce más que lo cuantitativo y mensurable, impersonal, antivital, abstracto. Frente a ella, de uno y otro lado, se levantan fuerzas irracionales, quiliásticas. Esto es lo decisivo para la relación de Valle-Inclán con una y otra actitud y para comprender su permanente y total enfrentamiento en el mundo burgués. [...]

Insistamos en este paralelismo. El Bradomín de *Los cruzados de la causa* —tan identificado con su autor—, exclama: «es preciso destruir y crear». El Bakunin de *Baza de espadas* —que puede tal vez ser tomado por el Valle-Inclán de su fase postrera— sostiene por su parte: «una revolución es como el soplo del espíritu eterno, que no destruye y no suprime, sino por ser fuente de toda vida. La pasión de la destrucción es una pasión creadora». Y en *Corte de amor,* Valle da esta teoría como propia: «en el arte, como en la vida, destruir es crear».

El carlista y el anarquista están reunidos en Valle-Inclán por una misma mística de la violencia.

Ese *élan vital* —bergsoniano, soreliano— de la violencia, puesto al servicio de un sentimiento primitivo de justicia, en la situación concreta de una sociedad tradicional —sociedad de la legitimidad, del privilegio señorial, del heroísmo— da lugar, ante casos singulares de opresión, a una protesta vindicativa. Falta en esa etapa la clara conciencia de un estado de clases sociales, manteniéndose un esquema de quietismo de castas, como ya tuvimos ocasión de ver. En tales casos, la protesta, y la revuelta que ella enciende, no presentan una pretensión de reforma. Se dan bajo la forma —cuyo perfecto ajuste, tipológicamente, una vez más ha adivinado Valle—, de lo que podemos llamar la «explosión justiciera». No se trata de organizar los anhelos de ascensión social, de mejora, de bienestar, de una clase desheredada, sino de responder, irruptivamente, a la irritación provocada por abusos opresivos, según sentimientos de persona a persona, que se traducen en actos igualmente personales.

ALONSO ZAMORA VICENTE

SATANISMO Y RELIGIOSIDAD EN LAS *SONATAS*

El Diablo. He aquí un hallazgo literario del siglo XIX. Antes, tan sólo de vez en cuando aparecería Satanás, y eso sí, de la mano de la moral exigente. En cierta forma, el arte está en deuda con el mal. Y es en el romanticismo cuando Satanás pasa a ocupar el sitio de honor en la creación estética. Se le estudia y ensalza por él mismo, por lo que tiene de novedad inusitada, de sorpresa punzante. Los románticos quiebran la estrecha cercanía funcional del mal y la moral. Se hace arte por el arte mismo. Arte y artistas van a gozar de ahora en adelante de una positiva, desahogada autonomía moral. Avanzando un poco más, el artista se crece, se empeña en su lucha contra la moral. Surge así lo que pudiéramos llamar inmoralismo romántico. Claro está que no se implica que el romántico sea de menos quilates morales por ese batallar. Al fin y al cabo, está siempre sujeto por leyes ajenas, sociales, morales, que le frenan constantemente. Pero en el limitado círculo de luz de la propia lámpara, nada ni nadie puede cercenar o eliminar esta aguzada presencia del demonio. A medida que el siglo avanza, ya no son solamente las victorias del diablo a lo *Fausto* (o en tono menor a lo *Estudiante de Salamanca*), sino que se va perdiendo la distancia entre el hombre y el poder extrahumano del infierno, y se detiene la mirada en el mal, en el pecado mismo, adorable por su condición perversa, ya presente, ya en potencia. La curiosidad por lo prohibido, por lo vedado se supera con una ceñida familiaridad. En este camino están *Les diaboliques*, de Barbey d'Aurevilly, y es en este camino en el que un día Baudelaire se detendrá preguntándose si son dignos de amor los condenados, en un ambiente donde Satán es enorme y poderoso:

> Emblèmes nets, tableau parfait
> d'une fortune irrémédiable,
> qui donne à penser que le Diable
> fait toujours bien tout ce qu'il fait.

Alonso Zamora Vicente, *Las Sonatas de Valle-Inclán*, Gredos, Madrid, 1969², pp. 51-59.

[...] El satanismo le vale a Bradomín para exponer su complacencia en el mal, en la perversidad. Ya en su ascendencia, su antepasado Máximo de Bibiena muere envenenado por una comedianta, Simonetta de Corticelli, quien, además, cuenta con un buen capítulo en las equívocas memorias de un aventurero (*Sonata de primavera* [*SP*]). Cuando pretende explicarnos cómo es su audacia, evoca la de un famoso héroe del pecado, al que llama *divino*: «La audacia que se admira en los labios y en los ojos de aquel retrato que del divino César Borgia pintó el divino Rafael de Sancio» (*SP*). La cita del héroe maligno, aureolado de osadía y crimen, va a surgir una vez y otra. En una pequeña charla con Concha: «No te permito que poses ni de Aretino ni de César Borgia. La pobre Concha era muy piadosa, y aquella admiración estética que yo sentía en mi juventud por el hijo de Alejandro VI, *le daba miedo como si fuese el culto al Diablo*» (*Sonata de otoño* [*SO*]). La admiración ha sido mantenida con innegable voluntad: «a mí seguramente hubiérame tentado el diablo, porque el capitán de los plateados tenía el gesto dominador y galán con que aparecen en los retratos antiguos los capitanes del Renacimiento: Era hermoso como un bastardo de César Borgia» (*Sonata de estío* [*SE*]).

Esta conciencia de llevar a Satanás al lado, timonel del espíritu, hace que Bradomín exhiba cínicamente su proceder pecaminoso, confesándolo con alto descaro: «Viéndola a tal extremo temerosa, yo sentía halagado mi orgullo donjuanesco, y algunas veces, sólo por turbarla, cruzaba de un lado al otro» (*SP*). En el solemne recogimiento que sigue a la confesión pública de monseñor Gaetani, es decir, cuando la llamada de la contrición suena ya en el trasmundo, Bradomín hace por todo comentario: «Yo, pecador de mí, empezaba a dormirme» (*SP*). Esta irrespetuosa chanza ante lo tradicionalmente revestido de sagrado es lo que le hace asegurar a Concha que por sus pecados tendrá «todos los perdones ... Y la bendición papal» (*SO*). Cuando ella, afligida, teme que Dios no les escuche: «Se lo diremos a Don Juan Manuel, que tiene más potente voz» (*SO*). Es lo que en una reconciliación con la Niña Chole le hace pensar que «en achaques de amor todo se cifra en aquella máxima divina que nos manda olvidar las injurias» (*SE*). Es la misma burla que al filo de lo macabro —cerca se enfría el cadáver de Concha— le empuja al pecado en brazos de su prima Isabel: «Todos los santos patriarcas, todos los santos padres, todos los santos monjes pudieron triunfar del pecado más fácilmente que yo. Aquellas hermosas mujeres que iban a tentarles no eran sus primas» (*SO*).

El afán de perversidad llega al extremo en la *Sonata* invernal, donde enamora a una novicia que resulta su propia hija, sin que se conmueva nada su norma donjuanesca o señorial, ni siquiera ante la trágica realidad escueta, escalofriante: La novicia se suicida. Bradomín se aleja de la casa donde ha ocurrido la aventura, ante la actitud horrorizada de las monjas: «Y de pronto, clavándome los ojos ardientes y fanáticos, hizo la señal de la cruz y estalló en maldiciones. *Yo, como si fuera el diablo, salí de la estancia*» (*Sonata de invierno* [*SI*]). A pesar de esa momentánea congoja, le preocupa el estar despoetizado, con su brazo de menos, mutilada su presencia triunfadora en tres estaciones anteriores.

La devoción, o mejor, el recuerdo de las cosas sagradas es para Bradomín un elemento más de autoexaltación y de decorativismo personalísimos. Así llueve sobre su destino perverso un tierno perfume de pureza. Las alusiones al mundo de la Fe son meras condecoraciones añadidas a su uniforme de Guardia Noble. «Yo, calumniado y mal comprendido, nunca fui otra cosa que un místico galante, como san Juan de la Cruz. En lo más florido de mis años, hubiera dado gustoso todas las glorias mundanas por poder escribir en mis tarjetas: El Marqués de Bradomín, confesor de princesas» (*SP*). A cada paso le cruza un sentimiento galante la posible religiosidad. «Y con una reverencia más cortesana que piadosa, besé la pastoral amatista» (*SI*). «Al entrar en la saleta, donde la Señora y sus damas bordaban escapularios para los soldados, sentí en el alma una emoción a la vez religiosa y galante» (*SI*). Sus manos ajetreadas en el placer se mueven con cautela de oraciones: «Yo la vestía [a Concha] con el cuidado religioso y amante que visten las señoras devotas a las imágenes de que son camaristas» (*SO*). La misma última promesa consoladora del catolicismo le vale para argüir en pro de su quehacer donjuanesco: «Dios mediante, haría como las gentiles marquesas de mi tiempo que ahora se confiesan todos los viernes, después de haber pecado todos los días. Por cierto que algunas se han arrepentido todavía bellas y tentadoras, olvidando que basta un punto de contrición al sentir cercana la vejez» (*SE*).

El revoltijo de los dos elementos (paganismo, cristianismo; piedad, perversión), mezcla tan ilustradora de la técnica modernista, se aprecia nítidamente en este pasaje donde se pone la ingenua piedad de María Rosario al servicio de la seducción donjuanesca del héroe: «La miré largo rato en silencio, hasta que sentí descender sobre mi espíritu el numen sagrado de los profetas: —Lo he sabido porque habéis rezado mucho para que lo supiese. ¡He tenido en un sueño revelación de todo!» (*SP*). Igualmente se nota su impiedad cuando, rodeado de la comunidad franciscana, es interrogado por la salud del Santo Padre: «Como era muy poco lo que podía decirles, tuve que inventar, en honor suyo, toda una leyenda piadosa y milagrera» (*SP*). Les habla de la benéfica intercesión de una reliquia: «¿De qué santo era, hijo mío? —De un santo de mi familia. —Todos se inclinaron como si yo fuese el santo» (*SP*). Una situación análoga se plantea en la *Sonata de invierno*, donde llega a Estella disfrazado de monje: «Todos me rodearon. Fue preciso contar la historia de mi hábito monacal, y cómo había pasado la frontera» (*SI*). Allí se empeña en hacer ver que ha entrado en religión empujado por el arrepentimiento. Insiste para que le crean: el arrepentimiento ha llegado al ver sus cabellos ya blancos. Para el obispo de Urgel su cuento es una «burla digna del impío Voltaire» (*SI*). Para Bradomín no hay duda: «callé compadecido de aquel pobre fraile que prefería la historia a la leyenda y se mostraba curioso de un relato menos interesante, menos ejemplar y menos bello que mi invención» (*SI*).

Ya Rubén Darío había puesto en su español caluroso y sonoro una sacrílega melodía de amor. El huerto cercado de la poesía se traspasa de evocaciones y de voces arrebatadas a la geografía religiosa. *Ite missa est* nos da una elocuente prueba:

> Yo adoro a una sonámbula con alma de Eloísa,
> virgen como la nieve y honda como la mar;
> su espíritu es la hostia de mi amorosa misa,
> y alzo al son de una dulce lira crepuscular

Sabor de pecado aromado de santidad. Hostia, misa, alzar... Voces que dan una irrestañable sugerencia devota, aplicadas a la intransferible urgencia de la carne. Toda esta gama impía la vemos usada —y abusada— a lo largo de las *Sonatas* con vertida facilidad. Adjetivos de contenido religioso, piadoso o litúrgico se emplean para dar un picante sabor de pecado o de solemnidad a escenas muy diversas. El verso rubeniano que queda más arriba lo encontramos de nuevo aplicado a María Rosario: «En mi memoria vive siempre el recuerdo de sus manos blancas y frías. *¡Manos diáfanas como la hostia!*» (*SP*). «Al verla desmayada la cogí en brazos y la llevé a su lecho, *que era como altar de lino albo y de rizado encaje*» (*SP*). En torno a María Rosario se repite constantemente esta fluencia enemiga, como en homenaje a su indiscutida santidad: «Yo me detuve porque esperaba verla huir, y no encontraba las delicadas palabras *que convenían a su gracia eucarística de lirio blanco*» (*SP*). De sus cosas se exhala un perfume de *santidad,* sus mejillas se llenan de *divinas rosas,* etc. Así nos encontramos multitud de casos análogos en toda la ladera modernista de Valle-Inclán. Es la *Sonata de otoño,* cuajada de soledad y recogimiento, la más llena, quizá, de este batallar: Concha azota a Bradomín con sus cabellos derramados sombríos: «*¡Es el azote de Dios!* —¡Calla, hereje!» (*SO*). «¡Azótame, Concha! *¡Azótame como a un divino Nazareno! ¡Azótame hasta morir...!*» (*SO*). Cuando ha de explicar los tonos trágicos de la palidez de Concha, recurre a una vivísima evocación religiosa: «Concha tenía *la palidez delicada y enferma de una Dolorosa...*» (*SO*). «Ella cruzó sus manos pálidas y las contempló melancólica. ¡Pobres manos delicadas, exangües, casi frágiles! Yo le dije: —*Tienes manos de Dolorosa*» (*SO*). Y también Concha repite los rasgos de *Ite, missa est*: Entre «*vestidos albos como el lino de los paños litúrgicos*» (*SO*), se destaca la belleza fantasmal, dulcísima, de Concha, cuyo perfume se entreabre en los dedos «consagrados e impíos» de Bradomín: «Yo entonces la enlacé con fuerza, y en medio del deseo, sentí como una mordedura el terror de verla morir. Al oírla suspirar, creí que agonizaba. *La besé temblando como si fuese a comulgar su vida*» (*SO*).

Hay, soterraña, con vivos destellos a la vuelta de cada página, una ininterrumpida alusión al mundo de la santidad, tronchada voluntariamente por una inseparable compañía de pecado, de cínica indiferencia: «las oraciones resonaban en la silenciosa oscuridad de la capilla, hondas, tristes y augustas, como un eco de la Pasión. Yo me adormecía en la tribuna» (*SO*). «Aún recuerdo sus manos místicas y nobles que volvían las hojas lentamente. La dama tenía un hermoso nombre antiguo» (*SO*). La cara enferma de la amante, en la soledad de la alcoba, tenía «la apariencia espiritual de una santa muy bella consumida por la penitencia y el ayuno» (*SO*). Incluso ya en el final, cruzado por el escalofrío del macabro desenlace, es el prestigio de un adjetivo religioso el que justifica, explica, su decisión: «Dudaba si volver atrás para poner en aquellos labios helados el beso postrero: Resistí la tentación. Fue como el escrúpulo de un místico. Temí que hubiese algo de sacrílego en aquella melancolía que entonces me embargaba» (*SO*).

Anthony N. Zahareas

EL ESPERPENTO: EXTRAÑAMIENTO Y CARICATURA

Lo grotesco y formas afines como lo absurdo y lo tragicómico son considerados como la forma de expresión propia de nuestra época. De ahí que, para entender el esperpento y las técnicas que inauguró e hizo progresar en la literatura española, es menester también considerarlo en relación a otras formas de literatura problemática de los últimos tiempos. Para Valle-Inclán, el esperpento se entronca en la vasta tradición de lo grotesco. Y lo grotesco es una forma que atraviesa todas las artes. Tal flexibilidad hace imposible dar una definición precisa. Lo grotesco puede, sin embargo, ser identificado por características especiales, tales como: distorsión de la apariencia externa, fusión de lo animal con lo humano, y mixtura de la realidad con el ensueño. Estos extraños efectos producen risa, horror y perplejidad en el observador, sirviendo la risa, a menudo, para amortiguar el horror y la perplejidad y hacer la pesadilla más soportable. La técnica del esperpento es como sigue: como un espejo cóncavo capta, distorsiona y ridiculiza la apariencia, así el dramaturgo refleja, en un entramado grotesco, una elaboración imaginaria de la realidad. Y las deformaciones, como los números flotantes en una fórmula matemática, adquieren orden y armonía y son, estéticamente hablando, bellas. En su contenido, los esperpentos retratan usualmente realidades contemporáneas o históricas. O sea, la invención grotesca de Valle-Inclán puede ser fascinante artísticamente, pero para llegar a ser válida y profunda, debe hallarse enraizada en lo que de histó-

Anthony N. Zahareas, «The grotesque and the "esperpento"», en A. N. Zahareas y otros, eds., *Ramón del Valle-Inclán: An appraisal in his life and his works*, Las Américas Publishing Co., Nueva York, 1968, pp. 81-94. (Traducción castellana de Josep M.ª Portella.)

rico hay en la actividad cotidiana. Que lo grotesco ha dominado en la literatura de nuestro siglo es de sobras conocido, pero en el esperpento hallamos desarrollos técnicos y teóricos que son únicos y originales y que exigen una evaluación más cuidadosa.

La versión de Valle-Inclán de lo grotesco es análoga al procedimiento tradicional de distorsión naturalista tal como los *Caprichos* de Goya y, en nuestro tiempo, a obras como el *Guernica* de Picasso, las figuras desecadas de Giacometti, los cuartetos de Bartok, el humor dadá, las máscaras de Ghelderode, el torrente de clichés de Ionesco y las películas de alboroto macabro, como la *Viridiana* de Buñuel. Al igual que Thomas Mann, Valle-Inclán reconocía que el arte moderno veía la vida como una tragicomedia, siendo «lo grotesco el estilo más genuino», y hubiese estado de acuerdo con Dürrenmatt en que lo grotesco es sólo «una forma de expresarse de manera tangible, de hacernos percibir físicamente lo paradójico, la forma de lo deforme, la cara de un mundo que no tiene cara». El mundo de los esperpentos es, en consecuencia, un mundo agitado, en donde coexisten tragedia y travesti, al tiempo que tragedia y disparate continuamente tratan de eliminarse. Comparados a las tragedias y comedias tradicionales, los esperpentos no son ni un motivo expiatorio ni algo que produzca risa. En tono áspero y juguetón, se conjugan miedo y diversión, desespero y sandez, e hilaridad con consternación; se menosprecia a las verdades tradicionales y se despelleja y se mofa de yerros e injusticias. Y todo esto se transmite en un estilo vívido que realza la visión de la vida como un panorama grotesco. De hecho, el esperpento es, tal vez, el primer intento español de transformar la maquinaria flexible y desarticulada de lo grotesco en una categoría estética autónoma.

Una de las características más notables del esperpento es la apariencia deforme y los rasgos ridículos de la figura humana. Monstruosidades, bufonerías, pesadillas, carnavales fantásticos, mofa, anomalía, personajes de *commedia dell'arte,* contorsión, gárgolas, payasos horrendos, personajes extravagantes, enanos, caras imbéciles y demás cosas por el estilo son ornamentos esenciales de lo grotesco. Y los muñecos, maniquíes, marionetas y demás (o sea, caricaturas mecánicas de juguete) son las figuras grotescas *par excellence,* porque sugieren, ridículamente, un alejamiento radical y turbador de cosas que nos son familiares. Físicamente enclenque, el muñeco simboliza la debilidad del espíritu humano, la ausencia de auténtico ser, la incongruencia entre lo que se dice del hombre y lo que éste es en realidad. Sin embargo, es en la manera como el autor manipula el muñeco donde se determina el impacto grotesco.

Retratemos a un pobre charlatán viejo en una esquina, encorvado, acabado, decrépito, una ruina humana, cuya cabaña es más miserable que la del más incivilizado salvaje. Esta desventurada criatura es uno de los célebres jorobados camaradas de Baudelaire, correteando como una marioneta humanizada. Lo que Baudelaire llamó la vertiginosa altura de la hipérbole y todos los ornamentos de la mofa, burla, anomalía y deshumanización se hallan presentes. Ahora bien, si el autor no se sintiese afectado, si fuese una naturaleza malvada o maliciosa y, parafraseando a Estrafalario, rehusara considerar a autor y carácter como hechos del mismo barro, tal extravagante marioneta parecería histriónica y risible. En este punto, Baudelaire ni se siente ajeno, ni es suficientemente malicioso y no se ríe como si él fuese superior a sus propios personajes y éstos le divirtiesen; en su lugar, trata de explicar la condición de su monigote como tratándose de un viejo poeta, sin amigos y degradado por la ingratitud pública. Baudelaire se compadece de los sufrimientos de este viejo bufón, merecedor de lástima, y dignifica la grotesca figura con ternura. Triunfa al disminuir lo que potencialmente produciría horror o risa de la marioneta, al reaccionar a los sentimientos. Baudelaire mantiene una especie de dualismo romántico unido a lo grotesco: hasta un monigote tiene una dimensión de aislamiento trágico o dignidad y lo grotesco de la condición deshumanizada es de tal modo reducido que pierde fuerza y finalmente es absorbido por el sentimentalismo. Lo grotesco es, aquí, sólo un medio de descripción, no un fin en sí mismo. [...]

La visión grotesca depende, a su vez, del concepto de distancia artística: una combinación de lo vejatorio y lo ridículo que se resuelve en extrañamiento. El mismo Valle-Inclán explica con gran lucimiento la relación entre esperpento y extrañamiento: «Comenzaré por decirle a usted que creo que hay tres modos de ver el mundo artística o estéticamente: de rodillas, en pie, o levantado en el aire. Cuando se mira de rodillas —y ésta es la posición más antigua en literatura—, se da a los personajes, a los héroes, una condición superior a la condición humana, cuando menos a la condición del narrador o del poeta. Así Homero atribuye a sus héroes condiciones que en modo alguno tienen los hombres. Se crean, por decirlo así, seres superiores a la naturaleza humana: dioses, semidioses y héroes. Hay una segunda manera, que es mirar a los protagonistas novelescos como de nuestra propia naturaleza, como si fueran nuestros hermanos, como si fuesen ellos nosotros mismos, como si fuera el personaje un desdoblamiento de nuestro yo, con nuestras mismas virtudes y nuestros mismos defectos. Ésta es, indudablemente, la manera que más prospera. Esto es Shakespeare, todo Shakespeare ... Y hay otra tercera manera, que es mirar al mundo desde un plano superior, y considerar a los personajes de la trama como seres inferiores al autor, con un punto de ironía. Los dioses se convierten en personajes de sainete. Ésta es una manera muy española, manera de demiurgo, que no se cree en modo alguno hecho del mismo barro que sus muñecos. Quevedo tiene esta manera ... Esta manera es ya definitiva en Goya. Y esta consideración es la que me llevó a dar un cambio en mi literatura y a escribir los *esperpentos,* el género literario que yo bautizo con el nombre de *esperpento*». Según Valle-Inclán, un artista puede mirar hacia arriba y presentar una figura idealizada de la realidad, o puede enfrentarse al mundo desde su misma altura y dar una versión más realista de él —ésta es la diferencia entre las epopeyas de Homero y las tragedias de Shakespeare. Pero el artista puede también observar el mundo desde arriba y, desde este distante punto de vista, el mundo puede aparecer ridículo y absurdo —ésta es la diferencia entre la tragedia propiamente dicha y la farsa trágica—. Lo que esto implica es que un «forastero», acaso un matemático, sin ninguna relación, se convierte para Valle-Inclán en el símbolo del artista sin prejuicios para observar la realidad objetivamente, un «extraño» sin predisposición. Ese artista es un auténtico creador, un *demiurgo,* que recuerda al artista de James Joyce que, cual dios invisible lo manipula todo mientras se hace la manicura. Esto es equivalente a reemplazar al Dios de la Creación por un titiritero y al tradicional teatro del mundo por un teatro de marionetas. La nueva posición del artista —su «tercera manera»— lleva consigo una revisión, o incluso inversión, de valores: si un autor mira a sus héroes como el titiritero a sus muñecos, esos héroes, de repente, parecen grotescos y desconcertadamente divertidos. Es como si el autor hubiese robado a Dios el derecho a carcajearse de su creación. [...]

Estéticamente, el esperpento dramatiza el contraste entre la tragedia tradicional y la tragedia «con ropaje nuevo» y, específicamen-

te, subraya la disparidad entre la España trágica de la generación
del 98 y la España como «deformación grotesca de la civilización
europea». Más que una parodia, el esperpento indaga el sentido
trágico de la vida y, como el teatro del absurdo, luego lo reelabora
para que encaje mejor en el carácter de los nuevos tiempos. Formalmente, la característica central del esperpento es la teatralidad, pero
en el sentido amplio del término. El drama es espectáculo y el desarrollo de la acción en el escenario trae consigo el desenmascaramiento
de las apariencias. El escenario proyecta «toda la vida miserable de
España» como un espectáculo, mezclando efectivamente la plasticidad grotesca de Goya, el tono festivo del espectáculo de marionetas,
el ritual del teatro tradicional y el montaje fragmentado de la cine-
matografía. Además, la tercera manera de Valle-Inclán se basa en
«El gran teatro del mundo» de Calderón y en «El mundo es un escenario» de Shakespeare, dando lugar, de este modo, en todos los
esperpentos, a una tensa interacción de ficción y realidad, a través
de las analogías tradicionales teatro-mundo, Dios-autor y actor-hom-
bre. El catalizador es siempre la alienación. Conceptualmente, Valle-
Inclán enfoca la condición humana en términos existencialistas, esto
es, contempla la existencia del hombre como un absurdo y retrata la
vida, no como algo dentro de un orden establecido y lleno de sentido, sino como una aventura azarosa. Los esperpentos formulan implícitamente el gran problema moral del siglo xx: la perplejidad
acongojada de la condición humana producida por la ausencia de
restricciones válidas y por la amplitud de las libertades existentes.
Al igual que en el posterior teatro del absurdo, el esperpento trata
de reducir la pesadez de la congoja con paroxismos de risa. La clave
de las sobresalientes características del esperpento —la perspectiva,
distorsión, realismo, tragicomedia, teatralidad y existencialismo—
es el extrañamiento, como lo describe Valle-Inclán, debatido por
Estrafalario e ilustrado por Max Estrella y Don Friolera. Por causa
del extrañamiento, en una misma experiencia se produce una enorme ansiedad que es cómica y trágica a la vez, no en secuencia.

GONZALO SOBEJANO

LUCES DE BOHEMIA: ELEGÍA Y SÁTIRA

El fondo del vaso [al que alude un personaje de Valle-Inclán] conserva un residuo del alcohol de la ilusión, y es el sentimiento de la caducidad de la ilusión romántica el mensaje elegíaco de *Luces de bohemia* (1920). Pero el fondo del vaso suele ser un tosco y grueso cristal que transparenta las cosas deformadas. A través de ese cristal puede verse el mundo más o menos reducido a caricatura. Y el re-cargamiento, la re-cargadura de la caricatura, marcando los rasgos disformes de los seres, provoca la risa. Sólo la fealdad y el error, y a veces el mal, hacen reír. La hermosura, la verdad y el bien no tienen caricatura posible, no pueden desatar la risa. Ríe el diablo; el ángel, nunca. He aquí, pues, el demonio satírico.

A través de ese grueso cristal deformante, del fondo del vaso, con mirada que aún distingue el color de las últimas gotas de ilusión apurada, contempla el artista, entre piadoso y cruel, errores y feal-dades del mundo que le rodea.

Don Latino de Hispalis es un vejete asmático que vende mala literatura y, bohemio golfo, se arrima al bohemio heroico. Literal-mente es Don Latino un cínico: un perro. Cuando trata de mediar entre Max [Estrella, el protagonista,] y el librero que le engaña, su actitud posee «ese matiz del perro cobarde, que da su ladrido entre las piernas del dueño», y Max, al salir del ministerio, está seguro de que a la puerta le espera: «Don Latino de Hispalis: mi perro». Del perro tiene Don Latino la fidelidad, que no le impide, sin embargo, burlar, adular, marear o despojar al amo. Don Latino es un histrión; es la mala compañía inevitable del bohemio genuino. Un detalle muestra a las claras el parasitismo e inautenticidad de este trota-mundos. En el café, cuando Max invita a cenar con champaña, Don Latino advierte que hay que pensar en el mañana y le propone un trato: «Yo me bebo, modestamente, una chica de cerveza, y tú me apoquinas en pasta, lo que me había de costar la bebecua». ¡Pero un

Gonzalo Sobejano, «*Luces de bohemia*: elegía y sátira», *Forma literaria y sensibilidad social*, Gredos, Madrid, 1969, pp. 232-240.

bohemio de verdad no puede hacer eso! Con razón le califica Max
de «miserable burgués», y Darío le aconseja: «No te apartes de los
buenos ejemplos, Don Latino».

Los epígonos del Parnaso modernista pertenecen también a esa
bohemia inferior, mirada por un prisma de ternura y de burla. «Unos
son largos, tristes y flacos, otros vivaces, chaparros y carillenos.»
Estos jóvenes llevan en los labios versos de Rubén, frases estupen-
das o procaces, citas de Ibsen, coplas satíricas, dichos espatarrantes,
chistes verdes, sentencias iconoclastas. Galdós es para ellos «Don Benito el Garbancero», y todos corean a Max Estrella dando mueras a
Maura, el gran fariseo. Leales a Max, le acompañan a la comisaría,
llenando el corredor de pipas, chalinas y melenas. Y en la redacción
del periódico, adonde van para gestionar la libertad de Estrella, se
entregan a una esgrima de ingeniosidades súbitas y bromas sin fin.
«No fumo», dice Dorio de Gádex:

> DON FILIBERTO: ¡Otro vicio tendrá usted!
> DORIO DE GÁDEX: Estupro criadas.
> DON FILIBERTO: ¿Es agradable?
> DORIO DE GÁDEX: Tiene sus encantos, don Filiberto.
> DON FILIBERTO: ¿Será usted padre innúmero?
> DORIO DE GÁDEX: Las hago abortar.
> DON FILIBERTO: ¡También infanticida!
> PÉREZ: Un cajón de sastre.
> DORIO DE GÁDEX: ¡Pérez, no metas la pata! Don Filiberto, un ser-
> vidor es neo-maltusiano.
> DON FILIBERTO: ¿Lo pone usted en las tarjetas?
> DORIO DE GÁDEX: Y tengo un anuncio luminoso en casa.

«Y así —dice Valle-Inclán por boca de Don Latino—, revertién-
donos la olla vacía, los españoles nos consolamos del hambre y de
los malos gobernantes.»

Este don Filiberto que aguanta las escaramuzas verbales de los
modernistas, es personaje en quien el autor puso más ternura que
burla: «un hombre calvo, el eterno redactor del perfil triste, el gabán con flecos, los dedos en gancho», «¡manos de esqueleto memo-
rialista en el día bíblico del Juicio Final!». Sí; pero don Filiberto
es un trabajador honrado, de alma apacible; mediocre y conservador, desde luego, pero no injusto ni maligno, sino cándido. A los

modernistas que nada respetan y se rigen por el lema jovial «¡viva la bagatela!», don Filiberto les predica seriedad, estudio, civismo. Aunque procede de un mundo literario remoto —mundo de Juegos Florales y parlamentarios— gusta de evocar versos de Rubén, porque, como dice: «Yo también leo, y algunas veces admiro a los genios del modernismo. El director bromea que estoy contagiado. ¿Alguno de ustedes ha leído el cuento que publiqué en *Los Orbes*?» «¡Yo, don Filiberto! Leído y admirado», responde Clarinito, otro de los jóvenes de greña y chalina. (García Lorca, para crear a aquel inolvidable profesor de Instituto de *Doña Rosita la Soltera,* debió de recordar a este don Filiberto, su más parecido antecesor.)

Con mezcla semejante de ingredientes elegíacos y satíricos están presentadas las gentes humildes que frecuentan la taberna de Pica-Lagartos (una vendedora de lotería, un chulo, un borracho), las prostitutas que en el paseo componen una parodia del Jardín de Armida, la portera, el cochero fúnebre, los sepultureros que evocan soeces los atractivos de una alegre viuda, etcétera. Éste es un mundo de víctimas inconscientemente sumidas en el desvarío. En cambio, un sujeto como el «Ministro de la Desgobernación» ha renegado de los afanes desinteresados y vive en la comodidad sin idealismo alguno, sin peligro ni aventura. Por eso aquí los tonos melancólicos del recuerdo de la juventud y el bello gesto de socorrer al antiguo compañero no logran atenuar la ridiculez del figurón. «Su Excelencia ... asoma en mangas de camisa, la bragueta desabrochada, el chaleco suelto, y los quevedos pendientes de un cordón, como dos ojos absurdos bailándole sobre la panza». Y hecha la obra de caridad fácil, y cuando el amigo ya ha salido, vuelve el ministro al trabajo: «Su Excelencia se hunde en una poltrona ... Enciende un cigarro con sortija, y pide *La Gaceta*. Cabálgase los lentes, le pasa la vista, se hace un gorro y se duerme».

Hay, en fin, en *Luces de bohemia* la sátira cruda y sin paliativo. Zaratustra, el librero que pretende engañar a Max Estrella abusando de su condición de ciego, es un fantoche «abichado y giboso» que, encogido en una silla, guarda avaricioso su cueva. Es allí, en la cueva de este pequeño bandido, donde Max denuncia la «chabacana sensibilidad» del español ante los grandes misterios: la Vida, un magro puchero; la Muerte, una carantoña ensabanada; el Infierno, un calderón de aceite albando; el Cielo, una kermés sin obscenidades. Este pueblo «transforma todos los grandes conceptos en un cuento de beatas costureras. Su religión es una chochez de viejas que disecan al gato cuando se les muere».

Pero las saetas satíricas de Valle-Inclán van dirigidas principalmente contra la policía, la política y el capital. Ahí está el Capitán Pitito, que ordena la prisión del poeta; ahí el Sereno que, encargado de entregarle a los guardias, se envanece de su papel de «autoridad»; ahí el inspector Serafín el Bonito que le toma declaración. Con Serafín el Bonito sostiene Max Estrella un certamen de bravatas. «¡Traigo detenida una pareja de guindillas! Estaban emborrachándose en una tasca, y los hice salir a darme escolta», es lo primero que dice, al entrar conducido por los guardias en el despacho del policía. Y de ahí en adelante cada frase es un reto, una jactancia adrede, una protesta, una ironía exterminante. Y al guardia que niega creer que Max habite un palacio, le contesta definitoriamente: «Porque tú, gusano burocrático, no sabes nada. ¡Ni soñar!». En esta escena Max no es ya Alejandro Sawa: es don Ramón del Valle-Inclán, el eximio escritor y extravagante ciudadano cuyos trajines con la policía bien conocidos son.

Y no sólo burla de la fuerza armada: también condenación. El niño exánime en la calle ha sido muerto por una bala perdida de la autoridad en armas. «El Principio de Autoridad es inexorable», comenta el Retirado; y el Empeñista y el Tabernero, ante el trágico suceso, hablan también en disculpa de la autoridad. Sólo otro testigo, el Albañil, dice lo justo: «El pueblo tiene hambre», «La vida del proletario no representa nada para el Gobierno». Max Estrella, obsesionado por el recuerdo del paria que conoció en el calabozo, comunica a su perro: «La Leyenda Negra en estos días menguados es la Historia de España. Nuestra vida es un círculo dantesco. Rabia y vergüenza. Me muero de hambre satisfecho de no haber llevado una triste velilla en la trágica mojiganga».

Las violencias de la policía no son sino cumplimiento de las consignas de una política represiva, que defiende los intereses de la clase conservadora y del capital privado. Hay en *Luces de bohemia* una crítica sintética de la estéril política española, valedera —como la obra toda— para el primer cuarto de este siglo (de esta época es *Luces de bohemia* prodigioso resumen). Contra el proletariado insurrecto luchan y espían los «maricas» de la Acción Ciudadana; los políticos envilecen por inerte reiteración viejos e improgresivos principios; se combate en África y nada se emprende para levantar al pueblo. Si éste se agita, la autoridad interviene, como dice el Albañil, para «defender al comercio, que nos chupa la sangre». Ese pueblo hambriento, atropellado, se encenaga en la prostitución, la lotería, la taberna. Y mientras esto dura, siguen sonando en el Congreso las frases hechas.

Aislados y prisioneros, en medio de esta mascarada sangrienta, dos hombres: el poeta y el proletario, Max Estrella y Mateo. El anarquista catalán, condenado a muerte y temeroso, no de la muerte, sino del tormento; y el poeta andaluz, condenado a excentricidad y a ineficacia, llevado por la pobreza hasta la muerte. En las tinieblas del calabozo se aproximan estas almas: Max: «Yo soy un poeta ciego». El Preso: «¡No es pequeña desgracia!... En España el trabajo y la inteligencia, siempre se han visto menospreciados. Aquí todo lo manda el dinero». Y aunque en el diálogo Max no puede reprimir sus frases epatantes de bohemio ni Mateo sus palabras incendiarias de huelguista, los dos quedan unidos en el mismo deseo de justicia, en igual cólera contra los explotadores. «Saulo, hay que difundir por el mundo la religión nueva», dice Max; y corrige el proletario: «Mi nombre es Mateo». Es entonces cuando el bohemio enuncia su inalienable privilegio: «Yo te bautizo, Saulo. Soy poeta y tengo derecho al alfabeto». Antes de partir Mateo hacia la muerte o la tortura, el desahuciado poeta se abraza con él.

Esta España que trasparece en *Luces de bohemia,* esfumada en un ámbito temporal capaz de admitir vivo a Rubén Darío († 1916) y muerto a Galdós († 1920), es la España resquebrajada y rompiente que va hacia la blanda Dictadura, hacia la Dictablanda. España de románticos ecos moribundos y clamores sociales sofocados. En su admirable libro *La media noche: Visión estelar de un momento de guerra* (1917) había alumbrado Valle-Inclán la maravillosa lámpara de su místico quietismo estético para contemplar los horrores de la primera guerra mundial. No faltaban en su producción anterior los toques satíricos y los visos humorísticos, pero en conjunto aquella literatura estaba vuelta de espaldas a la actualidad. Sin mengua de la perfecta concentración estética siempre alcanzada por Valle-Inclán, *Luces de bohemia* es la primera obra en que él arrostra la España de sus propios días, cuajada de problemas. La concentración artística es la condición primaria, indispensable, en toda obra literaria grande. Pero otra condición se cumple en *Luces de bohemia,* y es que el artista se sitúa en el centro mismo de aquella problemática histórica y social de la España de sus días. Esta concentricidad responsable y lúcida otorga a *Luces de bohemia* un hondo valor de testimonio. ¿Qué ocurre en esa España concreta y coetánea, aquí atestiguada? Ocurre que el extremado individualismo de artistas e intelectuales está pasando, muriendo en un pretérito prolongado, y ocurre que el ímpetu revolucionario de los trabajadores no puede pasar más allá, reprimido en el umbral mismo de su porvenir. Ahora Valle-Inclán, delante de tanto desvarío, había de mirar su labor precedente como música leve. Aún volverá después a las alegorías, aún apelará a sus favoritos recursos de la intemporalidad y el espacio abstracto (*Tirano Banderas*) o a la revelación indirecta del presente por el pasado (*El ruedo ibérico*). Pero renunciará definitivamente a monumentalizar personajes e ideales arcaicos: la santidad ingenua, el aristócrata seductor, el señor feudal, el carlismo, la bohemia heroica. La sátira se apodera de todo y lo desintegra. ¿Quién sabe a qué firmes y solidarias creencias, henchidas de futuro, hubiese vinculado Valle-Inclán su arte, una vez aplacado tal oleaje de ira destructora? *Luces de bohemia* es el resultado primero de su urgencia de responsabilidad española. Obra crucial, de encrucijada: en el estilo de Valle-Inclán porque ofrece a la vez sus dos modos mayores de expresar artísticamente la realidad: el monumento y el esperpento. (Aquí se trata de un monumento fúnebre consagrado a la bohemia heroica y de un esperpento irónico y sarcástico dedicado a los gusanos de una España invertebrada.) Pero obra crucial también en sentido histórico y social: producto de ese momento crítico en que la generación «bárbara» de 1898 va siendo relevada por otras promociones menos dadas al libertinaje del individualismo, y en que el artista de ayer y el obrero de mañana intentan alargarse los brazos por encima del capital, la burocracia y la masa inerte, con un noble anhelo de humanidad conciliada.

Emma Susana Speratti Piñero

DE *LA GUERRA CARLISTA* A *EL RUEDO IBÉRICO*

1908. Valle-Inclán ha escrito ya sus cuatro *Sonatas*; ha escrito también dos *Comedias bárbaras*. Si las primeras fueron un ejercicio que agilizó su pluma, las segundas son el tanteo de nuevos caminos en lo que se refiere a la expresión y al tema. Valle ha abandonado sus nobles irreales, ha dejado atrás preciosísimos vacíos. Aunque con cierto tono melodramático, nos demuestra, tanto en *Águila de blasón* como en *Romance de lobos,* que las casas de rancio abolengo degeneran; que los humildes las sufren, pero las odian. Degeneración y padecimientos van envueltos en un nuevo estilo, al que podríamos llamar feísmo.

Y Valle inicia a continuación una nueva serie, *La guerra carlista,* que constará de tres partes: *Los cruzados de la causa, El resplandor de la hoguera* y *Gerifaltes de antaño.* Parece ahora decidido a escribir un conjunto de episodios nacionales, con los que intenta seguir los pasos de Galdós, sin abandonar tendencias literarias propias. Pero al internarse en el tema, algo le ocurre. La idea central, la exaltación pura y llana de la guerra legitimista, cambia. Y con ella cambia también el modo expresivo.

Los cruzados de la causa, primera novela de la serie, se sitúa muy lejos de los campos de batalla. Nos presenta los esfuerzos de los carlistas para proporcionar al pretendiente los medios económicos necesarios. Todo lo bueno, todo lo digno, todo lo que vale en España se centra en quienes combaten de diversas maneras dentro del bando legitimista. El tono oscila entre la nota romántico-sentimental que Valle había utilizado en las *Sonatas* y el feísmo, atenuado un tanto, de las *Comedias bárbaras.* Sólo una que otra vez alguna situación dramática y terrible, aunque de acento y estructura poemática, lo arranca de su actitud empeñosa y nos lleva a pensar que el sufrimiento o el conflicto de los humildes no se había borrado. Tal

Emma Susana Speratti Piñero, «Cómo nació y creció *El Ruedo Ibérico*», *De la «Sonata de otoño» al esperpento. Aspectos del arte de Valle-Inclán*, Támesis Books, Londres, 1968, pp. 243-248.

el episodio del recluta, que, acosado por los anatemas maternos, deserta y cae bajo las balas de sus propios compañeros. Pero esto es sólo un episodio en un libro sin fuerza y sin acción. Aunque apasionado, *Los cruzados de la causa* no anunciaba los que le siguieron.

He dicho que algo le ocurre a Valle al internarse en el tema que se ha propuesto. Probablemente el estudio de la historia le mostró que, tanto por el lado del gobierno central como por el lado del bando legitimista, las cosas dejaban mucho que desear. Probablemente advirtió también que la sociedad estaba, en aquella época, carcomida de pequeñeces y superficialidades. Y vio que de esa suma de lacras se estaba muriendo España.

A comienzos de 1909 se publica el segundo volumen: *El resplandor de la hoguera*. Con él, y en compañía de algunos personajes de la novela anterior, entramos en el campo de la guerra. Pero no es la imaginada desde lejos. La monja María Isabel, cuyo romántico idealismo la impulsa a servir de enfermera en el real carlista, nos adelanta un cambio que todavía no es total: «La guerra comenzaba a parecerle una agonía larga y triste, una mueca epiléptica y dolorosa ... Había imaginado la guerra gloriosa y luminosa, llena con el trueno de los tambores y el claro canto de las cornetas. Una guerra animosa como un himno, donde las espadas fueran lenguas de fuego, y el cañón la voz de los montes. Deseaba llegar a la hoguera para quemarse en ella, y no sabía dónde estaba. Por todas partes advertía el resplandor, pero no hallaba en ninguna aquella hoguera de lenguas de oro, sagrada como el fuego de un sacrificio». Poco más que el resplandor podía haber en semejante lucha donde figuraba un jefe de partidas sanguinario y feroz como Santa Cruz, donde los estados mayores de ambos bandos flaqueaban y se contradecían hasta provocar la desconfianza y el pesimismo. Los grandes, los que debieran guiar, son como ese camino contemplado por la monja, «camino hecho por los hombres, y parecía que sólo condujese a la muerte».

Todo el entusiasmo de Valle es ahora para los que, ilusionados todavía, luchan en los campos contrarios, sean los forales que defienden al gobierno central, sean los arriscados voluntarios de Miquelo Egoscué (quien en realidad se llamó Juan Egozcue, el Jabonero, y fue fusilado por orden de Santa Cruz), sean, en fin, los mendigos que aportan honrosamente su valor tembloroso y a los que retrata con exactitud: «perros abandonados que corren por la orilla de las carreteras, buscando un amo, y que, sin haberlo encontrado, rabian

de sed en los soles de agosto. ¡Perros perseguidos a pedradas, perros de ojos lucientes, que un día mata la Guardia Civil!».

Para los humildes son los problemas, las desazones, los golpes.
Entre ellos quedan más hondas las heridas, como dice el sargento de
forales: «¡Ay, mocés, poco sabéis de la vida! La guerra pasará, y
nosotros quedaremos, y hemos de vivir juntos acá, que para ello
somos de una misma tierra ... La vez pasada era yo de la conformidad que ahora sois. Se hizo la paz y tuve que andarme por otras
tierras, pues en la mía me era un acedo la vida por la grima que
me daba entrar en las casas, y ver que donde menos, faltaba uno.
Yo entonces ya no miraba los bandos sino el hueco, y el luto de las
mujeres». Valle, ante estas realidades, abandona antiguas elegancias
inútiles, que sólo usará cuando quiera subrayar la vaciedad de una
vida señoril, y se vuelve crudo y directo: «Cuando alcanzó al asno,
el muchacho cabalgó alegremente, y espoleándole con los talones,
corrió confundido entre los cazadores. Cerca del puente, una bala le
abrió un agujero en la frente. Siguió sobre el asno con las manos
amarillas y un ojo colgante sobre la mejilla, sujeto de un pingajo
sangriento». Llega a veces hasta el tono francamente trágico, trágico
en sentido muy moderno, como cuando el padre del muchacho mata
al voluntario y enfrenta luego al corneta para reiterarle su derecho
a la venganza: «El corneta calculaba la distancia con los ojos, al
tiempo que iba levantando el fusil en una medida lenta. De pronto,
vio que el voluntario agitaba un momento las manos, y se hacía en
el aire un garabato grotesco. Se despeñaba rebotando contra los pi-
cachos, enfondándose en la maleza y desprendiéndose luego entre
desgarraduras, para seguir botando monte abajo... Volvióse el corneta a mirar en torno, y descubrió al bagajero sentado entre dos
muertos, y cargando un fusil:

»—¿Has sido tú?
»—Yo he sido...
»El corneta le miró con rabia:
»—¡Era mío!
»El bagajero se levantó y, lentamente, fue hacia el soldado. Le
puso una mano en el hombro, y sus rostros casi se juntaron:
»—¡Cornetilla!, y el hijo mío, ¿de quién era?
»Parecía que le echaba encima los ojos, nublados y profundos.
(*Después, con el andar desconcertado de un autómata, volvió a sen-
tarse entre los dos muertos*)».

Valle ha comenzado a ahondar la mirada en el pueblo de España. Quizá también él, como la monja de rancia estirpe frente a los ojos abrasados de Roquito, «sentíase culpable ante el dolor de aque llas vidas».

Esta emoción íntima, provocada por lo que las luchas civiles y los despotismos causaban en la Península, va a tomar, sin embargo, otros carriles. La emoción se convertirá en burla, en sarcasmo, dirigidos contra la vaciedad y la inutilidad de gobernantes y nobles.

La primera muestra clara de esos sentimientos se recoge en la casi desconocida novelita *Una tertulia de antaño,* publicada meses antes del tercer volumen de *La guerra carlista.* En ella, que posiblemente anticipaba un nuevo episodio de la serie, se trata a la nobleza en forma despiadada. Buena parte de los rasgos que integrarán luego el estilo esperpéntico aparecen allí. Muchos de sus pasajes, como veremos, se incorporarán luego, apenas retocados a veces, a la primera novela de *El ruedo ibérico. Una tertulia* forma así un eslabón preciso entre la tentativa incompleta de *La guerra carlista* y la definitiva, aunque por desgracia inconclusa, de los posteriores episodios naciones de Valle.

A fines de 1909 aparece el último tomo de *La guerra carlista: Gerifaltes de antaño.* Lo que se adivinaba en *El resplandor* surge ahora sin paliativos. De un personaje se nos dice que «tenía la misma desilusión de los soldados y la misma desconfianza» y se le hace exclamar: «Yo soy el único leal a la República... ¡Por eso me paga como el diablo a quien bien le sirve!». El Estado Mayor merece un tratamiento despectivo y mordaz: «en medio de un gran vacío de pensamiento, quería mantener el prestigio de que meditaba profundas combinaciones estratégicas. Era un afán hueco y sonoro, un mugir de bueyes que no aran». Los personajes, aun los compadecidos, se vuelven sombras contorsionadas y ridículas: «La sombra de la vieja es muy grotesca en la pared, y la alcuza marca el garabato de una nariz bajo el borde pringado del manto». La descripción del accidente que padece Rosalba por culpa del perverso marquesito, termina con estas palabras de intencionadas sonoridades: «y a su lado la alcuza iba saltando hueca, metálica y clueca». La nobleza se ha vuelto teatralera, como hemos visto y seguiremos viendo: «Déjate de comedias, Agila. —El muchacho hizo un gesto de trágica conformidad con el destino, y se oprimió el pecho». Pero ahora es también degenerada. El descendiente de los Redín, cuya tentativa de suicidio en plena pubertad será elemento básico de un episodio de *La corte de los milagros,* es víctima, en *Gerifaltes de antaño,* de los síntomas iniciales de la demencia precoz.

Dentro del bando carlista, aunque prácticamente no entramos en el real, los males son parecidos. El traicionero y ambicioso cura Santa Cruz parece resumirlos.

A partir de las cuatro obras comentadas, Valle no insiste en el tema. Quizá no se sintió con fuerzas suficientes; quizá prefirió afinar y robustecer el estilo antes de empeñarse en un trabajo de mayor aliento y hondura. En los años que van desde *La guerra carlista* hasta los primeros esperpentos propiamente dichos, Valle rumia su *Ruedo ibérico.* Un gran poeta, mientras tanto, había presentado lo que iba a ocurrir y había escrito: «El viejo e ilustre Galdós debía haber hablado ya y decir quién viene después de él». Pero Valle no sólo irá «después de él», sino que nos ofrecerá una forma completamente nueva del episodio nacional.

Gracias a una entrevista celebrada en 1926, Valle nos declara dos hechos interesantes: su predilección exclusiva por Tolstoi y la iniciación de una serie que se llamará *El ruedo ibérico.* De ella dice: «No es... a modo de episodios, como los de Galdós o como los de Baroja. Es una novela única y grande, al estilo de *La guerra y la paz,* en la que doy una visión de la sensibilidad española desde la caída de Isabel II. No es la novela de un individuo, es la novela de una colectividad, de un pueblo». En esto, justamente, va a superar a su modelo. Su obra va a ser un gran lienzo en donde convivirán todas las clases sociales, donde las veremos actuar y sentir. Sabemos que Valle se documentó ampliamente para el aspecto histórico; pero ese aspecto queda opacado por la poderosa intuición con que, satírica y apasionadamente, devolvió la vida a toda una colectividad humana.

El plan que Valle se proponía era amplio en el tiempo: los treinta años cabales que se extienden desde las postrimerías del reinado de Isabel II hasta el desastre del 98. El material se iba a repartir en tres grupos: *Los amenes de un reinado, Aleluyas de la Gloriosa* y *La restauración borbónica.* A cada uno de ellos corresponderían tres novelas, de las cuales sólo escribió las dos primeras y parte de la tercera del ciclo inicial: *La corte de los milagros* (1927), *¡Viva mi dueño!* (1928) y *Vísperas setembrinas* (1932), con que comenzaba *Baza de espadas.* Quedan, además, fragmentos y ampliaciones, unas veces incorporados al cuerpo total de la obra, pero en varios casos el autor no tuvo tiempo para completar su trabajo. Por otra parte, algunos artículos nos adelantarán la posición y la interpretación de Valle en lo que respecta a acontecimientos posteriores.

Todo lo que nos ha quedado de *El ruedo ibérico,* en cuanto tal, transcurre poco antes de la revolución de 1868. Los hechos históricos se van fijando con precisión; pero, como hemos dicho, no es esto lo que más interesa a Valle, sino la vida ridícula, encanallada o dolorosa de ese período. El estilo esperpéntico, perfectamente logrado ya, expresa el íntimo desprecio o la emoción profunda de nuestro autor hacia ese mundo vacuo y desdichado.

8. PÍO BAROJA

La peculiar situación de Pío Baroja en el panorama crítico de la literatura española del siglo xx (que en calidad, ya que no en cantidad, le ha sido poco propicio) viene determinada por dos aspectos fundamentales: en primer lugar, por su casi exclusiva dedicación a la novela, pasión solitaria en medio de una crisis muy acusada del género y de una promoción de escritores de múltiple actividad; en segundo lugar, por los rasgos de su misma biografía y sus ideas, tan proclives a la caricatura hostil o, lo que es peor, a la complicidad acrítica de sus admiradores.

La vida de Baroja, nada azarosa por cierto, ha suscitado pródigamente hagiografías menores (citaré la más veterana, Miguel Pérez Ferrero [1941] y la más extensa, Sebastián Juan Arbó [1963]), ensayos de interpretación psicológica (Luis S. Granjel [1954] y el más reciente y completo de Isabel Criado [1974]) y hasta un sugestivo volumen de recuerdos familiares (Julio Caro Baroja [1972]), que es la más importante entrega de una notable obra dedicada a la dilucidación del escritor por el conocido antropólogo español. Pocas vidas, sin embargo, más lineales que la del escritor vasco. Nacido en San Sebastián (1872) en el seno de una familia de profesionales y de horizontes ideológicos bastante abiertos, realizó hasta el doctorado los estudios de Medicina (que le marcaron con un peculiar positivismo antropológico; véase el interesante trabajo de Luis Maristany [1968]) y, tras un período de nomadeo profesional —más que de bohemia—, fijó su propia imagen moral en un talante solitario, algo huraño y un mucho melancólico: escasos viajes europeos, cierta misoginia (compensada por la enorme influencia de su madre y su hermana), tendencia a convertir el ejercicio de la literatura en una renta fija (Baroja fue hombre de pocos editores y sobre todo, de uno, su cuñado Rafael Caro Raggio), la pasión por la antigüedad reciente (libros de viejo, grabados decimonónicos, objetos decorativos e inútiles... que fueron llenando, desde 1912, la casona de Itzea, adquirida en aquel año y en Vera de Bidasoa).

La ideología barojiana anda en estrecha y recíproca relación con este pequeño rincón material que el novelista hizo sobrevivir hasta su muerte en 1956. La conformaron un manifiesto orgullo antropológico de vasco (que predicó como una forma de epicureísmo menor, aversión por la grandilocuencia y cierto poso anarquizante: «sin moscas, curas ni carabineros») pero, sobre todo, una significativa serie de manías: a lo francés en general (tema estudiado con minucia por Corrales Egea [1969]) y a la hirsutez, o la antipódica trivialidad, del resto del país, cosas todas que muchas veces contrapuso al carácter nacional inglés por el que sintió acusada predilección. Tan elementales fobias y filias (herencia remota de unas ingenuas convicciones positivistas) le llevaron a menudo a actitudes políticas muy contradictorias: sus juveniles simpatías anarquistas (y su más perdurable republicanismo) no parecen guardar relación con las afirmaciones germanófilas que, a contrapelo de los intelectuales de su tiempo (pensemos en Unamuno y Azorín), mantuvo en el período 1914-1918 (Á. Antón [1970]); su inofensivo antisemitismo y su admiración por ciertas formas de vida heroica le convirtieron en 1939, y al decir de Ernesto Giménez Caballero [1938], en un precursor del fascismo español; su misma actitud de repudio de los aspectos más radicales de la experiencia republicana española y sus vacilaciones ante el hecho de la guerra civil le acabaron por convertir en un solitario inquilino —entre molesto y pintoresco— de la postguerra madrileña, silencioso testigo de un ramplón culto tertuliano administrado por sus fieles de aluvión. El pensamiento de Baroja —muy explícito en su obra, gracias a lo que Ortega y Gasset llamaba la «estética del improperio» [1962] y, sobre todo, a su preocupación memorialística— supone, en suma, un resumen ejemplar de la crisis ideológica finisecular tal y como se esbozaba en apartados anteriores. Lo que, en este caso, no supone la ausencia de una singular lucidez con respecto a sus propias limitaciones (como ha visto brillantemente Antonio Elorza [1968]) y una insobornable sinceridad que mitigan grandemente lo que podría ser hostil caracterización de un reaccionarismo de fondo (como defiende J. A. Gómez Marín, entre otros [1972]).

Como indicaba arriba, la otra singularidad de Baroja es su casi exclusiva dedicación a la novela, género en el que su huella ha sido considerable en escritores posteriores (Camilo J. Cela, J. A. Zunzunegui, Ignacio Aldecoa e incluso Luis Martín Santos), no pocos de los cuales han brindado alguna exegesis de su obra e incluso, en fecha muy reciente, un desigual intento de testimonio colectivo (*Barojiana* [1972]). La popularidad de sus relatos ha alcanzado, por otro lado, áreas de lectores infrecuentes y, así, una buena parte de su obra desbordó los intereses del público habitual de clase media para convertirse en asidua lectura de medios proletarios que vieron en el bronco individualismo barojiano —y con frecuencia, en sus propios temas— una afortunada imagen de la rebeldía contra lo establecido.

No poco de ese éxito se debe a la rareza de las posibles referencias literarias del arte del escritor: un cierto regusto romántico y la asimilación de formas modernistas (visibles en la eficacia descriptiva, el impresionismo psicológico y la tendencia a la evocación nostálgica) conviven con su conocida predilección por la novela inglesa de aventuras (J. Alberich [1966]), por el folletín decimonónico y por los escritores rusos (Gorki, por ejemplo, ejerció una influencia aún no evaluada sobre el primer Baroja). Sobre todo esto, se ha insistido a menudo en la imagen de un autor intuitivo y desordenado, escasamente traducible a otras literaturas (lo que es muy cierto, aunque quepa la excepción de los conocidos elogios de Hemingway) pero que, sin embargo de lo que de cierto haya en tales imputaciones, no carecía de una teoría de la novela y, más aún, del decidido propósito de reflexionar sobre la misma. En este sentido, los más fecundos trabajos sobre el escritor se han orientado, ya mediados los años sesenta, sobre este tema (Carlos O. Nallim [1964], Domingo Ynduráin [1969], Francisco López Estrada [1972]) para el que los ensayos y (en una confesada reiteración) las *Memorias* ofrecen ancho campo de trabajo (T. Guerra [1974]).

Un estudio de la estética barojiana podría empezar por la atrabiliaria relación de sus filias y sus fobias. El sugestivo breviario personal que es *Juventud, egolatría,* de 1917 (objeto de un sagaz ensayo de clasificación por Gonzalo Sobejano [1972 a]) ofrece, por ejemplo, toda una sección, la titulada «Admiraciones e incompatibilidades», sobre las mismas: de los clásicos, Shakespeare es quizá el mejor librado ya que Cervantes (con todo y admirar su *Quijote*) y Goethe le parecen «antipáticos»; Molière le resulta más «moderno» que el penúltimo citado, pero ahí acaban todas sus concesiones a la literatura francesa de la que son denostados Hugo y Chateaubriand, Balzac y Flaubert, Zola y casi Stendhal (pese a que como éste, Baroja también remite su cabal entendimiento a una posteridad de treinta años); sólo los grandes narradores rusos del XIX y Poe son alabados sin reserva. La misma discrecionalidad es norma en la formulación de sus ideas narrativas. No tiende en ellas a una ilustración sobre la función del realismo, ni sobre las relaciones entre ideología y relato, ni sobre la arquitectura interna del mismo. Más bien esboza notas *a posteriori* de una práctica inveterada, donde el máximo de generalización lo ocupan entidades tan apriorísticas e indefinibles como el «ritmo» de la narración o lo que reiteradamente denomina «unidad de efecto» (entendida como redención de lo aparentemente disperso de la novela). En definitiva, y al igual que cuando valoraba a sus clásicos, un problema global de acertar o no hacerlo.

Buena parte de sus disquisiciones surgieron del enfrentamiento con Ortega, iniciado en un primerizo texto de éste y ya en franca liza cuando Baroja escribe su prólogo «casi doctrinal» a *La nave de los locos* (polémica estudiada por Donald L. Shaw [1957]). Si Ortega venía defendiendo la ruina del naturalismo por su dispersión anecdótica, es también cierto que Baroja se inventó un enemigo a su medida y que de su trabajo tampoco se desprende una cerrada defensa del realismo tradicional. Antes bien, encarece la capacidad de inventiva fabuladora, el poder de captación de lo ambiental (con recursos sustancialmente poéticos) y la unidad de impresión que debe producir todo relato. Y lo cierto es que, más que sus tesis, la práctica narrativa barojiana refleja su presencia activa en los nuevos rumbos de la novela de nuestro siglo: ya sea con la creación de relatos que son, claramente, «de protagonista» (y aunque los tales personajes sean una suerte de vacío receptivo y vagamente descontento), ya con significativas aproximaciones al modo de novela dialogal que preocupó a Galdós (*La casa de Aizgorri, Paradox, rey, La leyenda de Jaun de Alzate, El nocturno del hermano Beltrán*, etc.).

En cualquier caso, Baroja legitima para sí un cierto desaliño artístico (con justificaciones que podríamos rastrear en otros escritores de su promoción) con el que cabría relacionar su peculiar talante de humorista, tan vivaz en su obra (cf. el flojo estudio de Luis López Delpecho [1968]) y jovialmente argumentado en su interesante volumen doctrinal *La caverna del humorismo* (1919). De la afectación de descuido y de este talante se nutre su singularidad estilística, acertadamente definida por su propio usuario como «retórica de tono menor»: párrafo muy breve (que Baroja defendió como el máximo hallazgo de su promoción), escasos e imprecisos nexos sintácticos, léxico muy sucinto y aun avulgarado y, sobre todo, una fresca comunicatividad que no excluye, por ejemplo, una acusada sensibilidad para el color y lo típico, pervivencias evidentes de su formación modernista (véase al respecto J. Alberich [1966], I. R. M. Galbis [1976] y el minucioso trabajo de Biruté Ciplijauskaite [1972]). El mismo Baroja, en forma que puede parecer sorprendente, gustaba de vincular su renovación estilística a la forma expresiva de Verlaine.

La obra narrativa del escritor vasco está dividida por el mismo en trilogías de agrupación frecuentemente arbitraria, o por la distancia cronológica o incluso por disparidades temáticas. Al margen de esa clasificación, parece evidente la distinción de dos grandes etapas (Francisco Flores Arroyuelo [1967]), divididas por el año 1912. La primera es de marcada creatividad y bastante variedad, e incluye, sin dudarlo, las mejores creaciones del escritor. En *Camino de perfección* (1902) y *El árbol de la ciencia* (1911) logró, a través de sus dos protagonistas —Fernando Ossorio y Andrés Hurtado—, arquetípicas etopeyas generacionales que han recibido con posterioridad multitud de análisis (a destacar los de M. Solotorevski [1963], Francisco García Sarriá [1971] y Gonzalo Sobejano [1972 *b*]); en cambio, en la muy unitaria trilogía «La lucha por la vida» (*La busca*, 1904; *Mala hierba*, 1904; *Aurora roja*, 1905) anduvo cerca de lograr la perfecta novela revolucionaria y reflejó, con perfección recientemente subrayada (E. Alarcos Llorach [1973], Soledad Puértolas

[1971], Carmen del Moral [1974]) la peculiar vitalidad del mundo marginal madrileño entre el «lumpen», la pequeña burguesía desclasada y el
naciente proletariado. Del mismo modo, si las *Aventuras, inventos y mix-
tificaciones de Silvestre Paradox* (1901) y sus amigos detallan las andan-
zas de unos bohemios tan alucinados cuanto inofensivos en el mismo
Madrid de *La busca, El mayorazgo de Labraz* (1903) recrea con tintas
zuloaguescas una tragedia intemporal que no hubiera desdeñado el Valle-
Inclán más prerrafaelita (Lily Litvak [1975]), y *La casa de Aizgorri*
(1900) construye un espeso ambiente entre ibseniano y maeterlinckiano,
pero en todo caso congestionadamente modernista como el de *El mayorazgo*.

La línea de unión con la etapa siguiente viene ofrecida ya entonces,
por novelas de ambientación diversa, cierto toque de exotismo (a veces,
muy literario y aun *naïf*) y apresurada andadura narrativa. Algunas inciden
en el terreno de la novela histórica —que luego sería dominante de la
segunda etapa— como es el caso de las agrupadas en la trilogía «El pasado» y las dos iniciales de «La raza» —*La dama errante* y *La ciudad de
la niebla*— mientras otras —*César o nada*— esbozan una novela política.
A partir de ellas, Baroja pasa insensiblemente al gran proyecto narrativo
que, con el título común «Memorias de un hombre de acción», desplaza
veintidós novelas correspondientes a los años que van de 1913 a 1935: se
trata ahora de una dispersa —y, a la vez, unitaria— novela histórica que
viene enlazada por la biografía de un personaje real, Eugenio de Avina-
reta, conspirador decimonónico y lejano antecesor del propio autor. Con
este empeño, Baroja no pretendió la construcción didáctica que asistió al
Galdós de los *Episodios nacionales*, ni tan siquiera el vigoroso retablo
estético —y estático— de Valle-Inclán: más bien pretendió vivir por de-
legación y a partir de una minuciosa documentación ambiental un siglo
que le atraía y le repelía con idéntica fuerza y, por descontado, levantar
el armazón de una serie de personajes voluntariosos e inquietantes, entre-
gados —como sus propias novelas— a una suerte de acción pura. Los
recientes trabajos sobre el tema de F. Flores Arroyuelo [1973] y Carlos
Longhurst [1974] coinciden en líneas generales en esta misma interpretación al respecto de las relaciones de Baroja con la historia.

Absorbido por la elaboración de este ciclo, el novelista parece ceder
en su esfuerzo creativo que, a partir de 1912, reitera moldes anteriores.
A la nueva etapa pertenecen, sin embargo, la trilogía «El mar» que,
arrancando de *Las inquietudes de Shanti Andía* (1911), cuenta entre las
producciones más amenas de Baroja (H. Rivera [1972]). La tónica, sin
embargo, la da la insistencia en aquel modelo de relato itinerante, mal
enhebrado por la sensibilidad de un personaje, cruzado de nostalgia evocadora, que, en el mejor de los casos, puede tener la fuerza de las «Agonías
de nuestro tiempo» (1926-1927) o la banalidad de «La selva oscura»

(1931-1932) que pretende ser reflejo —y muy hostil— de las conmociones políticas de la España del momento, bache creador que superan, pese a todo, *Las noches del Buen Retiro* (1934), regreso agridulce a la bohemia finisecular, y *El cura de Monleón* (1936), sorprendente novelización de una crisis religiosa.

Los últimos años de Baroja no tienen otra creación de interés que sus propias memorias publicadas con el título «Desde la última vuelta del camino», tan atractivas por su fluidez como decepcionantes por su frecuente superficialidad. Para entonces, todos los mundos de Baroja habían muerto: el de la crisis intelectual del fin de siglo, la herencia decimonónica de una Europa brillante y conspiradora, y, sobre todo, el más importante de su propia imaginación, mucho más decisiva en la elaboración de su obra que aquella observación paciente de la realidad que solía requerirse de los narradores.

BIBLIOGRAFÍA

Alarcos Llorach, Emilio, *Anatomía de «La lucha por la vida»*, Universidad de Oviedo, Oviedo, 1973.

Alberich, José, *Los ingleses y otros temas de Pío Baroja*, Alfaguara, Madrid, 1966.

Antón, Ángel, «Baroja ante los alemanes y Alemania», *Iberorromania*, II (1970), pp. 169-196.

Baeza, Fernando, ed., *Baroja y su mundo*, 3 vols., Arión, Madrid, 1962.

Barojiana, Taurus, Madrid, 1972.

Caro Baroja, Julio, *Los Baroja*, Taurus, Madrid, 1972.

Ciplijauskaite, Biruté, *Baroja, un estilo*, Ínsula, Madrid, 1972.

Corrales Egea, José, *Baroja y Francia*, Taurus, Madrid, 1969.

Criado de Miguel, Isabel, *Personalidad de Pío Baroja*, Planeta, Barcelona, 1974.

Elizalde, Ignacio, *Personajes y temas barojianos,* Universidad de Deusto, Bilbao, 1975.

Elorza, Antonio, «El realismo crítico de Pío Baroja», *Revista de Occidente,* n.° 62 (1968), pp. 204-224.

Embeita, María, «Pío Baroja, una interpretación», *Cuadernos Hispanoamericanos,* n.° 291 (1975), pp. 614-630.

Flores Arroyuelo, Francisco, *Las primeras novelas de Pío Baroja, 1900-1912*, La Torre de los Vientos, Murcia, 1967.

—, *Pío Baroja y la historia*, Helios, Madrid, 1973.

Galbis, Ignacio R. M., *Baroja: el lirismo de tono menor*, Torres Library of Literary Studies, Madrid, 1976.

García Sarriá, Francisco, «Estructura y motivos de *Camino de perfección*», *Romanische Forschungen*, LXXIII (1971), pp. 246-266.

Gil, Ildefonso Manuel, «De Baroja a Valle-Inclán» y «Los versos de Don Pío Baroja», en *Valle-Inclán, Azorín y Baroja*, Seminarios y Ediciones, Madrid, 1975, pp. 9-45 y 141-178.

Giménez Caballero, E., «Prólogo», en P. Baroja, *Comunistas, judíos, masones y demás ralea*, Reconquista, Valladolid, 1938.

Gómez Marín, José A., «El primer Baroja y la aventura radical de las clases medias», *Insula*, n.° 308-309 (1972), p. 3.

González López, Emilio, *El arte narrativo de Pío Baroja en las trilogías*, Las Américas Publishing Co., Nueva York, 1972.

Granjel, Luis Sánchez, *Retrato de Pío Baroja*, Barna, Barcelona, 1954.

Guerra de Gloss, Teresa, *Pío Baroja en sus memorias*, Playor (Nova Scholar), Madrid, 1974.

Iglesias, Carmen, *El pensamiento de Baroja. Las ideas centrales*, Antigua Librería Robredo, México, 1963.

Indice, n.° 70-71 (1955): Homenaje a Pío Baroja.

Juan Arbó, Sebastián, *Pío Baroja y su tiempo*, Planeta, Barcelona, 1963.

Litvak, Lily, «Baroja y el medievalismo finisecular», *Revue des Langues Vivantes*, XL (1975), pp. 269-282.

Longhurst, Carlos, *Las novelas históricas de Pío Baroja*, Guadarrama, Madrid, 1974.

López Delpecho, Luis, «Perfiles y claves del humor barojiano», *Revista de Occidente*, VI (1968), pp. 129-150.

López Estrada, Francisco, *Perspectiva sobre Pío Baroja*, Universidad de Sevilla, Sevilla, 1972.

Maristany, Luis «La concepción barojiana de la figura del golfo», *Bulletin of Hispanic Studies*, XLV (1968), pp. 102-122.

Moral, Carmen del, *La sociedad madrileña fin de siglo y Baroja*, Turner, Madrid, 1974.

Nallim, Carlos O., *El problema de la novela en Baroja*, Atenea, México, 1964.

Nora, Eugenio G. de, *La novela española contemporánea*, I: *1898-1927*, Gredos (Biblioteca Románica Hispánica, II, 41), Madrid, 1975 [4], pp. 97-229.

Ortega y Gasset, José, «Una primera vista sobre Baroja», *Pío Baroja y su mundo*, Arión, Madrid, 1962, I, pp. 63-87.

Pérez Ferrero, Miguel, *Pío Baroja en su rincón*, Internacional, San Sebastián, 1941.

Puértolas, Soledad, *El Madrid de «La lucha por la vida»*, Helios, Madrid, 1971.

Rivera, Haydée, *Baroja y las novelas del mar*, Las Américas Publishing Co., Nueva York, 1972.

Shaw, Donald L., «A reply to *deshumanización*: Baroja on the art of the novel», *Hispanic Review*, XXV (1957), pp. 105-111.

Sobejano, Gonzalo, «Componiendo *Camino de perfección*», *Cuadernos Hispanoamericanos*, LXXXIX (1972) (a), pp. 463-480.

—, «Solaces del yo distinto (estimación de *Juventud, egolatría*)», *Insula*, n.° 308-309 (1972) (b), pp. 1 y 28.

Solotorevski, M., «Notas para un estudio comparativo de *Camino de perfección* y *La Voluntad*», *Boletín de Filología*, Santiago de Chile, XV (1963), páginas 3-64.

Ynduráin, Domingo, «Teoría de la novela en Baroja», *Cuadernos Hispanoamericanos*, n.° 233 (1969), pp. 355-388.

José Ortega y Gasset

UNA PRIMERA VISTA SOBRE BAROJA

Si abrimos *El árbol de la ciencia* por la página primera y leemos hasta la sexta, aprenderemos en tan breve espacio cómo acontece el absurdo de que la clase de Química de la Facultad de Medicina se da en la Escuela de Arquitectura, que los estudiantes son unos bárbaros y el profesor «un pobre hombre presuntuoso, ridículo», que parece «un francés petulante». Andrés Hurtado se encuentra en esta primera clase con un compañero de instituto, Aracil, a quien acompaña un amigo, Montaner. Y tenemos que ya en esta página 10: «Andrés experimenta por Julio Aracil bastante antipatía, pero mucha mayor aversión por Montaner». Además, «los dos condiscípulos se encuentran en esta primera conversación completamente en desacuerdo».

Si, empero, abren ustedes el libro por la página 67, hallarán que «el hospital aquel [San Juan de Dios], ya derruido, por fortuna, era un edificio inmundo, sucio, mal oliente»; que «el médico de la sala, amigo de Julio, era un vejete ridículo ... Lo miserable y lo canallesco era que trataba con una crueldad inútil a aquellas desdichadas».

Todo esto en la página 67; pero llegándonos a la 68 tenemos que «aquel petulante idiota ... era un macaco cruel este tipo», y «Aracil no podía soportar la bestialidad de aquel idiota».

Pasemos a la 69: «¡Canalla! ¡Idiota!», exclamó Aracil, acercándose al médico con el puño levantado.

José Ortega y Gasset, «Una primera vista sobre Baroja», *Pío Baroja y su mundo,* Arión, Madrid, 1962, I, pp. 53-59.

«Sí, me voy, por no patear las tripas a ese idiota miserable.»

En la página 87: «Julio le presentó a un sainetero, un hombre estúpido, fúnebre», y se dice que «Antoñito era un andaluz con una moral de chulo».

En la 89: «El amante de Pura, además de un acreditado imbécil, fabricante de chistes estúpidos, como la mayoría de los del gremio [saineteros], era un granuja, dispuesto a llevarse todo lo que veía».

Estas gentes «hicieron una porción de horrores con una mala intención canallesca». E inmediatamente se habla de «las hijas, dos mujeres estúpidas y feas».

En fin, en la página 100: «Pero usted es un imbécil, una mala bestia».

Aun cuando en nada de esto hubiera motivo de extrañeza, lo habría en que, después de todo esto, allá por la página 253, se le ocurre a Baroja hacernos la siguiente comunicación: «Comenzaba a sentir una irritación profunda contra todo».

La lista de improperios que, con los cogidos al azar, queda hecha, podría ampliarse indefinidamente. Los vocablos que significan la máxima irritación son característicos de la literatura de Baroja. Yo no olvidaré jamás que en cierta ocasión, conforme salíamos del Ateneo, me manifestó «que la jota le parecía una cosa repugnante».

Harto conocida es la importancia que para aprehender y fijar la individualidad de un artista literario tiene la determinación de su vocabulario predilecto. Como esas flechas que marcan en los mapamundis las grandes corrientes oceánicas, nos sirven sus palabras preferidas para descubrir los torbellinos mayores de ideación que componen el alma del poeta.

Pues bien: en este caso, los vocablos de elección son los más graves y extremados, los que habitan en los barrios bajos del Diccionario.

¿Qué quiere decir esto? ¿Cómo es posible que un escritor manipule preferentemente palabras de este linaje —canalla, estúpido, imbécil, repugnante—, que tienen significado tan poco concreto, y, por otro lado, tan fuertes, tan duras, tan excesivas, que no permiten claroscuro, entonación, perspectiva, ni matiz? Esa preferencia por vocablos antiestéticos —antiestéticos no por groseros, sino por ineptos para la plástica literaria— es claramente incompatible con una poderosa voluntad de hacer arte. Y ya en este primer detalle tropezamos con lo que hemos de hallar repetidamente: Baroja no escribe, en última instancia, por amor estético, por imperiosa moción de una creadora apetencia de arte, sino que las novelas sirven a Baroja para satisfacer una necesidad psicológica suya, personalísima. Entendido *cum grano salis,* puede afirmarse que Baroja no escribe como artista, sino como podía organizar una familia, poner una bomba, tomar bicarbonato o aherrojarse en la Trapa. [...]

En cierto sentido, encuentro en Baroja una manifestación superior del histerismo nacional. Todos somos un poco como él, pero somos menos sinceros. Lo mejor y lo peor de la España actual se presenta en Baroja a la intemperie, sin pellejo. Y lejos de ser esto una censura, repito que se me aparece como el más fecundo punto de vista desde el cual puede salvarse su obra, tal y como ésta se presenta. Dentro de cincuenta años, los libros de Baroja tendrán principalmente valor de síntomas nacionales.

Como para Baroja, suele ser para nosotros los demás iberos cada palabra un jaulón, donde aprisionamos una fiera, quiero decir un apasionamiento nuestro. En general, el humorismo español, del mismo modo que el de Baroja, comienza por ser malhumorismo.

Me ha contado Baroja que, durante su estancia en Roma, dio a leer *La feria de los discretos* a una señora italiana de levantada alcurnia. Unos días más tarde preguntó el escritor a la dama «qué le parecía su novela», y ella le contestó sencillamente: «Questo Quintino è troppo impertinente!».

Si una ametralladora tuviera una opinión se parecería mucho a los personajes de *La feria de los discretos,* de *Paradox, rey,* de *Aurora roja.*

Se diría, en efecto, que a Baroja no le parece una idea digna de ser pensada si no contiene una impertinencia; esto es, si no es una idea contra algo o alguien. Sus ideas suelen ser contestaciones a ataques imaginarios que le mueven las cosas en torno; son reacciones automáticas con un fin defensivo.

¡He aquí un hombre que piensa por instinto de conservación, que piensa contra su derredor para no ser absorbido por él! Baroja eriza las páginas de sus libros en torno a sí mismo como un erizo sus púas.

Ahora bien; esto es conocido bajo el nombre de timidez. Tímido es el hombre preocupado de su propia defensa.

Será superfluo advertir que hablo meramente de Baroja pensador, de Baroja como individuo de la república literaria. Como persona de carne y hueso, bien lo creo capaz de conquistar él solo las Indias. Mas su psicología es la de un hombre temeroso de que le arrebaten su «yo», como le roban a uno el reloj del bolsillo.

Stendhal, su maestro, tenía la misma complexión psicológica. Los personajes enérgicos que gustaba de crear equivalían a una imaginaria guardia pretoriana, que suscitaba en torno suyo para tranquilizarse. Su filosofía del egoísmo fue la torre blindada que construyó para vivir dentro seguro.

Es curioso que el método propuesto por Baroja para «el culto del yo» consistía en hacer que fusilen al «tú» y al «él». Primero que se haga el desierto y luego se levante el «yo» en medio como una torre.

La obra de arte —y aunque la de Baroja comience por ser obra de nervios, es, al cabo, obra de arte— procede siempre de una exigencia de perfección, de completamiento. Cuando la obra tiene un contenido subjetivo —por ejemplo, la de Baroja, no obstante su aspecto de novela—, lo que completa el autor en ella es su propio corazón. A las pocas páginas se advierte que nuestro pantagruélico vasco, dispuesto a devorar a sus semejantes, ha resbalado, en realidad, sobre las grandes pasiones, los grandes odios, los grandes deseos, las grandes ideas y hasta los grandes libros. Ha vivido una existencia tangente a la vida misma; como esas pedrezuelas planas que tiran los chicos a la mar y van de brinco en brinco escurriendo sobre los lomos azules de las olas.

No es frecuente en Baroja aquella plenitud o hartazgo de intuición que es condición forzosa para que la obra poética adquiera la densidad necesaria, esa densidad que le permite afirmarse entre las cosas, como una de ellas o más cosa que ellas. No se sumerge al fondo del mar de la existencia para arrancar convulso con sus propias uñas las vidas que refiere. Como se las cuentan nos las cuenta. [...]

Los personajes de Baroja no son activos; a despecho de la presunta turbulencia y dinamismo, no suelen hacer más que andar, modestísima muestra de energía. Digo que no suelen hacer más que eso, porque lo que hacen en mayor grado suele considerarse como lo opuesto a la acción. Baroja, especialmente, odia antes que nada, la charla y el raciocinio. Pues bien; sus personajes no acostumbran a hacer otra cosa. Son, en general, unas criaturas atacadas de la monomanía deambulatoria, que se pasan la vida andando por las calles y frecuentemente por las afueras; van mirando de paso lo que pasa, con ojos inactivos y, sobre todo, van charlando y teorizando. El anhelo de cósmicas cascadas de energía que lleva Baroja a sus libros concluye en una pertinaz llovizna de conversaciones teoréticas. ¡Qué cosa más melancólica! *Aurora roja,* fíjense bien en el título: *¡Aurora roja!,* es, en realidad, un manual de Derecho político.

Ando tan lejos de desear que Baroja deje de ser lo que él quisiera ser, que voy hacia él movido por un sincero y admirativo afecto que me invita a completarme en el trato con un personaje silvestre. Por lo mismo experimento alguna desilusión, encontrando en realidad, bajo sus ásperos gestos, un ergotista acérrimo. Mientras sus personajes caminan por las afueras, Baroja ejerce presión sobre ellos y les obliga a pensar. Y, claro está, acontece que las ideas suelen resentirse de haber sido pensadas en el paseo de los Ocho Hilos o yendo hacia la Bombilla. El autor pone de manifiesto una fuerte mentalidad de extrarradio.

¡Qué lástima! Los leones que pinta Baroja no son tan fieros como él los sueña.

Antonio Elorza

EL PENSAMIENTO DE BAROJA

Como es sabido, Baroja nos ha legado un buen número de páginas autobiográficas. Muy pronto, en 1904, nos da cuenta de sus posiciones personales sobre buen número de temas cercanos a su biografía en *El tablado de Arlequín,* al que seguirá más tarde un nuevo tablado, *Juventud y egolatría,* las disertaciones estrictamente autobiográficas de 1924 en la Sorbona, y de 1935, como discurso de ingreso académico, hasta alcanzar en los años cuarenta sus memorias «Desde la última vuelta del camino». A este copioso bagaje

Antonio Elorza, «El realismo crítico de Pío Baroja», *Revista de Occidente,* n.° 62 (1968), pp. 157-165.

habría que agregar la multitud de inserciones que, en su novelística, encontramos de datos u opiniones propias del autor. Pío Baroja está detrás de Andrés Hurtado en *El árbol de la ciencia,* de José Larrañaga, en *El gran torbellino del mundo,* del escéptico don Fermín de *Los visionarios,* etcétera Incluso de su figurado pariente Jaun de Alzate pugnando en plena Edad Media por el sostenimiento de la paganidad vasca amenazada por el cristianismo invasor. «Como todos los solitarios —rubrica Sender—, Baroja ha hablado mucho de sí mismo.» Observación que matiza el propio don Pío, al presentar sus *Divagaciones de autocrítica:* «Intentaré aclarar mis ideas y sincerarme, porque todos los que escribimos necesitamos, por una cosa o por otra, que nos absuelvan». Y, efectivamente, lo que muchas veces nos ofrece en las páginas de sus memorias o ensayos es simplemente una defensa de actitudes suyas más o menos arbitrarias, soslayando deliberadamente cuestiones fundamentales. [...]

La posibilidad objetiva de encontrar una opción coherente frente a la sociedad burguesa en trance de desarrollo es la primera cuestión que surge ante [Baroja]. ¿Existía de hecho una estructura social burguesa, o al menos un juego de fuerzas sociales que empujase hacia ella a la España de la Restauración? Claro es que la probabilidad de que la repulsa hacia las formas de evolución social por parte de esa *intelligentsia* pequeñoburguesa de que surgen los hombres del 98 asumiese el carácter de un compromiso duradero con las fuerzas destinadas a transformar radicalmente el orden social, tenía que verse aminorada por la debilidad del desarrollo burgués en España, ligado en el plano político a una subordinación *de facto* a las viejas clases privilegiadas (conservadurismo canovista) y espacialmente a dos núcleos periféricos en la geografía penisular, Cataluña y la siderurgia vasca. Lo cierto es que, tanto Unamuno como Azorín, se vincularon pasajeramente en su juventud a los movimientos socialista y anarquista, y precisamente el primero en estrecho contacto con el movimiento obrero que se consolida en Bilbao durante los años noventa como respuesta al proceso de formación de estructuras capitalistas basadas en la siderurgia. Y Baroja buscó repetidamente a lo largo de su vida el acercamiento a unos movimientos obreros, de los que se sentía inevitablemente distanciado en cuanto a objetivos de lucha. No sólo en un primer momento, con la proximidad al anarquismo que denotan *Nihil* o *Aurora roja,* sino en 1910, cuando ante los obreros de la Casa del Pueblo de Barcelona, proclama que «la ciencia en política es la revolución» y concluye exhortándoles a que con la revolución efectúen la transformación total de la sociedad: «Yo no llamo revolución a herir o a matar; yo llamo revolución a transformar. Y para eso hay que declarar la guerra a todo lo existente ... Aunque no tenga autoridad para ello, permitid que os diga: Trabajad por la expansión del espíritu revolucionario, que es el espíritu científico, difundidlo, ensanchadlo, propagadlo».

Para, en *El nuevo tablado de Arlequín* (1917), definir las que él considera funciones independientes pero complementarias del intelectual burgués y del intelectual obrero al objeto de lograr, mediante la destrucción de la sociedad burguesa, la elaboración de una forma de vida en común, que responde a las vagas formulaciones de su anarquismo juvenil: «todos, convertidos en trabajadores, podrán laborar por el ideal común, que será la expansión libre de la vida humana en el seno de la naturaleza». Y a este fin habrían de dirigirse en una «labor común» los esfuerzos críticos, de destrucción del pensador procedente de la burguesía y los constructores, ordenadores, del proletario. A decir verdad, lo más criticable del artículo —cuya denominación es *La labor común*— son las virtudes pequeñoburguesas de perseverancia, disciplina, parquedad, que nuestro escritor le endosa en esta ocasión al revolucionario del proletariado; queda en pie el propósito y la acusación radical de una sociedad en que se confunden todavía estructuras medievales y un parcelado crecimiento burgués como es la española de 1917: «Nuestra sociedad —juzga Baroja— es todavía bárbara y hay que perfeccionarla, cuanto antes mejor. Que es bárbara está en la conciencia de todos; una sociedad que necesita del cura, del militar, del verdugo, del título nobiliario, de la cárcel y de la horca, es una sociedad primitiva, embrionaria y absurda».

Todavía en 1926, y en esta ocasión en la Casa del Pueblo de Madrid, cierra su examen de *tres generaciones* (la de 1840, la de 1870 y la de 1900), con una apología de la juventud socialista. Cree Sender que, cuando en 1935 los jóvenes izquierdistas abuchearon violentamente a Baroja —y de pasada a Unamuno—, en la presentación ante el Ateneo de Madrid de *Los visionarios,* perdieron la posible vinculación de aquél; la de Unamuno, dice Sender, no hubiera valido la pena. A nuestro modo de ver, son justamente *Los visionarios,* con todo lo que en sus páginas hay de previsión acertada, pero también de crítica arbitraria, e incluso despectiva, del obrerismo bajo la II República, la mejor prueba de que estaban lejanas en el tiempo las posibilidades de tal alianza.

La sinceridad del pasajero compromiso de Unamuno con el socialismo vasco se explica por su calidad de testigo del proceso de transformación de la pequeña ciudad mercantil, liberal, que es todavía Bilbao en la última guerra carlista (con tanto acierto descrita en *Paz en la guerra*), en el conglomerado industrial, con un núcleo urbano progresivamente cercano de suburbios obreros en una y otra margen de la ría, de que nos habla Blasco Ibáñez en *El intruso* al abrirse el nuevo siglo. En cambio, Baroja rehuye ese medio. En cierto sentido, es un vasco exterior, que reencuentra el País durante su estancia en Cestona como médico rural: «en Cestona empecé a sentirme vasco —nos confiesa en su vejez—, y recogí este hilo de la raza que ya para mí estaba perdido». La mediación que liga a Baroja con el País Vasco, lo que permite ese redescubrimiento es el paisaje y con él, las formas de vida de la comunidad rural. Estamos de acuerdo con Sender en que «ningún poeta ha dado al país vasco acentos tan genuinamente puros» como él, pero esto no excluye que su visión sea estetizante, parcial y que desemboque en una utopía que el propio Baroja sabe imposible. Como tantos otros vascos, cae en la nostalgia del paraíso perdido del antiguo País de formas de vida tradicionales, sugerido por el mantenimiento en los pueblos de costumbres heredadas de ese pasado, cobijadas en un paisaje gris, brumoso, de pequeños valles, que parece destinado a resguardar la esencia antigua, en contraste con el carácter grotesco, *maketo,* de los hábitos surgidos al calor de la castellanizada revolución industrial. En *El gran torbellino del mundo,* pone en boca Baroja de su personaje central, José Larrañaga un resumen de sus juicios y sus aspiraciones vascas: «Planes políticos, no tengo; pero, en fin, yo dejaría Bilbao y San Sebastián como ciudades libres; Bilbao, con su ría hasta el mar, con su zona minera, y San Sebastián, con sus alrededores. Luego, toda la parte *verdaderamente vasca* de las Provincias Vascongadas y Navarra la reuniría y haría una provincia sola: Vasconia, con la capital en Vergara o en Tolosa. Así se podría dejar en libertad a las dos ciudades importantes, sin elemento oficial, para que desarrollaran su especialidad: industria, turismo, etc., sin el peso muerto del elemento rural ni de los empleados y militares. Vasconia, si tenía algo que decir, que lo dijera; si no, que se uniera en su insignificancia con las demás provincias españolas. Por ahora, como digo, el clericalismo, el snobismo y la plutocracia son las únicas cosas que dominan en nuestras ciudades».

Y Larrañaga prosigue, trazando el perfil de Bilbao, como ciudad en que se resumen al máximo la plutocracia y el clericalismo. Decididamente, no le interesan y huye de ellas. El mismo alejamiento sostiene Baroja en relación al movimiento nacionalista, al que considera importado del exterior y decididamente clerical; no le agrada la perspectiva de una nueva república jesuítica del Paraguay sobre el suelo vasco, sustentada en los piadosos industriales vizcaínos bajo el lema *Jaungoikoa* —dios maketo, al decir de Baroja— *eta lagi-zarra.** Y la salida, acentuada al adquirir el viejo caserón de Itzea en 1912, no es otra que el sueño de un país libre del Bidasoa «tolerante» libre y amable», «sin moscas, sin frailes y sin carabineros», lo cual «es cosa bella para un *txapel-aundi,* pero es perfectamente utópica». Baroja hubiera querido un País Vasco reducto de libertad, sólidamente asentado en la tradicional comunidad rural, sin la estrechez que introdujo en el mismo el siglo XIX, y proyectado en sentido universalista. Esta aspiración, ampliamente recogida en *Momentum catastrophicum* (1919), no menos desesperanzada que sus restantes aspiraciones, le conduce a evocar como única institución positiva en el sentido que él defiende la Sociedad Vascongada de los ilustrados vascos setecentistas. Es significativo que cuando la brutal realidad de la guerra civil le aleje definitivamente de la recreación estetizante del pasado vasco de las guerras carlistas, de Zalacaín y Aviraneta, se vuelva por vez primera hacia el siglo XVIII para lamentar, en *El caballero de Erlaiz* (1941), el fracaso de espíritu reformista de los Amigos del País. [...]

Si Baroja rehuye en el País Vasco el encuentro con la sociedad industrial, difícilmente podía hallarla en el otro polo de su creación literaria: Madrid. La capital que conoce es la que, después del fuerte empujón demográfico posterior a 1880, vive los efectos de la crisis económica —y política— del fin de siglo. Si bien a un ritmo menor que Barcelona, Madrid ve incrementada su población entre 1880 y 1900 en un 35 por 100, pasando de 398.000 a 540.000 habitantes, pero es un crecimiento que no se debe, como en el caso de su rival catalana o de Bilbao, a un proceso de transformación en ciu-

* [En euskera, «Dios y leyes viejas (fueros)».]

dad industrial, sino a su carácter de eje administrativo de la sociedad española. En Madrid falta un auténtico desarrollo burgués, por lo que la cuadruplicación de sus habitantes en el siglo XIX se hace a costa de la aparición de una desmesurada clase no productiva, que abarca desde el subproletariado de los barrios del este y el mediodía, a los individuos inestablemente asentados en el sector terciario. Una ciudad, además, cuyo núcleo burgués centrado en la Bolsa se ve fuertemente afectado por la crisis de 1892, debida al hundimiento del mercado exterior del hierro y el vino, y a la producida por la inflación en 1898, coetánea del desastre. Baroja se hará eco de esta crisis al hablarnos en su senectud de sus avatares al frente de la panadería de doña Juana Nessi, su tía: «Cogí una época bastante mala. Era final de la guerra de Cuba y la vida de la industria y el comercio de Madrid estaba bastante decaída».

Desde un primer momento, en los años de estudiante de medicina, la repulsa que produce en Baroja la sociedad madrileña es absoluta. Nos da cuenta de su intensidad un artículo poco conocido que, a los veintiún años, publica en *La Justicia,* órgano del Centro Republicano, y bajo el título «Duerme Madrid», en el que un figurado pintor acusa a la urbe con unos términos altisonantes que por fortuna desaparecerán en escritos más maduros: «Duerme, ¡oh, Madrid!, en el sueño de tu miseria y de tu abatimiento; duerme embriagado por tus vicios, envuelto en tu letal atmósfera; tú eres el alfa y la omega, el principio y el fin de todo lo envilecido; eres vaso de torpezas y receptáculo de todas las ruindades. Tu ambiente encanallado satura a todos tus habitantes». Pero el reproche mayor que el acalorado estudiante tiene que hacerle a la sociedad madrileña es el desprecio con que considera tanto el trabajo físico como el intelectual. Con mayor moderación formal, Baroja vuelve una y otra vez en sus primeras obras sobre ese rasgo de ciudad inorgánica y antiindustrial que caracteriza al Madrid de 1900 y, especialmente, en la sensación de angustia e impotencia de quien se ve sumido en ese cosmos urbano degradado y toma conciencia de su situación. Es significativa la descripción, en *La busca,* de la llegada de Manuel por ferrocarril, atravesando el mediodía de la ciudad: «Cuando uno de los compañeros de viaje anunció que ya estaban en Madrid, Manuel sintió verdadera angustia; un crepúsculo rojo esclarecía el cielo, inyectado de sangre como la pupila de un monstruo; el tren iba aminorando su marcha; pasaba por delante de barriadas pobres y de

casas sórdidas; en aquel momento brillaban las luces eléctricas páli-
damente sobre los altos faros de señales».

La misma sensación se repite al describir, en *Mala hierba,* la salida *a la busca* de los pobladores del barrio de las Injurias y «la enorme desolación de los alrededores madrileños», producida por la transformación en vertederos y agrupaciones de chabolas lo que en tiempos anteriores fueran pequeñas huertas. «Y el paisaje árido —leemos
en *Aurora roja*—, unido a la pobreza de las construcciones, a los
gritos de la gente, a la pesadez del aire, daba una impresión de vida
sórdida y triste ...»

Según vemos, el adjetivo que con más frecuencia emplea Baroja
para caracterizar a la capital, y a su extrarradio, es el de sórdido. A él
habría que agregar el antes citado de inorgánico, carente de la dis-
tribución funcional derivada de la revolución burguesa. «En Madrid
—dirá irónicamente en *Aurora roja*—, donde la calle profesional no
existe, en donde todo anda mezclado y desnaturalizado, era una excepción honrosa la calle de Magallanes, por estar francamente especia-
lizada, por ser exclusivamente fúnebre.» Nace ahí ese peculiar subproletariado madrileño, a caballo entre la semiprofesionalización y las distintas especies de robo, «gente descentrada, que vivía en el continuo
aplanamiento producido por la eterna e irremediable miseria». Siendo lo más grave que semejante clase, más que ociosa inútil, no queda
contenida por los límites de los suburbios, sino que es una componente marginal, pero inevitablemente presente, en todos los estratos
sociales de la capital de la monarquía: «La golfería, a mi modo de
ver —expresa en *El tablado de Arlequín*—, es como un fleco que
cuelga de las distintas clases sociales»; «Hay un hampa o golfería
miserable que se refugia en los barrios pobres, como las Injurias, las
Cambroneras, el barrio de los Hojalateros y los Cuatro Caminos. La
componen los que viven de la busca, pidiendo limosna, *mangando*
lo que se tercia ... Por encima de éste hay otro mundo de hampones
que tienen sus reales en un espacio muy reducido del centro de
Madrid. Este mundo comienza en el organillero que se llama a sí
mismo pianista y concluye en el presidente de cualquier círculo o
casino, un buen señor que gasta coche y se tutea con el delegado del
distrito ... Más arriba aún está la *golfería* financiera, la *golfería* política, y en la cúspide, coronándolo todo con los cuarteles nobiliarios
de sus escudos, la *golfería* aristocrática».

Es decir, lo que Baroja critica no es un grupo determinado, sino una estructura social basada en la corrupción. De aquí que, a partir de la democracia parlamentaria creada por Cánovas que la posibilita, pase a la condena total de toda solución que tenga como procedimiento político un régimen democrático. Lo veíamos en las declaraciones que como Enrique Olaiz le atribuye Azorín en *La voluntad* y, sin variar de argumentos pero con insistencia mayor, en *El tablado de Arlequín.* ¿Cuál es la vía que queda abierta? Desde luego, no la del socialismo. A lo largo de su vida, Pío Baroja mostró una continua y firme oposición al movimiento socialista, tal vez motivada por los obstáculos que las agrupaciones socialistas ofrecieron a su acción como patrono de panadería. El plante que le hicieron unos cuantos obreros cuando las cosas del negocio le iban mal fue siempre recordado agriamente por Baroja, que a partir de entonces acuñó el calificativo de «burguesía socialista», pensando que cuando llegara al poder sería tan opresora como la empresarial que le precedía: «En aquella época —comenta en sus memorias— los trabajadores madrileños comenzaron en todas las industrias a asociarse y a considerar como enemigo suyo al patrono. Para gente como yo, de ideas liberales, era lógico y natural que el obrero se pusiera contra el patrono explotador y déspota; *no contra el que le trataba bien*». Las numerosas referencias a Marx y al *Capital,* que aparecen en sus páginas, son reiterativas y desfavorables. Tampoco la figura de Pablo Iglesias despertó en él un interés digno de mención, juzgándole un líder obrero que parecía haber salido de la Institución Libre de Enseñanza. Al optar por un individualismo radical frente a la democracia y el socialismo, la rebeldía de Baroja se encauzaba hacia una actitud, si no estrictamente anarquista, sí anarquizante.

José Alberich

BAROJA Y LA NOVELA DE AVENTURAS INGLESA

Baroja creía en el «realismo» de las novelas de aventuras. No es que pensase que «esas» peripecias que leía, precisamente ésas, hu-

José Alberich, «Baroja y la novela de aventuras inglesa», *Los ingleses y otros temas de Baroja*, Alfaguara, Madrid, 1966, pp. 112-119.

biesen ocurrido; pero pensaba sin duda que habían ocurrido «otras» muy parecidas y no menos maravillosas. Las aventuras de tales novelas no han sucedido, pero es «como si» hubiesen sucedido y están de hecho inspiradas en sucesos reales. El novelista, por tanto, aunque no es historiador, es espectador de sus propias creaciones.

Que Baroja entendiese así la misión del escritor e interpretaba así el «realismo» en la novela, me parece fuera de duda, pues son muchos los pasajes en que explaya la idea de que «la novela tomó de la vida lo que ésta le daba». Según esta concepción, de una persona vulgar no puede salir un héroe literario. El aventurero de Balzac o Dickens fue posible gracias a que París y Londres eran ciudades inmensas, oscuras y misteriosas, donde un criminal o un conspirador, debido a la imperfección de la policía, podía esconderse durante meses y burlar a sus perseguidores. Cuando el sistema policíaco se ha perfeccionado y la urbanización ha destruido los viejos barrios propicios al escondrijo y la maniobra secreta, la novela de aventuras ha sufrido una gran merma en cantidad y calidad. Y lo mismo es aplicable a la literatura marina. Los piratas, bucaneros, contrabandistas, balleneros, negreros, o, simplemente, los navegantes audaces en la era de la vela, suministraban abundante material al novelista, y singularmente al novelista inglés, puesto que el pueblo de las Islas Británicas ha sido en los últimos siglos el pueblo marinero por excelencia. Pero el mar «se ha industrializado», ya no presenta aventuras, y, por tanto, «queda sólo como tema de poesía».

Esta última frase me parece que señala bien el concepto que Baroja tenía de la novela como arte esencialmente realista. La poesía, según él, puede seguir ocupándose del mar, pues el mar, aunque estuviera desierto, siempre será objeto de una proyección subjetiva de una u otra clase por parte de los poetas. Pero, puesto que la novela de aventuras hace espectáculo de la peripecia humana, tan pronto como deja de existir ésta tiene que desaparecer aquélla.

Tal concepción de la aventura como espectáculo intelectual des-subjetivizado (hasta donde puede dejar de ser subjetiva la operación artística o simplemente la percepción humana) se compadece perfectamente con la estructura de muchas de las novelas favoritas de Baroja y con el ideal novelístico a que éste tendía. [...] Todo es un puro «suceso», en el sentido más brutal y más inhumano del término. Recordemos que, en cierta forma, también la novela de Stendhal es así, y Baroja tenía al escritor francés como uno de los

supremos modelos del arte novelístico. Tanto *La cartuja de Parma*
como *Mr. Midshipman Easy,* tanto *La isla del tesoro* como *Lord Jim*
o incluso como gran parte de la ficción barojiana (*Zalacaín, Aviraneta,*
y buena porción de *Las inquietudes de Shanti Andía* o de *Los pilotos
de altura*) son novelas en que «pasan» demasiadas cosas, y pasan
precipitadamente. El autor, sin duda, se abstiene de dar sentido a
todos esos sucesos, y es al lector a quien toca deducir algo, si es que
puede, de ese espectáculo que se desarrolla rápidamente ante su
vista. Pero, aunque no deduzca nada, el espectáculo en sí ha bastado
para dejarle un impacto emocional misterioso, una sensación como
de vértigo y reverencia por el ritmo inexorable del mundo. El resultado final es, como dice bien Baroja, una invitación al estoicismo.

Conocida es la aversión de nuestro escritor por lo que él llama
la novela de «argumento cerrado». «Mejor que esa unidad simulada
que ofrece en general la novela francesa —dice en cierta ocasión—,
prefiero la narración que marcha al azar, que se hace y deshace a
cada paso, como ocurre en la novela española antigua, en la inglesa,
y en las de los escritores rusos.» Claro que en esta denominación
de obras de «argumento cerrado» o de «unidad simulada» caben
ejemplos muy diversos; cabe la novela de «tesis», la novela que estudia un proceso psicológico hasta su conclusión, las novelas que siguen
la historia de una familia, etc. Pero, de todas maneras, el pensamiento de Baroja resulta bastante transparente. Él aborrece las novelas que aislan un trozo de la realidad, de la vida de un individuo
o de una sociedad, ya sea para hacer una mera descripción psicológica, sociológica, etc., ya para invitar al lector a que acepte la tesis o
idea que el autor se propuso ejemplificar en su historia. El mayor
inconveniente que Baroja le encuentra a esta clase de obras es que
«en la novela, o hay tipos, o hay esquemas», y que no hay novela
«de argumento cerrado» en la cual los tipos sean «verdaderos». El
«esquema», es decir, la construcción de la novela según un plan cuidadosamente preparado de antemano, significa que el autor no se
propone novelar la vida en toda su extensión y profundidad, sino
meramente una idea o una hipótesis de su cosecha, y esto, entre
otras cosas, implica que sus personajes no serán «verdaderos», sino
muñecos por cuya boca o cuyas acciones se expone esa idea. La novela de «argumento disperso», en cambio, tiene dos únicos ingredientes: el individuo, el hombre concreto, con sus cualidades espirituales y físicas, es decir, el «tipo», por una parte; el destino, el hado,

la suerte o lo que sea, por otra. Y la novela no es más que una exposición del juego de estos dos factores a lo largo del tiempo; es, pues, una cosa fluyente, sin principio ni fin, sin finalidad ni sentido humanos: «un río que refleja impasible las casas y los árboles que se levantan en sus orillas».

A nadie se le oculta que este segundo tipo de novela no es más «impasible» ni más «objetiva» que la novela doctrinal o de tesis, pues, en fin de cuentas, también es producto de una «filosofía», y toda ella responde a la idea de que la vida del hombre es un mero hecho biológico, sin consecuencias y sin fines, sin un sentido trascendente, en suma. La novela de Baroja responde, como no podía menos de suceder, a la visión que Baroja tenía del mundo, y, por tanto, puede ser considerada tan comprometida como cualquier obra de tesis. Pero pedir a un escritor que no refleje en sus obras su concepción del mundo es pedir peras al olmo, y lo que a nosotros nos interesa destacar no es más que esa coincidencia de construcción (o mejor dicho, falta de construcción), de intención (bajo una apariencia de completa objetividad), de manejo de la aventura como espectáculo intelectual con un sentido filosófico más o menos claro, entre la novela de Baroja y la corriente central de la novela anglosajona. En una y otra predomina el «argumento disperso» sobre el «argumento cerrado», y en una y otra la aventura está concebida como un conflicto eterno y fluyente entre el individuo, el «tipo», por una parte, y el destino o azar por la otra. El «hombre de acción» barojiano, aparte de ser un resultado de la fe de Baroja en el individuo como último y único valor, es también el último destilado de una larga tradición de literatura aventurera, a la que se ha despojado de todo elemento extraño a la «acción» misma, incluso de su finalidad.

Es indudable que la estructura de la novela de Baroja obedece en primer término al temperamento y a la ideología de su autor, pero no por eso debe echar en saco roto su larga familiaridad con la literatura inglesa decimonónica, gran parte de la cual es aventurera. Que sus lecturas le sirvieron como entretenimiento y aun como fuente de temas y recursos novelísticos, se denuncia en las muchas reminiscencias que presentan sus obras. No es raro que alguno de sus personajes, como Arcelu en *El mundo es ansí,* o Manish en *El puente de las ánimas* aludan a autores cuyas novelas están relacionadas con sus vivencias (Mayne Reid y Marryatt en este caso). Otras veces es el mismo Baroja quien confiesa su deuda para con ciertos novelistas en la descripción de escenas o ambientes que él no ha podido conocer de primera mano, como en buena parte de *Las inquietudes de Shanti Andía*: «En esta novela —escribe— hay una parte de aventuras de piratería que yo no puedo conocer por experiencia, que está inspirada en recuerdos de Edgar Poe, Mayne Reid, Stevenson, etc.». O como cuando en *Yan-Si-Pao o la Esvástica de oro,* delicioso juego literario que muestra la trama con que se teje la narración, interrumpe ésta para reconocer: «Este documento ... es el mismo documento que apareció primero en los cuentos de Poe y ha seguido después en todas las novelas de aventuras hasta Julio Verne, Stevenson y Rider Haggard. En las novelas inglesas, está bien, porque no hay nadie como los autores ingleses para la aventura y el mar; en las novelas francesas está peor, y en las italianas peor aún. En las españolas no existe apenas». O cuando en la misma novela, compara irónicamente su pobreza de recursos con los de los autores que le precedieron en el tema: «Seguramente usted, mi excelente amiga —dice a la señora a quien dedica el libro— encontrará muy pobre este Buda, esta plazoleta, esta cueva y estos malayos. No tienen, indudablemente, los detalles precisos, positivos, claros, de las novelas de Stevenson, de Kipling o de Conrad. Quizá esto dependa de que no ha tenido uno tiempo de consultar el Anuario de Comercio de la Costa Malaya».

Como se ha notado muchas veces, en las novelas de Baroja hay gran cantidad de personajes fugaces que entran y desaparecen de la acción central sin dejar rastro. Desde el punto de vista del novelista que Baroja llamaba de «esquemas», es decir, del que planea su obra en vista de un sentido bien concreto y definido, este lujo de personajes resultaría totalmente superfluo e incluso perjudicial para el «mensaje» de la obra. Pero la estética barojiana era muy diferente y no cabe duda de que estos caracteres fugaces, aparte de responder a una exigencia de realismo (en la «vida» abundan las personas que encontramos una vez para no verlas más), crean un trasfondo muy sugestivo y de gran fuerza artística. Muchas veces este trasfondo está compuesto de personajes y reminiscencias literarias inglesas. Entre tales personajes, no siempre resulta fácil distinguir cuáles proceden de la literatura y cuáles se basan en conocimientos directos del autor, pero muchas veces es posible que sucedan ambas cosas, es decir, que al recuerdo literario se superponga otro recuerdo de personas realmente vistas por el escritor. Con frecuencia, esa lejanía que revela el «background» literario británico de Baroja se sugiere con rasgos muy simples y genéricos, como cuando se describe a doña Concepción Zornoza, abuela del autor, como «una vieja de los cuentos ingleses, con su cara blanca y sonrosada, el pelo rubio y los ojos azules». Otras veces, son detalles y alusiones nimias, pero que sugieren toda una trastienda repleta de pequeños recursos aprendidos en las novelas inglesas, como el «hansom-cab» y su cochero Rip Rip (recuerdo del Rip Van Winkle de Washington Irving) de *El tesoro del holandés errante*. Y en otros casos se trata de personajes completos, como el oficial de la Marina inglesa Roberto, de la misma novela (que puede ser un trasunto de Mr. Midshipman Easy), los marinos de los cruceros antiesclavistas británicos que aparecen en *Los pilotos de altura*, la Florencia Kennedy de *El puente de las ánimas* (que sin duda es una refundición de varias heroínas de Scott), o el Mr. Tack de *El mayorazgo de Labraz* (inspirado en George Borrow). Ese trasfondo existe en otras muchas obras de Baroja, en *Los impostores joviales*, en las aventuras marinas de Shanti Andía, en los marinos ingleses del Mediterráneo que aparecen junto a Aviraneta en *La ruta del aventurero*, en la juventud de Thompson de *El viaje sin objeto*, o incluso se superpone a la visión directa de Inglaterra en pasajes de *La ciudad de la niebla*. Una tarea divertida sería la de rastrear el origen de todas esas referencias hasta dar con el personaje o la escena de otro autor que han servido de modelos en cada caso. El número de estos personajes y descripciones de extracción literaria es probablemente muy elevado.

Biruté Ciplijauskaite

DISTANCIA COMO ESTILO EN PÍO BAROJA

Marco Aurelio dijo que hay que vivir sobre una montaña. Indudablemente, el humorista vive sobre una montaña. Es lógico que

Biruté Ciplijauskaite, «Distancia como estilo en Pío Baroja», *Ínsula*, n.º 294 (1972), pp. 1 y 10.

en el fondo del valle se luche a favor o en
contra de una idea o de una persona; pero
desde lo alto del monte se es un poco espectador.

PÍO BAROJA

La cita, tomada de *La caverna del humorismo,* resume muy sucintamente una —si no la más— consistente peculiaridad estilística
de Baroja: mirar —y presentar— el mundo a distancia. Hasta hoy,
la mayoría de los trabajos dedicados al estudio de su obra han analizado sobre todo su pensamiento, su visión de España. Cuando se
trata del estilo, lo más frecuente es encontrar afirmaciones más bien
sumarias: sus novelas son unos desfiles sin hilvanar; es maestro en
presentar paisajes o retratos, pero no sabe unirlos ni dar profundidad
psicológica a sus personajes; su sinceridad, su espontaneidad contribuyen a crear ambientes muy logrados, pero éstos son cuadros de muchedumbres en acción y frecuentemente recuerdan escritos de un
cronista o un periodista. Si se habla más particularmente de la técnica,
se pone de relieve su variedad, se menciona su maestría en cambiar
de punto de vista. Esta última afirmación reanuda con palabras de
Baroja mismo que siguen a la cita anterior: «El humorismo no puede
resultar del que mira el mundo de abajo arriba. Quizá mejor pueda producirse en el que mira el mundo de arriba abajo, pero la posición verdadera del humorista será estar a nivel de los demás ... ni
más arriba ni más abajo: a la altura de su corazón. En esta altura se
puede cambiar constantemente de punto de vista».

En estos breves párrafos se llama la atención sobre dos constantes del estilo de Baroja, que de vez en cuando convergen: el mirar
el mundo como espectador, interponiendo distancia; y tratarlo, cuando puede, en humorista, lo cual también implica distancia. [...] Y en
verdad más de una vez se salva un cuento (e.g., «Los átomos») o un
capítulo (baste pensar en *La feria de los discretos* o en *Silvestre
Paradox*) que corrían el riesgo de caer en sentimentalismo por un
final inesperado, entre humorístico e irónico. No en vano, al juzgar
a los novelistas del siglo pasado, todas las simpatías de Baroja van
hacia aquellos que supieron juntar la risa y el lloro (dice Vladimir
Jankélévitch en *L'ironie* que el mayor logro del humorismo consiste en saber presentar las situaciones a dos niveles: como farsa y

como algo seriamente inquietante): Dickens, Stendhal, Gogol. Incluso inventa una denominación específica, que sería aplicable a él mismo a veces: humorismo sentimental. Son gustos y preferencias que se repiten en sus protagonistas: en más de una novela las inclinaciones del personaje principal van hacia muchachas o mujeres que son «graciosas» y un tanto burlonas o irónicas, sin que esto impida un fondo de seriedad.

De la misma manera, su actitud de espectador se transmite a los personajes. [...] Esto explicaría la imputada actitud de periodista o cronista: tampoco ellos entran plenamente en lo que relatan: Larrañaga, Quintín, Andrés Hurtado son espectadores también y sirven como medios de objetivación. El reproche antes mencionado de que Baroja sólo sabe presentar ambientes de mucha gente encuentra aquí su respuesta. Al explicar los recursos logrados por la ironía, Jankélévitch subraya el uso de la perspectiva; perspectiva que trasmuta y ordena el espacio, los personajes, la importancia del asunto. En cuanto al espacio, la perspectiva irónica, manteniendo distancia, permite ver una extensión mayor y, con ello, situar más acertadamente la acción o el personaje. Pedro Salinas y Julián Marías recalcan este don de crear ambientes un tanto vagos: la vida actual es precisamente esto, inexacta, y al presentarla así, se logra mayor veracidad. Lo mismo consigue con no atribuir importancia excesiva a un protagonista o a una acción: creando perspectiva, se obtiene una visión total más verídica. Baroja mismo lo explica en *Memorias*: «Nosotros no buscamos el delinear la figura, grande y destacada, con una línea fuerte que la separa del medio en que vive, sino que queremos hacerla vivir en su ambiente». Todos estos son puntos que elabora Jankélévitch en relación con la ironía: sólo a distancia se pierde la exageración de un solo aspecto que pueda parecer sumamente importante de cerca. Sólo a distancia, dice, se abre también el horizonte intelectual. (Habría que añadir que Baroja es uno de los pocos autores que ha sabido aplicar este precepto a sí mismo, que haya querido mirar y examinarse desde una perspectiva irónica.)

El deseo de crear perspectiva, de disponer de distancia cuanto se mira el mundo se ha cristalizado en un pequeño detalle muy característico que no falta en ninguna obra de Baroja: ¡cuántos protagonistas se deleitan en contemplar el paisaje que les rodea desde un cerro, un monte, un mirador! ¡cuántos suben y se pasean por los tejados! (Claro que hay en ello reminiscencias de la niñez del autor: el balcón

de la tía Cesárea que daba sobre el mar; las escapadas por el tejado
en Pamplona.) Es sólo una variación de la misma constante. Cumple,
además, otra función, también ésta tal vez relacionada con hábitos
cogidos en la niñez: mirando desde un punto elevado, desde lejos,
la distancia permite elaborar la realidad percibida. Se mezclan observación objetiva e imaginación. Muchos paisajes de Baroja aparecen
como a través de una ligera neblina; los contornos no son nunca
claramente delineados. Es lo que [...] el autor comenta en *La sensualidad pervertida*: «No es para mí la luz violenta ... a la claridad
fuerte prefiero el gris». Este gris se incorpora perfectamente a su
ideología total de la distancia: no destacar nada, unir por un ámbito
común. La presentación un tanto difusa corresponde a lo que Beda
Allemann (en *Ironie und Dichtung*) denomina «ironía poética»: no
destructora, sino creadora. (Recordemos la «duda poética» de Antonio Machado.)

El paisaje no sólo se presenta frecuentemente visto a distancia,
sino que a la vez sirve como factor distanciador. Se ha comentado
que Baroja es probablemente el mejor paisajista de este siglo, pero
se le ha reprochado el no saber incorporar el paisaje a la narración.
Reproche justo si no se considera este recurso como otro intento
consciente para distanciar la acción. Las frecuentes intercalaciones de
descripción del paisaje consiguen interrumpir la tensión dramática,
devolver la objetividad al lector. Sirven, según Baroja mismo, dos
propósitos principales: crear ambiente (y éste sí podría contar como
algo que da unidad a la novela, por lo menos unidad espacial) y distanciar: «Hay, además, una razón técnica en el empleo de la descripción en la literatura novelesca, y es que sirve para alejar unas
partes de otras, hacer como de marco de un incidente» (*Memorias*).
Una hábil descripción del mismo paisaje permite sugerir también
distancia en el tiempo así como introducir el tema de la relatividad:
nunca se ve igual. Sólo a distancia, mirando objetivamente, se admite la existencia de otros puntos de vista.

Examinando la presentación de los personajes en la mayoría de
las novelas, se observa que siempre existe una distancia entre el
autor y sus protagonistas. Se le ha reprochado el que introduzca
millares de transeúntes sin profundizar, que no lleguemos a conocer
de veras ni siquiera a los principales. Acaso haya que poner el acento
en lugar distinto: lo que resulta es que él no «vive» con sus personajes, les observa, y lo mismo hace el lector. Por consiguiente, in-

cluso cuando expresan ideas suyas, nunca llegan a ser tan parte de
sus entrañas como los de Unamuno. Tampoco va hacia el otro extremo: crear estampas, tipos casi atemporales, como Azorín. No, los
personajes de Baroja viven (aunque no con él), se mueven, entran y
desaparecen como en la vida. Recordemos su filosofía de «transeúnte
y paseante en corte»: así no se llega a conocer totalmente a un personaje: «En la vida se da con frecuencia el caso de comenzar a preocuparse y a sentir curiosidad por algo cuando desaparece de nuestro
campo visual» (*Memorias*). Es una limitación que sirve, entre otras
cosas, para no permitir una compenetración total con el personaje:
también el lector mantiene la distancia y recuerda que está en el
mundo de la ficción.

Es curioso que en más de una novela, aunque no nos permita
«entrar» totalmente en el personaje mientras se desenvuelve la acción, el autor cuente su «prehistoria», consolidándole como tipo a
través de sus antepasados. Otras veces confiere más realidad intro-
duciéndole en su propia vida. Mirándolo bien, también este recurso
sirve para mantener cierta distancia. Si no lo consideramos como un
medio para confundir eficazmente historia y ficción (procedimiento
usado eficazmente por Galdós y más dramáticamente por Unamuno),
debemos pensar que tal presentación pone al lector en guardia y le
induce a examinar el desarrollo subsiguiente con ojo crítico. Tal vez
no sea equivocado sugerir que es técnica que aprendiera leyendo a
Stendhal, quien siempre mantenía una actitud irónica frente a sus
personajes, no se encariñaba de veras con ellos. Actitud que Baroja
trasplanta a sus personajes: tampoco ellos se entusiasman de veras
por nada, entran en contacto con otros a través de un distanciamiento crítico. Es una característica estilística que se hace mucho más
notable en algunos escritores posteriores, como Cela.

La distancia en la emoción es lo que contribuye a la tan anhelada
amenidad de las mejores obras de Pío Baroja. Sólo cuando cuenta
por contar, olvidando las reflexiones político-socio-económicas o ideológicas, nos persuade de veras. En las novelas donde se deja llevar
por la idea incurre en el error que criticó Ortega: no crea un mundo,
sino que presenta el suyo, por fuera y por dentro. Algunas novelas
se acercan peligrosamente al punto-límite indicado por Edward Bu-
llough en su interesante artículo sobre la distancia como un presupuesto del arte: en vez de ser creación artística, la obra corre el
peligro de convertirse en un comentario político o ético. Baroja mis-

mo lo reconoce: «La novela es un espejo que se pasea por un camino, y el autor debe mostrarse un tanto separado de la moral de la cuestión y mirar con cierta serenidad las fuerzas que deben encontrarse una contra otra, y ver la posibilidad de éxito de una de éstas» (*Memorias*, V).

Hablando de su proceso creativo, indica más de una vez que lo que ofrece son «impresiones recordadas», o sea, vistas a distancia, con calma: «Yo siempre tomo notas, aunque no en el mismo momento. Cuando me ha impresionado un lugar, un sitio o un pueblo, al cabo de algún tiempo escribo la impresión, y si ésta me deja el deseo de seguir, le voy añadiendo y quitando, pensando en los tipos que me sugieren aquellos lugares» (*Las horas solitarias*). Sería equivocado, pues, sostener que sus novelas nacen bajo el impulso del momento u obsesión de una idea o una figura y que por esto están «mal hechas». Lo que busca es desasimiento y reflexión, y lo consigue cuando aplica lo que él mismo llama «la moral de juego»: un aspecto que le acerca mucho a las ideologías de los años veinte.

En el tratamiento del tiempo se puede asimismo hablar de una técnica de distanciamiento. El tiempo ya por sí crea distancia. Mucho más si es usado como protagonista, como en *Las inquietudes de Shanti Andía*. Allí, desde el principio se presenta a un personaje que lee sus recuerdos y que se pregunta si ahora, mirándolo todo a distancia, va a seguir. Los saltos cronológicos en la narración no consiguen dar la impresión de sincronismo, sino que más bien recalcan la distancia. Los excursos en el pasado —ya no sólo de Shanti, sino también del tío— amplían el horizonte temporal. El sostenido tono nostálgico contribuye a mantener vivo el pasado como tal. A la luz de estos dos tiempos, el protagonista tiene mejor oportunidad para mirar y juzgarse objetivamente. En cuanto al lector, el ya mencionado recurso de la «prehistoria» o la presentación en varios tiempos le mantiene alerta frente a las peripecias de un personaje ficticio. Los finales abiertos de varias novelas prolongan aún más la función del tiempo. En ello Baroja es totalmente diferente de los compañeros de su generación: Unamuno lucha contra el tiempo y la muerte: Azorín trata de inmovilizar el instante; Valle-Inclán, al estilizarlo, lo hace atemporal. El intento de Baroja es otro. Es como su descripción de la fuente que admira: «Diréis que el agua es amarga y salitrosa, que no es limpia y cristalina. Cierto. Pero corre, salta, tiene rumores y espumas. Eso me basta. No la quiero conservar; que corra, que se pierda. Siempre he tenido entusiasmo por lo que huye» (*Juventud, egolatría*). Con ello consigue su ideal de «permeabilidad» y el de «dejar siempre una ventana abierta». Y a través de la ventana, todo se percibe a distancia. [...]

Hay, por fin, infinitos detalles minúsculos que ayudan a mantener la distancia entre el autor o el lector y la obra. Así, los títulos de los capítulos, no pocas veces irónicos, que sirven para recordar que es el autor quien, ya totalmente desasido del mundo ficticio, lo presenta al lector *cum grano salis*. El uso de la ironía dentro de las obras mismas abre las puertas a un procedimiento favorecido por los autores modernos: el uso de la ambigüedad. La disociación, el fragmentarismo conseguidos por el movimiento rápido y los saltos de un párrafo corto a otro, de un personaje a otro también parecen indicar búsqueda de caminos nuevos. El entusiasmo y la compenetración total con el mundo de un solo protagonista resultan imposibles, y esto, lo achaca Baroja a la vida moderna: «La vida actual no tiene misterio, no da la aventura ni el aventurero, no da la posibilidad del héroe y por eso la novela no puede reflejarlo. El intentarlo a la moda antigua, más que creación, sería hoy un caso de arqueología literaria» (*La vitrina pintoresca*). Ha cambiado también el lector, está más inclinado a una lectura crítica, y ésta pide distancia.

La actitud irónica, una actitud que crea distancia, es frecuentemente característica de hombres tímidos: les sirve como autodefensa. Ya se ha comentado que en el fondo Baroja tenía una tendencia hacia lo sentimental, buscaba lo íntimo, como lo demuestran sus primeras obras y su admiración por Bécquer o Verlaine. En *La sensualidad pervertida* habla de esta «enfermedad» y del cambio gradual ocurrido: «¿Cómo y cuándo mi sensiblería y mi sentimentalismo se convirtieron en burla y en tendencia irónica?». Máscara que nunca se convirtió en figura verdadera (recordemos que elogia el humorismo «sentimental»), pero que le ayudó a forjarse un estilo muy personal e inconfundible.

Eugenio G. de Nora

LA LUCHA POR LA VIDA (1904-1905)

Sin duda la más unitaria y compacta de las primeras trilogías barojianas es *La lucha por la vida*: título darwiniano que insinúa ya el frío y brutal rigor de naturalista (de hombre que en todo caso esconde sus sentimientos, si los tiene, por no aparecer ingenuo) con que página tras página hemos de asistir al análisis de esa inquietante gusanera humana que Baroja encuentra, hacia 1900, en lo que unos cuantos años después había de llamarse, con amigable eufemismo, «el cinturón de Madrid». Unidad, sin embargo, no significa aquí arquitectura o esquema argumental dominante («no hay en todo el libro —escribió Azorín de *Aurora roja,* con palabras plenamente extensivas a los otros de la serie—, ni comienzo, ni apogeo, ni desenlace, ni concierto, ni método ...»); y tampoco el rigor y alarde de impasibilidad proporcionan la unidad de tono, pues no suponen indiferencia, sino repugnancia unas veces, compasión inconfesada otras, y las más acaso perplejidad atónita, desesperación y quemante impotencia frente a la condición humana degradada, envilecida, ya sin más restos de nobleza que el ensueño utópico y estéril (Juan), donde toda palabra efusiva o filantrópica se elude, no por sequedad, sino porque sonaría a ridiculez beata o a insoportable sarcasmo.

La unidad, pues, la da únicamente el «tema». Tema que no es, como se ha dicho, el «golfo» madrileño, ni menos el proletariado anarquizante de la época, sino precisamente la zona de interferencia, los ambientes comunes a ambos, la fluctuación trabajador-vago (sin ser del todo ninguna de las dos cosas) que, no por azar, ofrece en sí mismo el personaje central. Unidad secundada, eso sí, por el procedimiento narrativo, por el «estilo» (en el sentido más extenso y ramificado del término): el estilo de la simple notación, sin ley ni plan alguno previos (aunque, desde luego, y de ahí su calidad, instintivamente sintética, selectiva y capaz de orientarse hacia lo típico y significativo).

Hablamos de un personaje central (Manuel o Manolo Alcázar,

Eugenio G. de Nora, *La novela española contemporánea*, I: *1898-1927*, Gredos, Madrid, 1958, pp. 152-159.

hijo de la viuda de un obrero, lavandera y sirvienta de una casa de huéspedes, que lo deja también huérfano todavía muy joven; recadero, ayudante de panadería, trapero, tipógrafo, timador y golfo a intervalos, más a la fuerza que por vocación); de hecho, la vida de Manuel es ante todo el hilo que enlaza apenas los variados y hasta contrapuestos ambientes de esta república de la miseria. En *La busca* (1904), será la casa de huéspedes de doña Casiana, la zapatería del señor Ignacio, el corralón del tío Rilo (en el que «cada trozo de galería era manifestación de una vida distinta dentro del comunismo del hambre..., mundo en pequeño, agitado y febril, que bullía como una gusanera»); serán también la taberna de la Blasa, la tahona del tío Patas, la cueva donde vive «el Cojo», y la trapería del señor Custodio. En *Mala hierba* aparecerán los negocios o pseudonegocios que bordean la ilegalidad y el hampa: el taller fotográfico de Santín, la agencia de negocios de Mingote, las especulaciones de la «baronesa de Aymant», el garito de la «coronela» cubana, los «sapos» (periódicos de delación) de Sánchez Gómez, las cuevas habitadas del «Gobierno Civil», las tascas y tugurios donde pululan los delincuentes; la cárcel en fin, a donde va a parar —aunque por poco tiempo— Manolo. En *Aurora roja* (1905) conoceremos el taller de Perico el electricista, el hogar de casi brillante situación y estabilidad que sostienen trabajando Manuel, su hermana Ignacia y la «futura», la prudente y firme Salvadora (demasiado hormiga para encarnar, como algunos han creído, el ideal femenino del novelista); y sobre todo, repetidamente, visitaremos «La Aurora», pronto llamada «Aurora roja», taberna, cenáculo y tribuna de las interminables discusiones teóricas en las que participan Juan (el hermano de Manuel, anarquista sentimental y de principios), «el Libertario», implacable razonador y «filósofo de la miseria», Maldonado, «republicano radical», el pintoresco, esquinado y terco señor Canuto, «veterinario y anarquista» y toda una asamblea de ingenuos o amenazantes habladores, iconoclastas o «positivistas», que plantean y replantean los más vitales y espinosos temas de ley, gobierno, libertad, derecho, propiedad y trabajo.

De las tres novelas del ciclo, la más densa y representativa, la más fiel también al procedimiento de notación sintética y sin comentario, de pintura (no «retrato», pues la placa que registra los cuadros es la sensibilidad alerta y consciente del novelista) de la realidad desnuda, en un estilo directo, agresivo y cortante, es desde luego

La busca. Es también la más deshilvanada y amorfa; pura sucesión de cuadros. Sin embargo, esos tipos, esas circunstancias, esos momentos episódicos todos, dejados caer como al desgaire, tienen una irrebatible y penetrante verdad, y forman, además, un todo. Nos cala en ellos la dureza y crudeza de una vida en la que la madre de Manuel misma no parece ser para él *su madre,* sino simple y bárbaramente «la Petra», que se muere un día cualquiera sola y agotada (revelándose sólo entonces el amor del hijo en un dolor sordo y animal); un mundo en el que la violenta y obsesiva pasión amorosa de Leandro por Milagros, hembra chula y desafiante («¡Cristo! —dice Leandro a Manuel, condensando en la frase su experiencia—; que no se te ocurra entusiasmarte con una mujer. La más buena es tan venenosa como un sapo»), acaba llevándolo a matarla y a suicidarse él; donde la primera ilusión sentimental de Manuel se trueca en agria lección y primer desengaño, al verse encandilado a intento por cierta Justa para darse luego el placer de despreciarlo como pobre y de que lo apaleen los amigos del «novio» oficioso (un señoritillo resabiado que acabará empujándola a ella a la prostitución).

Imposible de todos modos resumir o «contar» una novela compuesta íntegramente de observaciones minuciosas y fragmentarias de la vida captada al natural. Lo que domina es una impresión informe, pero abrumadora, de hormigueante e infrahumana promiscuidad despersonalizada. Cada rasgo vivaz y concreto adquiere su verdadero sentido al integrarse en el conjunto —que no lo es más que como bulto; la unidad resultante de sumar una multitud en apariencia caprichosa de fracciones, de momentos sucesivos—. Acaso, el momento culminante, y aun simbólico (sin el menor propósito de simbolismo en Baroja), sea el que cierra la novela, con una rápida pero honda impresión de colectividad anónima: en la Puerta del Sol, de madrugada, los noctámbulos y juerguistas de la más o menos dorada sociedad, vuelven a sus casas en busca de reposo y de sueño, mientras los trabajadores de la ciudad se dirigen a sus puestos, también —todavía— con la mirada soñolienta, prontos a empezar una jornada más de labor y ajetreo: dos mundos que ahora, ahí se cruzan, pero que jamás se encuentran. Y Manuel, en una primera oscura intuición de lo que en él prevalece, de su sitio en el mundo y de su clase, reflexiona, no sabemos si resignado, prometedor o despectivo: «él debía ser de éstos, de los que trabajan al sol, no de los que buscan el placer en la sombra».

En *Mala hierba,* la acción se encrespa con cierto aire folletinesco, en torno a varios casos de intriga relativamente efectista: la estafa de la «baronesa» a su antiguo amante don Sergio, haciendo pasar a Manuel por hijo; la «carrera» de la hija de la coronela, Lulú, como bailarina; la organización de delincuentes dirigida por «el Cojo» y «el Maestro»; el encuentro de la Justa, ya «en la vida», y su fugaz convivencia con Manolo; y, sobre todo, como golpe último, el asesinato misterioso de Vidal y las gestiones de la policía para la captura del «Bizco». Mientras tanto, asistimos también a la iniciación ideológica de Manuel en las teorías anarquistas, adoctrinado por el tipógrafo Jesús, extraño sujeto que lleva su «anarquismo» hasta vivir «entendiéndose», al parecer, con una de sus hermanas. No deja por ello, sin embargo, de poner a veces el dedo en la llaga («la civilización —dice por ejemplo a Manolo— está hecha para el que tiene dinero, y el que no lo tiene, que se muera. Antes, el rico y el pobre se alumbraban con un candil parecido; hoy (¡en 1904!) el pobre sigue con el candil, y el rico alumbra su casa con luz eléctrica»).

En *Aurora roja,* el papel principal —aunque también borroso, vencido por lo anecdótico y episódico— pasa de Manuel a su hermano pequeño, Juan: ex-seminarista inteligente, obsesionado luego por la vocación artística (ha querido ser escultor) en Barcelona y París, buscando más allá de la creación estética la idea transcendente en la que entregar su generosidad ilimitada, se imbuye finalmente de un vago aunque ardiente anarquismo humanitario y sentimental. Enfermo, regresa al lado de Manuel, se destaca como iluminado «teórico» en los debates acalorados de «Aurora roja», fracasa quijotescamente entre los golfos-galeotes a los que intenta redimir, compromete sin saberlo gravemente a Manuel al acoger en su casa al anarquista Passalacqua, que oculta en su maletín una bomba destinada a la coronación del Rey (compromiso que salva con su ponderada intuición Salvadora, de modo que la policía no encuentra nada delictivo en su registro), y muere finalmente, sin volver a la cordura de Alonso Quijano; un iluso y emocionado discurso del «Libertario» sobre su tumba cierra significativamente la novela. Como contraste, la vida de Manuel se ha encarrilado por cauces «burgueses»: de tipógrafo pasa a propietario de la modesta imprenta gracias al préstamo generoso de un amigo (Roberto Hasting, pintoresco sujeto que arrastra por toda la trilogía un confuso negocio de herencia fabulosa, una pasión romántica y unas desafiantes ideas de superhombre amoral, racista y autoritario, lo que no le impide tener al fin limpiamente ese hermoso gesto, sin énfasis caritativo alguno); asegurada su estabilidad, Manolo se formaliza y se casa, por sus pasos contados y como debe ser, con la no menos prudente y hacendosa Salvadora. Trayectoria después de todo casi estrechamente ejemplar, reveladora del profundo conservadurismo de Baroja.

El otro rasgo dominante de esta última novela de la famosa trilogía es la proliferación enmarañada de ideas (anarquismo utópico, simple humanitarismo, nietzscheanismo brutal, golpes desbaratadores de feroz escepticismo y salidas del más raso sentido común); nada que seriamente se aproxime a una interpretación científica de los hechos, ni en lo social ni en lo moral. Pero estas ideas aparecen salpicando las largas y acaloradas discusiones de los personajes; nada más lejos en todo ello de un sermonario ideológico o de una exposición de tesis con intención proselitista. Si estéticamente la reiteración de argumentos, distingos y ocurrencias, recarga en exceso y perjudica por tanto a la novela, la perspectiva en que toda esa «teoría» se nos presenta no tiene nada de idealizante o siquiera de compasiva hacia los ilusos que por ella se apasionan. Baroja desmonta espíritus e ideas con despectiva frialdad («el español ... es anarquista porque es perezoso; tiene todavía la idea providencial ...»), y en definitiva, la «causa del mal», de todos los males, parece residir para él en una fatalidad de la naturaleza, parece ser inherente al existir mismo del hombre. El novelista conduce todo, hechos e ideas, a la confirmación de un escepticismo paralizador y estéril, a la adopción de la piedad impotente o de la crueldad necesaria, preferible porque, cuando menos, autoriza a obrar en provecho propio. Por otra parte, según Baroja, pocos —y sobre todo pocos españoles— serán capaces de esa crueldad eficiente y necesaria: otra de las vertientes que completa y sostiene su concepción del mundo y de las cosas es el mito de la España fatalmente decadente, imposible y acabada. («Esto es una raza podrida —dice "el Libertario"—; esto no es un pueblo; aquí no hay vicios, ni virtudes, ni pasiones; aquí todo es m... Política, religión, arte, anarquistas, m...».)

Carlos Longhurst

BAROJA Y LA NOVELA HISTÓRICA

Manzoni [dijo] que «un gran poeta y un gran historiador pueden hallarse, sin confundirse, en el mismo hombre, pero no en la misma obra». El veredicto final del autor de una de las novelas históricas más artísticas y bellas jamás escritas es, paradójicamente, que la novela histórica es, por definición, un género inartístico. Naturalmente, en su tratado sobre la novela histórica Manzoni se enfrentó con el problema en un nivel teórico que resultó ser un callejón sin salida. Pero aunque no admitamos la validez del presupuesto de Manzoni de que historia y poesía son irreconciliables —presupuesto que se basa en el pensamiento aristotélico—, los problemas prácticos relacionados con el logro de la fusión artística quedan aún en pie. El manipular la historia para hacerla encajar en la ficción queda descartado, toda vez que una novela histórica lo es porque el autor tiene un interés serio por lo histórico y respeta la verdad histórica en cuanto ésta es conocida. La solución —si es que la hay, pues los idealistas lo niegan— está en la dirección opuesta, es decir, en componer la parte ficticia de tal forma que se pueda compenetrar con el contenido histórico. Y aunque este proceder esté condenado por la estética idealista, resulta el único practicable. Es precisamente lo que hizo Galdós: adecuar lo novelesco a lo histórico; pero ni siquiera un novelista de la talla de Galdós pudo lograr la perfección, y por eso notamos a veces que la trama novelesca de los *Episodios nacionales* tiene cierta artificialidad, artificialidad derivada del hecho incontestable de que lo novelesco va subordinado y sirve de sostén a lo histórico. Galdós no se preocupó de teorías estéticas ni de si su proceder era estéticamente legítimo. Para él el problema era una cuestión técnica, y por lo tanto susceptible de solución. El éxito de los *Episodios* muestra el certero instinto de Galdós, a pesar de que hoy encontramos en ellos ciertos defectos de composición. ¿Y Baroja? ¿Cuál fue su actitud hacia este problema? Una vez más, vayamos directamente a las novelas. [...]

Carlos Longhurst, *Las novelas históricas de Pío Baroja,* Guadarrama, Madrid, 1974, pp. 238-250.

Con la pluma y con el sable es una de las novelas más satisfactorias de la serie en lo que se refiere al logro de la fusión entre historia y ficción. Esencialmente la novela trata del régimen liberal de los años veinte según se revela en una ciudad provinciana. Observamos los intentos de reforma por parte de la administración liberal, la reacción que provoca, la continua hostilidad entre reformadores y tradicionalistas, etcétera. La trama novelesca de *Con la pluma y con el sable* ha sido reducida a lo mínimo. La fórmula empleada es bien sencilla: se inventan unos cuantos personales ficticios, se establece una conexión entre ellos y el protagonista, el cual se mueve en el ámbito de lo ficticio y en el de lo histórico, y luego se desarrolla gradualmente esta situación. La ventaja de tener este tipo de trama novelesca es que no choca con el material histórico de desarrollo lento. [...] Uno de los requerimientos de una buena novela histórica es una trama novelesca que se vaya desplegando a la par que el material histórico. Una trama de desarrollo rápido y de tensión dramática le hará la vida muy difícil al novelista, pues o se agotará la trama antes de que el material histórico haya sido tratado adecuadamente o tendrá que ser reactivada artificialmente a intervalos. Por eso, sin llegar a la perfección, *Con la pluma y con el sable* resulta más satisfactoria en este respecto que varias otras novelas del ciclo, pues en ella el eterno problema de la novela histórica ha sido superado con cierto éxito. Otra novela en que lo histórico va entrelazado con lo ficticio de forma que difícilmente podría separarse lo uno de lo otro, es *El amor, el dandismo y la intriga*. Aquí, vemos la situación histórica a través del personaje ficticio Pello Leguía, el cual se ve metido de lleno en los acontecimientos históricos bajo examen, a saber, la época del comienzo de la desintegración carlista en el norte de España. Leguía también es el vehículo de la trama novelesca, mediante su aventura amorosa con otro personaje cuyo papel es en parte histórico y en parte ficticio (María de Taboada: sus incursiones en el campo carlista son históricas, sus vicisitudes amorosas, ficticias).

Si hacemos mención de todos estos casos en que la dificultad de fundir lo histórico y lo novelesco ha sido superada por el novelista es más que nada por indicar que Baroja parecía ser consciente del problema y conocía los recursos que tenía a su disposición para alcanzar una solución relativamente aceptable, como ya hicieran Galdós y tantos otros novelistas históricos del siglo XIX. Y sin embargo, es un hecho indudable que en muchas de las novelas de las *Memorias de un hombre de acción* la conexión entre historia y ficción es perfunctoria, mientras que en otras es literalmente inexistente. Veamos unos cuantos ejemplos.

Los recursos de la astucia se compone de dos relatos. En el primero, «La canóniga», la información histórica se da por separado en los capítulos III y IV del prólogo. La historia que sigue al prólogo es toda ella ficticia. El segundo relato, «Los guerrilleros del Empecinado en 1823», es todo él histórico, compuesto con la ayuda de las hojas de servicio de Aviraneta y con un relato de éste que cayó en manos de Baroja, pero que luego desapareció (a ello ya nos referimos en el capítulo I de la primera parte). En cuanto a la ficción inventada por el autor, apenas si existe en este relato.

En *Los caudillos de 1830,* cuyo título se refiere, naturalmente, a la fracasada invasión liberal, el relato de la expedición militar corre a cargo de un personaje secundario. Ni Aviraneta ni Miguel Aristy, que es el principal personaje de la trama novelesca, toman parte en la expedición. El resultado de este proceder es que el relato de la famosa expedición de Mina está completamente divorciado del resto de la novela.

Al comenzar la parte segunda de *Las figuras de cera,* Baroja nos anuncia lo siguiente: «Aquí el autor tendría que comenzar esta parte pidiendo perdón a los manes de Aristóteles, porque va a dejar a un lado, en su novela, las tres célebres unidades: tiempo, lugar y acción, respetables como tres abadesas o tres damas de palacio con sus almohadas y sus colchas correspondientes. El autor va a seguir su relato y a marchar a campo traviesa, haciendo una trenza, más o menos hábil, con un ramal histórico y otros novelescos. ¡Qué diablo! Está uno metido en las encrucijadas de una larga novela histórica y tiene uno que llevar del ramal a su narración hasta el fin. Iremos, pues, así mal que bien, unas veces tropezando en los matorrales de la fantasía, y otras hundiéndonos en el pantano de la historia».

La declaración no puede ser más explícita. ¿Pero tardó Baroja doce años en darse cuenta de la naturaleza de su procedimiento? Porque la falta de conexión entre lo histórico y lo novelesco ha sido evidente desde el primer tomo de la serie. Es verdad que en algunos tomos los dos aspectos se dan bien entrelazados, pero en muchos otros el novelista no ha puesto el menor esfuerzo en fundir lo histórico con lo novelesco. La trama novelesca, con un argumento bien trabado, como ocurre por ejemplo con *La veleta de Gastizar* y *Los caudillos de 1830,* se ofrece al lector con independencia de lo histórico, de forma que el lector poco interesado en los acontecimientos históricos podría fácilmente saltarse esas partes de la novela y degustar únicamente la ficción novelesca. Ahora, al llegar al tomo catorce, *Las figuras de cera,* Baroja por fin declara, con su tono humorístico habitual, que historia y ficción seguirán cada una por su camino. [...]

Es evidente que en las novelas históricas de Baroja, o mejor dicho, en muchas de ellas, existe una dicotomía fundamental. ¿Cómo se explica que Baroja pudiese tolerar tal situación? ¿Por qué no se preocupó en darle a sus novelas una forma que permitiese la fusión de lo histórico con lo ficticio a la manera tradicional? ¿Se trata una vez más de la conocida falta de respeto de Baroja por todo lo establecido y lo aceptado? No creemos que haya una respuesta sencilla y directa; pero podemos abordar el problema oblicuamente en busca de la solución.

Como réplica a un crítico que ha querido comparar *Las memorias de un hombre de acción* con los *Episodios nacionales,* Baroja escribe: «Yo no me he propuesto, de pronto, escribir novelas históricas»; y unas líneas después repite la misma idea: «Yo no quería hacer novelas históricas sino más bien una especie de reportaje fantástico». [...]

Una persona poco enterada de la historia de España en el siglo XIX lee los *Episodios* y halla cierta orientación. Si esa misma persona leyera, en cambio, las *Memorias de un hombre de acción* con el único objeto de aprender historia se vería inmersa en un laberinto del cual difícilmente podría salir. En las *Memorias de un hombre de acción* hay desde luego muchísima historia; pero, aparte de que es historia más bien para el iniciado, Baroja no ha querido seleccionar y ordenar ese material histórico de forma que fuese inmediatamente asequible al lector medio. El dar una lección político-histórica a la manera de Galdós no entró en los planes de Baroja; sólo hay que fijarse en la presentación no cronológica del material histórico para darse cuenta de ello. En todo caso le interesaba mostrar lo contrario: lo absurdo de la historia y la falsedad de la política; pero claro es que Baroja no escribió veintidós tomos únicamente para mostrar esto.

Ahora bien: si todo esto es verdad, ¿por qué se volvió Baroja hacia la historia y le dio tan gran cabida en su obra? Sería escasamente probable que a Baroja le interesara la novela histórica primordialmente como vehículo de los detalles eruditos de sus investigaciones; primero, porque no hay tanta erudición como para llenar veintidós novelas, y segundo, porque ello convertiría la historia en algo soso y académico, muy lejos del verdadero interés de Baroja y de su obra en sí. Además, algunas de las novelas de la serie son casi enteramente ficticias y no se basan en la investigación histórica. La pregunta, pues, sigue en pie: ¿qué fue buscando Baroja en la historia?

Él mismo nos ha dado una posible respuesta: «Yo he ido a la historia por curiosidad hacia un tipo»; y también: «Yo no quise hacer novelas de aire heroico, sino recoger datos de una vida». Pero esto sólo explicaría por qué Baroja se volvió a la historia en un principio; de ninguna manera explica por qué escribió veintidós novelas históricas cuando los «datos de una vida» cabían perfectamente, y de hecho cupieron, en un solo tomo —la biografía *Aviraneta o la vida de un conspirador*. El material histórico de las *Memorias de un hombre de acción* sobrepasa en mucho al que exigía el poner a Aviraneta de protagonista. Todo lo cual viene a indicar que Baroja encontró en la historia algo que podía utilizar con fruto en sus novelas.

La impresión total que el lector de las *Memorias de un hombre de acción* recibe es de diversidad, de color, de movimiento. El ciclo está saturado de esta corriente dinámica, difícil de describir, pero que se revela en el continuo acontecer, a veces trivial, que caracteriza cada tomo, de tal forma que podemos ver la serie como la conversión de la historia en el proceso dinámico que es la vida. Esto no es lo mismo que la *acción,* concepto que ha sido sobrevalorado. Se trata, más bien, de la manifestación de la vida, sobre todo de la vida humana, naturalmente, en sus diversas formas y en su constante y ciego fluir. En el fluir cósmico, cada acción, cada acontecimiento, por grande o pequeño que sea, pierde la trascendentalidad que pueda aparentar en el presente y se torna insignificante, es decir, carente de sentido propio, representativo sólo del constante acontecer que llamamos vida, fenómeno incomprensible para la mente humana, a pesar de que es una parte tan íntima de él. Fue Ortega y Gasset quien, hace ya mucho tiempo, percibió este poder vital en la novelística de Baroja: «¿Quién no ha sentido a veces leyendo esas páginas de Baroja —donde los acontecimientos más diversos van y vienen rápidos, sin patética, insignificantes, rozando apenas nuestra emoción, exentos de un ayer y de un mañana—, quién no ha sentido como el paso veloz de la vida misma, con su carácter de contingencia, de azar sin sentido, de mudanza constante, pero constantemente vulgar?».

9. JOSÉ MARTÍNEZ RUIZ, «AZORÍN»

Pocas veces la literatura española registra un triunfo más completo del seudónimo —«Azorín»— sobre el nombre real —muy poco denotativo, ciertamente— de quien lo inventó: José Martínez Ruiz (Monóvar, Alicante, 1873 - Madrid, 1966), bautista indiscutido del hoy discutible nombre de «generación del 98». No fue casual aquel hecho: el alias literario surgió de varios otros —entre los que se halla un volteriano «Cándido»— y como una fórmula de compromiso entre el antropónimo bastante común en Levante y la evocación de la diminuta —y diminutivizada— ave de presa, pero fue previamente y sobre todo el nombre de un personaje de una ficción propia, premonitoriamente adoptado por el escritor. La vida y la literatura se engarzaron así de forma inextricable hasta convertir al hombre en escritor y a éste en una suerte de sensibilidad refleja, mínima frontera entre la vaga conciencia de ser alguien y una realidad exterior que no tenía otro objeto que convertirse en literatura. En las tardías *Memorias inmemoriales* (1946) de Azorín, un ficticio autor innominado llama X a su protagonista (que es, lógicamente, Azorín) y confiesa paladinamente de sí mismo: «No me importa nada de nada. Soy nadie. Y con nadie quiere nadie amistades. He llegado a tener horror de la realidad. No digo bien: la realidad que yo estimo es una realidad como destilada por alquitara … Una imagen puede ser bella desgarrada de todo, sin relación alguna con lo de suso o lo de yuso, con lo de la derecha o lo de la izquierda. Y ensamblando con esa imagen puede ser colocada otra. Y con la otra, una tercera … No habrá razón para que lo que hemos imaginado sea menos real, menos bello que la irreprochable coherencia».

Un proyecto literario de tales caracterísicas puede parecer insólito en una literatura que, como es el caso de la española, define una fuerte sobrecarga nacionalista y se expresa como una reflexión de «intelectuales» sobre la función de la estética en el «problema de España». Pero lo cierto es que, en el autor que nos ocupa, la formulación radical de tales principios fue tardía y ha de entenderse más bien, según veremos, como el varadero estilístico de quien también quiso convertir su obra en un instrumento al servicio de un proyecto nacional: la reforma de la sensibilidad del país respecto a la tradición literaria, la revisión sistemática del engolamiento en la prosa, la introducción de la estética de lo nimio («primores de lo vulgar») —de tan modernista raigambre—, la conversión del tiempo en tema estético a través de una aguda y bergsoniana conciencia de *durée* (C. Clavería [1945], R. W. Fiddian [1975]). En ese sentido, se ha comparado (J.-C. Mainer [1976]) la impronta de Azorín en la literatura española a la ejercida en otros ámbitos por Proust y por Jorge Luis Borges. Como el primero, el escritor alicantino gusta de edificar la sensación estética por amplificación de un dato que, a veces, resulta poco más que la sugestión fonética de un nombre; al contrario que Proust, el fragmentismo deliberado de su obra le impide potenciar su sensibilidad en construcciones artísticas de más fuste y renuncia a ir más allá de lo que él mismo definió como «calidad de página». Al igual que Borges, Azorín considera a la literatura como su verdadera patria y no está lejos de creer —viejo mito simbolista— que la letra puede impugnar la realidad. Pero si la patria de elección del argentino es la literatura universal (y sólo a través de mitos universales ha parecido recuperar su conciencia nacional en los últimos años), la literaturización de la experiencia azoriniana tiene un regusto arqueológico y se centra casi obsesivamente en la literatura española, sin pretender saltos metafísicos, solamente atenido a la perplejidad del juego presente-pasado, definitivo-indefinido, literatura-vida (E. Inman Fox [1967]).

La bibliografía azoriniana, siempre un poco prisionera de la imagen que el escritor acuñó de sí mismo, ha sido pródiga en interpretaciones de tipo general y sintético. Pese a lo rectilíneo de su vida, cuenta con biografías que van de la mera descripción (J. Alfonso [1949]) a la idea tradicional de «vida y obra» (W. Mulertt [1930], J. M. Valverde [1971]) y a la interpretación psicológica (ya del autor, L. S. Granjel [1958], ya de las claves proporcionadas por su archivo, J. Rico Verdú [1973]), a las que cabe añadir un excepcional retrato literario (R. Gómez de la Serna [1942], estudios temáticos (A. Cruz Rueda [1953], M. C. Rand [1956] y [1963], *Estudios*... [1975]) o afortunados cotejos con otros escritores (M. Baquero Goyanes [1956]). Se ha inferido de su obra una estética (M. Granell [1949]) y, con harta mejor fortuna y las debidas referencias imprescindibles, una actitud filosófica, hecha de una suerte de relativismo que no cierra el paso al misterio y lo impenetrable (A. Krause [1956]).

Pero si toda exegesis de un autor debe reconocer una elemental diacronía evolutiva en su obra (lo que, como se decía, no es demasiado frecuente en el caso Azorín), debe también ir algo más allá de la pura mención de los hallazgos temáticos: ya sea por el camino de sus fuentes, objeto de pocas averiguaciones y campo en el que el mismo escritor introdujo no pequeños equívocos, ya sea por una explicación más operativa de su aparente anomalía literaria. Peculiaridad artística que, como arriba se indicaba, se fraguó coherentemente a partir de un concreto momento y que avanzó por una senda de desasimiento hasta llegar al último Azorín, mero fantasma de sí mismo y poco más que un modelo de estilo —la frase corta, la cadencia entonativa reiterada, el modismo castizo y arcaizante— que fue bastante imitado y siempre con mediocridad. Porque lo significativo es que tal voluntad de estilo se vino produciendo en forma constante para un casi único —y seguramente desdeñoso— público: el lector del diario *ABC*, órgano de prensa conservadora y a menudo mero objeto de colección culturalista en el que Azorín escribió, con todos los agravantes del caso y en forma casi ininterrumpida, desde 1905 hasta su muerte.

Convencido partidario de Maura, después de Juan de la Cierva, defensor del famoso millonario March durante la República, adherente a la rebelión militar de 1936 y al Régimen que la siguió, Azorín casi caricaturiza en su trayectoria política la conocida contradicción generacional que llevó a tantos del extremismo juvenil a posiciones de inadaptación espiritualista y de confuso descontento. Pero tampoco cabe aquí una mera transposición mecánica del reaccionarismo político (que pocas veces manifestó en estado puro: caso de *Un discurso de La Cierva* o de *El chirrión de los políticos*) a un reaccionarismo literario, ya que, como se viene diciendo, Azorín emplazó entre los dos términos de la ecuación una vasta capa de literatura: buena parte de ella hecha de una mitigación nostálgica del regeneracionismo en que se inició —sensibilidad ante el paisaje, ante el pasado melancólico, ante la literatura clásica española—, como ha señalado C. Blanco Aguinaga [1967], y otra parte hecha de un ascetismo profesional que hubo de llevarle a conclusiones bastante más modernas que aquellos puntos de partida. Si el conformismo y la pasividad azorinianos pueden ser interpretados con razón como pura metáfora de sus convicciones políticas conservadoras (M. Vilanova [1972]), es también evidente que el escritor no asumía sin cierto conflicto la posible condición de juglar de un público tan ignaro y limitado (J. Urrutia [1976]): en ese orden de cosas, su tradicional admiración por Francia (J. H. Abbot [1974]) o, como siempre, por la tradición literaria francesa, entrañaban algo más que la elección de una segunda patria. En efecto, el nacionalismo azoriniano, el matiz culturalista de su propio conservadurismo y, en último término, el lugar literario que hubiera deseado para sí parecen corresponder (C. H. Cobb [1977]) más a la sociedad artística transpirenaica que a la nuestra, más a la primera mentalidad de su admirada «Action Française» que a la mezquina realidad de la primorriverista «Unión Patriótica» y la antirrepublicana «Acción Española».

No fue siempre así, sin embargo. Antes de su brusca conversión al moderantismo político («Azorín reaccionario, por asco de la greña jaco-

bina», escribió maliciosamente Antonio Machado), el joven escritor Martínez Ruiz había merecido de Leopoldo Alas, y con harto motivo, la cari-
ñosa reconvención de «anarquista literario», bien ganada en una larga
ejecutoria de periodismo radical (E. Inman Fox [1965]) y en algunos
folletos de subido interés (sobre crítica literaria en España, sociología criminal, etc.) y algún curioso y polémico dietario personal (*Charivari*) que,
por voluntad del propio autor, se recogieron —aunque en forma frag-
mentaria— en el primer volumen de sus *Obras completas* (E. Inman Fox
[1966], C. Blanco Aguinaga [1978]). Lo más importante de este pre-
Azorín pertenece al orden de la creación literaria y especialmente a las tres
novelas que E. Inman Fox considera como un grupo homogéneo y que
reflejan en forma que se ha hecho paradigmática muchos de los conocidos
mitos finiseculares. *Diario de un enfermo* (1900), primera de ellas, transcribe el camino de decepción y fracaso de un inminente suicida, víctima
de la dialéctica vitalidad-rutina que plasmaría tantos conflictos generacionales. *La voluntad* (1902) insiste, sin casi adherencias románticas, en
el mismo dilema ahora encarnado en un Antonio Azorín y trasladado su
conflicto a la eterna y ruin España rural, donde volverá el protagonista
a enterrar juventud y voluntad derrotadas, tras sendas escapadas a Madrid —alucinante espectáculo de miseria urbana y bohemia desgarrada—
y a Toledo —plasmación de la angustiosa vetustez de la «España eterna»—. La estructura del relato (S. Beser [1960]), su temática y su tono
manifiestan, como se ha indicado a menudo, un llamativo parecido con
Camino de perfección de Pío Baroja (publicada ese mismo año) y, en
cualquier caso, permiten hablar con precisión de un *ethos* literario muy
marcado (A. M. Vázquez Bigi [1972]) y, en menor grado, de una forma
novelística «noventayochesca» (M. Durán [1957]): a esta fórmula pertenece de pleno derecho *Antonio Azorín* (1903), continuación del relato
anterior y final del personaje en quien el inquieto Martínez Ruiz inicial
—impertinente monóculo y explosivo paraguas rojo— reflejó las contradicciones de una época.

La novela tantas veces citada como final de la serie, *Confesiones de un
pequeño filósofo* (1904), engarza temáticamente con ésta (por cuanto es
la infancia de quien conocimos como Antonio Azorín), pero se distancia
por un abismo de su temple destructivo. Un año después, un nuevo Martínez Ruiz publicaba también, a medias entre el humor benevolente y el
placer de describir minucias, la conocida serie *La ruta del Quijote* y,
desde un talante sentimental y vagamente compasivo, la bella colección
Los pueblos, a gran distancia ya de la feroz requisitoria antitradiciona-
lista que fuera en 1900 *El alma castellana*. Con estos libros, Azorín se
despide de Martínez Ruiz y del compartido y acezante sueño radical; su
obra de los años siguientes está traspasada por la añoranza del ayer radical pero apunta, como decía, a fines más constructivos: la educación de

la sensibilidad literaria; la alianza de la inquietud nacionalista —radical— y las formas del pensamiento conservador.

Dos libros de 1912, *Castilla* (J. M. Rozas [1973]) y *Lecturas españolas* significan dos claves fundamentales en su obra: el paisaje como historia menuda, transida por el tiempo (verdadera «microhistoria», según J. A. Maravall [1968]), y la literatura nacional como eternización de lo efímero, más allá del autor y la intención. Los libros que siguen —casi fundamentalmente dedicados a trazar una arbitraria historia de la literatura española— suponen, de hecho, el inicio de la crítica impresionista en nuestro país y configuran —junto a la tarea erudita del Centro de Estudios Históricos, dirigido por Menéndez Pidal— la moderna idea nacional de nuestras letras. El concepto clave de Azorín —en libros como *Clásicos y modernos, Al margen de los clásicos, Rivas y Larra, El paisaje de España visto por los españoles*— es el de «valor literario» que se funda en la autonomía de lo artístico, con respecto a la historia o aun la biografía: cosas ambas que no por esto andarán ausentes de las evocaciones azorinianas, pero que, lejos de ser punto de partida, lo serán de llegada y desde la mera sugestión arbitraria de un texto que, a menudo, no llega ni a fragmento. En este orden de cosas, la influencia de Azorín, ampliamente sentida por muchos críticos, ha sido tan importante en la divulgación de valores —y aun descubrimiento de alguno oculto—, como ha sido perniciosa en tanto suele serlo una crítica impresionista que no encuentra ni seguidores ni contradictores de talla.

El género literario canónico al que el escritor se aplicó con esfuerzo más continuado fue la narrativa. Es casi imposible, no obstante, hablar de novelas azorinianas —incluidas las que esbozan la saga de Antonio Azorín— si otorgamos tal marbete a partir de los supuestos derivados del realismo decimonónico, pero si consideramos el relato como un espacio de libertad imaginativa (tal y como explícitamente lo concebía, por ejemplo, otro renovador, Gómez de la Serna) no cabe negar al alicantino ni originalidad, ni dedicación, ni más de un interesante logro en los caminos de una estética a veces muy actual (J. M. Martínez Cachero [1960], Leon Livingstone [1970]). Las primeras narraciones de la nueva modalidad se producen en el terreno temático y estilístico posibilitado por sus ya conocidos ensayos de indagación y recreación de valores literarios: *Tomás Rueda*, 1916, *Don Juan*, 1922 (J. M. Martínez Cachero [1977]), y, algo menos, *Doña Inés*, 1925 (E. Catena [1974]), son relatos que diluyen un minucioso descriptivismo exterior, una divagatoria médula de personaje, previamente tomado de la literatura (el cervantino Licenciado Vidriera o los dos protagonistas del *Tenorio*), no sobrepasando el nivel de ficción que pueda hallarse en la bella evocación de 1924, *Una hora de España*.

Las «Nuevas obras», como les llamó el mismo autor, intentaron adecuar los supuestos azorinianos —sobre la sensación, la subjetividad del tiempo, la permeabilidad de la conciencia de sí mismo— a las modalidades vanguardistas en boga (R. E. Lott [1963] y [1964]). El resultado —visible en *Félix Vargas* (luego, *El caballero inactual*, 1928), *Superrealismo* (luego, *El libro de Levante*, 1929) y *Pueblo* (1930)— es una suerte de divagación «deshumanizada» e inmotivada, pero paradójicamente contenida por una conciencia de autor cuyos supuestos «modernos» no van mucho más allá del simbolismo. Las obras posteriores siguen en algún caso —*Capricho* (1942), *La isla sin aurora* (1944)— en esa dirección, aunque con mayor libertad imaginativa, y, en otros, prolongan aquel deliberado parasitar de formas ajenas que veíamos más arriba: *María Fontán* (1943) borda con cierta ironía sobre el cañamazo de la narrativa rosacosmopolita, mientras que *Salvadora de Olbena* (1944) se convierte en una burilada novela rural en potencia.

El teatro azoriniano corresponde, en su integridad, a este período de búsquedas narrativas y tiene un signo experimental muy parecido. Si a las novelas del autor parecía faltarles una cierta «novelicidad» (al margen de su legitimidad como ficciones puras), su teatro ha sido también acusado de falta de «dramaticidad», aunque no por ello esté carente de una sólida trastienda teórica (L. A. Lajohn [1961]) ni deje de ser imprescindible en una consideración del escaso «drama inquieto» español de su tiempo. Su concepción del teatro como juego de cierta equivocidad, su preocupación por los elementos inquietantes de la puesta en escena, su predilección por el misterio que surge de la mera repetición de la trivialidad, son aspectos que responden a un sector del teatro europeo de su tiempo (que Azorín conocía bien) pero que, para su mal, envejecieron pronto. De la misma manera, los problemas que propone *Old Spain* (1926) —la lucha entre la España tradicional y la moderna—, *Brandy, mucho brandy* (1927) —la ilusión y la realidad— o el «auto sacramental» *Angelita* (1930) —la disyuntiva de sus posibles vidas, ofrecida anticipadamente a un personaje—, pueden reducirse a uno: la construcción de la felicidad ante el obsesivo umbral del misterio, que es, a su vez, el tema único de la comedia burguesa y, en su caso, premonición de una línea teatral que, desde Alejandro Casona hasta el drama amable de los años cuarenta, se iba a reiterar hasta la saciedad. La serie de tres piezas titulada *Lo invisible* (1928) ofrece, por contra, una inquietud metafísica menos utilitaria, mientras que *La guerrilla* (1936) y *Farsa docente* (1942) parecen acercarse tímidamente a un teatro moralizante y hasta más vivaz del que suele.

Azorín es, evidentemente, el escritor de su generación cuyo crédito ha claudicado más deprisa. Con aguda intuición, su antiguo admirador Gómez de la Serna señalaba ya, en el hostil epílogo de 1954 a su biografía, que era poco más que un «alma vegetariana» que «sacaba a bailar en su novela desvanecida y muerta a supuestas mujeres que vio sentadas en un sofá y, enmascarado de modernidad, anticuaba lo moderno antes de tiempo». Quizá sea ése —y algo de ello se apuntaba— su máximo error artístico: atisbar e intuir el rumbo de la literatura vanguardista, pero realizarla con el instrumental de una estética caduca (que, con reservas, llamaríamos «simbolista») y con las cautelas de un juego de salón. Pese a lo cual, el valor histórico de Azorín sigue siendo central en las letras de su tiempo: escribió con *La voluntad* una de las mejores novelas de su tiempo, enseñó una nueva sensibilidad para los clásicos, intentó la imposible aventura de la autonomía de la literatura.

BIBLIOGRAFÍA

Abbot, Jack H., *Azorín y Francia*, Seminarios y Ediciones, Madrid, 1974.

Alfonso, José, *Azorín, íntimo*, La Nave, Madrid, 1949.

Baquero Goyanes, Mariano, «Azorín y Miró», *Anales de la Universidad de Murcia*, XV (1956-1957), pp. 9-63.

Beser, Sergio, «Notas sobre la estructura de *La voluntad*», *Boletín de la Sociedad Castellonense de Cultura*, XXVI (1960), pp. 169-181.

Blanco Aguinaga, Carlos, «Escepticismo, paisajismo y los clásicos: Azorín y la mistificación de la realidad», *Insula*, n.º 247 (1967), pp. 3 y 10.

—, «Los primeros libros de Azorín», *Juventud del 98,* Crítica (Filología, 4), Barcelona, 1978, pp. 117-156.

Catena, Elena, «Prólogo», en Azorín, *Doña Inés*, Castalia (Clásicos Castalia), Madrid, 1974.

Clavería, Carlos, «Sobre el tema del tiempo en Azorín», *Cinco estudios de literatura española moderna*, CSIC, Salamanca, 1945, pp. 49-67.

Cobb, Christopher H., «Barrès, Azorín y el ideal conservador», *Neophilologus*, LXI (1977), pp. 384-395.

Cruz Rueda, Ángel, *Mujeres de Azorín*, Biblioteca Nueva, Madrid, 1953.

Durán, Manuel, «La técnica de la novela y la generación del 98», *Revista Hispánica Moderna*, XXIII (1957), pp. 14-27.

Estudios sobre Azorín, Instituto de Estudios Jiennenses, Jaén, 1975.

Fiddian, R. W., «*La genèse de l'idée du temps* in Azorín and Guyau», *Romance Notes*, n.º 16 (1975), pp. 474-478.

Gómez de la Serna, Ramón, *Azorín* (1930), Losada, Buenos Aires, 1942.

Granell, Manuel, *Estética de Azorín*, Biblioteca Nueva, Madrid, 1949.

Granjel, Luis Sánchez, *Retrato de Azorín*, Guadarrama, Madrid, 1958.

Inman Fox, E., *Azorín as a literary critic*, Hispanic Institute, Nueva York, 1962.

—, «Una bibliografía anotada del periodismo de José Martínez Ruiz, 1894-1904», *Revista de Literatura*, Madrid, XXVIII (1965), pp. 231-244.

—, «José Martínez Ruiz (sobre el anarquismo del futuro Azorín)», *Revista de Occidente*, XII (1966), pp. 157-174.

—, «Lectura y literatura (en torno a la inspiración libresca en Azorín)», *Cuadernos Hispanoamericanos*, LXIX (1967), pp. 5-26.

Inman Fox, E., «Prólogo», en J. Martínez Ruiz, *La voluntad*, Castalia (Clásicos Castalia, 3), Madrid, 1969.

—, «Prólogo», en J. Martínez Ruiz, *Antonio Azorín*, Labor (Textos Hispánicos Modernos, 9), Barcelona, 1970.

Krause, Anne, *Azorín, el pequeño filósofo*, Espasa-Calpe, Madrid, 1956.

Lajohn, L. A., *Azorín and the Spanish stage*, Hispanic Institute, Nueva York, 1961.

Livingstone, Leon, *Tema y forma en las novelas de Azorín*, Gredos (Biblioteca Románica Hispánica, II, 141), Madrid, 1970.

Lott, Robert E., *The structure and style of Azorín's «El caballero inactual»*, University of Georgia Press, Athens, 1963.

—, «Azorín's experimental period and the surrealism», *Publications of the Modern Language Association of America*, LXXIX (1964), pp. 305-321.

Mainer, José-Carlos, «Para un análisis formal de *Capricho* y *La isla sin aurora*», *Ínsula*, n.º 246 (junio 1967), pp. 5 y 11.

Maravall, José Antonio, «Azorín, idea y sentido de la microhistoria», *Cuadernos Hispanoamericanos*, n.º 226-227 (1968), pp. 28-77.

Martínez Cachero, José María, *Las novelas de Azorín*, Ínsula, Madrid, 1960.

—, «Introducción», en *Don Juan*, Espasa-Calpe (Clásicos Castellanos, 217), Madrid, 1977.

Mulertt, Werner, *Azorín. Contribución a la historia de la literatura española a fines del siglo XIX*, Biblioteca Nueva, Madrid, 1930.

Rand, Marguerite C., *Castilla en Azorín*, Revista de Occidente, Madrid, 1956.

—, «Azorín y eros», *Revista Hispánica Moderna*, XXIX (1963), pp. 217-233.

Rico Verdú, José, *Un Azorín desconocido. Estudio psicológico de su obra*, Instituto de Estudios Alicantinos, Alicante, 1973.

Rozas, Juan Manuel, «Introducción», en Azorín, *Castilla*, Labor (Textos Hispánicos Modernos, 21), Barcelona, 1973.

Urrutia, Jorge, «*El escritor* de Azorín: literatura y justificación», *Archivum*, XXVI (1976), pp. 461-483.

Valverde, José María, *Azorín*, Planeta, Barcelona, 1971.

Vázquez Bigi, A. M., «Pesimismo filosófico europeo y generación del 98», *Revista de Occidente*, n.º 113-114 (1972), pp. 171-190.

Vilanova, Mercedes, *La conformidad con el destino en Azorín*, Ariel, Barcelona, 1972.

CARLOS CLAVERÍA

EL TEMA DEL TIEMPO

La preocupación [de Azorín] por el tiempo puede tener su arranque y raíz profunda en las experiencias infantiles, «notas vivaces e inconexas» de entre sus recuerdos, que nos ha relatado en *Las confesiones de un pequeño filósofo* (1904). Una frase, «¡Es ya tarde!», oída hasta la saciedad, en su infancia, en pueblos donde las horas sobran y son más largas que en ninguna otra parte y, sin embargo, el tiempo nunca alcanza, le hace decir: «¿Por qué es tarde? ¿Para qué es tarde? ¿Qué empresa vamos a realizar que exige de nosotros esta rigurosa contabilidad de los minutos? ¿Qué destino secreto pesa sobre nosotros que nos hace desgranar uno a uno los instantes en estos pueblos estáticos y grises? Yo no lo sé; pero yo os digo que esta idea de que siempre es tarde, es la idea fundamental de mi vida; no os sonriáis. Y que si miro hacia atrás veo que a ella le debo esta ansia inexplicable, este apresuramiento que no conozco, esta febrilidad, este desasosiego, esta preocupación tremenda y abrumadora por el interminable sucederse de las cosas a través de los tiempos». Y algo más allá: «*Es ya tarde*. Toda mi infancia, toda mi juventud, toda mi vida ha surgido en un instante. Y he sentido —no os sonriáis— esa sensación vaga, que a veces me obsesiona, del tiempo y de las cosas que pasan en una corriente vertiginosa y formidable».

La evocación de esta angustia, de esta obsesión que ha de convertirse en uno de sus temas fundamentales, viene a coincidir con el recuerdo de aquel de sus antepasados en que Azorín busca un pre-

Carlos Clavería, «Sobre el tema del tiempo en Azorín», *Cinco estudios de literatura española moderna*, CSIC, Salamanca, 1945, pp. 50-67.

cedente de su vocación de escritor: Su bisabuelo paterno, don José Soriano García, oscuro filósofo pueblerino, publica un libro impreso en Alcoy, titulado *El contestador a una carta que se quiere suponer escrita por el (ahora) Príncipe Tayllerand al Sumo Pontífice Pío VII*. Lo que de él destaca Azorín es «una página soberbia, inquietadora, sobre la idea del tiempo y la eternidad perdurable». Con la sensación dolorosa del tiempo y con la consciencia de su problema y de su misterio, nace también en Azorín el interés de estudiarlo y de encontrarle una forma de explicación y de expresión artística. El Tiempo, así, con mayúscula, pasa a ser ya un ingrediente esencial de la obra de Azorín: Ahí estará como cuestión siempre planteada en la vida de los hombres, dentro y fuera de ella, como ese dios Cronos del que ha dicho una vez: «Hay una deidad, invisible y terrible, que se llama Cronos. Es un dios que nadie ve y que todo el mundo siente. Debe de tener un laboratorio donde él hace sus manipulaciones; será algo como un taller de instrumentos sutiles. Cronos ahora ha decidido que la vida de nuestro niño entre en una fase nueva: "Yo, Cronos, ordeno y mando …"». […]

Para alguien que, como Azorín, viene preguntándose, desde sus años juveniles, lo que es el tiempo, tenía que ser la obra de Nietzsche fuente de indudable valor donde ir a buscar el origen del secreto. Precisamente lo que «die ewige Wiederkunft» tiene de visión poética, de revelación, de solución intuida en un momento de gracia, es lo que más impresiona al Azorín de *La voluntad*: «Federico Nietzsche, estando, allá por 1881, retirado en una aldea, entregado a sus fecundas meditaciones, se quedó un día estupefacto, espantado, aterrorizado. ¡Había encarnado de pronto en su cerebro la hipótesis de la *Vuelta eterna*! La vuelta eterna no es más que la continuación indefinida, *repetida,* de la danza humana …».

Esta idea de la vuelta eterna aparece ya incorporada al pensamiento de Azorín en esa frase de Castilla, que corrige un «vivir es ver pasar» de Campoamor y en la que encuentra Ortega la clave de su arte de escritor: «Mejor diríamos: vivir es *ver volver*. Es ver volver en un retorno perdurable, eterno, ver volver todo —angustias, alegrías, esfuerzos—, como esas nubes que son siempre distintas y siempre las mismas, como esas nubes fugaces e inmutables. Las nubes son la imagen del Tiempo …».

Pero, ¿habrá sido la filosofía nietzscheana la única que haya ayudado a conformar la emoción y la angustia del tiempo, sentidas y adquiridas por Azorín en los *Erlebnisse* de los primeros años? ¿En qué otras lecturas ha encontrado él reflejos de sus meditaciones o fórmulas que vinieran a aclarar el enigma que le obsesionaba?

Un autógrafo del propio Azorín nos pone sobre una pista segura. Un esquema que Ramón Gómez de la Serna reproduce en su biografía, con título de «itinerario espiritual de la creación de una obra dramática, trazado por la pluma de Azorín», proporciona algunos datos interesantes. Se trata de uno de esos enigmáticos esquemas de los que Azorín está «seguro de que no lo ha de entender nadie, por más que sobre él cavile y vuelva a cavilar». Es un documento que Azorín entrega al público en un momento en que se discute su producción dramática —iniciada en 1926 con *Old Spain*— y él intenta explicar su teatro. E insistiendo sobre el interés que tiene para una obra el momento en que nace y se crea en la mente del artista, escribe: «¿Qué es lo que ha determinado el nacimiento de las primigenias ideas? Sencillamente, la atmósfera espiritual de que estamos rodeados. La preocupación, por ejemplo, del tiempo —uno de los temas capitales en el teatro actual— hará surgir en nuestro cerebro una idea que sea el punto de partida para escribir tal obra, en que se plantee el problema del tiempo y de la eternidad. Y en una simple cuartilla, en torno a un esquema incomprensible para todos, iremos concretando nuestros pensamientos. ¿Qué dicen esos dibujos, y esas líneas, y esas frases y palabras sueltas de la blanca hoja de papel? Sólo nosotros lo sabemos; pero ese logogrifo es el núcleo de una obra que lentamente se ha de ir clarificando».

Esa simple cuartilla nos revela sin duda una etapa en el proceso de creación de *Angelita*, estrenada en 1930, cuyo asunto, centrado en el tema del tiempo, ocupa largamente a Azorín y pasa por muchos estadios antes de lograr una forma definitiva. De este «plan de una comedia», que lleva en sí elementos del propósito que el autor persigue con la creación de su obra («El tiempo que siente y percibe el autor transplantarlo en su totalidad a la obra de arte»), nos interesa sólo una frase, escrita en dos renglones, en la cima del esquema: «El tiempo, experiencia; no intuición. Guyau contra Kant».

En esta antítesis se resume todo un libro del malogrado filósofo francés Jean-Marie Guyau, publicado dos años después de su muerte, en 1890, por su pariente, mentor y padrastro, el profesor Alfred Fouillée, que lleva un sugestivo título: *La genèse de l'idée de temps*. En la introducción de Fouillée encuentra Azorín lo que esta monografía de Guyau suponía en el estudio del problema del tiempo y lo que tenía de crítica de la doctrina kantiana. Fouillée analiza en algunas páginas la teoría del tiempo en la obra de Kant para contrastarla con las conclusiones de Guyau. Kant había dicho que el tiempo no era un concepto empírico real u objetivo, sino una forma *a priori* de la intuición, «die Form des inneren Sinnes, d. i. des Anschauens unseres selbst und unseres inneren Zustandes», una representación necesaria que sirve de fundamento a todas las intuiciones y, por lo tanto, «die formale Bedingung a priori aller Erscheinungen überhaupt». Frente a Kant, Guyau va a oponer a la intuición kantiana la idea de la experiencia del tiempo. La oposición entre ambas tesis aparece en las palabras de Fouillée: «"Le temps, dit Kant, n'est pas un concept discursif ou, comme on dit, général, mais une forme pure d'intuition sensible. Les temps différents, en effet, ne sont que des parties d'un même temps. Or, une représentation qui ne peut être donnée que par un seul objet est une intuition." Kant veut dire que nous ne généralisons pas des successions diverses et détachées que nous aurions eues; mais celà tient à ce que nous comblons les vides de notre expérience par un effet d'optique analogue à celui qui nous fait combler les vides de l'espace. Faut-il en conclure que l'idée de temps, au lieu d'être *la propriété la plus constante* de notre expérience, soit une intuition d'objet?». [...]

El estudio y análisis de esta perspectiva constituye el núcleo de la obra. Guyau considera separadamente los dos elementos que reunidos nos dan la *experiencia* del tiempo: La imaginación pasiva y puramente reproductora que proporciona el marco inmóvil del tiempo, su *forma*: y la actividad motriz y de la voluntad que suministra el *fondo* vivo y en movimiento del mismo ¡Cuántas veces no vamos a encontrar en la obra azoriniana algo así como ecos de las ideas de este librito claro y enjundioso! Las evocaciones, en sus libros y en sus ensayos, entrarán a formar parte de esa «pensée quelque chose de tout passif, où vient se refléter une variété d'objets ayant des degrés divers, avec des *résidus* disposés en un ordre d'accroissement ou de décroissance», y la proyección hacia el futuro, ese anhelo azoriniano por las cosas del porvenir, tiene mucho de «le futur, à l'origine, c'est de *devant être,* c'est ce que je travaille à posséder», algo que «se ramene à l'activité tendant vers autre chose, cherchant ce qui lui manque». Azorín habrá podido también encontrar en la conclusión de Guyau de que el tiempo no es una condición, sino un simple efecto de la consciencia, que constituye, por lo tanto, para los hombres, una disposición regular, una organización, de imágenes, la explicación de la sucesión, de la repetición y el cambio: «le temps est la formule abstraite des changements de l'univers». Cuando oímos a Yuste decir, después de haber aspirado un poco de rapé de su tabaquera, que «la eternidad no existe; donde hay eternidad no puede haber vida; vida es sucesión; sucesión es tiempo; y el tiempo —cambiante siempre— es la antítesis de la eternidad —presente siempre—», nos parece estar leyendo las últimas frases del libro de Guyau: «Mais l'éternité semble une notion contradictoire avec celles de la vie et de la conscience telles que nous les connaissons. Vie et conscience supposent variété, et la variété engendre la durée. L'éternité, pour nous, c'est ou le néant ou le chaos; avec l'introduction de l'*ordre* dans les sensations et les pensées commence le temps». [...]

La experiencia del tiempo le dará la unidad y totalidad del tiempo, del presente, del pasado y del futuro; de un presente que se percibe y siente, de un pasado que se rememora y evoca, y de un porvenir que se presiente y se anticipa, como algo amalgamado y, al mismo tiempo, delimitado, sin precisos contornos, en la mente del artista. Esta idea surgirá de nuevo cuando alguna lectura saque a la luz del día brumosos estados de conciencia que se vivieron sin saberse. El tío Pablo, el hidalgo segoviano de *Doña Inés,* tan azorinesco como el propio Azorín, descubre en su biblioteca algo de importancia trascendental para su vida: «Un íntimo desasosiego conturba a Don Pablo. El sentido del tiempo, hora por hora, minuto por minuto, le ha llevado paulatinamente a adelantarse al tiempo. No se puede perdurar en la perfección de la hora, del minuto y del segundo sin acabar por tener una visión total del tiempo. Del pasado venimos al presente; del presente habremos de caminar hacia lo porvenir. Un día, Don Pablo, hallándose en su biblioteca arreglando unos libros tropezó con una biografía de Hoffmann. De pie comenzó a leer algunas páginas: media hora después, aun se hallaba en el mismo sitio con el libro en la mano. Su faz revelaba profunda atención.

»La lectura que aquel día hizo Don Pablo en su biblioteca había de influir decisivamente en su vida. Todo un estado de conciencia oculto, latente, había de mostrársele. Don Pablo vivía tanto en lo pasado como en el presente. Poseía una prodigiosa memoria de sensaciones. Su arte de escritor encontraba su mayor fuerza en esa singular rememoración. Estados espirituales remotos vivían con autenticidad en la subconciencia de Don Pablo. No podían ser evocados a voluntad, como evocamos a nuestro talante los paisajes y la música. De pronto, inesperadamente, una voz, un ruido, un accidente cualquiera le hacían experimentar al caballero con prodigiosa exactitud, con exactitud angustiadora la misma sensación que quince, veinte o treinta años antes había experimentado. Esta memoria de las sensaciones era para él tan dolorosa como la visión anticipada y fatal de un porvenir posible. El cuentista alemán Hoffmann padecía el achaque de ver en el momento presente el desenvolvimiento de lo futuro. Cuando realizaba un acto, su imaginación le representaba inmediatamente las posibles desgraciadas contingencias del hecho. En la enfermedad leve veía ya la muerte; en el quebranto pasajero el desastre pavoroso. No podía gozar de la felicidad presente. El pensamiento de que la dicha le había de concluir le empañaba el goce. La lectura de la biografía de Hoffmann hizo aflorar en la conciencia de Don Pablo lo que estaba latente en lo profundo. Con ansiedad iba pasando las páginas del libro. Y ya desde aquel día el mal oculto fue ostensible. El mismo caballero sonreía de sus preocupaciones. A la manera que algunas enfermedades llevan el nombre de los investigadores que las han descubierto —como el mal de Bright o el mal de Pott—, él llamaba a su achaque *el mal de Hoffmann*. Sonreía Don Pablo, pero agudamente, dolorosamente, advertía su dolencia. En lo presente veía lo futuro. En el niño enfermo —amaba apasionadamente a los niños— veía el niño expirante. En la leve alteración de la amistad presagiaba ya la agria y truculenta ruptura. Un pormenor en la civilidad diaria por él olvidado le torturaba durante días; inevitablemente imaginaba las complicaciones y disgustos que de aquella inadvertencia iban a provenir. Sonreía el caballero; trataba de burlarse entre sí del mal de Hoffmann, pero no podía; solapado, insidioso, el mal roía su corazón».

Un pequeño detalle en la biografía de E. T. A. Hoffmann, una anécdota, al parecer, banal de la vida del escritor alemán, ha sido bastante para que el espíritu de Azorín, siempre alerta a todo lo que al tiempo atañe, encuentre en ello un reflejo de su sensibilidad, de su problemática y de ideas que tan profundamente se identificaron con su propio pensamiento y su manera de ver y comprender el fenómeno del tiempo. En sus lecturas, todo lo que aluda directamente o recuerde con vaguedad ese problema que ha sido su obsesión y se ha convertido en uno de sus grandes temas literarios, se incorpora insensiblemente a su espíritu y a su obra. No podrá, pues, extrañar que sea una «chanson» de Béranger la que irónicamente corte y resuma a la par una disertación sobre el Tiempo con la que nos amenaza, en un salón dieciochesco, con una monedita de oro en la mano, uno de esos personajes azorinianos, caballeros amantes de coleccionar recuerdos históricos e instantes de un vivir exquisito, el Maestre Don Gonzalo:

> Sur ce globe, la course humaine
> Ne dure, hélas! que peu d'instants
> Le postillon qui tous nous mène,
> Je le connais trop, c'est le Temps.

Es así, entre reminiscencias librescas y una vieja preocupación honda y apasionada, como va discurriendo el tema del tiempo a lo largo de toda la obra de Azorín.

E. Inman Fox

AZORÍN, LECTOR DE LOS CLÁSICOS

Azorín fija su atención en detalles insignificantes del libro que tiene entre manos, y que ordena por medio de su sensibilidad las sensaciones recibidas de la lectura. Su crítica literaria, como es de suponer, sigue el mismo procedimiento: su imaginación le aleja a veces de una consideración estrictamente relacionada al autor u obra tratados. Sus interpretaciones no son en general las de la erudición académica, ni son de la escuela formalista. Se detiene en un párrafo o frase —en fin, un pormenor— y su imaginación florece: sueña con los paisajes, pueblos o habitantes de la España medieval o del siglo XVII, o recuerda otra lectura o sus propias observaciones. Pero a pesar de la aparente frivolidad de un enfoque ecléctico, su sensi-

E. Inman Fox, «Lectura y literatura (en torno a la inspiración libresca en Azorín)», *Cuadernos Hispanoamericanos*, LXIX (1967), pp. 14-21.

bilidad artística es aguda, y Azorín nos lleva lejos en el arte de leer. Nos preguntamos si el despertar de nuestras sensaciones o el identificar nuestro estado de ánimo con el del autor leído no es una experiencia tan valiosa como la de leer por conocimiento. No cabe duda de que la erudición ayuda, pero sólo si se filtra por las lentes de la sensibilidad. Azorín fue el primer español en reconocer este aspecto de la apreciación literaria, y con esta teoría a cuestas se acercó, con una intensidad que sólo había alcanzado antes Menéndez y Pelayo, a toda la literatura española.

No podemos subvalorar, como tantos lo han hecho, la influencia de la crítica impresionista de Azorín sobre las opiniones literarias más formales. Su asiduidad en traer ante el público el valor de los clásicos olvidados (y si suena paradójico el uso de este epíteto, describe adecuadamente el estado de los estudios literarios españoles durante las primeras décadas de este siglo) ha revolucionado más de una vez los juicios sancionados en los círculos académicos. De la importancia de Azorín como historiador de la literatura española, Carlos Clavería dice lo siguiente. «Y de este modo ha colaborado con los profesionales de la erudición y de la historia en las interpretaciones de nuestros clásicos, no sólo destacando la belleza de un paisaje de un primitivo o de un verso de Manrique o Garcilaso, o la función de un episodio de Cervantes o Alemán, o de una escena de una comedia del Siglo de Oro, sino adelantándose, en muchas ocasiones, en destacar el interés y sugerir la revalorización de ciertas obras del pasado español, a universitarios y académicos: ¿Quién como él supo ver la concreción de Berceo y la importancia del *Lazarillo de Tormes* en la historia del realismo español, y quién valoró ciertas desdeñadas *Novelas ejemplares,* quién descubrió los secretos encantos del olvidado *Persiles,* y quién comprendió la significación trascendente de Larra, o el amor a las cosas de Galdós...? Y así podríamos, en páginas y más páginas, revisar al menudo todos sus escritos, y señalar, uno a uno, todos los aciertos en la interpretación de los clásicos que son conquistas definitivas en el conocimiento y comprensión de nuestra literatura. Se impone dar a Azorín, crítico, la importancia que tiene como juez de "valores literarios", como historiador de la literatura española». [...]

Entre 1912 y 1915, Azorín publicó cuatro volúmenes de ensayos que pudiéramos llamar su manual de literatura española: *Lecturas españolas* (1912), *Clásicos y modernos* (1913), *Valores literarios*

(1914) y *Al margen de los clásicos* (1915). Constan de artículos previamente publicados en periódicos; y en esta conexión vale recordar que Azorín *siempre* escribía su crítica literaria para los diarios más leídos del momento —hecho que explica la naturaleza elíptica y, hasta cierto punto, la casualidad de la erudición que apoya sus valoraciones—. El primer tomo mencionado está dedicado a la literatura de los siglos XIX y XX, y el último a obras de la Edad Media y del Siglo de Oro. Su propósito es volver a examinar con un nuevo criterio los juicios aceptados sobre las letras españolas. Su entusiasmo por la tarea radica en la idea de que las obras maestras han sido sometidas a apreciaciones estáticas, y por eso equívocas, porque un clásico es un *clásico* debido precisamente a su calidades dinámicas. He aquí una honda influencia de Nietzsche, un escritor a quien menciona muy a menudo Azorín y quien pesaba en el pensamiento del joven sociólogo Martínez Ruiz, pero cuyo impacto en el artista Azorín no se ha estudiado a fondo. Lo que Azorín se propone en estos ensayos es sencillamente una revisión de la tabla de valores literarios, y uno de los preceptos estéticos que aplica es la teoría nietzscheana de la vuelta eterna. El lector contemporáneo (Azorín) tropieza en el clásico con una descripción, un verso, un pensamiento o un personaje que toca su sensibilidad, una sensibilidad que por un instante les es común a ambos, lector y escritor, aunque estén formados en diferentes épocas históricas. Citamos del prefacio de la segunda edición de *Lecturas españolas*: «¿Qué es un autor clásico? Un autor clásico es un reflejo de nuestra sensibilidad moderna. La paradoja tiene su explicación: un autor clásico no será nada, es decir, no será clásico, si no refleja nuestra sensibilidad. Nos vemos en los clásicos a nosotros mismos. Por eso, los clásicos evolucionan; evolucionan según cambia y evoluciona la sensibilidad de las generaciones. Complemento de la anterior definición: un autor clásico es un autor que siempre se está formando». Y de ahí sigue, dice Azorín, igual que Unamuno, que la posteridad, y no el autor, crea la obra. Esta declaración, claro está, se reduce a que el aprecio de una obra literaria cambia y evoluciona necesariamente según las circunstancias histórico-vitales del lector. Así es que una obra será interpretada o, mejor dicho, *sentida,* diferentemente en distintos momentos de la historia y por lectores condicionados momentáneamente por su particular estado psicológico (véase *Félix Vargas* para la influencia, ya comentada, que puede tener la psicología del lector-escritor sobre lo que escribe). Desde luego, se entiende que si un solo crítico con una orientación psicológica tan constante como la de Azorín asume esta postura al comentar todo el espectro de la literatura de un país tan complejo como España, la susodicha filosofía de la crítica literaria corre el riesgo de hacer las obras estudiadas vestirse de una uniformidad que en realidad no tienen —y tal es el caso de Azorín, crítico—. Muchas veces nos encontramos delante un artista y no un crítico, pero un crítico agudo siempre nos presenta este problema de duplicidad; y el resultado positivo es la eliminación de un prejuicio histórico que lleva a una vitalidad que tiene un importante significado para el lector actual. Nos conviene, entonces, considerar ahora las interpretaciones azorinianas de algunas obras de la literatura española, adelantándose así hacia una comprensión más exacta de Azorín lector-escritor.

En 1912, cuando Azorín lanzó sus publicaciones concentradas sobre los clásicos españoles, el público no tenía acceso a ediciones no eruditas. Todavía no existían los Clásicos Castellanos, la colección Austral o las múltiples ediciones populares de Aguilar y Espasa-Calpe. Se leían las obras maestras o en la inmanejable edición decimonónica de la Biblioteca de Autores Españoles, o en ediciones extremadamente eruditas y caras —y la verdad del asunto es que apenas se leían—. Los primeros tomos de los Clásicos Castellanos [entonces, Clásicos de «La Lectura»] dirigidos por Francisco Acebal y con la colaboración de los más eminentes miembros del Centro de Estudios Históricos —Menéndez Pidal, Américo Castro, Federico Onís, T. Navarro Tomás, José Montesinos, etc.—, acababan de aparecer a precios populares. La crítica de Azorín se ocupa de estas nuevas ediciones, y en varios casos logró, a través de sus artículos de gran circulación, que se incluyese en la serie a un autor o una obra olvidada. En fin, hay que reconocer la importancia del papel de Azorín como popularizador de los clásicos, tanto para el público en general como para los investigadores.

La obra preferida por Azorín en la literatura medieval es *El libro de buen amor*, de Juan Ruiz, y no se conforma con la edición de Cejador (una edición que desgraciadamente todavía tenemos que aguantar): primero, por su enfoque enumerativo, es decir, la lista de datos y fechas como el principal material interpretativo, y más importante, porque Cejador insiste en que el arcipreste escribía para la edificación moral del lector: un ejemplo perfecto de las opiniones estáticas que lamenta tanto Azorín. Para nuestro crítico, *El libro de buen amor* se destaca entre las obras de su época por su descripción fiel de la vida del siglo xiv y por ser el protagonista un enamorado de la vida y de la acción. Sin embargo, Azorín se concentra en un detalle de la obra, los versos a la Virgen, para revelar el secreto del arte de Juan Ruiz. La inserción de las cantigas es representativa de la expresión del «genio castellano», el verdadero valor de la literatura española: la capacidad de oscilar entre el realismo y el idealismo, hasta fundirlos. El arcipreste, después de gozar de una existencia desaliñada, se da cuenta de que el tiempo borrará los placeres mundanos, y se aparta para meditar en silencio: «Juan Ruiz, jovial, es el primer poeta —creo que es el primero— que pone mano en mejilla; ademán de meditación, de tristeza. Este aparente gozador debió de sufrir mucho en silencio. En toda nuestra literatura mariana no había muchas obras superiores en fervor, en patético fervor, a las cantigas que Juan Ruiz dedica a la Reina de los Cielos. Después de tanto enamoriscar, golosinar, verborretear, venimos a parar a esto: un poeta, en su prisión, medita con la mejilla puesta en la mano, y después escribe un canto magnífico a la Virgen María».

Según el juicio de Azorín, la grandeza del siglo xvi español se debe tanto a la expresión de sus místicos como a las hazañas políticas e históricas; y opina que se puede aprender más sobre el carácter de España con la lectura de santa Teresa, fray Luis de León y fray Luis de Granada que con el estudio de la historia. Se ha dicho que los místicos eran escapistas. Para Azorín la verdad es otra: comprendían y combatían la realidad cotidiana, pero porque se daban cuenta de la naturaleza pasajera de este mundo, buscaban un ideal eterno. Azorín escribe mucho sobre los místicos y es curioso notar que se ocupa casi exclusivamente de su prosa: la *Vida,* de santa Teresa; *Los nombres de Cristo,* de fray Luis de León, y *El libro de la oración y meditación,* de fray Luis de Granada; al último lo compara con el *Quijote* por su universalidad. La emoción de fray Luis de Granada ante la Naturaleza se revela en sus repetidas descripciones de paisaje y en su observación detenida de los detalles de la existencia diaria. Aunque fray Luis se demuestra íntimamente preocupado por el mal del hombre y del dinero y aunque menosprecia los conceptos establecidos en su día del honor y justicia, Azorín está más impresionado por su tolerancia, sinceridad y serenidad. El sentimiento de la fuerza destructiva del tiempo, fundido con su desencanto hacia el

mundo exterior y su subsiguiente retiro de la vida social le llevaron
a fray Luis a un sufrimiento interior, «el dolorido sentir», que afligió
a Garcilaso, a los místicos en general y, podemos agregar, al mismo
Azorín. Para Azorín, como hemos visto con respecto a Juan Ruiz,
esta idoneidad para distanciarse benévolamente de un ambiente decadente y gozar de la naturaleza y de la soledad es la gran lección
que da la literatura española: «Y esta distanciación, callada, discreta,
sin agresividades, que un artista o un político pueden poner entre
su persona y un mundo frívolo y corrompido; este desdén silencioso,
afable, hacia las vanidades y ostentaciones de un poder caduco y
frágil, es la alta e imperecedera lección que nos ofrecen los grandes
místicos». Pues bien, poseído en su juventud por ideas político-sociales agresivas, Azorín, influido por la lectura de Montaigne, perso-
nalizó su visión de los místicos y llegó a creer que la alianza del
idealismo y del practicismo abogada por el krausismo, en su concepción pura, expresaba una síntesis admirable del espíritu español.

Se sabe que Azorín está obsesionado por la vida y obra de Cervantes, y, como es natural, más específicamente por el *Quijote*.
A cada paso en sus obras nos encontramos con artículos sobre el
inmortal libro —comentario que culminará en la publicación de dos
tomos extensos, *Con Cervantes* (1947) y *Con permiso de los cervantistas* (1948)—. La erudición de Azorín es realmente impresionante;
ha manejado todas las biografías importantes de Cervantes desde la
de Mayans (1737) hasta el estudio de Astrana Marín, *Vida ejemplar
y heroica de Miguel de Cervantes* (1948-1954), y parece que ha leído
la crítica más conocida de las obras de Cervantes. Azorín ha estudiado la historia de las interpretaciones de los libros cervantinos para
vislumbrar la línea de evolución de la sensibilidad, y en su síntesis
histórica de la crítica *seria* (para Azorín el adjetivo *seria* cuando califica la crítica literaria siempre tiene un sentido peyorativo) del siglo XVII dice que sólo se veía el Quijote como una parodia burlesca
sin trascendencia de los libros de caballería; y que en el siglo XIX
los eruditos estudiaban a Cervantes igual que otros habían hecho con
Rabelais y Dante, como jurista, geógrafo o historiador. Pero según
Azorín la erudición sólo puede servir de punto de arranque en la
interpretación literaria: es lectura que estimula la imaginación, y que
luego está transformada ante la reacción de la sensibilidad. Nuestro
crítico se dirige por el deseo de una comprensión «psicológica» del
Quijote; aspira a *sentir* la obra de Cervantes, a hacerla contempo-

ránea: «Poner en relación la realidad de hoy con la realidad pintada
por Cervantes».

Harían falta los románticos alemanes, y, sobre todo, Heine en el
prólogo a una traducción del Quijote en 1837, para contrarrestar a
los cervantistas y ver en el libro de Cervantes un reflejo de la sensibilidad moderna. Azorín insiste en que la filosofía de Don Quijote
es la del pueblo: viene del pueblo y aspira a la aristocracia a través
de una defensa de la ley natural, una aristocracia incomprensible
para la mentalidad del siglo XVII, pero la cual constituye un elemento
fundamental y vital de la sociedad contemporánea. No obstante, esta
idea le sirve a Azorín sólo de pretexto para volver a su interpretación algo monolítica de la literatura española. Mientras Américo Castro, en *El pensamiento de Cervantes* (obra en general muy admirada
por Azorín), destaca la prudencia de Cervantes con respecto a la
Inquisición, Azorín, al interpretar la actitud como un reflejo del
afecto y respeto que sentía Cervantes por su amigo y protector, el
cardenal-arzobispo de Toledo, da énfasis a las características humanas, más bien que políticas del escritor. Y así entiende Azorín todo
el *Quijote*: Cervantes, aunque inspirado por la experiencia de la
realidad, la observa —como los místicos— con una indiferencia serena que le permite trascender el conflicto temporal. Azorín ha escrito crítica sobre casi todos los episodios, personajes y aspectos del
Quijote, pero vuelve con mucha frecuencia sobre la serie de capítulos que sitúan a Don Quijote en el palacio de los duques, porque
describen mejor la manera de ser del hidalgo que más ha sentido
Azorín. Nuestro crítico alude a menudo a la necesidad de Don Quijote de apartarse para meditar después de los excesos de sus con-
frontaciones con la realidad; y su estancia con los duques ejemplifica
esta disposición de ánimo tan típica para Azorín. Acaba de sufrir
la experiencia más humillante de su carrera, el gateamiento, pero la
vida ordenada y cultural del palacio le ofrece un ambiente de descanso y de reflexión, y logra superar la crueldad de sus huéspedes.
Su indiferencia y su idealismo, pues, se sobreponen a las desilusiones
de la dura realidad.

No hay por qué detallar aquí el «re-descubrimiento» por Azorín
del *Persiles,* ni de las *Rimas sacras* de Lope, ni de la obra de José
Somoza o de Mor de Fuentes; ni vamos a comentar su crítica sobre
Larra, Galdós y sus propios contemporáneos, ni su conocidísima
definición de la generación de 1898. Me he limitado a un esbozo

de sus ideas sobre Juan Ruiz, los místicos y Cervantes, porque figuran entre los autores favoritos de Azorín y porque nos dejan con una clara indicación de cómo es su filosofía de crítica literaria en la práctica. En resumidas cuentas, basta decir que los elementos de la literatura española que destaca Azorín son los siguientes: un estilo espontáneo dictado por la sencillez y la precisión más bien que por la retórica; un interés en detalles vulgares o insignificantes que despiertan una emoción estética; descripciones de paisajes; y una melancolía profunda causada por la fugacidad de la realidad con que vivimos en íntima comunión. Uno se da cuenta inmediatamente del hecho de que éstos también son los elementos principales de la prosa del propio Azorín. Es, sin duda, como indicó Ortega en su ensayo ya mencionado, un caso de *sinfronismo*; pero no un sinfronismo filosófico en que la prosa de Azorín nos sugiere, por casualidad, una tradición de sentimientos humanos ya conocida por nosotros; Azorín va directamente a otros libros en busca de los posibles orígenes de su sensibilidad artística. Así es que un estudio de la visión estética azoriniana de la literatura nos ayuda a comprender, a través de Azorín crítico-artista, la importancia del concepto de Azorín lector.

Carlos Blanco Aguinaga

AZORÍN Y LA MISTIFICACIÓN DE LA REALIDAD

Según sabemos, el paisajismo es fundamental en la obra de los del 98. La atracción por la Naturaleza, por las ciudades medievales y pueblos olvidados que en ese paisajismo se revela, así como la peculiar literatización de la vida a que conduce —especialmente notable en Azorín— no es sino una de las variantes españolas de la larga tradición naturalista europea que culmina, definiéndose plenamente, en el siglo XIX, una vez iniciadas ya las primeras luchas a que da origen el capitalismo moderno. En cuanto tal variante, necesariamente tar-

Carlos Blanco Aguinaga, «Escepticismo, paisajismo y los clásicos: Azorín y la mistificación de la realidad», *Ínsula*, n.º 247 (1967), p. 3.

día, poco nos dice de nuevo sobre la evolución de las ideologías europeas: como en el caso, por ejemplo, de los «lakistas» ingleses, el paisajismo del 98 significa una elección entre los dos hegelianos contrarios, Naturaleza e Historia, y suele originarse en un escepticismo, resultado de decepciones políticas, que, a su vez, lleva a un rechazo de toda acción frente a las atosigantes contradicciones puestas para siempre al descubierto por la civilización industrial capitalista. Pero cada Historia nacional tiene sus características peculiares, su propio *tempo*, y —tardío o no— nos importa saber qué significa para España el amor de los del 98 por el paisaje y por ciertos clásicos, no sólo porque ese amor que les hace huir de la Historia se expresa en nuestra lengua, sino porque opera «históricamente» en un tiempo cuyos mitos siguen pesando sobre el nuestro.

Ningún caso más ejemplar para nuestro estudio que el de Azorín. Porque Azorín es entre los del 98 el más constante paisajista y el que más atención ha dedicado a «los clásicos». Es también el mayor falsificador de la realidad histórica. [...]

Lo primero es la aparición del escepticismo y de la abulia en ciertas frases casi perdidas aquí y allá entre las palabras mordaces de sus páginas más combativas. Desde *Bohemia* (1897) hasta el *Diario de un enfermo* (1901), la trayectoria es bastante clara, a pesar de que entre estas dos obras, en 1899, aparece *La sociología criminal* (prólogo de Pi y Margall); vemos cómo va dominando el «mal del siglo», el pesimismo; que aparece de manera decisiva la influencia de Nietzsche; y que empieza por primera vez ese seudofilosofar, también característico de fin de siglo, en el que se generaliza sobre la condición del hombre en todos los tiempos a partir de un subjetivismo que no atiende a los datos concretos de la realidad objetiva que le afecta. Por lo demás, no tardará en aparecer la influencia tranquilizadora de Montaigne. [...]

La evolución que, a partir del escepticismo, llevará a Martínez Ruiz al abandono de la posición realista frente al hecho español de su tiempo —a la vez que al abandono de su propio nombre— cuaja de manera ya definitiva según sabemos, en *La voluntad* (1902), que tal vez sea la novela fundamental para entender, a grandes rasgos, la crisis colectiva de los del 98. No es necesario insistir sobre el escepticismo de esta obra: sabemos que es su característica principal. Pero sí hemos de recordar aquí que, aunque el magistral prólogo coloca a Yecla («en pleno siglo XIX») a la sombra aplastante de su iglesia, nada es en la novela escepticismo o pesimismo referido concretamente a la situación de Yecla, o de España, en el momento histórico particular en que viven los personajes. Desde luego, la novela es Yecla, y es España, y son españoles de fin de siglo sus personajes, pero todo hecho o situación concreta sirve de pretexto, de trampolín, para llegar, una y otra vez, al *vanitas vanitatum*: así es, así ha sido, así será siempre la humanidad, parece decírsenos. En el prólogo mismo se encuentra ya el primer ejemplo de este modo de escamoteo de la historia, disfrazado, naturalmente, como siempre en Azorín, de historicidad. He aquí cómo termina el prólogo después de la espléndida descripción de la iglesia de Yecla: «Y ved el misterioso ensamblaje de cosas humanas. Hace veinticinco siglos, de la misma cantera del Arabí famoso en que ha sido tallada la piedra para el templo pagano del cerro de los Santos. Al pie del Arabí se extendía Elo, la espléndida ciudad fundada por egipcios y griegos. La ancha vía Heraclea, celebrada por Aristóteles, se perdía a lo lejos entre bosques milenarios. El templo dominaba la ciudad entera ... Y la multitud acongojada, eternamente ansiosa, acudía, con sus ungüentos y sus aceites olorosos, a implorar consuelo y piedad, como hoy, en esta iglesia por otra multitud levantada. Imploramos nosotros férvidamente: "Ungüento pietatis tuae medere contritis corde; et oleo misericordiae tuae refore dolores nostros"».

Nos hemos remontado veinticinco siglos desde Yecla «en pleno siglo xix» para llegar a la cima de lo eterno. Años y siglos, lugares y personas se funden y confunden bajo lo eterno. Después, los lectores de Azorín se han acostumbrado al procedimiento: era el año 1527, o 1580, o 1736; estábamos en Toledo, o en Ávila, o en Soria; apareció ante nosotros la mujer de la voz aquella: Angustias, María o Soledad... Se trata siempre de evitar lo particular, todo aquello que pueda entenderse según circunstancias históricas y personales concretas: ello le permite al autor hablar nostálgicamente de la invariable condición humana. No entendieron los admiradores de este pintor de las «cosas» humildes, de este evocador de situaciones literarias («La ancha vía Heraclea celebrada por Aristóteles ...»), y quizá muchos no lo entiendan todavía, que Azorín jamás ha pintado una cosa concreta —y mucho menos una persona— porque a partir de su alejamiento de la problemática española de su tiempo, huye definitivamente de la historia. [...]

En *Los pueblos* (1905), el personaje es ya el autor y desaparece

Martínez Ruiz de la historia de la literatura española. A partir de este momento no cambiarán en lo esencial ni los temas ni el estilo de Azorín. Una y otra vez sus artículos nos llevarán al campo intemporal y a esos pueblos blancos o grises, siempre pulcros, poblados de figuras fantasmales y de recuerdos literarios. En la descripción de los paisajes, figuras y cosas será siempre intensa esa angustia de lo temporal de que tanto se ha hablado; pero será una angustia que nunca llega a sus consecuencias lógicas últimas, sino que una y otra vez encuentra consuelo en fáciles y —no pocas veces cursis— escamoteos, cuyo mecanismo es siempre el mismo: esta muchacha que ahora nos ofrece pastas y una copa de vino es la novia de Cervantes; la mujer que ahora nos atiende ha sido el alma de Melibea; etcétera. El pasado, convenientemente idealizado, nunca muere. En apariencia, el mecanismo es una profunda y significativa fusión de lo real y de lo literario; en rigor, consiste en una negación sistemática y radical de la Historia, de la del tiempo de Azorín y de la del tiempo de cada uno de los autores o libros que con inusitado desenfado pone nuestro autor al servicio de su escapismo. Porque desde este rechazo de la Historia, Azorín ha falseado sistemáticamente a los clásicos durante cincuenta años. Por ejemplo, cuando nos presenta a Calixto y Melibea felizmente casados y acompañados de su hija Alisa que les «regala con dulces melodías» (*Castilla*); cuando nos describe la vida próspera del hidalgo del *Lazarillo* «que ahora vive aquí en Valladolid», inmerso en una misteriosa melancolía»; cuando nos habla de la vida matrimonial de Constanza, la de *La ilustre fregona,* pasados «veinticinco años» desde el relato de Cervantes. «Happy endings» todos ellos que se sostienen en el gran mito español: que «ahora» —época de Azorín— es «entonces», o «casi» entonces. Aquí, parece decírsenos, no ha pasado nada grave. O, más aún, con un poco de imaginación podemos hacer como que lo que ha pasado es agradable y positivo. Ahora bien, como en el fondo sabemos que no ha sido así —es decir, que Calixto y Melibea murieron trágicamente—, nos queda esa leve nostalgia, esa melancolía que, además de ser muy agradable en sí, impide toda acción. De ahí a la mayor mistificación de Azorín, la que opera en su versión del *Licenciado Vidriera,* no hay más que un paso: aquel Tomás Rodaja, de Cervantes, dinámico, analítico y activo a la vez, se nos ha convertido en un infeliz absorto en la contemplación de un muro blanco (Tomás Rueda).

Leon Livingstone

AZORÍN Y LA REALIDAD

«Lo que da la medida de un artista», declara Yuste en *La voluntad*, «es su sentimiento de la naturaleza, del paisaje ... Un escritor será tanto más artista cuanto mejor sepa interpretar la emoción del paisaje ... Es una emoción completamente, casi completamente moderna ...». La naturaleza desempeña un variado papel en las técnicas novelísticas de Azorín. No solamente ocupa el primer lugar de importancia con su dominante tono atmosférico, sino que efectivamente alcanza una importancia igual a la de la psicología, tal como lo desea Azorín, y a la técnica narrativa.

El tono auténtico del sentimiento del paisaje no es, sin embargo, un elemento de realismo independiente, sino una parte íntegra de esa representación total —física, psicológica, social— del ambiente español que es la parte constitutiva de las novelas y en general la revelación más importante de Azorín, como ha dicho tan expresivamente Federico de Onís: «Azorín ha abierto nuestros ojos a una visión nueva de los paisajes de Levante y de Castilla, de los pueblos y ciudades españolas y de las gentes que en ellos encontramos todos los días; y hemos tenido la sensación de que todo eso que estábamos viendo siempre lo veíamos por primera vez. De esta manera, al tratar de descubrir lo que había en el fondo de su alma, ha descubierto Azorín la realidad española».

Encontramos en *La voluntad*, por ejemplo, fuera del sentimiento lírico de la naturaleza, un considerable elemento de observación objetiva y crítica del genio español y de la sociedad española. Este realismo integral continúa en las novelas autobiográficas *Antonio Azorín* y las *Confesiones,* bien que con una notable modificación del tono de amargo resentimiento de la anterior novela. En *Doña Inés* la sensibilidad de Azorín capta la misma esencia de la vida en Segovia para ilustrar cabalmente el anunciado programa de «viejas ciudades, paisajes, tipos, escenas e interiores ... estudiados minuciosa y perseverantemente». En el segundo grupo de novelas, la tendencia anti-

Leon Livingstone, *Tema y forma en las novelas de Azorín*, Gredos, Madrid, 1970, pp. 96-106.

rrealista, interpretación azoriniana del surrealismo, tiene como contraparte un específico elemento de realismo, hasta tal punto, en efecto, que el autor se ve impulsado a rebautizar a *Superrealismo* con el título de *El libro de Levante* [...]. Esta combinación de lo real y de lo irreal continúa en *El caballero inactual* con la doble presencia en la conciencia del artista de la España contemporánea y de la Francia del siglo XVIII, y en *Pueblo* con el muy realista aunque completamente estilizado tema del proletariado, como indica el subtítulo, *Novela de los que trabajan y sufren*. El elemento realista forma parte constitutiva de las novelas de esta nueva fase, pero, como tan agudamente ha percibido Manuel Granell, no se trata ya de observar la realidad desde afuera, como en el período anterior, sino de una composición, una amalgama de formas reales y abstracciones mentales. Esta «fusión entre la mente y la realidad» es la representación del mundo en la conciencia del artista. En las novelas subsiguientes, desde *El escritor* hasta *La isla sin aurora,* el regreso al tema autobiográfico —aunque éste, como veremos en la discusión de Azorín sobre este tipo de reminiscencias, no excluye una modificación de los hechos de la historia personal por la sensibilidad— aporta un elemento de realidad prístina que luego es suavizado al ser transportado lo real a los confines de un mundo hipotético y virtual que es igualmente real e irreal La suprarrealidad de esta nueva «perspectiva extrahumana», como la llama Granell, sirve de base para la creación final, en *María Fontán* y en *Salvadora de Olbena,* de una nueva realidad, formada por la fusión de lo real y de lo imaginario, producto tanto de la observación como de la fantasía, de la realidad así como de la ilusión. No se trata de la ilógica combinación de elementos dispares, «la voluntaria promiscuidad espacio-temporal» que Azorín comienza a cultivar en *Doña Inés* y a la cual da rienda suelta en *El caballero inactual,* sino de una fusión de lo real y de lo ideal que el autor ofrece como solución final del aparente conflicto de estos dos mundos.

En el llamado período «surrealista» el intento de combinar el realismo y el antirrealismo representa un adelanto sobre la alternación original entre estas tendencias opuestas en el primer grupo de novelas. En éstas, la solidez material y objetiva del mundo externo, la cual exige que se imponga el artista una disciplina de observación exacta y detallada, se turna con un tenue subjetivismo que obliga al artista a seguir un correspondiente método de la reducción de la realidad a las sensaciones. Yuste, el mentor de Antonio Azorín en

La voluntad, expresa el sentido berkeleyano del mundo como pura
representación en su declaración de que «la sensación crea la conciencia; la conciencia crea el mundo. No hay más realidad que la
imagen, ni más vida que la conciencia. No importa —con tal de
que sea intensa— que la realidad no acople con la externa». La
índole exclusivamente subjetiva de este universo solipsístico, gratui-
tamente concebido, mera fabricación de la conciencia sin corrobora-
ción objetiva, produce como especie de contraparte un sentimiento
obsesivo de la necesidad de una realidad objetiva e inmutable más
allá y fuera de nosotros. Ésta, sin embargo, parece inasequible, pues
para alcanzarla habría que llegar a una realidad más allá del tiempo
y del espacio, y sin embargo el tiempo y el espacio, que son creaciones de nuestra conciencia, son insuperables. «El tiempo y el espacio
son las dos barreras infranqueables del espíritu humano», afirmará
Azorín resumiendo después este concepto. «No podemos jamás salvarlas. Haga esfuerzos el lector, recogido un momento sobre sí mismo,
por imaginar algo que no sea tiempo ni espacio. ¿Es que podrá lo-
grarlo? ¿Es que conseguirá percanzar una partecilla minutísima de
algo que no sea tiempo y espacio?»

En el segundo grupo de novelas es precisamente esta evasión de
«la prisión del tiempo y del espacio» a la que aspira Azorín en la
proyección interna de la imaginación dentro de la conciencia, que
ahora se convierte en la conciencia de la conciencia, la sensación de
la sensación, la realidad irreal de «la imaginación, en vuelo por lo
inconcreto». Y al perseguir la visión de un espacio sin espacio y de
un tiempo sin tiempo el aspecto problemático de esta búsqueda se
hace plenamente patente al autor: «En un espacio que no podemos
imaginar, un designio de construcción inexplicable. Inexplicable para
los pobres humanos. ¿Dónde situaremos este espacio? Imposibilidad
de concebir un espacio que no sea con elementos del espacio que
vemos. Fuera del tiempo, la obra de construcción. Fuera del tiempo,
que no existe, que es una sensación nuestra. Y esta sensación y la
de espacio, como fundamentos en el designio constructor. En la voluntad suprema y creadora. Creadora de una gama sutil, complicada,
misteriosa, de sensaciones que forman la realidad en que vivimos.
Y esa realidad no existe. La compone una urdimbre de sensaciones.
Fuera del tiempo y del espacio —¿dónde? ¿cómo?—, a manera de
un inmenso clavicordio, las teclas de ese organismo músico son las
sensaciones que los pobres humanos experimentamos. Las dos esen-

ciales son el espacio y el tiempo; entre esas dos, todas las demás que a lo largo de la vida vamos oprimiendo. ¡Si pudiéramos asomarnos a ese espacio en que el artificio musical ha sido construido! ¡Si por un esfuerzo increíble pudiéramos ver la verdad de estas sensaciones —es decir, la realidad— que nosotros, por designio misterioso, experimentamos! Pero creemos que el artificio musical no existe ... No podemos ni ver ni imaginar siquiera el porqué de esa creación. La inteligencia humana ... se halla cautiva. No puede salir de sí misma. No puede evadirse de la sensación».

Este esfuerzo metafísico por alcanzar una realidad fuera de tiempo y espacio (y que tanto nos recuerda la oda de Luis de León a Francisco Salinas) no puede ya realizarse en una mera alternación con lo realista como Azorín había aceptado en la primera etapa del problema, en las primeras novelas. Exige ahora una solución más armoniosa e intrínsecamente genuina que la del contraequilibrio de lo material y lo espiritual y por eso el autor intenta lograr una auténtica síntesis. Tal es la importancia que tienen las declaraciones del protagonista anónimo de la propuesta novela en *El libro de Levante* al rechazar la oposición, la contradicción, y abogar por la unión:

«—Usted ha dicho que en su novela iba a marcar una oposición.
»—¿Cuál?
»—La de las dos elegancias.
»—Naturalmente; ése es mi tema.
»—No cuente usted conmigo para eso.
»—¿Se puede saber por qué?
»—Porque yo no veo oposición entre esas dos cosas.
»—¿Lo cree usted?
»—Vaya; yo aspiro a una síntesis».

El nuevo programa, revisión del anterior, es proclamado ahora como una búsqueda de una fórmula de identificación: «¿Cómo lograr la identificación de la realidad interior y la externa?». Esta actitud revela un evidente y marcado adelanto sobre la de Yuste en *La voluntad*.

En la nueva fase de la propuesta solución de síntesis la visión de la realidad continúa siendo doble pero ahora sus imágenes son enfocadas por el prisma de lo subconsciente, lo que permite la ecuación ilógica de los opuestos. El choque entre lo subjetivo creado y lo objetivo autónomo ya no existe. Todo conflicto desaparece al deshacerse el universo sólido para dar lugar a un número infinito de componentes atomizados que proponen unirse en una asociación libre, produciendo «un mosaico con mil piezas diminutas». El proceso de esta desintegración del mundo externo, objetivo y autónomo, proclamado abiertamente como la «subversión de la realidad externa», tiene como meta positiva la integración de los elementos de aquel mundo externo, pero en un nivel psíquico: «Integrar el mundo en su ser psíquico». Ya no estamos en el mundo de la mera sensación, como en la primera fase impresionista, sino en el de la sensación de la sensación, una esfera dos veces alejada de la realidad, el mundo en que Azorín trata de librar lo subconsciente.

El logro de este nuevo enfoque es el haber progresado desde el tipo de visión inicial en que había dos imágenes que competían entre sí, alternando la una con la otra, a una especie de *montage* cinematográfico, la sobreimposición de una imagen sobre otra en una intencional doble exposición creativa. Éste es un paso indispensable en la búsqueda por el autor de la unidad-en-la-variedad, pues sin él el doble enfoque inicial no podría corregirse. Con él el artista trata de superar la contradicción de la visión dual mezclando intencionalmente todas las perspectivas posibles en el mundo fluido de lo subconsciente. Los varios planos del tiempo y del espacio ya no se excluyen mutuamente, sino que, con un sublime desdén de las delimitaciones cronológicas o geográficas, producen una visión simultánea del presente y del pasado —y aún del futuro— y de lo inmediato y de lo remoto. «Planos y perspectivas de realidad pasada, que estaban yacentes en los senos ignorados de la psiquis —leemos en *El caballero inactual*—, surgen de pronto y se entremezclan con otros planos y perspectivas ostensibles y actuales.» En esta novela, por ejemplo, el «trastrocamiento y subversión de planos y reminiscencias» hace que la España contemporánea se funda con la Francia del siglo XVIII, mientras que santa Teresa, con un cable en las manos, anhela ir a América.

Sin embargo, el intento de resolver el problema en la esfera de lo subconsciente resulta ser, a pesar de las «rarísimas flores» que produce, una evidente y reconocida ilusión, un engaño, y como tal destinado al fracaso. La evasión de la realidad consciente *no* consigue librar de su encarcelamiento físico al espíritu, que sigue siendo, aunque sea indirectamente, esclavo de las sensaciones: «Y la sensación de la sensación que nos tiene prisioneros», dice Azorín con cierta tristeza en *El caballero inactual*. La unión entre el pasado y el presente, entre lo real y lo ideal, entre lo finito y lo infinito, en la conciencia interior no es, a pesar de las bellas percepciones que alcanza, sino una fusión híbrida de lo real y lo irreal cuya artificialidad desnaturalizada no se nos esconde.

El dilema básico de querer triunfar sobre las limitaciones de la percepción sensorial con las armas del testimonio de los mismos sentidos, de aspirar a una superrealidad espiritual teniendo a nuestra disposición sólo los materiales de la realidad —el problema ya planteado en *Diario de un enfermo*— continúa acosando a Azorín, quien ahora admite la «ineficacia de la tentativa de salir de la prisión del tiempo y del espacio». El fracaso del intento de satisfacer las iguales demandas de lo real y de lo ideal haciendo una abstracción mental de la realidad indica la necesidad de una nueva fase experimental, y esto motiva la tercera etapa novelística.

Azorín, al darse cuenta de que ha destruido la realidad concreta en su malogrado esfuerzo por resolver el problema de lo real en conflicto con lo irreal, reconoce la necesidad de restaurar la realidad a una posición de igualdad con lo imaginado. Su programa, por consiguiente, ha de ser ahora una reconstrucción del universo atomizado, un readaptar a la realidad externa con sus contornos reconocibles la visión arbitraria, ilógica, caleidoscópica del experimento surrealista, creando así de la confusión sin sentido que intencionalmente ha producido una nueva armonía.

La nueva empresa exige una reorientación que obliga al artista a someter la visión fragmentada de lo subconsciente al mecanismo inicial de la percepción humana. En esta vuelta a un mundo de formas reconocibles el novelista se ocupa de *crear* una nueva realidad armoniosa y ordenada. No se trata simplemente de la observación pasiva de un universo ya existente —el error de los realistas—, ni de una introspección psíquica que efectivamente desprecia el mundo externo, y sin embargo implica tanto lo uno como lo otro. Lo que ha de realizarse es un arreglo de los elementos de la realidad en una forma que satisfaga las exigencias de lo ideal; es decir, la creación de una tercera realidad que sea no sólo o material o espiritual, sino lo uno y lo otro a la vez. Este «auténtico ordenar el mundo, un darle forma», como lo llama Manuel Granell, da por resultado un mundo enteramente nuevo, un mundo hipotético, verosímil, que imita la realidad mientras retiene la dimensión idealista que hereda

de su anterior emancipación de la realidad contingente, un mundo
que tiene las dimensiones del mundo de las apariencias y la irrealidad etérea de lo onírico. Este mundo maravilloso y caprichoso (*Capricho* es el título de una de las obras de este grupo), de una existencia virtual, es simplemente el mundo de la realidad creada que es
el arte.

Es evidente que esta nueva creación no se habría logrado sin las
necesarias etapas que la preceden, con sus constantes rectificaciones
de intentadas soluciones, de modo que, en este sentido, si estaban
destinadas éstas a fracasar, eran fracasos necesarios. También está
claro que, siendo así producto de ellas, no puede prescindir de sus
características esenciales. En verdad, es éste el aspecto que marca la
distinción entre la tercera y la cuarta fase final —en realidad, dos
partes del mismo movimiento—, pues el elemento de acumulación
de soluciones anteriores se halla en esas novelas en que la nueva
fórmula alcanza su elaboración final, fórmula que se realiza objetivamente después en las últimas novelas, *María Fontán* y *Salvadora de
Olbena.* De esta manera, si el nuevo procedimiento ya no se basa
exclusivamente en revivir el pasado en la memoria del artista ni en
fundir memoria y actualidad, equilibrando lo finito, lo sensorial te-
rrestre y el místico más allá, sigue siendo la combinación de todos
estos elementos. La recapitulación de la reconstrucción autobiográfica anterior existe en *El escritor* y en *El enfermo,* y hasta cierto
punto en *Capricho,* que recuerda las experiencias periodísticas del
autor; la de la atmósfera del mundo de ensueño poético de lo subconsciente en *La isla sin aurora*; las intrincaciones del desdoblamiento interior en todas estas, especialmente en *El escritor.* La solución
teórica es luego puesta al servicio de las últimas novelas que son,
en este sentido, su producto y su ejemplificación a la vez.

¿Qué es lo que realmente se ha logrado en esta conquista de una
realidad creada? Los mismos subtítulos de las dos últimas novelas
sugieren la índole de esta conquista. Al salir el autor finalmente al
mundo exterior descubre que no ha hecho más que mirar dentro de
su propia conciencia transparente para crear un universo hecho a la
medida de sus deseos, un nuevo cosmos purificado, sin los vulgares
elementos de la realidad —la fealdad, la brutalidad, las frustraciones
de la diaria existencia—, de manera que todo es de color de rosa:
María Fontán (*Novela rosa*). Si esta nueva realidad nos convence de
su verosimilitud, al mismo tiempo nos seduce su perspectiva de ilu-

sión poética, de misterio romántico: *Salvadora de Olbena (Novela romántica)*.

De esta actitud final se deriva la suprema lección que el artista debe aprender. Si quiere construir su edificio en tierra firme ha de basarlo en la realidad concreta; pero desde las bases de esta realidad observada con precisión le incumbe llegar hasta el dominio imaginativo del ensueño, pues de otra manera nunca podrá aspirar a nada más que a un realismo literal, un realismo que de hecho es imposible, pues el propio atractivo de la realidad material es la irresistible tentación que provoca en el observador imaginativo de saber lo que está más allá de las cosas concretas, de conocer lo incognoscible: «El gusto de las cosas —declara Antonio Quiroga en *El escritor*—, gusto por lo concreto, lleva a querer saber cómo se hacen las cosas. Goethe ha dicho que las fronteras del hombre son las cosas. El verdadero arte, sea plástico o literario, se apoya en las cosas. De la realidad tangible parte para el ensueño». El escritor o pintor debe imponerse la disciplina de una rigurosa observación de la realidad material, pero para merecer el apelativo de artista debe también trascender las limitaciones de lo real. «No se llega a dominar la realidad circundante —declara Azorín en sus *Memorias*—, sino cuando nos hallamos desasidos de esa realidad. Y entonces es cuando el artista es artista.» Ese es el significado, también, de la actitud de Félix Vargas hacia las cosas, cuando piensa que «lo que más ama ... es su desasimiento de las cosas». El valor místico de esta posición, corroborado hasta por la selección de vocablos, es, como ya queda indicado, de origen estético y no religioso. Este aspecto es fundamental para poder apreciar a José Martínez Ruiz, pues de la misma manera que él no es principalmente el ideólogo, sino sólo el «pequeño filósofo», tampoco es la suya una orientación religiosa. La oposición a lo real obedece a un dictamen esencialmente estético, la necesidad de una libertad espiritual que dé apoyo y fuerza a una tendencia imaginativa fundamental. Porque la realidad, en último análisis, es siempre una interpretación, siempre una creación. Por eso es por lo que dirá Azorín al discutir las pinturas de Zuloaga que «lo fundamental ... no era la veracidad o no veracidad de su pintura; el artista, en fin de cuentas, crea la verdad; la realidad circundante es una creación del artista»; o, en *La isla sin aurora,* más sucintamente, que «lo que inventan los poetas es más cierto que lo que existe en la realidad».

Juan Manuel Rozas

UN CAPÍTULO DE *CASTILLA* (1912)

«Una ciudad y un balcón» me parece el mejor capítulo [*Castilla* (1912)], el texto más representativo de toda la etapa magistral de Azorín, la que va de *Castilla* a *Doña Inés*. Está situado en mitad del camino, en el justo medio entre los trabajos más eruditos del libro, como los capítulos sobre los ferrocarriles, aquellos en que no hay personajes, sino expresión directa del autor, es decir, los ensayos, y los últimos, en los que intervienen, entre el autor y el lector, unos personajes, es decir, los cuentos. En «Una ciudad y un balcón» existe un solo personaje individualizado. El caballero que desde un balcón de una casa de una ciudad, piensa, sueña, siente. No habla, no actúa, pero vive intensamente su mundo interior. Es un personaje mínimo, lo justo para que haya un tercero entre el autor y nosotros. Para que no sea puro ensayo. Este único punto de referencia de un ser pensante, entre nosotros y Azorín, da un equilibrio al texto entre un ensayo de historia social de una ciudad castellana y un cuento sobre un personaje. Si lo comparamos con «Ventas, posadas y fondas», vemos que en éste nos da Azorín un reportaje. Todo lo que aparece está allí, mudo, cosificado, para que Azorín nos lo muestre. Pero en «Una ciudad y un balcón» todo se vivifica y se subjetiviza con la sola presencia del caballero en el balcón. Si lo comparamos con los cuentos finales del libro, con «Una flauta en la noche», por ejemplo, que sigue una técnica muy parecida a «Una ciudad y un balcón» (cada apartado se desarrolla en un tiempo distinto) notamos que hemos pasado de lo personal a lo universal, del tiempo personal de un hombre que fue niño y vuelve viejo a su ciudad, al tiempo de la humanidad toda, representada por ese caballero del balcón.

Es aquí donde el concepto unamuniano de la intrahistoria se halla más perfilado. No se mira el presente historico, ni a los tres presentes que aparecen en el texto, sino a un lapso de tiempo suficientemente largo, cuatro siglos, desde 1500 a 1900, para que poda-

Juan Manuel Rozas, «Introducción», en Azorín, *Castilla*, Labor, Barcelona, 1973, pp. 41-48.

mos ver sólo el *detritus* unamuniano formando *la tradición eterna*. No se dan nombres para configurar la historia, el protagonista es un caballero en silencio, anónimo. Si el gran hallazgo de Azorín es tratar la historia, general o literaria, según moldes intrahistóricos, éste es, sin duda, el trozo culminante de tal renovación artística. De ahí el interés que tiene hacer un comentario detallado de la composición de este texto.

Azorín lo ha construido de una manera conscientemente férrea y paralelística, y, como iremos viendo, en ese paralelismo está el secreto de la unión entre contenido y forma. Empieza con un lema de Garcilaso: «No me podrán quitar el dolorido sentir», que se repite al final, dentro del propio texto, justamente en la última frase, de modo que este lema es una explicación a todo el capítulo, *a priori*, como orientación del camino a seguir, y es también la conclusión, reafirmación de todo lo dicho, como ocurre con los refranes de la lírica tradicional. Atañe, pues, este lema al significado de todo el trozo, y también directamente al caballero del balcón, como demuestra el que cambie el pronombre *me* por *le* en la conclusión: «No *le* podrán quitar el dolorido sentir».

Entretanto en el texto, hallamos tres nítidas partes. Las llamaremos A, B, C. Al final hay una breve conclusión. Cada una de ellas y la conclusión están marcadas de forma externa y tipográfica por Azorín, por medio de tres asteriscos o de una raya, según las ediciones. Cada una de las partes se divide en otras tres partes, que guardan entre sí, tres a tres, un perfecto paralelismo: una descripción de una ciudad y sus alrededores; una explicación histórica del momento en que estamos; y el retrato de un caballero en el balcón. La parte central va, en los tres casos, entre paréntesis, como destacada y como encerrada.

En las partes primeras de cada parte mayor, hay dos núcleos descriptivos. Uno para enseñarnos lo que se ve en la lejanía, y luego lo que se ve dentro de la ciudad. Ocurre, como en algunas películas, que en la lejanía no se oye nada, sólo se ve. Y a medida que lo vemos se acerca a la ciudad y entra en ella, entonces al sentido de la vista unimos el sentido del oído, escuchamos lo que sucede. Así es el esquema, repetido en A, B y C. Se nos invita a mirar en A$_1$ a la lejanía y vemos un tropel de guerreros; que se acerca y entra en la población, y en un *traveling* recorremos —ojos y oídos— la ciudad. Luego, en A$_2$, se interrumpe la descripción para decirnos por medio de datos y hechos, como hacen los historiadores, la época en que nos encontramos, en este caso el Renacimiento. Por fin, en A_3, se nos muestra un caballero en el balcón de una casa de la plaza, pensativo y triste. Y resulta que, nosotros, que nos creíamos solos viendo la ciudad, nos hallamos acompañados por un testigo que a la vez se convierte en personaje para nuestros ojos. Se nos incita a mirar de nuevo: en B_1, lo que vemos en la lejanía es una diligencia que se acerca, la ciudad con sus ruidos y su vida, ya atenuados, pues no existe el ritmo de trabajo que hubo antaño (en A_1). En B_2, leemos datos y hechos, entre paréntesis, que nos indican la época en que estamos, en la Revolución Francesa o un poco después, hacia 1800. En B_3, de nuevo, vemos al caballero en el balcón. Mismo juego escénico, como diría un dramaturgo, C_1: ahora se acerca a la ciudad un tren; C_2, los datos nos indican que estamos en 1900; C_3, el caballero en el balcón.

Un aspecto muy importante, que he silenciado adrede hasta ahora, es el del perspectivismo del texto. Es importante saber desde dónde se narra, desde dónde se ve el mundo, desde dónde se piensa lo que se dice. Azorín nos ha hecho subir a una torre, y es desde allí desde donde vemos lo que sucede fuera y dentro de la ciudad. Estamos, en lo alto, en la torre de la catedral. Hay además otra perspectiva. Nos da un catalejo para que con él podamos ver mejor la lejanía. Es decir, que entre la realidad y nosotros se interponen dos cosas. (En realidad, se interponen para ayudarnos, nos conducen hacia las cosas.) Una perspectiva, la altura, es natural, pero anormal, pues el hombre ve las cosas a diario desde su propio nivel de criatura breve sobre la tierra. La otra, un aparato de óptica, es no natural, y nos acerca la realidad de forma engañosa, pues entre la distancia real y la de la óptica existe una mentira. La perspectiva de altura es la que nos hace semejantes a Dios, a un ser poderoso que puede ver todo el universo sin límites de espacio ni de tiempo. Igual que Dios mira el paso de la Humanidad, nosotros, desde esa altura, podemos ver también la caducidad de las generaciones. Esta perspectiva se usa con frecuencia en la literatura cuando se quiere mostrar el conjunto de la humanidad, o el conjunto de una ciudad y su vivir. Por ejemplo, sin salir de la literatura española, la encontramos en *El diablo cojuelo* de Vélez de Guevara, cuando Cleofás y el diablo ven desde una torre, con los techos de Madrid levantados, la interioridad del mundo español. Se usa en *La regenta* de Clarín, cuando vemos toda la ciudad, que puede ser presa de las ambiciones del canónigo, desde la altura de la torre. Es importante que esas dos obras quieran ver hondamente algo, no lo aparente de los hombres, que suelen engañarnos, sino los hombres cuando no se percatan de que los miramos. Y los vemos todos juntos, como Dios los ve. Azorín lo que intenta con esta perspectiva no es sólo ver espacialmente mucho, sino ver diacrónicamente; divisar el tiempo de la humanidad, como Dios la ve.

La perspectiva de la óptica del catalejo también tiene antecedentes barrocos. Por ejemplo, *Los antojos de mejor vista* de Fernández de Ribera. En Azorín, el catalejo tiene dos funciones. Tiene un sentido mágico, para hacernos verosímil el cambio del tiempo. Con nuestros propios ojos no podemos ver nada más que una sincronía, y al tener que ver, como Dios, una sucesión de cuatro siglos, teme que se enfríe nuestro interés, y entonces nos hipnotiza con el catalejo para que veamos verosímil el cambio. Dice, «se ha empañado el catalejo. Limpiémosle, veamos de nuevo». La segunda función es propia de la técnica impresionista de Azorín. Tiene que mostrarnos la lejanía, con lo cual tiene que renunciar al detalle, ya que, con nuestros ojos, sólo vemos una nubecilla de polvo. Pero Azorín es un enamorado de los detalles. Y, mediante el catalejo, podemos ver hasta la joya que lleva al pecho el capitán del tropel de jinetes, y seguir sus «primores» impresionistas.

Lo primero que vive el lector es el paso del tiempo. Encelado por esta doble perspectiva, de altura y magia-técnica, se siente superior a sus límites y puede entender el paso del tiempo, como si fuese Dios, capaz de mirar dos tiempos a la vez. Y ve el transcurso del tiempo en una ciudad de Castilla, como lo demuestra la típica descripción de los edificios, de los oficios y de los personajes. Pero al mismo tiempo ve el transcurso del tiempo en toda la humanidad, no importa en qué lugar. Los valores regionales, locales y universales se conjugan, a la vez que se conjugan los tiempos de 400 años.

En 1500, 1789, 1900, la ciudad está allí a vista de pájaro, o de Dios, en lo que atañe al espacio y al tiempo. El lector está colocado en un eterno presente. La sensación es la del misterio del tiempo: la fotografía del momento y la película del tiempo. El hombre a diario no advierte el paso del tiempo, tiene que colocarse en una perspectiva de recuerdo o de altura para verlo. Nos da Azorín la sensación del río, que tiene siempre las mismas formas, pero con distinta agua. El hombre es el mismo y no lo es. Del niño al viejo hay un cambio accidental y una identidad esencial. Pero el hombre suele ver sólo los accidentes. Es el verso de Gerardo Diego, del río: «a la vez quieto y en marcha».

Con todo lo que llevamos dicho, el paso del tiempo se ve, más claramente aún, si miramos al caballero. En A, B, C, observamos casi lo mismo: un balcón con un caballero, mirando aparentemente lo mismo. Este caballero está descrito las tres veces de forma muy parecida, en lo que siente y en su aspecto físico. Varían ciertos detalles para indicarnos en qué época vive en cada momento. Y varían ciertos detalles sobre su actitud, pero siempre con el denominador común de la tristeza y el dolor.

El problema está en decirnos que ese caballero es distinto cada vez, pero que en lo esencial es el mismo. ¿Cómo mostrar esto? Con el lenguaje. Esos pequeños matices en variación, en la sintaxis y el léxico, en las tres partes, nos evocan lo que ocurre con el idioma. El lenguaje de 1500, de 1800 y de 1900, para un hispanohablante es el mismo y no lo es. El lenguaje cambia con el tiempo, pero nosotros casi no lo podemos percibir. Si pudiésemos vivir cuatrocientos años nos costaría cierto trabajo entender a los hombres del futuro. Si un juglar llegase ahora recitando el *Poema del Mio Cid* nos costaría trabajo entender su fonética, como nos cuesta entender ciertas cosas de su léxico y de su sintaxis. Sin embargo, en lo esencial, el idioma es el mismo. La meditación sobre la sincronía y la diacronía lingüísticas es una buena imagen del paso del tiempo en la vida del hombre y en la vida de la humanidad. De ahí que Azorín acierte plenamente al unir al contenido del trozo, al significado, una forma que ayuda a entender ese contenido. Tres trozos iguales, pero con matices que varían suavemente en el léxico y en el orden de palabras.

Pero el paso del tiempo no se puede dar sin pensar en la historia, en la historia escrita por los hombres. No hay historia sin intrahistoria, pero tampoco intrahistoria sin historia. La consecuencia de la intrahistoria es la historia, como la consecuencia del agua del mar es la superficie del mar, según explica Unamuno. Lo histórico en el texto de Azorín viene representado por los párrafos entre paréntesis, los llamados A_2, B_2, C_2. El ir entre paréntesis quiere decir que esa historia va aparte de la verdadera historia que es la intrahistoria, la del caballero anónimo. En el primer caso vemos los grandes hechos, los noticiables: el descubrimiento de América, la invención de la imprenta, los genios del Renacimiento que descubren a Platón y a Virgilio. En el segundo caso la Revolución Francesa, un rey ejecutado, los diputados en el parlamento. En el tercero, los famosos ingenieros que crean ferrocarriles y otras empresas, los líderes de los obreros. Todo esto, siguiendo a Unamuno, es suceso de primera plana de los diarios, ruido y brillo de la historia. Hay cortes, caídas y levantamientos: épocas. Tal como ocurre en el texto, que Azorín coloca entre paréntesis, como desligado espacial y argumentalmente, del resto del trozo. Lo que da continuidad es la intrahistoria, los ruidos anónimos de la ciudad (A_1, B_1 y C_1) y el caballero (A_3, B_3 y C_3) que engendra otros caballeros que miran, como él, con tristeza, el paso del tiempo.

La conclusión es como el epifonema de los poemas. Es una conclusión de tipo lírico. Con imágenes de Unamuno: progresa el mundo, se vierten las aguas del río en el mar, pero queda siempre el poso de una tradición eterna en las orillas, los grandes problemas de siempre: el destino temporal del hombre, su capacidad de reflexión sobre los problemas fundamentales, la muerte, el sentido religioso, el sentido comunitario. Azorín aquí, y seguramente por influjo de Unamuno, ha cambiado su posición optimista, positivista y progresista a ultranza de su primera etapa. Tras los desengaños expresados en *La voluntad*, dejó sus actividades y se refugió en la literatura.

[Cabe calificar] el texto de poema en prosa. Es el momento de verificarlo, después de este análisis. Así lo muestran su estructura, estilo y su modo de significar. Está construido férreamente, por partes paralelas, simétricas, que evocan las estrofas de un poema medido. El poema tiene tres estrofas mayores, divididas en tres partes, y un epifonema final, en el que leemos una frase que, como lema, se escribió ya al principio, lo que recuerda el estribillo de la lírica. Entre nosotros y el texto aparece un «yo» poético, el caballero, justo después de cada una de las tres evocaciones. El estilo es de poema en prosa, evocador, buscando la emoción de las cosas y seres, con estilo igualmente sostenido en todas sus frases. No avanza en su significado ni en el tiempo y el espacio, como la narrativa, ni en un continuo razonamiento lógico, como el ensayo, sino que repite, vuelve, intensifica hacia una idea general y única, llevándonos hacia ese significado único y hondo, como un pozo, que es la esencia de todo poema.

10. ANTONIO MACHADO

De todos los escritores españoles surgidos a fines de siglo, Antonio Machado (Sevilla, 1875 - Colliure, Francia, 1939) es quien, junto con Unamuno, mejor resume la equívoca pero significativa condición de «escritor nacional», testimonios ambos de las servidumbres y las grandezas de una expresividad anclada en la encrujida de lo personal y el intento de definir la personalidad colectiva. En este sentido —y como observó agudamente el crítico mexicano Octavio Paz— tanto Machado como Unamuno son los dos últimos grandes poetas del siglo xix pero, contrariamente a Juan Ramón Jiménez, no parecen pertenecer a la plena modernidad —a la plena emancipación del texto artístico— que éste encarna.

No obstante la admiración que Unamuno suscitó en Machado (concienzudamente estudiada por Aurora de Albornoz [1965]), poco hay de común entre ambos: el patético histrionismo del escritor vasco y la contradictoria condición de su pensamiento se truecan, en el caso de Machado, en una opaca complejidad espiritual, un notable grado de objetivación artística y una elevada fidelidad a la tradición ideológica que recogió como liberalismo progresista y condujo a la utopía populista de sus últimos años. De ahí que Machado, convertido en privilegiado testimonio del sacrificio expiatorio de la «España buena» (y perdedora), haya sido objeto de interesantes monografías de historiadores (M. Tuñón de Lara [1976] y A. Gil Novales [1966]) y, ya en nuestro campo específico, autor muy propicio a la monografía de conjunto, a veces un tanto simplificadora de sus perfiles reales (desde las relativamente madrugadoras de Germán Pradal [1949], S. Serrano Poncela [1954], Ramón de Zubiría [1959] hasta los muy próximos análisis de A. Sánchez Barbudo [1976], R. Gullón [1970] y las biografías de Leopoldo de Luis [1975] y José María Valverde [1975]). En este sentido, el predominio de exegesis centradas en los valores éticos y, todo lo más, temáticos, de sus trayectorias biográfica y literaria nos ha legado una imagen ejemplar y enteriza que, no por casualidad, ha creado un reciente *contramito*: la unánime admiración por el ciudadano Antonio Machado se ha contrapesado por numerosas reti-

cencias respecto a su obra literaria, muy a menudo procedentes de poetas-
críticos, albaceas forzosos de la gloria machadiana.

Reducida a límites más justos, la purga estimativa ha restablecido de
nuevo el valor más aproximado del escritor: siguiendo a Cernuda y Juan
Ramón, las primeras *Soledades* han recuperado un favor que ha dismi-
nuido en el caso de *Campos de Castilla* y los poemas que le acompañan en
la edición de 1917; la prosa filosófica y crítica, considerada obra menor,
ha elevado su valoración hasta ser, para no pocos, el reflejo del mejor
Machado. Unánimemente, por fin, el anacronismo de los modelos poéticos
machadianos y la inviabilidad de su poética —al margen del caso irrepetible del propio escritor— han puesto en su verdadero lugar cualquier
epigonismo como el que, alguna vez, pretendió enfrentar una hipotética
progenie lírica machadiana con la progenie real —la llamada «generación
del 27»— que arrancó de la «obra en marcha» de Juan Ramón Jiménez.

No poco de la biografía de Machado avala, sin embargo, aquella ejem-
plaridad que la bibliografía ha subrayado (M. Tuñón de Lara [1975]).
Su origen familiar le sitúa, por ejemplo, en el centro mismo de la más
insigne tradición del liberalismo español: su abuelo fue rector de la Universidad de Sevilla con la revolución de 1868 y figura entre los introduc-
tores del darwinismo en España; su padre, Antonio Machado y Álvarez,
fue figura de menor relumbrón pero mayor profundidad, que siempre
recordó su hijo, huérfano temprano, con una mezcla de nostalgia del
arquetipo y velada conmiseración. Machado y Álvarez destacó, entre los
institucionistas de la segunda generación, por sus investigaciones folk-
lóricas que llevó a cabo bajo el seudónimo «Demófilo»: el interés de
sus dos hijos —Antonio y Manuel— por la copla popular y, en el caso del
primero, por lo popular en general (Paulo de Carvalho Neto [1975]) no
pudieron ser ajenos a la tradición familiar. Niño aún, el autor de *Campos
de Castilla* estudió en la madrileña Institución Libre de Enseñanza, de
la que hubo de conservar un recuerdo emocionado, marcadamente opuesto al desdén que experimentó por el saber académico tal como se impar-
tía en la universidad.

La prehistoria literaria de Machado tiene escaso interés (curiosos artículos juveniles han sido compilados por la diligencia de Aurora de
Albornoz [1961]) y su etapa bohemia —incluida la tradicional estancia
en París— fue poco significativa. Si olvidamos un libro de *Cantares* —de
cuya existencia no hay más testimonio que el de Juan Ramón Jiménez
en conversación con Juan Guerrero—, el primer poemario del autor es
Soledades, publicado en bastante ruines condiciones en 1903. La refundición a que lo sometió Machado hizo olvidar durante bastante tiempo
esta colección sobre la que hubo de llamar la atención Dámaso Alonso
[1965] (y más tarde los importantes trabajos temáticos de G. Ribbans
[1970] y Cesare Segre [1970]) y que, en fecha más reciente, fue resti-

tuida en edición crítica por Rafael Ferreres [1968]. Lo que el autor suprimió del libro de 1903 fue lo más flagrantemente *modernista* —la insistencia de cierta suntuosa palabrería parnasiana, el tono quejumbroso (que, por las mismas fechas, supo reprochar a las *Arias tristes* de su colega Juan Ramón)—, no obstante lo cual mucho del Machado posterior está ya en el volumen primerizo: la estrecha correlación entre el paisaje y el estado de ánimo, la tendencia onírica que se dirige hacia un vago nihilismo o hacia un humorismo metafísico de tono radical, la presencia de una serie de símbolos —la fuente, la primavera, el viaje, el *alter ego* caricatural— que se convertirán en claves esenciales de su poética posterior (en cierta medida, ya aquí nos hallamos ante la tipicidad de lo machadiano, subrayada por E. Orozco [1968], M. P. Palomo [1971], M. L. Predmore [1975] y G. Siebemann [1966]). Una preocupación filosófica vertebra ya el quehacer machadiano en la triple inquisición de una teoría del lenguaje poético, una epistemología no forzosamente idealista y una teología en absoluto positiva (cf., al respecto, el trabajo general de M. Socrate [1972], los parciales sobre la influencia del intuitivismo bergsoniano —N. Glendinning [1962], E. Frutos [1959] y [1960] y N. A. Newton [1975]— y los estudios filosóficos y teológicos respectivamente de P. Cerezo [1975], J. L. Abellán [1973] y J. M. González Ruiz [1975]).

La colección siguiente, *Soledades, galerías y otros poemas* (1907), refunde y acendra en el sentido indicado los hallazgos primeros (lo señalan G. Caravaggi [1969] y, sobre todo, Domingo Ynduráin [1975]), a la vez que se profundiza en los estratos psicológicos que dan continuidad al libro (como demuestra el trabajo descriptivo de R. Gullón [1958] y la más reciente y aventurada interpretación de Armand F. Baker [1976]). El libro se publica el mismo año en que Machado obtiene la plaza de catedrático de francés en el Instituto de Soria (en circunstancias especiales, pues no obtuvo título de licenciado en Letras hasta bastantes años más tarde) y se traslada a esta capital, concluyendo un período de cierta desorientación personal. Un matrimonio de amor con una mujer jovencísima y el ambiente plácido y de cierta inquietud intelectual de la pequeña ciudad fueron ahora el marco en que se inscribe la redacción de *Campos de Castilla*, libro que, sin embargo, aparece en 1912, recién muerta la esposa y decidido el traslado administrativo a Baeza.

Los *Campos de Castilla* —como ha subrayado oportunamente Claudio Guillén [1977] y como es norma en los tres primeros libros de Machado— responden a un designio de unidad trazado desde la autobiografía. De ahí que se inicie con un conocido «Retrato» —muy analizado por los estudiosos y ejemplarmente por Jorge Urrutia [1976]— y prosiga con poemas largos donde alternan la objetivación intelectual (en un tono regeneracionista y reflexivo si es no es retórico) y la anécdota personal, voluntariamente oscurecido ya lo que de artificio decadentista podía haber en las colecciones anteriores. Sigue siendo el simbolismo (J. M. Aguirre [1973]) el punto de partida, pero parecen cada vez más palmarias las tradiciones poéticas decimonónicas que Machado prolonga: lo narrativo en tono menor —que podría venir de Bécquer o de Campoamor— y la tendencia a la concisión de la copla —que reconocería, en un amplio cuadro de predecesores españoles, los mismos orígenes—. Así se explica, por ejemplo, el retorno al romance narrativo en el largo poema «La tierra de Alvargonzález» que, tras una redacción en prosa, se incorpora al libro para cerrar, con una meditación sobre el cainismo hispano, lo que empezaba a ser obsesión machadiana: la idea de solidaridad en una sociedad insensible, empobrecida y cruel (J. Marichal [1968], J. L. Varela [1977] y M. D. Gómez Molleda [1977]).

Los años pasados en Baeza son claves en la maduración ideológica del escritor. La comprobación de la mezquindad moral de las clases dominantes españolas, el descubrimiento del verdadero tedio provinciano, radicalizan sus ideas sobre moral social (negativo papel de la mujer en la vida española, señoritismo, brutalidad de las diversiones, ausencia de imaginación) y sobre política (retoñar de entusiasmos anticlericales y republicanos). Las cartas a Unamuno o los poemas que incorpora a *Campos de Castilla* en la importante edición de *Poesías completas* de 1917 (no por casualidad editadas por la juvenil Residencia de Estudiantes, emanación de la Institución Libre de Enseñanza) revelan este cambio hacia la ironía civil (reflejada en muchos «Elogios» a escritores del momento que, en muchos casos, son verdaderos y punzantes ejercicios de crítica cultural) y la reflexión patriótica (donde se hallan los poemas quizá más citados y no siempre mejores de Antonio Machado).

Con este volumen concluye en la práctica la etapa de creatividad poética machadiana. Los años siguientes —pasados ya entre el nuevo destino de Segovia y la capital de España— son de teorización literaria, filosófica y política, a la vez que de producción muy escasa. Los cuadernos autógrafos del autor —que bajo el título *Los complementarios* han sido de publicación póstuma— aclaran bastante esta esterilidad literaria: como es dable leer, por ejemplo, en su inconcluso Discurso de ingreso en la Academia Española, Machado había llegado a abominar del simbolismo, entendido como forma de subjetivismo extremo y pecaminoso intelectualismo, fruto predilecto de un siglo —el XIX— que se obsesionó por los grandes sistemas idealistas (desde Kant hasta el marxismo y el positivismo). Ya se encarnara tal poética en la hojarasca romántica o, en su última formulación, en los jóvenes poetas del culto a la metáfora, Machado reaccionó con cierta virulencia y postuló una poética intersubjetiva, basada en la relación —o la concreción— de experiencias comunes, de expresividad sencilla y, en la medida de lo posible, despersonalizada.

Lo cabal del intento —como ha señalado con agudeza Fernando Lázaro Carreter entre otros [1977]— no se cumplió en la práctica. Los poemas incluidos en *Nuevas canciones* (1924) y los posteriores (algunos ejemplarmente estudiados: R. Lapesa [1976], F. Ayala [1963]) pertenecen a varios posibles órdenes clasificatorios: coplas breves a lo Campoamor, de filosofía a menudo muy banal; coplas populares, con o sin glosa, a veces muy logradas; poemas de aire esotérico que, en algún caso, la ironía salva de caer en el logogrifo. Salvo notables excepciones, lo mejor del último Machado está escrito en una prosa de singular riqueza entonativa, cierta lograda sencillez coloquial y una consumada técnica en la construcción de lo fragmentario (prosa cuyos recursos técnicos carecen todavía de un estudio pormenorizado).

La conocida tendencia de Machado al desdoblamiento irónico de su personalidad y la objetivación de su pensamiento mediante este recurso se convierte ahora en una forma sistemática. La inventiva del autor segrega una serie de apócrifos que han de permitirle (como han visto, entre otros, José María Valverde [1971] y Eustaquio Barjau [1975]) un singular proceso de depuración filosófica: Abel Martín ejemplifica el angustioso punto de partida y salda con una muerte —entre perpleja y desesperada— su impotencia; Juan de Mairena, su discípulo, encuentra recorrida la inicial vía purgativa y proyecta su inquisitiva sofística (en las memorables lecciones a su selecto grupo de alumnos... de gimnasia) en orden a nuevos valores. Abel quiere superar la doble escisión kantiana (realidad y representación en la conciencia; uno mismo y los otros) a partir de una tosca vuelta a Leibnitz; Mairena parte de una verificación (existe la realidad; existen los otros) y sus divagaciones tienen el contenido dominantemente ético y humorístico que habrá de culminar en el volumen *Juan de Mairena* (1936). Lo que para Martín era una evidente fijación en lo religioso-teológico y en lo erótico (abordado con una vergonzante mentalidad onanista), se convierte en su discípulo y apócrifo machadiano en una pluralidad de temas: cívicos, literarios, políticos... (P. A. de Cobos [1963] y [1970]).

La última etapa de la vida de Machado aseguró su condición de mito ciudadano. Ferviente republicano, sus manos alzaron la primera bandera tricolor en el ayuntamiento segoviano y el estallido de la guerra civil le halló vinculado al bando leal: su entendimiento de la nueva situación estuvo, sin embargo, teñido de utopía y referido no tanto a las reales expectativas políticas como a patético y a veces vigoroso mesianismo populista (el mismo que, ya en 1934, le había hecho vaticinar «una nueva lírica que puede venirnos de Rusia» a quien jamás consideró el marxismo pero se sintió fascinado por el leninismo). Escaso ya de capacidad creativa, todo su entusiasmo se vuelca en las nuevas prosas de Mairena (escritas ahora para *Hora de España*) y en algún que otro poema, frutos unos de las contingencias del combate y estremecedores recuerdos otros de un tiempo ya lejano o de un nuevo amor —el de la enigmática Guiomar (cuya relación con el poeta descubrió Concha Espina [1950] y han revisado José Luis Cano [1961] y Justina Ruiz de Conde [1964])—, segura redención de lo que en épocas anteriores fueron las nieblas eróticas en que naufragaba Abel Martín. Los versos a Guiomar —de una intensidad erótica insólita— están entre lo mejor que escribió Machado: pocas veces es hallable una expresión más feliz en el contraste de la pasión —por la mujer pero también por la juventud irremisiblemente perdida— con la sincera entereza de la aceptación de este mismo hecho.

BIBLIOGRAFÍA

Abellán, José Luis, «Antonio Machado», *Sociología del 98*, Península, Barcelona, 1973, pp. 89-140.

Aguirre, J. M., *Antonio Machado, poeta simbolista*, Taurus, Madrid, 1973.

Albornoz, Aurora de, *La prehistoria de Antonio Machado*, Universidad de Puerto Rico, Río Piedras, 1961.

—, *La presencia de Miguel de Unamuno en Antonio Machado*, Gredos (Biblioteca Románica Hispánica, II, 106), Madrid, 1965.

Alonso, Dámaso, «Poesías olvidadas de Antonio Machado», *Poetas españoles contemporáneos*, Gredos (Biblioteca Románica Hispánica, II, 6), Madrid, 1965³, pp. 97-147.

Ayala, Francisco, «Un poema y la poesía de Antonio Machado», *Realidad y ensueño*, Gredos (Campo Abierto, 9), Madrid, 1963, pp. 134-143.

Baker, Armand F., «Antonio Machado y las galerías del alma», *Cuadernos Hispanoamericanos*, CII, n.º 304-307 (1975-1976), pp. 647-678.

Barjau, Eustaquio, *Antonio Machado: Teoría y práctica del apócrifo*, Ariel (Letras e Ideas: Minor, 6), Barcelona, 1975.

Cano, José Luis, «Un soneto de Machado a Guiomar», *Quaderni Ibero-Americani*, Turín, IV (1961), pp. 71-73.

Caravaggi, G., *I paesaggi «emotivi» di Antonio Machado. Appunti sulla genesi dell'intimismo*, R. Patron Ed., Bari, 1969.

Carvalho Neto, Paulo de, *La influencia del folklore en Antonio Machado*, Demófilo, Madrid, 1975.

Cerezo Galán, Pedro, *Palabra en el tiempo. Palabra y filosofía en Antonio Machado*, Gredos (Biblioteca Románica Hispánica, II, 237), Madrid, 1975.

Cobos, P. A. de, *Humor y pensamiento de Antonio Machado en la metafísica poética*, Ínsula, Madrid, 1963.

—, *Humorismo de Antonio Machado en sus apócrifos*, Ancos, Madrid, 1970.

Espina, Concha, *De Antonio Machado a su grande y secreto amor*, LIFESA, Madrid, 1950.

Ferreres, Rafael, «Prólogo», en Antonio Machado, *Soledades (Poesías)*, Taurus (Temas de España, 69), Madrid, 1968, pp. 9-54.

Frutos, Eugenio, «La esencial heterogeneidad del ser en Antonio Machado», *Revista de Filosofía*, XVIII (1959), pp. 271-292.

—, «El primer Bergson en Antonio Machado», *Revista de Filosofía*, XIX (1960), pp. 117-168.

Gil Novales, A., *Antonio Machado*, Fontanella (Testigos del Siglo XX, 16), Barcelona, 1966.

Glendinning, Nigel, «The philosophy of Bergson in the poetry of Machado», *Revue de Littérature Comparée*, XXXVI (1962), pp. 50-60.

Gómez Molleda, María Dolores, *Guerra de ideas y lucha social en Machado*, Bitácora, Madrid, 1977.

González Ruiz, José María, *La teología de Antonio Machado*, Fontanella, Barcelona, 1975.

Guillén, Claudio, «Estilística del silencio (en torno a un poema de Antonio Machado)», *Revista Hispánica Moderna*, XXIII (1957), pp. 260-291.

—, «Proceso y orden inminente en *Campos de Castilla*», en José Ángeles, ed., *Estudios sobre Antonio Machado*, Ariel (Letras e Ideas: Maior, 11), Barcelona, 1977, pp. 195-216.

Gullón, Ricardo, *Las secretas galerías de Antonio Machado*, Taurus, Madrid, 1958.

—, *Una poética para Antonio Machado*, Gredos (Biblioteca Románica Hispánica, II, 139), Madrid, 1970.

Lapesa, Rafael, «Sobre algunos símbolos en la poesía de Machado», *Cuadernos Hispanoamericanos*, CII, n.° 304-307 (1975-1976), pp. 386-430.

Lázaro Carreter, Fernando, «El último Machado», en *Homenaje a Antonio Machado* (varios autores), Universidad de Salamanca (Acta Salmanticensia, Cursos Extraordinarios, 1), Salamanca, 1977, pp. 119-134.

Luis, Leopoldo de, *Antonio Machado. Ejemplo y lección*, SGEL, Madrid, 1975.

Marichal, Juan, «Antonio Machado, poesía y vida nacional (1898-1917)», *Sur*, Buenos Aires, n.° 311 (1968), pp. 52-58.

Newton, N. A., «Structures of cognition: Antonio Machado and the *via negativa*», *Modern Language Notes*, n.° 90 (1975), pp. 230-251.

Orozco, Emilio, «Antonio Machado en el camino. Notas a un tema central de su poesía», *Paisaje y sentimiento de la naturaleza en la poesía española*, Prensa Española, Madrid, 1968.

Palomo, María Pilar, «Estudio preliminar», en A. Machado, *Poesía*, Narcea, Madrid, 1971.

Pradal Rodríguez, Germán, «Antonio Machado: vida y obra», *Revista Hispánica Moderna*, XV (1949), pp. 1-80.

Predmore, M. L., «The *nostalgia* for paradise and the dilemma of the solipsim in the early poetry of Antonio Machado», *Revista Hispánica Moderna*, n.° 38 (1975), pp. 30-52.

Ribbans, Geoffrey, «La poesía temprana de Antonio Machado: primera etapa, *Soledades* (1903)» y «La poesía temprana de Antonio Machado: segunda etapa, *Soledades. Galerías. Otros poemas* (1907)», *Niebla y soledad. Aspectos de Unamuno y Machado*, Gredos (Biblioteca Románica Hispánica, II, 162), Madrid, 1970, pp. 143-254.

Ruiz de Conde, Justina, *Antonio Machado y Guiomar*, Ínsula, Madrid, 1964.

Sánchez Barbudo, Antonio, *Los poemas de Antonio Machado*, Lumen, Barcelona, 1976 [3].

Segre, Cesare, «Sistema y estructura en las *Soledades* de A. Machado», *Crítica bajo control*, Planeta, Barcelona, 1970, pp. 103-150.

Serrano Poncela, Segundo, *Antonio Machado. Su mundo y su obra*, Losada, Buenos Aires, 1954.

Siebemann, Gustav, «¿Qué es un poema típicamente machadiano?», *Papeles de Son Armadans*, LIII (1969), pp. 31-49.

Socrate, Mario, *Il linguaggio filosofico di Antonio Machado*, Marsilio, Padova, 1972.

Terry, Arthur, *A. Machado: Campos de Castilla,* Grant & Cutler (Critical Guides to Spanish Texts, 8), Londres, 1973.

Tuñón de Lara, Manuel, *Antonio Machado, poeta del pueblo*, Laia (Ediciones de Bolsillo, 456), Barcelona, 1976 [2].

—, «La superación del 98 por Antonio Machado», *Bulletin Hispanique,* LXXVII (1975), pp. 35-71.

Urrutia, Jorge, «Bases comprensivas para un análisis del poema "Retrato"», *Cuadernos Hispanoamericanos*, CII, n.° 304-307 (1975-1976), pp. 920-943.

Valverde, José María, *Antonio Machado*, Siglo XXI de España, Madrid, 1975.

—, «Introducción», en A. Machado, *Nuevas canciones. De un cancionero apócrifo,* Castalia, Madrid, 1971.

Varela, José Luis, «Antonio Machado ante España», *Hispanic Review,* n.° 45 (1977), pp. 117-147.

Ynduráin, Domingo, *Ideas recurrentes en Antonio Machado (1898-1907)*, Turner, Madrid, 1975.

Zubiría, Ramón de, *La poesía de Antonio Machado*, Gredos (Biblioteca Románica Hispánica, II, 21), Madrid, 1959 [2].

Manuel Tuñón de Lara

ANTONIO MACHADO Y LA SUPERACIÓN DEL 98

El período de Baeza (fines de 1912 - primavera de 1919), completado por los dos primeros años del período de Segovia, es esencial en la progresión temática de Machado que, de ahora en adelante, será estrictamente personal. [...]

Por eso, si hay hechos básicos en la vida personal de Machado (soledad y mayor reflexión, más viajes a Madrid y más contactos con sus medios culturales y políticos, un poco abandonados durante el período de Leonor —en el que hay también la permanencia de largos meses en París—), hay, sobre todo, los siguientes hechos: irrupción de otro grupo generacional de gran protagonismo político y universitario (el llamado de 1914); guerra mundial; crisis del sistema político de la monarquía española nacida en Sagunto; papel de primer plano nacional de las organizaciones obreras y subsiguiente protagonismo de las multitudes; contradicciones económicas que se sitúan en la base de la crisis anotada; a ello hay que añadir la repercusión de la revolución soviética rusa, de la revolución alemana... En fin, el sistema cruje; en 1919, hay un momento en que los obreros agrícolas son dueños virtuales de provincias enteras, mientras Barcelona conoce la mayor violencia social y represiva; y dos años después, en 1921, los descalabros de la guerra del Rif ponen de manifiesto la incapacidad del bloque de poder dominante que, perdida su hegemonía ideológica, se esfuerza en poner remiendos a su estructura estatal con objeto de no desplomarse.

Manuel Tuñón de Lara, «La superación del 98 por Antonio Machado», *Bulletin Hispanique*, LXXVII (1975), pp. 51-71.

La sensibilidad de Machado ante todo esto es extraordinaria. Pero no surge de la nada, como tampoco surge de la nada su actitud de 1936. Nos ha contado cómo, muy de niño (debía ser en 1886), «recuerdo haber llorado de entusiasmo oyendo *La Marsellesa* a una turba, que vitoreaba a Salmerón a su vuelta de Barcelona. El pueblo hablaba de la idea republicana, y esta idea era, cuando menos, una emoción y muy noble, a fe mía!».

Nos ha contado también cuando oyó por vez primera a Pablo Iglesias, también de niño, en los Jardines del Buen Retiro. Machado no recordaba la fecha; se trata, seguramente, del mitin de Primero de Mayo de 1891.

En los años que nos ocupan (exactamente a fines de 1913) Machado se adhiere a la Liga de Educación Política, capitaneada por Ortega y Gasset, verdadera proyección del reformismo «melquiadista» sobre el mundo intelectual. Seguramente, Don Antonio se había limitado a dar su nombre a cualquier amigo sin preocuparse de más; decimos esto porque contrasta el «accidentalismo» de formas de gobierno de la Liga y del Partido Reformista con la actitud de Machado. [...]

Son aquellos años en que Machado participa en la revista *España,* firma manifiestos pro aliados...; en 1917 va a la madrileña Casa del Pueblo a escuchar la conferencia de Unamuno (llena de dislates, verdad es); en 1918 participa en la manifestación pro amnistía; más tarde es miembro cofundador de la Liga Española de Derechos del Hombre, responde a la encuesta de la revista *La Internacional* de Núñez de Arenas, colabora en la revista *La Pluma* de Azaña... [...]

En el período 1913-1920 marca la ruptura con todo posible elitismo, con el pesimismo de la abulia, con la mitología de un campo pobre (que hay aún en *Campos de Castilla*), con la confusión entre el pueblo que trabaja y quienes viven de su trabajo. Lo esencial es que el paso del elitismo al humanismo popular, de la mitología del paisaje y la pobreza a la exaltación del trabajo, está íntimamente vinculado a la elaboración de valores en función de las distintas clases sociales y a una manera de abordar el «problema España» que no sólo se separa de la confusión y del esteticismo del 98, sino también en la bipolaridad galdosiana o de Ortega. [...]

Quien no trabaja es el señorito; «quien elude el trabajo para ganarse el pan», dirá más tarde Mairena. Pero desde 1913 Machado distingue entre quienes cazan en los encinares y quienes trabajan; entre quienes hablan en la rebotica sobre el tiempo y las cosechas (ironiza, «¡Las fatigas, los sudores, que pasan los labradores!») y quienes trabajan en los olivares y en los molinos aceiteros.

Don Guido es la estampa más crítica que se ha hecho del propietario señorito de las tierras del sur. Porque es en su Andalucía donde Machado aprehende las relaciones sociales del trabajo (las relaciones de producción, podríamos decir); un trabajo que era todavía abstracto, interclasista en la concepción institucionista. Ese trabajo se va haciendo *pueblo* en tierras sorianas, pero no está claro el no-trabajo, el aprovechamiento del trabajo ajeno en función de la propiedad. Eso surge en Baeza, en contacto con los latifundios olivareros. [...]

Podría pensarse en un paralelo de la «radicalización» de Machado con la de Valle-Inclán, que se produce al terminar el segundo decenio. La idea del paralelismo es de Abellán que lo resume «en el paso de un modernismo manifiesto en la mocedad a una literatura "comprometida" en la madurez». Las diferencias, sin embargo, son muy grandes, ya hemos visto (Abellán hace paralelo entre *Campos de Castilla* y *Comedias bárbaras*). «Radicalismo» cuadra más con don Ramón. Los «esperpentos» son crítica del pasado y del presente nacionales. Pero es Machado quien «ama mucho más la edad que se avecina», la sencillez, los hombres del pueblo en quienes ve el porvenir. Ello sin contar que, como señaló don Tomás Navarro Tomás, referente al modernismo de Machado: «sólo temporalmente, Machado adoptó algunas de aquellas novedades».

Contra lo que durante mucho tiempo se creyó o se quiso hacer creer, don Antonio vivió siempre con la sensibilidad despierta hacia «la cosa pública». Si se conoce su participación en la campaña pro-responsabilidades, se conocía menos, hasta ahora, su manera de seguir casi cotidianamente la vida política durante la dictadura, su firmeza desde los primeros tiempos cuando tantos, hasta Ortega, estaban en expectativa ante la mal llamada «experiencia»; sus ilusiones ingenuas cuando lo de Vera y Atarazanas, etc. Más conocida es su participación notoria en la creación de Alianza Republicana (1926) y, más tarde, en la Agrupación al Servicio de la República, cuyo primer mitin electoral celebrado en Segovia está por él presidido (como en la Liga de Educación Política, y ahora más, Machado cree momentáneamente en hombres como Ortega, Marañón y Pérez de Ayala; su trayectoria es tan diferente a la de aquellos tres hombres, que no vale la pena de detenerse en el tema. Recordemos, empero, a Juan de Mairena: «intelectuales, sí; pero no virtuosos de la inteligencia», y la condena que hace de quienes «se venden por filósofos y ejercen una cierta matonería espiritual» —en tiempos pacíficos, que asusta a los pobres de espíritu, sin provecho de nadie, y en tiempos de combate se dicen siempre *au-dessus de la mêlée*). [...]

El trabajo es un supremo valor para Machado, pero distingue el trabajo creador y el necesario. En su artículo de *Octubre* en 1934 se refiere ya a la «emancipación de todo cuanto es servidumbre en el trabajo». La idea está mucho más perfilada en su «Discurso a la JSU». Una vez más se declara ajeno al marxismo (lo que parece fuera de duda) y añade: «Veo, sin embargo, con entera claridad, que el socialismo, en cuanto supone una manera de convivencia humana, basada en el trabajo, en la igualdad de los medios concedidos a todos para realizarlo, y en la abolición de los privilegios de clase, es una etapa inexcusable en el camino de la justicia». [...]

En resumen ¿qué ha quedado del 98 crítico y regeneracionista, elitista y escéptico?, ¿qué ha quedado del grupo generacional con su mitologización de un paisaje miserable, e inmóvil de una miseria que les parece eterna? En cambio, las raíces de Giner, Salmerón y Pi, han quedado en el sustrato sobre el que Machado, «a la altura de las circunstancias» ha elaborado su temática, su poética, su concepto de la cultura, sus ideas sobre la sociedad. Todo a nivel «ideológico», es decir, de axiología, de emociones y juicios de valor, de sentimentalidad, de volición. [...]

A fin de cuentas, en un texto poco conocido, de los últimos meses de su vida, Machado ha hablado de dos cuestiones fundamentales: Mairena y su relación con la llamada generación del 98. «Soy posterior a ella. Mi relación con aquellos hombres —Unamuno, Baroja, Ortega, Valle-Inclán— es la de un discípulo con sus maestros. Cuando yo nací a la vida literaria y filosófica, todos aquellos hombres eran valores ya cuajados y en sazón.» Modestia, sin duda, imprecisión con respecto a Ortega, pero también afirmación de una personalidad distinta. Machado pone distancias. [...]

El último viaje llega para Valle en enero de 1936; para Unamuno, en lucha consigo mismo, contra todo y contra todos, desbordado por la coyuntura, el último día de aquel año. Los institucionistas, salvo algunas excepciones (Negrín, De los Ríos) que persistían en 1931 en la utopía educacional y acaparaban despachos, se colocan «au-dessous de la mêlée»; como Baroja, como Azorín (republicano ocasional del 31). De Ortega, más vale silenciar lo ocurrido. Los teóricos de las élites, los que no tenían fe en el hombre sencillo del pueblo al despuntar el siglo, abandonan el campo, no tienen nada que hacer ni que decir cuando ese hombre sencillo es el primer protagonista de la historia. Con ese hombre a secas sólo ha quedado Machado de aquellos jóvenes contertulios de Fornos al agonizar el otro siglo. Machado, «casi desnudo / como los hijos de la mar», pero en medio de su pueblo en éxodo. Machado enterrado en tierra francesa, pero envuelto en la bandera de su pueblo, por oficiales del ejército de su pueblo.

Machado había superado la ideología del 98, porque había superado la ideología de una pequeña burguesía rebelde, pero negativamente crítica.

Rota la hegemonía ideológica de la Restauración, aquellos escritores e intelectuales no tenían más que dos caminos esenciales: ser recuperados por alguna de las fuerzas sociales dominantes que aspiraban a reemplazar la vieja oligarquía o ser «importados» por las fuerzas sociales aún dominadas, pero en ascenso y aspirando al poder y a la hegemonía. Un tercer camino es la esterilidad de quien no tiene raíces.

Del 98 Antonio Machado fue el único que pasó de ser el intelectual republicano pequeñoburgués a ser el poeta y el escritor «ideológicamente hablando» de los que ganan su pan con el trabajo diario.

GEOFFREY RIBBANS

TEMAS DE *SOLEDADES*

El tema de Abril es uno de los que goza de un trato preferente en *Soledades* (1903), especialmente en la sección, más tarde eliminada, *Salmodias de Abril*. Representa, hasta cierto punto, un esfuer-

Geoffrey Ribbans, *Niebla y soledad*, Gredos, Madrid, 1971, pp. 148-158.

zo deliberado para desplazar el característico tópico verlainiano del Otoño. En el poema descriptivo de este título se distingue netamente el sueño verde de la primavera, de la amarga tierra de las estaciones frías. La extensión que se concede al tema abrileño se ve considerablemente reducida en [la revisión del libro fechada en] 1907, aunque quedan muchas huellas de él. El culto a la Primavera va a menudo emparejado, como ya sugiere el título *Salmodias de Abril,* a cierta tendencia a emplear una terminología religiosa. Abundan palabras como *plegaria, salmo, salterio, santo, incienso* y *mirra, cripta,* etcétera, en poemas que tienden ya a la introspección, pero que, en general, son todavía inmaduros. Encontramos, además, temas con asociaciones religiosas: las campanas de la iglesia, que simbolizan la irreversibilidad del pasado, las patéticas figuras de unos mendigos en el umbral de la iglesia. El uso de estas expresiones y asociaciones en *Soledades* corresponde, a mi modo de ver, al peculiar tipo de esteticismo, en parte del simbolismo francés de signo menor, en que Machado, como Villaespesa y Juan Ramón Jiménez, se formó: la poesía representa una especie de sustitutivo de la plegaria en un ambiente en que la fe ya no rige, pero en que se echa de menos alguna forma de exaltación espiritual *. Machado no abandonó nunca por completo el vocabulario religioso, aunque en sus poemas posteriores lo usa con más precisión y de acuerdo con sus problemas espirituales de «pobre hombre en sueños, siempre buscando a Dios entre la niebla». En los primeros poemas su empleo es mucho más indeterminado, como ocurre, por ejemplo, en el «Preludio» a *Del camino,* en el cual tanto la referencia al pífano de abril como las expresiones religiosas están más próximas al modelo de *Salmodias de Abril* (XX):

---

* En un furioso ataque contra los modernistas, «Plumas hidalgas», publicado en *Alma Española,* V (6 diciembre 1903), Ramiro Maeztu dio un resumen bastante exacto de los tópicos poéticos de entonces, subrayando asimismo el elemento pseudorreligioso: «Nuestros hidalgos de la pluma hablan de la luna, de los nardos, de los murciélagos, del crepúsculo, de las hojas secas, de la noche, de la muerte y del jardín donde florecen rosas, rosas mustias de amor y melancolía ... Nuestros hidalgos de la pluma pretenden despertar su interés con adjetivos arrancados de los devocionarios. Pero lo nimbeo, lo litúrgico y lo eucarístico, que sirven de aliciente para una nueva picardía a la cocota de París, tiene en España un salón macabro que nos llena de hostilidad y antipatía».

> Mientras la sombra pasa de un santo amor hoy quiero
> leer un dulce salmo sobre mi viejo atril.
> Acordaré las notas del órgano severo
> al suspirar fragante del pífano de Abril.

[...] El tema de Abril o de la Primavera, por otra parte, está tratado en el tono melancólico en que está sumido todo el libro. El «Preludio» a *Salmodias de Abril* yuxtapone el pífano de abril y el tañer de las campanas de la iglesia.

> El pífano de Abril lento decía:
> Tu corazón verdece,
> tu sueño está ya en flor. Y el son plañía
> de la campana: Hoy a la sombra crece
> de tu sueño también, la flor sombría.

Esta melancolía procede esencialmente, por lo menos cuando se trata de algo más que una vaga e indefinida sensación, del tópico del *tempus irreparabile fugit,* el tema más fundamental de toda la obra machadiana, que tiene sin embargo una formulación distintiva en su obra temprana. Adopta, en efecto, la forma de una evocación de la palabra «Nevermore», el *ritornello* de «The raven» de Poe, puesto en circulación en Europa por Baudelaire y Verlaine. Además del poema así titulado, otro, revisado en 1907 (XLIII), se llamaba primero «Mai piú». Este último desarrolla el contraste entre una mañana de abril, en que todo respira alegría, y un atardecer, también de abril, en que el poeta —vuelven a sonar las campanas de «Preludio»— descubre que el instante de alegría ha pasado irrevocablemente.

Reza así el texto de *Soledades,* con los versos suprimidos puestos entre corchetes:

[I]

> Era una mañana y Abril sonreía.
> Frente al horizonte de rosa moría
> la luna, muy blanca y opaca; tras ella,
> cual tenue ligera quimera, corría
> la nube que apenas enturbia una estrella.
> . . . .

Como sonreía la rosa mañana
al sol de Oriente abrí mi ventana;
y en mi alcoba triste penetró el Oriente
en canto de alondras, en risa de fuente
y en suave perfume de flora temprana.
[Y le dije al alba de Abril que nacía:
Mañana de rosa: ¿aquel peregrino
que está en el camino, será la alegría?
—Si tal, la alegría que viene en camino,
dijo el *Alba rosa de Abril* que reía.

II

Como ya sabía que aquel peregrino
era la alegría, lejos y en camino,
al sol de Oriente cerré mi ventana.
Y el sueño me trajo, de Abril y de Oriente,
el lindo retablo de un sueño riente
cuando sonreía la rosa mañana.]

[III]

Fue una clara tarde de melancolía.
Abril sonreía. Yo abrí las ventanas
de mi casa al viento... El viento traía
perfume de rosas, plañir de campanas...

Plañir de campanas lejanas, llorosas,
suave de rosas aromado aliento...
... ¿Dónde están los huertos floridos de rosas?
¿Qué dicen las dulces campanas al viento?
. . . .
Pregunté a la tarde de Abril que moría:
¿Al fin la alegría se acerca a mi casa?
La tarde de Abril sonrió: La alegría
pasó por tu puerta —y luego, sombría:
Pasó por tu puerta. Dos veces no pasa.

Con la reducción de los 34 versos a 23, el poema se vuelve menos explícito, más evocador. La ociosa y pesada repetición de la segunda parte es suprimida, y la pregunta por un objeto natural, tan típica de Machado, se mantiene en reserva hasta el final. En esta forma revisada, con su deliberada sencillez, el poema es un buen ejemplo de uno de los aspectos de los primeros versos de Machado: la visión emocional del paisaje —harto ingenua, por cierto— y el tópico de abril se juntan aquí para realzar el concepto de la fatalidad que tiene angustiado al poeta.

Poema más confuso, tanto en el sentido como en el estilo, es «Nevermore», que refleja el mismo sentimiento de la irrevocabilidad del pasado asociado a la primavera, ya desde el primer verso: «¡Amarga primavera!» «Amargo» es el adjetivo característico que emplea Machado para evocar el pasado, que suele expresarse a su vez, por la palabra «ayer». Así, en «Nevermore» hallamos la «leve / aura de ayer que túnicas agita»; en «Crepúsculo», «la agria ola del ayer refluye»; otro ejemplo reitera también la imagen de la ola:

> ... mientras sacude
> lejos la negra ola
> de misteriosa marcha,
> su penacho de espuma silenciosa...
>
> (*Del camino,* XIV)

y en otro lugar («La tarde en el jardín») las flores de un jardín «mil sueños resucitan / de un ayer». Otros ejemplos en que se emplea el adjetivo «amargo» con este sentido son: «Salve, tierra, *amarga* tierra» («Tierra baja», primera versión), «la mirra *amarga* de un amor lejano» («Crepúsculo»), «el triste mar arrulla / una ilusión *amarga* con sus olas grises» («El mar triste»), «mi pobre sombra triste... / soñando *amarguras*» («Dime, noche amiga», XXXVII), «el *amargo* retablo de la vida» («La muerte»). En la versión de «Tarde» de 1907 (VI), «tu monotonía alegre es más triste que la pena mía» se convierte en «tu monotonía es más *amarga* que la pena mía»: indicio de que la palabra conserva para Machado toda su fuerza incluso después de 1903. En total, se dan ejemplos de la palabra «amargo» o sus derivados en quince poemas de *Soledades,* así como varios ejemplos de «agrio», «sombrío», «melancólico», etc.

La inexorabilidad del destino es también el tema de «Canción» (XXXVIII), historia, con telón de fondo abrileño, de dos hilanderas hermanas que desaparecen una tras otra, dejando que el huso —no la rueca— por fin gire solo. Es un tema claramente relacionado con el de las Parcas clásicas. El poema «Nevermore» introduce otro tema estrechamente enlazado con aquél. Después del verso:

> aura de ayer que túnicas agita!

citado antes, el poema sigue así:

> ¡Espíritu de ayer! ¡sombra velada,
> que prometes tu lecho hospitalario
> en la tarde que espera luminosa!
> ¡fugitiva sandalia arrebatada,
> tenue, bajo la túnica de rosa!

Estamos aquí frente a una visión femenina, que aparece en varios poemas; está vestida de un modo determinado, escuetamente clásico —túnica, sandalias— y que lleva, a veces, como Cupido, un carcaj de flechas. «Nevermore», más explícito y menos acabado que los otros, indica claramente que dicho personaje representa el espíritu del ayer, que el poeta se esfuerza en vano por captar. Es de notar la persistencia de la imagen de un poema a otro, como ocurre tan a menudo en Machado; en un determinado poema («Noche», XVI), el «lecho hospitalario» de «Nevermore» se ha convertido en *lecho inhospitalario*, más adecuado para una visión tan huraña como ésta. En el mismo poema, la doncella es descrita como «esquiva» y «siempre fugitiva y siempre / cerca de mí»; en otro lugar (XXIX) se la llama asimismo «virgen / esquiva y compañera». Es misteriosa, y su aljaba contiene flechas de amor o de odio. Luego el poeta formula una pregunta significativa: «¿Eres la sed o el agua en mi camino?» ¿Es la visión sólo un deseo —*sed*— o el remedio —*agua*— que puede apagar esa sed? En un poema de 1907 («Coplas elegíacas», XXXIX) Machado lleva más lejos la misma idea, al preguntar si la sed del poeta es de las que pueden calmarse con agua.

> ¡Ay del que llega sediento
> a ver el agua correr,
> y dice: la sed que siento
> no me la calma el beber.

En otro de los poemas de *Soledades* (XLII), que también contiene la significativa metáfora del agua que corre del mismo modo que se nos pasa la vida, la doncella es descrita específicamente como una cazadora, y las saetas que lleva en su aljaba se identifican no sólo con las flechas de Cupido sino con sus ojos feroces, comparables con «la mirada sagital del águila»:

> ¡Fugitiva ilusión de ojos guerreros,
> que por las selvas pasas
> a la hora del cenit: tiemble en mi pecho
> el oro de tu aljaba!

El poema recuerda también, como ha señalado José Luis Cano, el mundo de las leyendas becquerianas (la reveladora expresión *corza blanca* del verso 24 fue sustituida en 1907 por *corza rápida*). La extraordinaria facilidad de Bécquer para crear visiones en forma de mujer como representación del mundo espiritual constituye indudablemente una de las fuentes de estas visiones de Machado, aunque no en lo que se refiere a su simbolización del curso fatal del tiempo. En todo caso, esa aparición conjurada al atardecer o en la noche me parece mucho más significativa que la evocación de la mujer perseguida, en una especie de parodia de Espronceda, en la «Fantasía de una noche de Abril».

Una versión seguramente temprana del tema de la doncella misteriosa se nos presenta en uno de los poemas desechados, *Del camino,* IV.

> Dime, ilusión alegre,
> ¿dónde dejaste tu ilusión hermana,
> la niña de ojos trémulos
> cual roto sol en una alberca helada?
> Era más rubia que los rubios linos.
> Era más blanca que las rosas blancas...

La ilusión surge claramente del paisaje —«una mañana tibia sonreía / en su carne nevada», se nos dice en los versos siguientes—; pero la descripción —«era más rubia que los rubios linos»—, todavía en estado de cristalización, resulta demasiado vaga e imprecisa en su conceptualización idealista. Una vez más, sin embargo, una frase de este poema reaparece como uno de los recuerdos significativos evocados en otra composición de 1903:

> ¿Te acuerdas del sol yerto
> y humilde, en la mañana,
> que brilla y tiembla roto
> sobre una fuente helada?

En otros poemas, igualmente, hallamos esta misma tendencia a personificar el paisaje o ciertas abstracciones poéticamente derivadas de él:

> Abre el balcón. La hora
> de una ilusión se acerca,

en el poema XXV, que comienza «Tenue rumor de túnicas...» Y en otro lugar:

> A la revuelta de una calle en sombra,
> un fantasma irrisorio besa un nardo;
>
> (XXX)

y

> Con las órbitas secas de sus ojos
> ha visto como pasan
> las blancas sombras, en los claros días,
> las blancas sombras en las horas santas.
>
> (XXXI)

Este tipo de personificación, claro está, da pie a los diálogos machadianos, tan característicos, entre el poeta y los más diversos elementos de la naturaleza: una fuente («Cenit», «Tarde», VI), una mañana o una tarde de primavera (XXXIV, XLI, «Mai piú», XLIII) o la noche (XXXVII).

Uno de estos poemas, «Me dijo una tarde» (XLI), no puede ser más explícito sobre la raíz de la melancolía del poeta. Cuando la tarde le recomienda que estime igual su alegría y su tristeza, por ser los dos aspectos paralelos de su peregrinaje crepuscular, contesta él:

> Tú has dicho el secreto
> que en mi alma reza:
> yo odio la alegría
> por odio a la pena.

Estos poemas, por otra parte, anticipan, en su característico desdoblamiento, el diálogo interior de la célebre estrofa de «Retrato»:

> Converso con el hombre que siempre va conmigo
> —quien habla solo espera hablar a Dios un día—;
> mi soliloquio es plática con este buen amigo
> que me enseñó el secreto de la filantropía

(XCVII)

Antonio Sánchez Barbudo

SOLEDADES, GALERÍAS Y OTROS POEMAS

Bien fuera porque, hundido en su soledad y amargura, valoraba en poco su obra; o porque considerase ociosas sus emocionadas reflexiones, plasmadas en magníficos versos, sobre la memoria y el sueño, el tiempo y la muerte o bien, simplemente, porque creyese —como en efecto veremos que debió de creerlo alguna vez— que su corazón se había «dormido» y que su pensamiento era estéril, el caso es que Machado a veces, cuando miraba hacia atrás, hacia su pasada juventud, se sentía, hacia 1907, como un hombre acabado. Algo quizás había en esta actitud de moda, de moda «decadentista» de la época. Pero basta ver los poemas en que dice esto, y muchos otros de él, para comprender que Machado era básicamente sincero. Se creía agotado.

Pero, de pronto, en una poesía muy significativa, la LX, reacciona contra esa idea que tenía de sí mismo. Comienza por preguntarse:

> 1   ¿Mi corazón se ha dormido?
>   Colmenares de mis sueños
>   ¿ya no labráis ¿Está seca
>   la noria del pensamiento,
> 5   los canjilones vacíos,
>   girando, de sombra llenos?

Antonio Sánchez Barbudo, *Los poemas de Antonio Machado*, Lumen, Barcelona, 1967, pp. 74-87.

Y lo importante es la respuesta rotunda que se da esta vez, en unos precisos, estupendos versos:

> No, mi corazón no duerme.
> Está despierto, despierto.
> Ni duerme ni sueña, mira
> 10 los claros ojos abiertos,
> señas lejanas y escucha
> a orillas del gran silencio.

Nos dice que, pasado un período de esterilidad —o que él creía de esterilidad—, está ahora de nuevo produciendo versos con sus penas o sus sueños. Lo que sucede es que ha cambiado ahora su actitud ante el mundo, y que, de pronto, se da cuenta de ello. Lo que hace es afirmar que está bien despierto, con los ojos bien abiertos, esperando «señas lejanas» (que él sabe no llegan nunca). Está tratando, «a orillas del gran silencio», ante el mudo misterio del universo, de escuchar alguna voz, alguna respuesta. Lo que hace aquí, en suma, es afirmar el valor de una pregunta metafísica que siempre de un modo oscuro estaba latente en él, pero que ahora se plantea muy claramente. Diríase que ahora, por primera vez, se da cuenta de la importancia de ese *pasmo* suyo de siempre. Lo que antes era soledad, y vaga angustia personalísima, indefinible, se convierte ahora en clara consciencia del misterio de la vida.

Es posible que fuera por la misma época en que escribió esta poesía cuando Machado comenzó a interesarse en estudios filosóficos. Por desgracia no se sabe con exactitud de qué fecha es. Apareció por vez primera en 1917, en las *Poesías completas,* pero en la parte correspondiente a *Soledades, galerías y otros poemas.* Probablemente es de 1907, o poco después.

Sea de cuando fuere, esta poesía, repetimos, parece indicar un cambio de actitud. Pasa de la amargura, de la obsesión dominante por la falta de amor, a lo *metafísico.* Y puede uno preguntarse por qué sucedió esto. Posiblemente en ello influyó su soledad. Esa tristeza honda de poco antes que le llevó a desvalorizar su obra y a considerar como propias de «filósofo trasnochado» sus especulaciones, quizá fue la misma que le hizo ir ahondando cada vez más en sus meditaciones. Hasta que al fin advirtió que ese mirar, y esperar y preguntarse, era ocupación nada banal. Pero puede también suponerse que, por el contrario, fuera al salir de esa honda crisis suya de pesimismo, a que nos hemos referido (es decir, después de su viaje a Soria, e iniciado ya su noviazgo con Leonor) cuando, más sereno y relativamente satisfecho, meditó más y valoró mejor sus meditaciones. Y en realidad una posibilidad no excluye a la otra; su soledad, su tristeza por falta de amor, unida a su inquietud «existencial», le abrirían el camino a la pregunta metafísica; pero no es cuando el dolor es más vivo cuando más y mejor se medita, sino después, recordando ese dolor.

La falta de amor, antes ya de este cambio de actitud, se mezclaría a sus otras tristezas, a su inquietud «existencial», y aumentaría sin duda ésta.

Mas es evidente que esa inquietud no la causaba la falta de amor: existía en él desde hacía mucho. La revelan numerosos poemas en los que habla de recuerdos, del tiempo y de la muerte, escritos en la misma época, o antes, que esos otros en los que alude a su triste vida sin amores.

Hay un poema sobre todo que merece especial atención: el LXXVII. En él se asombra Machado de esa angustia que siempre le acompaña, y, recordando, encuentra que la causa es haberse sentido él siempre, desde niño, como perdido en el mundo. Apareció por primera vez en *Soledades, galerías y otros poemas,* en 1907, pero entonces eran *dos* poemas consecutivos, con diferente numeración; y también eran dos en la edición de *Poesías completas* de 1917. Más tarde juntó los dos en uno, y así se reproduce ahora siempre, separando sin embargo las dos partes con un asterisco. Dice la primera parte:

> 1   Es una tarde cenicienta y mustia,
>   destartalada, como el alma mía;
>   y es esta vieja angustia
>   que habita mi usual hipocondría.
> 5   La causa de esta angustia no consigo
>   ni vagamente comprender siquiera;
>   pero recuerdo y, recordando, digo:
>   —Sí; yo era niño, y tú mi compañera.

Aquella tarde tristona no sólo siente angustia, sino que se extraña de la repetida presencia de ésta en su alma, y se pregunta *por qué*; pregunta por la causa esencial de esa angustia. El poema éste, como tantos de Machado en *Soledades, galerías y otros poemas* es un

mirar hacia dentro, un ahondar, indagar en su interior. Y es curioso
que diga, en los versos 5 y 6, que la causa de esa angustia no puede
comprenderla «ni vagamente». A continuación vemos que él sabe
muy bien cuál es la causa. Pero, como tantas veces también. Machado nos hace acompañarle paso a paso en su reflexión, en su emoción.
No nos comunica algo que él sabe, como quien comunica una noticia, sino que nos hace participar de lo que descubre, y a medida que
lo descubre. O, al menos, sabiamente, produce en nosotros esa impresión. De todos modos esos versos 5 y 6 parecen indicar que realmente, durante algún tiempo, Machado *no sabía* cuál era la causa
verdadera de su angustia. Debía de saber ya entonces, sin embargo,
que la causa no era tan sólo la falta de amor, ni la pérdida de la
juventud, a pesar de lo que él mismo sugiriera en otros poemas. La
causa principal era más honda, y en algún momento preciso —probablemente esa misma tarde a que se refiere este poema— se le reveló
con bastante claridad. Mas en esta primera parte, «recordando», no
se le revela aún la causa, sino el hecho de que esa angustia le acompañó siempre: «—Sí, yo era niño, y tú mi compañera».

La segunda parte, una silva-romance, es una indagación del contenido esencial, constante, de esa angustia suya de siempre; y, por
lo tanto, un atisbar en la razón última de ella:

> Y no es verdad, dolor, yo te conozco,
> 10   tú eres nostalgia de la vida buena
> y soledad de corazón sombrío,
> de barco sin naufragio y sin estrella.

Con ese verso 9 que inicia la segunda parte. «Y no es verdad...»,
indica que una iluminación ha ocurrido de pronto en su alma. Ahora
ya sabe en qué consiste su angustia. Al recordar algún momento de
su niñez, ha comprendido cuál es el carácter de esa «compañera»,
siempre la misma.

Hay en esa angustia, en ese «dolor», dos elementos: uno es «nostalgia de la vida buena», y el otro «soledad». Una soledad en cuyo
carácter va a seguir indagando en el resto del poema. Pero detengá-
monos primero, un instante, en esa «nostalgia de la vida buena». Él,
sabiamente, no dice aquí nostalgia *de amor*. La razón de esto es que
ha de referirse a esa «nostalgia» en términos que sean válidos para
su niñez tanto como para su primera juventud, o para ahora. Lo

que el niño anhelaba no era lo mismo que él anheló después. Pero siempre anheló una «vida buena», una vida diferente a esa suya triste. Siendo ya joven, y también después, esa nostalgia era claramente, como hemos visto, nostalgia de amor.

Mas esa ausencia de «vida buena» no es el contenido principal de su angustia. Por algo él menciona esto sólo de paso. Lo que desarrolla ampliamente es el sentido de esa soledad suya, soledad «de corazón sombrío». El carácter de ésta, y su causa, se indican ya en el verso que sigue, el 12: es soledad «de barco sin naufragio y sin estrella». Es decir, la soledad de quien está perdido y navega sin rumbo, aunque no acaba de naufragar. Los versos que siguen no hacen sino desarrollar, explicar ese sentimiento con nuevas comparaciones:

> Como perro olvidado que no tiene
> huella ni olfato y yerra
> 15 por los caminos, sin camino, como
> el niño que en la noche de una fiesta
> se pierde entre el gentío
> y el aire polvoriento y las candelas
> chispeantes, atónito, y asombra
> 20 su corazón de música y de pena,
> así voy yo borracho melancólico,
> guitarrista lunático, poeta,
> y pobre hombre en sueños,
> siempre buscando a Dios entre la niebla.

Las dos imágenes, convergentes, del perro y del niño, son de suma efectividad. Juntas expresan perfectamente lo que significa para él ese estar perdido en el mundo, que es la sensación que él nos quiere comunicar. La situación del perro, como la del niño, se van precisando poco a poco. Son esas imágenes como dos largas parábolas que se cruzan en un punto, y el punto ése en que se tocan, es decir lo que tienen de común ese niño y ese perro, es lo que define poéticamente la emoción indecible que Machado quiere expresar. Ninguna de esas imágenes, por sí solas, tendría ni la mitad de la efectividad que tienen juntas. El perro «olvidado», que va por los caminos «sin camino», resulta trágico porque interpretamos su desorientación y desamparo en términos humanos, comparándole a ese niño «atónito» y lleno de pena. Y a su vez el niño es visto y sentido como pobre perro perdido. Y Machado, como ambos: niño angustiado asombrado, y perro errante. Y así luego, cuando se mira a sí mismo, y ve lo que él es en el presente, y alude a su andar sin rumbo, esas simples expresiones —«borracho melancólico», «guitarrista lunático», «poeta» y «pobre hombre en sueños»— se cargan de sentido, y nos dicen quién es él, por fuera y por dentro, y la causa de su penar. La causa es que se ha sentido siempre perdido, sin rumbo.

Mas, ¿por qué ese sentirse perdido? La causa de esto, que viene a ser la causa última de su angustia, es algo que indica sólo en el último verso: es la falta de Dios. Siempre estuvo, nos dice, «buscando a Dios». Y siempre sin encontrarle, desorientado. Siempre buscándole «entre la niebla».

La imagen del niño perdido «en la noche de una fiesta» —durante una procesión en Sevilla, probablemente— la crea él, casi seguro, sobre la base de algo parecido que debió de ocurrirle cuando tenía menos de ocho años. Al mismo recuerdo se refiere sin duda en una carta a Guiomar, escrita más de veinte años después de haber escrito el poema. La belleza de esos versos, 16-20, tiene que ver con la forma tan expresiva en que junta —como debieron de juntarse en el alma de aquel niño— el asombro con la música y la pena. No dice que el niño, viendo lo que veía, las candelas chispeantes, *se* asombraba; a la vez que, sintiéndose perdido, *sentía* pena en su corazón; mientras oía música. El niño ése «*asombra / su corazón*». Y lo asombra «*de* música y de pena». Y antes, en 17-19, no sólo dice que el niño se pierde «entre el gentío», lo cual es bastante natural, sino que se pierde, «atónito», entre el gentío «*y el aire* polvoriento *y las candelas*». La realidad externa, pues, y la interna del niño, se entrelazan en estos versos de un modo poco gramatical, y hasta poco «lógico», pero sumamente poético y efectivo para describir la situación de ese niño, el desamparo ése, que es el que él había sentido siempre.

Tal vez en ningún otro poema revela Machado mejor que en éste el carácter existencial de su «vieja angustia». Se comprende pues que cuando, muchos años más tarde (en un artículo fechado en diciembre de 1937, y publicado en la revista *Hora de España*, XIII, enero de 1938) quiso probar que había sido él siempre «algo heideggeriano sin saberlo», acudiese a este poema LXXVII, del cual cita sólo la primera parte. [...]

A veces vemos claramente en *Soledades, galerías y otros poemas*

que la tristeza de Machado se relaciona con su falta de amor y con
la pérdida de su juventud; otras, que se relacionaba con su «vieja angustia». O con ambas cosas. Y quizá con otras causas. Pero con
frecuencia nada o muy poco indica él en cuanto a las causas. Habla
de su tristeza simplemente, de su melancolía; recordando, en ocasiones, que ésta no es nueva, que es la de siempre.

Un ejemplo de esto último lo encontramos en el poema VI. Es
el primero que aparece en *Soledades,* con el título de «Tarde». Co-
rregido levemente, sin alterar en nada lo esencial, pasó luego, sin
título a *Soledades, galerías y otros poemas.* Por él vemos que en la
época en que lo escribió (en 1902 lo más tarde), consideraba él su
«amargura» como «lejana». Son versos de doce sílabas, y algunos
de seis; con rima consonante; en pareados, o en la forma *abab.* Empieza así:

> 1   Fue una clara tarde, triste y soñolienta
>   tarde de verano. La hiedra asombraba
>   al muro del parque, negra y polvorienta...
>
>   La fuente sonaba.
> 5   Rechinó en la vieja cancela mi llave;
>   con agrio ruido abrióse la puerta
>   de hierro mohoso y, al cerrarse, grave
>   golpeó el silencio de la tarde muerta.

Se refiere luego, en los versos siguientes, al «solitario parque»,
en el que una fuente vierte sobre el mármol «su monotonía». Es un
parque muy de la época, muy de Verlaine. Y era moda suspirar en
tales jardines, exhibir la propia melancolía. Juan Ramón Jiménez lo
hizo abundantemente, por los mismos años, y después. Pero ello no
quiere decir que no fueran ambos sinceros. En Machado, la melancolía, con jardín o sin él, es como bien sabemos la nota constante,
sobre todo en *Soledades, galerías y otros poemas*; y responde, evidentemente, a algo más que una moda. Basta leer sus poemas para
convencerse de ello. Sin embargo en esta misma época —en 1902,
o antes—, por estar tan de moda la tristeza, tal vez, Machado dudó
de su sinceridad. Pronto lo veremos. Y precisamente por haber du-
dado, muestra que él no era en modo alguno ese «histrión grotesco»
que temía ser. Por eso y por la calidad de sus versos.

Los versos 5 y 6 en el poema VI, podrán recordar a Verlaine;

pero es muy machadesco, y magnífico, decir que la puerta de hierro del jardín «al cerrarse, grave / *golpeó el silencio* de la tarde muerta». Éste es un golpe escuchado; y la «tarde» ésa, está vista, vivida por él. Con ese verso octavo nos transmite su emoción y nos sitúa definitivamente en el lugar.

Luego se halla frente a la fuente, y, escuchándola, busca un recuerdo. Algo parecido a lo que vimos ocurría en el poema VII, que sigue a éste («El limonero lánguido...»); aunque allí el recuerdo buscado, y encontrado, era más preciso; y el lugar, muy real —el patio de la casa en que nació—, tenía en el poema ese una importancia mucho mayor que aquí tiene.

La fuente le hace volver la mirada hacia dentro de sí, hacia el pasado, buscando la imagen de un momento análogo a ése en que ahora vive. Pero la fuente, en este poema VI, es importante sobre todo porque *dialoga* con él. Con este primer poema de su primer libro, Machado inicia esa técnica, que luego tanto emplearía, de dramatizar el monólogo interior, personificando bien sea la fuente, la tarde o la noche, para que aquello que tiene frente a sí, o le rodea, le sirva de interlocutor imaginario. De este modo sus reflexiones, los cambios y matices de sus sentimientos en un momento dado, o la simple exploración de sus recuerdos, adquieren plasticidad y belleza. Y sobre todo comunicabilidad.

> La fuente cantaba: ¿Te recuerda, hermano,
> un sueño lejano mi canto presente?
> 15 Fue una tarde lenta del lento verano.
> Respondí a la fuente:
> No recuerdo, hermana,
> más sé que tu copla presente es lejana.

La fuente le quiere hacer recordar, indicando que todo era entonces «lo mismo que ahora», y que aquella tarde pasada fue «esta misma tarde». Él aún no recuerda, aunque sabe «es lejana la amargura mía». Y esto es lo que realmente quiere decir en el poema. Pero de pronto hay un cambio; uno de esos vaivenes del corazón que Machado tan bien expresa. A pesar de saber que es de siempre su amargura, un momento lo olvida, y quiere creer que lo que la fuente le pide recuerde (es decir, ese momento pasado que él busca) fue un momento alegre. Y por eso dice, esperanzado:

35 más cuéntame, fuente de lengua encantada,
  cuéntame mi alegre leyenda olvidada.

Mas el instante de ilusión pasa pronto. La fuente responde:

> —Yo no sé leyendas de antigua alegría,
> sino historias viejas de melancolía.
>   Fue una clara tarde del lento verano...
> 40 Tú venías solo con tu pena, hermano;
> tus labios besaron mi linfa serena,
> . . . .
> la sed que ahora tienen, entonces tenían.

Al oír esto, el poeta se despide diciendo: «tu monotonía, fuente, es más amarga que la pena mía». Y se aleja.

El recuerdo revelado es bien poco preciso, y por eso, entre otras razones, este poema no nos produce el efecto que produce el poema siguiente. Y es que sin duda hubo frutos «encantados» bajo el agua, como dice en el poema VII; frutos que un día quiso él coger con su mano. Y una tarde, en su viejo patio, recordó eso. Mas aquí no es seguro, para mí, que hubiese tarde pasada, ni parque ni recuerdo. El poema todo parece una invención; un modo de decirnos que su «pena» y su «sed» son viejas, que ya las ha sentido antes, muchas tardes. Aunque, claro es, Machado vio parques y oyó fuentes; y escuchó alguna vez el sonido de una cancela que, al cerrarse, grave, «golpeó el silencio de la tarde muerta». Con este hermoso verso —ya que repite al final la estrofa segunda— termina el poema. Gracias a él y a la ilusión que un instante le prende; y, sobre todo, gracias al animado diálogo que mantiene con esa fuente monótona e implacable, se embellece esta poesía, que tiene mucho *de la época,* pero que sin embargo es muy machadiana y expresa una tristeza suya muy real y constante.

Claudio Guillén

CAMPOS DE CASTILLA

Aquel gran libro de Heinrich Wölfflin, que tanto influjo tuvo sobre los estudios literarios, sobre nuestra concepción del Renacimiento o del Barroco como conjuntos de temas, merece una relectura atenta. Un artista —explica Wölfflin— que representa a San Jerónimo, por ejemplo, con su león, sus anaqueles, sus infolios, lo mismo puede pintar la inmovilidad que el cambio, lo próximo que lo profundo, la masa que el perfil de las cosas. Pues bien, los temas objetivos, filosóficos o históricos de Machado [en *Campos de Castilla* (1912-1917)] suelen dar lugar a poemas que ante el lector discurren, fluyen, corren, es decir, en que la función de un proceso es importante. Cierto que no todo es proceso y que algún poema dibuja la inmovilidad. Son de índole estática unas pocas poesías, casi exclusivamente visuales y plásticas, en que el poeta tan sólo ve y describe personas y cosas cuya esencialidad parece que está pidiendo el lienzo de un pintor. «Fantasía iconográfica» (que es de 1909) dibuja un hombre inactivo —¡qué distinta su mano «distraída» de la de un san Jerónimo antiguo, o la de un monje de Zurbarán!— y una tarde soñolienta:

> Tiene sobre la mesa un libro viejo
> donde posa la mano distraída.
> Al fondo de la cuadra, en el espejo,
> una tarde dorada está dormida.
>
> (CVII)

Más significativa es la semblanza de carácter moral, que no interroga ni reflexiona, sino que traza el perfil invariable de un tipo humano, como la del alma campesina

> esclava de los siete pecados capitales.
>
> (XCIX)

Claudio Guillén, «Proceso y orden inminente en *Campos de Castilla*», en José Ángeles, ed., *Estudios sobre Antonio Machado*, Ariel, Barcelona, 1977, pp. 206-215.

Es la vieja sátira de inspiración moral (los Argensola, Fernández de Andrada, Quevedo), que Machado superará luego, desde Baeza, con su concepción no ya ética sino histórica y social del labrador andaluz («Los olivos», CXXXII). Decisivo también, para Machado, en Baeza, será el esfuerzo por desprenderse de teorías étnicas o caracterológicas del hombre ibérico —o castellano, o andaluz, o manchego— y de la actitud neorromántica, invariable y superficial, que tales teorías perpetuaban. Ya dije que este diálogo entre el proceso y la inmovilidad anima toda la primera parte de *Campos de Castilla,* y es evidente que sin él, sin esta tensión dialéctica, no sería posible el triunfo final del proceso o la visión de un «mañana» original y diferente.

Con todo, lo más expresivo de esta poesía, según avanza el libro, va desenvolviendo tres formas principales de proceso: el narrar, el describir, y el meditar. Son escasos los poemas en que una de estas clases se manifiesta en toda su pureza o independencia de las otras. Numerosas son las ocasiones en que dos de ellas se entreveran o yuxtaponen. Y muchas veces una forma de proceso desencadena irresistiblemente las demás, no siendo nada fácil para el crítico determinar cuál de éstas predomina. ¿El poema «Al maestro "Azorín" por su libro *Castilla*» (CXVII), por ejemplo, es ante todo una descripción o una narración? La pieza CXXIV,

> Al borrarse la nieve, se alejaron
> los montes de la sierra,

es un paisaje que desemboca en una meditación. Pero el famoso «A orillas del Duero» (XCVIII) es una descripción envuelta en un relato,

> Yo, solo, por las quiebras del pedregal subía ...

que despierta una meditación, la cual a su vez prepara la descripción del paisaje final. Y otro tanto sucede en no pocos casos. Acaso lo más útil, desde tal ángulo de lectura, fuera no tanto un intento de clasificación —con resultados estáticos— como el estudio de las relaciones, al parecer ineludibles, que existen entre estas distintas formas de proceso. No hay paraje o paisaje que no tienda a descubrir, más o menos explícitamente, la temporalidad de las cosas, del hombre, de la colectividad, y que por lo tanto no estimule el reflexionar del pensador-poeta. No hay pensamiento que no se alimente de sí mismo y no incida sobre el vivir del poeta, que es transcurso temporal, aprendizaje, y asunto posible para la memoria y la narración. Sin embargo, el «ojo que mira» y se reduce a mirar, sin la menor sospecha de idea, y la memoria inconsciente del enigma de la temporalidad son vivencias poco características de Antonio Machado. El pensamiento, volcado sobre aquello que se describe o se recuerda, representa la fase más madura del proceso. La última consecuencia del poema es la idea, y, según decíamos, el libro entero nos brinda una progresiva mentalización de ese conjunto tan complejo que es Castilla. [...]

No nos hallamos ante la «vida de un poeta» en el sentido instantáneo o reiterado de estas palabras. Se observa un itinerario temporal, señalado de cuando en cuando por precisos hitos geográficos y cronológicos, y que a cierto nivel encierra un relato de carácter personal: el que culmina en la muerte de la mujer del poeta, suceso que, en pleno centro del libro, del itinerario poético, no menoscaba sino inspira el esfuerzo, propio de una tradición poética moderna que se remonta a Mallarmé, por superar todo egocentrismo lírico e incorporar lo narrativo-personal en un devenir más amplio. El marco de este devenir es espacial o geográfico, y el itinerario fundamental del libro es sencillamente el que nos conduce de Castilla la Vieja a Andalucía. O, mejor dicho, de una Castilla vivida —descrita, meditada sobre la marcha, según venimos advirtiendo— a una Castilla recordada, y otra vez meditada, *desde* Andalucía. El poeta había dibujado unas sendas, las de Soria, las de toda Castilla, que, transitadas tantas veces, luego no se volverán a pisar, pero que, pensadas desde Baeza, cimentarán una sabiduría. El propio Machado resume perfectamente las etapas principales de este proceso, y el ir y venir que éste supone entre la inmensidad de lo real —«la mar»— y la idea:

De la mar al percepto,
del percepto al concepto,
del concepto a la idea
—¡oh, la linda tarea!—,
de la idea a la mar.
¡Y otra vez a empezar!

(CXXXVII-VIII)

El paisaje castellano es objeto de percepción directa, y acto seguido de pensamiento, en los poemas clásicos de la primera parte, como «A orillas del Duero», que van constituyendo poco a poco, y conjuntamente, una construcción interiorizada. Pero esta imagen de Castilla por ahora no es exclusivamente mental o sentimental. Hay algún poema de transición, compuesto aún en Soria, donde el paisaje medio se divisa, medio se barrunta o imagina (CV). El poema múltiple «Campos de Soria» (CXIII) representa un paso decisivo:

> ¡Campos de Soria,
> donde parece que las rocas sueñan,
> conmigo vais! ¡Colinas plateadas,
> grises alcores, cárdenas roquedas!   (CXIII-VII)

Este largo poema no implica necesariamente el tránsito de Soria a Baeza, la mudanza física que poco después se verifica sin equívoco alguno (CXVI, «Recuerdos»); pero sí representa un intento concentrado de recapitulación. El paso de las estaciones, que es el cauce general del poema, se apoya en numerosas reiteraciones de vocablos, personajes y situaciones que ya intervieron en composiciones anteriores. De ahí que el yo del poeta no aparezca ni una sola vez en las seis secciones primeras de «Campos de Soria». Aquellos paisajes y aquellos personajes *ya* habían dado lugar, en los poemas anteriores, al meditar explícito del poeta observador y vagabundo. Ahora el poeta, tan unido por el sentir y el pensar al mundo, puede permitirse la omisión de la primera persona del verbo hasta el verso 107, sección VII, del extenso poema, hasta un sencillo «siento».

> ¡Colinas plateadas,
> grises alcores, cárdenas roquedas
> por donde traza el Duero
> su curva de ballesta
> en torno a Soria, oscuros encinares,
> ariscos pedregales, calvas sierras,
> caminos blancos y álamos del río,
> tardes de Soria, mística y guerrera,
> hoy *siento* por vosotros, en el fondo
> del corazón, tristeza,
> tristeza que es amor! ¡Campos de Soria
> donde parece que las rocas sueñan,
> conmigo vais! ¡Colinas plateadas,
> grises alcores, cárdenas roquedas!

Con el hacinamiento de cosas y de sustantivos basta, es decir, con la repetición (a su vez duplicada en los dos versos últimos) de cosas y de seres al mismo tiempo vistos y recordados, presentes y ausentes, exteriores y mentalizados. El poeta ha interiorizado hasta tal punto los campos de Soria —«¡conmigo vais!»— que más tarde la función de la memoria, en Baeza, no nos parecerá ninguna novedad, ni la separación física llegará a ser una ruptura verdadera:

> En la desesperanza y en la melancolía
> de tu recuerdo, Soria, mi corazón se abreva.
>
> (CXVI)

Este proceso totalizador, victorioso sobre todo esquema inerte, animará también la segunda parte del libro. Tan sólo recordaré aquí que Andalucía, en resumidas cuentas, no será para Machado un mundo mentalizable, interiorizable, susceptible de convertirse, como los campos de Soria, en lenguaje individual o código significativo. La Castilla mental de otros escritores, de *otros* hombres, vendrá a sumarse a la de Machado. El concepto y la idea predominarán en esta segunda parte: los poemas civiles, las sátiras, los proverbios morales y las parábolas religiosas, las meditaciones sobre la muerte y la existencia de Dios. Finalmente, volverá el poeta («¡oh, la linda tarea!») a «la mar», a la Castilla de «Desde mi rincón» (CXLIII), donde sin embargo un pequeño mundo completo o totalizado se nutre y beneficia del largo itinerario anterior:

> creo en la libertad y en la esperanza,
> y en una fe que nace
> cuando se busca a Dios y no se alcanza,
> y en el Dios que se lleva y que se hace.
>
> (CXLIII)

No se trata, lo repito, de unos «sentimientos» completamente preexistentes, anteriores a la composición poética, y que el autor hubiera desarrollado en *Campos de Castilla*. Decíamos antes que el mensaje poético afecta y estructura el código lingüístico. Cada poema altera, retroactivamente, las palabras previamente dichas, uniéndose a ellas, y, al propio tiempo, esboza y prepara un futuro: ante todo, la *idea* de un futuro, la esperanza de un orden inminente. In-

dagación, aprendizaje, o construcción, la poesía de *Campos de Castilla*
se nos presenta en un conjunto no ya como una serie de artefactos
verbales sino como la trayectoria de una esperanza creciente. No
dudaría en afirmar que Machado, como Cervantes, es un escritor
que se forma y transforma a sí mismo escribiendo. Pero la esperanza
que en él renace llega a significar, además, una primavera para los
demás hombres. Por eso sienten tantos lectores que los momentos
decisivos de *Campos de Castilla* son aquellos grandes poemas so-
rianos cuyos temas son la primavera, el tiempo, la superación de la
muerte individual, el renacer de los seres:

> Mi corazón espera
> también, hacia la luz y hacia la vida,
> otro milagro de la primavera.
>
> («A un olmo seco», CXV)

[...] Para el autor de *Campos de Castilla* —con su menosprecio
de corte y su menosprecio de aldea, su concepción flaubertiana de la
ciudad como hastío y vulgaridad, su visión antitolstoyana del campesino no como redentor sino como víctima—, Soria y sus alrededores
no significaron nunca un mundo perfecto o armonioso. Lo que prevalece, al cabo de tanto meditar, no es el «Dios que se busca y no se
alcanza», no es el Dios ya existente, acabado, y absolutamente distante, sino el Dios «que se lleva y que se hace». En *Campos de Castilla*, donde tanto lugar ocupa la imaginación del futuro, el «mañana», como el poema mismo cuando lo sentimos como proceso, está
por escribir:

> ¡Qué importa un día! Está el ayer alerto
> al mañana, mañana al infinito,
> hombre de España, ni el pasado ha muerto,
> ni está el mañana —ni el ayer— escrito.
>
> (CI)

Fernando Lázaro Carreter

EL ÚLTIMO MACHADO

En las estremecedoras cartas que desde aquella ciudad andaluza [de Baeza] dirige a don Miguel de Unamuno, se leen confesiones así: «Cuando se vive en estos páramos espirituales, no se puede escribir nada nuevo, porque necesita uno la indignación para no helarse también»; «Mi obra esbozada en *Campos de Castilla* continuará si Dios quiere. La muerte de mi mujer dejó mi espíritu desgarrado»; «Yo trabajo algo y, en breve, publicaré un nuevo libro de versos» (este *en breve* serían nueve años). Ya en Segovia, año 1921, dice a don Miguel, con mayor exactitud: «Escribo poco y aun esto no muy a gusto». Era la pura verdad. Su esperado libro serán las *Nuevas canciones,* elaboradas a lo largo de más de dos lustros. Libro brevísimo como cosecha de tan extenso período, en que don Antonio pasa de los treinta y siete años a los cuarenta y nueve: el cogollo sin duda de una vida.

Pero lo más sorprendente es la heterogeneidad de ese libro, señalada por Dámaso Alonso, el cual, dice, es «una especie de muestrario: algunos poemas que recuerdan los *Campos de Castilla*, otros que, con apenas breves destellos de sentimiento, meten el campo andaluz en una rígida cartonería mitológica, y, en fin, ... poemas minúsculos, definidores, dogmáticos, condensación de turbias intuiciones puramente cerebrales, alejados de la experiencia viva». Incuestionablemente, asistimos en él a la cesación del ímpetu creador, inventor, aquel que de modo tan gallardo le había permitido pasar de *Soledades* a *Campos de Castilla*.

Y eso que en el primero de estos libros, no faltan confesiones de acabamiento vital y poético:

> Mientras el sol en el ocaso esplende
> que los racimos de la vid orea,
> y el buen burgués en su balcón enciende
> la estoica pipa en que el tabaco humea,
> voy recordando versos juveniles...

Fernando Lázaro Carreter, «El último Machado», en *Homenaje a Antonio Machado* (varios autores), Universidad de Salamanca, Salamanca, 1975, páginas 122-129.

¿Qué fue de aquel mi corazón sonoro?
¿Será cierto que os vais, sombras gentiles,
huyendo entre los árboles de oro?

O esta otra declaración, que vale por todas:

Poeta ayer, hoy triste y pobre
filósofo trasnochado,
tengo en monedas de cobre
el oro de ayer cambiado.

No era aún cierto, porque el poeta sacaba fuerzas para escribir con pluma de oro, no cambiado en cobre, *Campos de Castilla*. Pero ahí están las *Nuevas canciones* para probar que los presagios eran ciertos. Lo más valioso de ese libro de 1924 es cuanto recuerda a los dos anteriores, sobre todo a *Campos*. Mas lo evidente, lo clarísimo es que su estética no ha dado un paso adelante. Mejor dicho: lo ha dado para romper con sus orígenes intimistas, gineristas, krausistas, y para instaurar esas coplillas de poquísimos versos, en las que se condensan verdades hondas, intuiciones profundas:

(Mas busca en tu espejo al otro,
al otro que va contigo),

consejos campoamorinos:

(Para dialogar,
preguntad, primero;
después... escuchad),

o trivialidades de almanaque:

(Camorrista boxeador,
zúrratelas con el viento).

¿Dónde está la temporalidad esencial que el escritor identificaba años antes con la poesía? En esta búsqueda de nuevos caminos, de nuevas veredas para transitar poéticamente, sin repetirse —eterna ansiedad del artista— don Antonio da incluso pasos atrás, rectifica de hecho opiniones emitidas años antes, cuando pensaba krausianamente que «el centro del universo» es el corazón del lírico, y que éste debía irradiar «energía creadora capaz de informar y aun de deformar el mundo en torno». Por entonces, afirmaba: [El soneto] «no es composición moderna, a pesar de Heredia. La emoción del soneto se ha perdido. Queda sólo el esqueleto, demasiado sólido y pesado para la forma lírica actual». Sin embargo, en *Nuevas canciones* incluye hasta una veintena de sonetos, algunos de ellos hermosísimos, porque están vueltos a su pasado, a sus desengaños, a dolores incluso de mocedad. La perla, sin duda, de ese otoño artístico, es el soneto a su padre, que había muerto cuando él tenía dieciocho años.

Inexplicablemente, para quien no entienda la honda crisis que, como creador, experimenta Machado durante estos años, tales poemas de inspiración y sentimiento retrospectivo, emocionadamente temporales, alternan con aquellas coplillas que algunos críticos llaman «filosóficas» con disculpable énfasis, y en las que la premonición machadiana se ha cumplido:

> Poeta ayer, hoy triste y pobre
> filósofo trasnochado,
> tengo en monedas de cobre
> el oro de ayer cambiado.

La preocupación filosófica fue temprana, como es bien sabido, en Antonio Machado. Fue precisamente en Baeza, coincidiendo con la crisis poética, donde intensificó las lecturas, y donde empezó a pergeñar los ensayos en prosa, que irá atribuyendo a los apócrifos Martín y Mairena. Quienes no pueden disimular el hecho de que el poeta parece haberse descargado de energía creadora por los años veinte, hallan remedio al desencanto acogiéndose a esas prosas, en las que quieren ver las huellas de los más grandes pensadores del momento. Sin embargo, grandes y sinceros amadores de Machado —Julián Marías o Dámaso Alonso, por ejemplo— han mostrado su escepticismo. Yo, sin autoridad especial, me sumo a ellos. Pero con un matiz preciso: todas esas cuartillas que don Antonio va rellenando de reflexiones en los cafés de Segovia o de Madrid son, según pienso, una emocionante actividad compensadora, sustitutiva de la corriente poética que ya no lo empuja con ímpetu. Machado no se trueca, realmente, en filósofo; se cambia —lo he dicho al principio— en exegeta, en defensor de sí mismo.

¿De qué tenía que defenderse? Para mí no cabe duda: de las causas que lo paralizaban o, al menos, lo frenaban. No solemos darnos cuenta, aunque algunas veces se proclame, de hasta qué punto el artista, el escritor, depende, no sólo de sí mismo, de sus propios impulsos, objetivos y técnicas, sino que va haciendo su camino, parte por donde quiere y, parte muy importante, por donde le dejan. Dicho en otras palabras, la serie literaria en que se inserta, y en que va flanqueado por otros artistas, condiciona paso a paso su andadura, le obliga a corregirse y modificarse, con tres posibilidades principales: que cobre mayores fuerzas para proseguir en cabeza, con nuevas invenciones; que se encoja de hombros, y continúe repitiéndose, reiterándose, sobreviviéndose; o que desista, dudando y rezongando. Creo que fue esto último lo que, en buena medida, hizo don Antonio. La estética por él aborrecida, la poesía que no parece empapada en alma, que juega y no gime, conceptual y metafórica más que llana y melancólica, está triunfando. Los jóvenes poetas admiran a Machado pero no lo siguen. Ortega y Gasset lo elogia pero diagnostica en *La deshumanización del arte* que el viento histórico mueve veletas muy distintas a las suyas. Y don Antonio rezonga y ataca a los poetas que desprecian la rima —suprimiendo así ese importante factor de temporalidad—, que descartan de la lírica los valores emotivos y escriben sólo conceptos «barajados, alambicados, trasegados, pintados con todos los colores del iris o abrillantados con toda suerte de charoles». Más directamente hostiga aún en textos de 1931: «Me siento ... algo en desacuerdo con los poetas del día. Ellos propenden a una destemporalización de la lírica, no sólo por el desuso de los artificios del ritmo, sino sobre todo por el empleo de las imágenes más en función conceptual que emotiva». Y en el discurso de ingreso en la Academia Española, que no llegó a pronunciar, se disponía a denunciar *nominatim*. Dice: «Cuando leemos a algún poeta de nuestros días —recordemos a Paul Valéry entre los franceses, a Jorge Guillén entre los españoles— buscamos en su obra la línea melódica trazada sobre el sentir individual. No lo encontramos. Su frigidez nos desconcierta y, en parte, nos repele». El lugar en que estas palabras iban a ser pronunciadas —insisto: la Academia— no tiene entre sus tradiciones la de servir para desahogos así. Y ello nos permite percibir la magnitud del resentimiento de don Antonio contra una poética que parecía anunciar una edad glacial y sin sentimiento sobre la tierra. [...]

Nuestro último Machado conoció el amor. No nos acercaremos a la exactitud de cómo fue, mientras no se publiquen íntegras sus cartas a Guiomar. Hoy sólo conocemos fragmentos mutilados y, por supuesto, los versos que el propio poeta dio a luz. Se trata de un episodio sumamente equívoco, que se inició en 1926 o 1927, y al que es preciso aludir, aunque sea con la brevedad que impone el tiempo disponible, porque, junto con la filosofía nihilista que hemos visto, el amor va a ser la segunda vena —débil vena— que nutra la poesía machadiana en los años anteriores a la guerra civil.

Don Antonio había pasado de los cincuenta años; Pilar Valderrama, tampoco joven, era la antítesis de Leonor, aquella muchachita soriana, inculta y frágil, con que el poeta se había casado: la criatura angelical de que hablaba a Unamuno. El problema del amor en Machado es más para ser tratado por un psicólogo experto que por un crítico literario. También en su nonato discurso académico se disponía a decir estas palabras: «El hombre que en plena juventud no logró inquietar demasiado el corazón femenino, y ya en su madurez vio claro que los caminos de don Juan no eran los suyos, se siente algo desconcertado y perplejo si ... alguna bella dama le presta sus favores». Son calificativos insustituibles, pues los emplea el mismo protagonista: *desconcertado y perplejo.*

¿Cómo fue ese amor? No hay prueba alguna, por el momento, de que tuviera naturaleza carnal, y Concha Espina ha sufrido, en mi opinión, injustos ataques, por haberlo apuntado. Hay, por lo pronto, un escrito en que don Antonio contesta a Guiomar: «Dices en tu carta, diosa mía, que si no me cansaré yo de un cariño con tantas limitaciones. Considero esto muy absurdo y no pienso siquiera que lo escribas en serio... No, tu cariño es para mí tan esencial que es la razón *sine qua non* de mi vida. Está ya por encima de toda eventualidad y a cubierto de todos los ataques. Cuando en amor se renuncia —aunque sea por necesidad fatal— a lo humano, demasiado humano, o no queda nada —es el caso más frecuente entre hombres y mujeres—, o queda lo indestructible, lo eterno». A esta declaración cabe atribuirle verdad mayor que a ciertas sensualidades de los versos, en los que algunos críticos se apoyan para establecer la naturaleza sexual de aquellas relaciones. Así, Leopoldo de Luis, glosa el poema en que Machado inserta esta confidencia:

> ¡Oh tarde viva y quieta
> que opuso al *panta rhei* su *nada* corre,
> tarde niña que amaba tu poeta!
> ¡Y día adolescente
> —ojos claros y músculos morenos—
> cuando pensaste a Amor, junto a la fuente,
> besar tus labios y apresar tus senos!

lo comenta, digo, del siguiente modo: «Clareó la tarde lluviosa; al fondo se pudo ver la sierra y al lado la torre de una iglesia vecina. El poeta recuerda la boca y los pechos de la amada con expresión que da a entender el deseo de repetir experiencias anteriores». Pero a mí no me da a entender cosa semejante. Hay ese *pensaste a Amor* equivoquísimo por medio, tras el cual más parece adivinarse al viejo amante que hubiera deseado transfundir a la amada, con los ojos claros y los músculos morenos del día adolescente, aquellas sensaciones de beso y tacto. Que el erotismo de don Antonio tuvo un componente carnal y hasta lascivo, ¿quién lo duda?:

> ¡Y en la tersa arena,
> cerca de la mar,
> tu carne rosa y morena,
> súbitamente, Guiomar!

Pero de eso a imaginar reales experiencias eróticas media una cierta distancia que, con los datos actuales, nada invita a saltar. Como anécdota que nada prueba: según una revista barcelonesa de este verano, las hijas de Guiomar, a quienes su madre habría contado sus relaciones con Machado sin ocultarles nada, han llevado a los tribunales a un crítico que afirmó el carácter físico de tales relaciones. Pienso que estamos más cerca de comprender éstas si las contemplamos a la luz del siguiente poema:

> En un jardín te he soñado,
> alto, Guiomar, sobre el río,
> jardín de un tiempo cerrado
> con verjas de hierro frío.
>
> . . . .
>
> En ese jardín, Guiomar,
> el mutuo jardín que inventan
> dos corazones al par,

se funden y complementan
nuestras horas. Los racimos
de un sueño —juntos estamos—
en limpia copa exprimimos,
el doble cuento olvidamos.
(Uno: Mujer y varón,
aunque gacela y león,
llegar juntos a beber.
El otro: no puede ser
amor de tanta fortuna:
dos soledades en una
ni aún de varón y mujer).

En mi opinión —que no puedo explayar más— esto fueron los amores de don Antonio y Guiomar: dos soledades en una. Machado, que en los umbrales de la vejez se encuentra con el inesperado regalo del amor, se añora hermoso y joven para hacerle frente, y lo encara con una complacida y dolorosa tortura mental. «Ni un seductor Mañara ni un Bradomín he sido»; poseído de esta obsesiva convicción que delata a un tímido con oscuros complejos (¿cómo no recordar aquí los vilísimos versos que atribuye a Abel Martín: «Aunque a veces sabe Onán / mucho que ignora don Juan»?), se entrega a aquel fruto tardío que la vida le ofrece, con hondo temor («Pero tú, reina mía, ¿no serás tú la que algún día te canses de este pobre poeta?»), mordiéndolo sólo con la imaginación y procurando que no se le evada en la realidad. Lo idealiza, llama *diosa* a Guiomar, y él sólo aspira a ser conocido como su *poeta*. ¿No bastaría este dato para orientar sobre la naturaleza esencialmente mental de ese gran amor machadiano?

Con Guiomar, si no me engaño, vivió el poeta una experiencia torturante, que le dictó unos pocos y hermosos versos de amor y sobre el amor. Cuando el amor así ya no se llevaba en la poesía. El secreto de sus relaciones le amordazó los poemas. Secreto, en parte, debido a que Guiomar estaba casada, y tal vez más aún por íntimo pudor. Basta con proyectar sobre ellas esta meditación de Juan de Mairena: «De la vejez, poco he de deciros, porque no creo haberla alcanzado todavía. Noto, sin embargo, que mi cuerpo se va poniendo en ridículo; y esto es la vejez para la mayoría de los hombres. Os confieso que no me hace maldita la gracia». Y así, un amor, hondo, auténtico, pero refrenado por mil tirones paralizantes, tampoco ayudó

a avivar la llama de este poeta, que más que escribir versos filoso-
faba (o pretendía filosofar) y en realidad se repensaba, refugiándose
en esta otra sentencia de Mairena: «Hay hombres ... que van de la
poética a la filosofía; otros que van de la filosofía a la poética. Lo
inevitable es ir de lo uno a lo otro, en esto, como en todo».

José María Valverde

LOS APÓCRIFOS DE MACHADO

Abel Martín aparece a la luz en 1926, en la *Revista de Occidente* bajo el título *De un cancionero apócrifo,* en dos entregas, con un
total de treinta páginas, luego recogidas en *Poesías completas.* Pre-
sentando a Abel Martín (1840-1888) como autor de una «importante
obra filosófica en cuatro libros» (*Las cinco formas de la objetividad,
De lo uno a lo otro, Lo universal cualitativo, De la esencial heterogeneidad del ser*) y de una colección de poesías (*Los complementarios,* 1884), estas páginas, de fondo presuntamente objetivo e informativo, se refieren sólo a «su filosofía tal como aparece, más o menos explícita, en su obra poética, dejando para otros el análisis sistemático de sus tratados de metafísica» (luego corrige, «puramente
doctrinales» en vez de «de metafísica»). En efecto, en estas páginas
se enmarcan cinco sonetos (cuatro de ellos de tema análogo, a primera vista erótico), y varios grupos de poesías de metro tradicional,
así como algunas presuntas citas, entrecomilladas, de la obra teórica
de Abel Martín.

La exposición no es muy clara ni ordenada. Antonio Machado
no ha llegado todavía a la fluidez expresiva, iluminada de ironía, que
luego conquistará por vía de Juan de Mairena, y el ensayo, con poca
estructura orgánica, parece gestado por acumulación de apuntes en
torno a las composiciones poéticas aquí incluidas. Sin embargo, aun
a costa de algún esfuerzo, conviene hacerse cargo con atención de

José María Valverde, «Introducción», en A. Machado, *Nuevas canciones.
De un cancionero apócrifo*, Castalia, Madrid, 1975, pp. 65-81.

este pensamiento apócrifo, base de toda la ulterior obra maireniana y expresión indirecta de todo un lado del sentir de Antonio Machado, aplazando, en cambio, por razones cronológicas, al considerar la «segunda aparición» de Abel Martín, o sea, su presencia, no menos dramática que poética, en las *Últimas lamentaciones de Abel Martín* y demás poesías posteriores a 1928.

Para mayor dificultad, el trabajo afirma que el «punto de partida» de Martín «está, acaso, en la filosofía de Leibnitz». [Apelación] un tanto arbitraria: aquí se reconoce así hasta cierto punto («no sigue Abel Martín a Leibnitz en la concepción de las mónadas como pluralidad de substancias»), y se sustituyen las mónadas por «la mónada», el «universo mismo como actividad consciente», y no sólo consciente, sino dinámica, «como el alma universal de Giordano Bruno». Vale más, pues, no preocuparse de Leibnitz y considerar, en cambio, que Abel Martín está tratando de «llenar un hueco» y ser el filósofo idealista romántico que España —o, si se quiere, Andalucía— habría podido y aun debido tener en su momento oportuno, en paralelo con Alemania. Sin embargo, Antonio Machado tenía una idea muy remota y algo desorientada sobre el idealismo alemán: así, alude a Hegel —más adelante, en el Mairena de 1936— sólo como dogmático constructor de un gran rascacielos de sistema, lo cual no deja de ser verdad, pero sólo «por fuera»; y apenas de lejos a Fichte y a Schelling. Pero aquí tenemos quizá la mejor prueba de su gran instinto filosófico e histórico: en que, faltándole un concepto adecuado sobre lo que había sido el idealismo, se lo produjera él mismo por su cuenta, aprovechando lo que luego llamará la «plasticidad del pasado» para mejorar y completar la tradición de que arranca.

Tal vez lo que mejor cabe referir a Leibnitz es el carácter básico de la visión, más o menos luminosa, en cada uno de los puntos de «nuestra representación espacial del universo», como «una autoconciencia integral del universo», siendo éste «el gran ojo que todo lo ve al verse a sí mismo». Pero este tema de la visión —que ya es central en el sentir machadiano—, además de tener un precedente en Leibnitz, le viene de los griegos, especialmente de los presocráticos, y, dentro de éstos, de la escuela eleática y, paradójicamente, está muy presente en sus reflexiones en torno a Schopenhauer. Elijamos, por vía de muestra, una frase de éste: «El mundo como representación, lo único de que tratamos aquí, ciertamente empieza sólo al abrirse el primer ojo, y sin ese medio de conocimiento, no puede ser, y por tanto no existía antes de él. Pero sin ese ojo, o sea, fuera del conocimiento, no había antes ni tiempo».

Pero en Schopenhauer —Antonio Machado lo expresa muy bien en *Reflexiones sobre la poesía*— el ojo se encuentra en definitiva con la opacidad del ser, la «cosa en sí» impenetrable e incluso malévola y hostil, que —negro espejo— devuelve a los ojos su propia imagen, al principio como si fueran de «otro», hasta que los ojos que miran se aperciben, desengañados, de que esos ojos son ellos mismos: trágico narcisismo, si es que no onanismo, del pensamiento. Los *Proverbios* y *Cantares* de *Nuevas canciones* empiezan con la ya citada *soleá*:

> El ojo que ves no es
> ojo porque tú lo veas:
> es ojo porque te ve.

Ese «himno al Tú», a la primacía del «Otro», en Abel Martín es sustituido por otra consideración más compleja, y, en definitiva, fracasada. Se cita —como procedente de la primera página de *Los complementarios,* el libro de poesías de Martín— esta *soleá*.

> Mis ojos en el espejo
> son ojos ciegos que miran
> los ojos con que los veo.

Este solipsismo narcisista podría romperse sólo con el amor, con unos ojos que no resultaran ser míos, sino de «otro», o, más propiamente, de «otra». La segunda composición del supuesto apócrifo libro lo dice así:

> Gracias. Petenera mía;
> por tus ojos me he perdido:
> era lo que yo quería.

De ahí la importancia metafísica de la mujer (para el hombre, claro, y viceversa; aunque no encontramos nada sobre el suculento tema de lo que sería el hombre visto desde la mujer, según Martín y según su inventor):

> La mujer
> es el anverso del ser.

O:

> Sin mujer
> no hay engendrar ni saber.

Sin embargo, esa salida hacia la «otredad», ante todo abriendo los ojos, no es una tendencia automática e infalible hacia la verdad —como pensaban Sócrates y otros griegos, con su ingenuidad ética precristiana—: unos años después, Antonio Machado citaría con aplauso la tesis de Croce sobre «la naturaleza moral del error», como expresión de su sentir de que el pensamiento lleva en sí desde el principio la tentación del solipsismo, del egoísmo (que, en términos eróticos, será «lujuria»), y de la complacencia en su propia negatividad abstracta y des-realizadora; todo ello rico en turbios hechizos:

> ...Aunque a veces sabe Onán
> mucho que ignora Don Juan.

[...] La conciencia —para ser exactos, la *consciencia*—, que en principio es turbia autoconsciencia de sentirse viviendo, de ser lo que se es, llega a percibir inevitablemente, en la heterogeneidad de la fluencia vital, una suerte de crecida de caudal, con tendencia a un desdoblamiento, a querer ser algo más, algo que no se es. Esto, sin embargo, a la vez que un aumento de realidad, es una falta, una ausencia, una necesidad de «otredad», un hambre de no estar solo. Se impone, por su misma ausencia, el «otro» —en última instancia, masculinamente hablando, «la otra»—: la amada se hace presente precisamente porque se la echa de menos, a la vez en su concreción humana y como figura de la «otredad» universal. (Esto queda muy bien expresado en los tres sonetos *Primaveral, Rosa de fuego* y *Guerra de amor*: no tan claro, por mayor ambición de pensamiento, en el siguiente soneto.) Pero, tras vana expectación o búsqueda, la «otredad» y la «amada» resultan ser algo perteneciente a «uno mismo», resultan ser también «lo Uno».

> En sueños se veía
> reclinado en el pecho de su ama.
> Gritó, en sueños: «¡Despierta, amada mía!»
> Y él fue quien despertó: porque tenía
> su propio corazón por almohada.

Así pues, esta dialéctica del Ser en el Amor —«de lo Uno a lo Otro»— resulta un sueño, un fracaso inevitable, un *wet dream* metafísico —lástima que no tengamos en español un término tan preciso y breve para designar el sueño en que el hombre cree poseer mujer, con todas sus consecuencias fisiológicas.

En el camino de vuelta de su fracaso, la consciencia se observa a sí misma, ya con plena lucidez desengañada, y advierte cómo sus ideas abstractas y genéricas, vacías de realidad, son sólo esquemas geométricos sobre la negra pizarra del no-ser: más aún, el mundo mismo es, hasta cierto punto, un «no-ser». [...]

La tristísima filosofía de Abel Martín es el intento exorcizador de dar cuerpo a una pesadilla, la pesadilla de que el pensamiento tenga razón y sea imposible salir de sí mismo, de «lo Uno». Abel Martín es el chivo expiatorio que carga con el pecado del pensamiento, para morir fuera, extramuros, bíblicamente. Antonio Machado encomienda a Abel Martín la formulación de esa filosofía —quizá como expresión de la filosofía en general—, precisamente para librarse de ella, para que quede más claro que no puede ser verdad, y defender así las más hondas fuentes de creencia que, a pesar de toda evidencia en contra, siguen siempre manando en lo hondo de la vida.

Juan de Mairena, anunciado ya en nota final a la primera aparición de Abel Martín, no tardó, en efecto, en salir a la luz: está en las *Poesías completas* de 1928, tras las páginas dedicadas a su maestro, bajo el título *Cancionero apócrifo* y con una nota biográfica que le hace más joven que Martín (1865-1909), y también sevillano como éste y como el creador de ambos, aunque muera —inmotivadamente— en Casariego de Tapia, puerto asturiano. Se le atribuyen cuatro libros: una biografía de su maestro, una *Arte poética,* una colección de poesías (*Coplas mecánicas*), y un tratado de metafísica, *Los siete reversos.* Esta primera presentación suya consta de un homenaje en verso a su maestro, un resumen (con amplias citas) de su *Arte poética,* una síntesis de su metafísica y un diálogo de introducción a esas *Coplas mecánicas.* Para enlazar mejor con lo que acabamos de decir sobre Abel Martín, nos conviene empezar por la síntesis de su metafísica, tras de aludir al ambiguo homenaje en verso que rinde a su maestro, en una poesía, según Antonio Machado, «algo enrevesada y difícil», y un tanto irónica, si es que no con «cierta malevolencia, que le lleva al *sabotage* de las ideas del maestro». En efecto, hay aquí cierto acento satírico, incluso con términos como «*logos* variopinto», que, dice Machado, «no es, sin duda, expresión demasiado feliz para significar la facultad creadora de aquellos *universales cualitativos* que persiguió Martín». Pero vamos a ver mejor en qué está la diferencia entre maestro y discípulo.

La filosofía maireniana aparece, a primera vista, como una apostilla a la de su maestro, aunque aporte a ésta un verdaderdo *giro copernicano* en la perspectiva, y, sobre todo, en la estimación final de los resultados. Abel Martín había dicho que no tenía sentido hablar de Dios como creador del mundo, sino como «ser absoluto, único y real, más allá del cual nada es» (ahora se acentúan los ecos de Parménides y de Espinosa— ya no se le llama Spinoza—). El ser no tiene problema, ni tampoco lo tiene el aparecer, que es también «ser» y constituye —dice Juan de Mairena— el terreno de trabajo de la ciencia. El problema —o mejor dicho, el asombro— está en el *no ser,* que es lo que crea Dios, la novedad que introduce Dios dando lugar a que haya mundo (*Fiat umbra*!, «¡Hágase la sombra!» sustituye al *Fiat lux*! del *Génesis*):

> Dijo Dios: Brote la nada.
> Y alzó la mano derecha
> hasta ocultar la mirada.
> Y quedó la Nada hecha.

Entonces, la consideración metafísica —la consideración atónita de la obra divina— debería andar primordialmente por los caminos del *no-ser,* que son siete para Mairena, los «siete reversos» del título de su obra metafísica, siete categorías o vías lógicas del pensamiento homogeneizador y des-realizador: «la pura substancia, el puro espacio, el puro tiempo, el puro movimiento, el puro reposo, el *puro ser que no es* y la *pura nada*». [...]

Existimos gracia al no-ser, a lo que tenemos de *nada,* porque si no, no podríamos tener entidad propia, distinta de la de Dios, el Ser total y puro; y, por otra parte, nos distinguimos del mundo porque estamos distanciados de él, y vemos porque el ojo está alejado de lo que ve, y andamos porque hay huecos por donde hacer camino, y oímos porque en medio del clamor hay silencios (se recuerda sin duda la observación de Platón de que un sonido constante no se puede percibir, y por eso los que viven junto a las cataratas del Nilo no las oyen). [...]

Como se ve —y ese es el nuevo giro copernicano a que aludíamos y que da, o termina de dar, Mairena a lo que en la formulación de Abel Martín pudo parecer negativo y nihilista—, el pensar filosófico, abstracto y des-realizador, es, por ello mismo, una forma y una motivación de alabanza a Dios. El poeta —en Abel Martín— tomó partido por la poesía, dejando a un lado la filosofía, como algo letal: ahora —en Juan de Mairena—, pensándolo mejor, comprende que la filosofía, a pesar de ser letal, es también maravillosa, e incluso debe ser cantada por la poesía en una suerte de epopeya de la toma de conciencia del hombre en cuanto a sus límites propios y en cuanto a la grandeza trascendente de Dios, del *Ser que es*. [...]

Más ha interesado —aunque habitualmente sin ver su clave polémica— el *arte poética* de Juan de Mairena, que es desarrollo y prolongación de los párrafos que, en las páginas sobre Abel Martín, se dicen citados del libro de estética de éste. *Lo universal cualitativo*. Pero Martín parecía hablar del problema de la poesía con vistas a su filosofía, mientras que Mairena se atiene a lo literario, aunque con profundo interés por la coyuntura cultural y social de la historia. Abel Martín hablaba de la poesía como del regreso a la realidad desde la abstracción conceptual, como «una actividad de sentido inverso al del pensamiento lógico ... Una vez que el ser ha sido pensado como no es, es preciso pensarlo como es; urge devolverle su rica, inagotable heterogeneidad».

Juan de Mairena surge en el momento en que se celebraba el centenario gongorino, ocasión que sirvió para el memorable «pronunciamiento» de la nueva generación poética que a menudo se llama precisamente de 1927. Por consiguiente, aunque no haya ninguna alusión nominal, es difícil no ver, en la radical crítica que Mairena hace de la poesía barroca, una oblicua advertencia a los nuevos poetas, en cierto modo neobarrocos. [...] Pero la creciente conciencia social de Antonio Machado, que hemos visto que afecta a la crítica maireniana del Barroco, llegaría también a hacer ver el lado peligroso que había en las ideas de Juan de Mairena sobre la poesía como expresión del recuerdo de un instante vivido y perdido; eso que los poetas del siglo XIX comprendieron con cierta claridad, además de realizarlo, o tratar de realizarlo, en sus versos. El cuervo de Poe lo grazna y las golondrinas de Bécquer lo chillan: la vida pasa y no vuelve, y por eso el poeta recuerda y escribe, tratando de salvar lo pasado «en busca del tiempo perdido» (en Proust, señalará más adelante Machado, está la síntesis final y póstuma del siglo XIX).

Lo malo es que esa rememoración de lo irrepetible, fuente emotiva de toda poesía, tiene el peligro de ser demasiado individual, válida sólo como parte de la expresión de un Yo único, que los demás tal vez encuentren poco interesante y aun ininteligible, por mucha genialidad que ofrezca, a no ser que la misma expresión poética, en parte por su virtud musical y en parte por la coherencia y universalidad de su expresión, consiga que los demás vean retratada su propia experiencia en esa determinada experiencia del poeta.

Dándose cuenta de eso, Mairena, en vez de escribir una poesía individualista que rememore los instantes, únicos, perdidos e irreparables, de su vivir personal, inventa un poeta, Jorge Meneses, para que éste, en cierto modo, lleve la contraria a su propia estética, todavía demasiado romántica: un poeta que trata de expresar, no su tiempo vivido y personal, sino algo del tiempo de todos, de la experiencia común.

Hay aquí algo de anacronismo: este apócrifo de segundo grado, inventado por Mairena, y por tanto supuestamente anterior a 1909, estaba intentando hacer ya la poesía que hubieran podido hacer los «poetas futuros» que Antonio Machado dice en 1931 estar creando y antologizando, pero de los que no queda rastro. En realidad, Meneses sabe que todavía no es posible semejante cosa, una poesía de todos y para todos, y, modestamente, se limita a proponer unos caminos de preparación, unas formas de entrenamiento «para entretener a las masas e iniciarlas en la expresión de su propio sentir, mientras llegan los nuevos poetas, los cantores de una nueva sentimentalidad». El recurso extremo para conseguir una poesía no individualista sería producirla mediante una máquina, y por eso las poesías que Mairena atribuye a Meneses se titularían *Coplas mecánicas* y serían resultado de una Máquina de Trovar.

Pero lo importante no es que no sean expresión de un individuo —en ese sentido, las computadoras pueden hacer hoy día auténticas *coplas mecánicas*—, sino que sean expresión de todo un grupo, más o menos amplio, que está presente e interviene en la elaboración de la copla, decidiendo las alternativas por mayoría de votos. Por eso, entenderemos mucho mejor el diálogo entre Mairena y Meneses si dejamos a un lado la máquina en cuestión: Meneses reprocha a

Mairena su individualismo subjetivista (que acompañaba, como peligro inherente, a su idea de la poesía como reviviscencia de un instante pasado, en una experiencia individual). Ese individualismo lírico es todavía un legado de la época del liberalismo y de la burguesía décimonónica: «El sentimiento individual, mejor diré: el polo individual del sentimiento, que está en el corazón de cada hombre, empieza a no interesar, y cada día interesará menos. La lírica moderna, desde el declive romántico hasta nuestros días (los del simbolismo), es acaso un lujo, un tanto abusivo, del hombre manchesteriano, del individualismo burgués, basado en la propiedad privada. El poeta exhibe su corazón con la jactancia del burgués enriquecido que ostenta sus palacios, sus coches, sus caballos y sus queridas. El corazón del poeta, tan rico en sonoridades, es casi un insulto a la afonía cordial de la masa, esclavizada por el trabajo mecánico ... el sentimiento ha de tener tanto de individual como de genérico, porque aunque no exista un corazón en general, que sienta por todos, sino que cada hombre lleva el suyo y siente con él, todo sentimiento se orienta hacia valores universales o que pretenden serlo. Cuando el sentimiento acorta su radio y no trasciende del yo aislado acotado, vedado al prójimo, acaba por empobrecerse, y, al fin, canta de falsete. Tal es el sentimiento burgués, que a mí me parece fracasado; tal es el fin de la sentimentalidad romántica».

ÍNDICE ALFABÉTICO

ÍNDICE